Voor mijn dochters
Anne-Marie, Sophie, Maxime en Estee.

PROLOOG

Hij neemt een lange aanloop maar het lukt niet. Hij komt niet omhoog.

Weer neemt hij een aanloop, wel voor de vijfde keer. Zijn voeten vliegen als het ware over het gras van het enorme park en weer lukt het hem niet van de grond los te komen. Vermoeid en teleurgesteld laat hij zich op het droge, kort gemaaide gras vallen om liggend op zijn rug, hijgend, naar de blauwe hemel te staren.

De felle zon is net achter een kleine wolk verdwenen, maar niet helemaal. Een paar oogverblindende stralen bereiken hem nog. Hij knijpt zijn ogen dicht.

Waarom lukt het toch niet vandaag? vraagt hij zich af. Meestal stijgt hij zó op.

Hij draait zijn hoofd naar rechts en ziet een bruine labrador ravotten met een andere hond die door de eigenares angstvallig aan de lijn wordt gehouden.

Dat is mijn hond, denkt hij. Wat doet mijn hond hier in vredesnaam?

Hij schreeuwt: 'Laat uw hond toch los! Laat die beesten toch spelen!' maar de vastbesloten vrouw lijkt hem niet te horen. Ze blijft maar aan de lijn sjorren en trekken.

Hij draait zijn hoofd naar links en ziet in de verte de hoge gebouwen staan aan de rand van het park. Het is een warme, zomerse namiddag, de lucht zindert. Het is merkwaardig stil in het park. Afgezien van hemzelf en de vrouw met de honden is er niemand te bekennen. Het enige wat hij hoort is het ruisen van de wind door de bomen en de tjilpende vogels.

Plotseling rent hij weer op zijn blote voeten alsof zijn leven ervan afhangt. Hij nadert een grote, brede boom. Hij moet nu opstijgen, anders komt hij in botsing met de heel laag hangende takken en het dichte gebladerte van de boom.

Het moet nu lukken.

Hij duikt als laatste redmiddel naar voren met zijn armen gestrekt voor zijn hoofd en ineens is hij los van de grond. Hij vliegt in een steile strakke lijn omhoog en hij laat zijn armen weer langs zijn lichaam hangen.

Binnen enkele seconden is hij hoog boven de bomen van het park en voelt hij de lucht langs zijn gezicht en zijn lichaam glijden. De zon is weer tevoorschijn gekomen en hij voelt de weldadige warmte ervan.

Eindelijk vliegt hij weer, eindelijk is hij vrij. Los van de wereld, los van het aardse bestaan met al zijn beperkingen.

Hij zweeft moeiteloos boven de drukke stad en voelt zich intens gelukkig. Hij hoeft geen enkele inspanning te verrichten, hij vliegt tientallen minuten gewoon waar hij maar naartoe wil.

Het vrijheidsgevoel geeft hem, zoals altijd, een overweldigende sensatie.

En een ongelooflijk massale stilte.

Beneden op de grond ziet hij haastige mensen snel door elkaar lopen in de volle straten. Hij ziet de auto's, de bussen, de fietsen en de vrachtwagens die voor de stoplichten stilstaan of net voordat het licht rood wordt nog doorrijden.

Iedereen is met zichzelf bezig, niemand let op niemand en al helemaal niet op hem, daarboven in de lucht.

Hij vliegt weg van de stad, over het water richting de bossen, de akkers en de weilanden met de loom grazende koeien. Hij vliegt steeds sneller en bedenkt zich dat hij wel op tijd terug thuis moet zijn. Het wordt tijd om rechtsomkeert te maken.

Hij weet immers niet hoe lang hij zo kan blijven vliegen, en als hij dan ineens moet landen, hoe komt hij dan weer terug?

Hij vliegt zover weg dat hij geen idee meer heeft waar hij is. Hij herkent daarbeneden niets meer en de paniek begint zich van hem meester te maken.

Plotseling begint hij te vallen. Hij zwaait heftig met zijn armen en zwiept zijn benen heen en weer, maar wat hij ook doet, niets lijkt zijn val te kunnen verhinderen.

Hij moet zich concentreren. Dat is de enige manier om zijn val te stoppen.

Hij is vergeten dat hij aan het vliegen was en daarom valt hij natuurlijk!

Hij wordt wakker en kijkt geschrokken om zich heen. De kamer waarin hij ligt is klein en schaars verlicht. Het is stil, hij hoort alleen gedruppel en een vaag zoemend geluid.

Hij realiseert zich al vrij snel waar hij is en dat stemt hem niet vrolijk.

De realiteit is nooit leuk na zo'n waanzinnige vliegtocht.

Hij voelt nog de angst van het diepe vallen in zijn droom die hem nog heel helder voor de geest staat.

Hij heeft al zo vaak gedroomd dat hij vloog tijdens zijn leven, voor het eerst toen hij nog een jongen van een jaar of twaalf was en in Rotterdam woonde.

Soms ging het goed en landde hij weer op de plek waar hij vertrokken was, maar soms ging het fout, zoals vanavond.

Hij had zich vaak afgevraagd waarom hij steeds weer diezelfde dromen had.

Was het dat onbedwingbare vrijheidsgevoel in hem en wilde hij ontsnappen, weg van alles, of had het gewoon te maken met de allereerste film die hij ooit in zijn jeugd in de bioscoop zag, over Peter Pan?

En waarom droomde hij het juist nu?

Hij sluit zijn ogen en probeert weer terug in zijn droom te komen. Hij wil weer vliegen, zijn vrijheid tegemoet.

Ineens is hij klaarwakker.

'Maya,' fluistert hij.

1

Ben Zandstra zit in zijn favoriete leren fauteuil bij het open vuur in zijn werkkamer in zijn landhuis aan de Reeuwijkse Plassen. De ruimte puilt uit van de boeken, voornamelijk Amerikaans en Nederlands. Ze staan niet alleen in de enorme overvolle houten boekenkasten, maar ook in grote stapels op zijn bureau, op de vloer en naast zijn stoel.

Ben is nonchalant gekleed. Hij draagt een wit openstaand shirt met een donkerblauw vest, een diep donkerblauwe spijkerbroek, zwarte sokken en zwarte instappers, type Andy Warhol.

Het is 31 december rond vier uur 's middags, de laatste dag van het jaar. Hij heeft zijn chauffeur en lijfwacht Gerard en zijn huishoudster zojuist tot de volgende ochtend vrijaf gegeven, om de jaarwisseling thuis te kunnen vieren. Hij stuurde zijn personeel wel vaker naar huis als hij hen zat was; bovendien hadden ze er nu uitdrukkelijk om gevraagd. Zijn huishoudster had ervoor gezorgd dat het hem aan niets ontbrak.

Oorspronkelijk wilde hij de overgang naar het nieuwe jaar in zijn appartement in New York doorbrengen, samen met zijn nieuwe, veertigjarige Amerikaanse vriendin Joyce, die hij twee maanden geleden in Chicago had ontmoet. Door allerlei zakelijke redenen was hij echter gedwongen in Nederland te blijven.

Hij vond het geen punt en hij was graag alleen.

Nieuwjaarsdag zou hij rond 11.00 uur met zijn privéjet naar Amerika vliegen.

Ben Zandstra is alleen in zijn grote huis, samen met Sam, zijn zwarte, zevenjarige labrador. Hij woont nog maar gedeeltelijk in Nederland. Het afgelopen jaar verbleef hij voornamelijk in New York, een stad die hem steeds weer nieuwe energie en inspiratie wist te geven. Hij rookt een Cubaanse sigaar en bladert, lui onderuit zittend, door de kranten van de afgelopen dagen, in het bijzonder de financiële pagina's. Hij maakt zich zorgen over Nederland, waar nog niet zo lang geleden een nieuw jongehondenkabinet is aangetreden dat het land alleen maar dieper in de al jaren durende economische crisis heeft gedrukt.

Het land wordt steeds onkundiger bestuurd, denkt hij.

Wat hem vooral irriteert is dat een economische toekomstvisie ontbreekt en Den Haag braaf achter het falende beleid van de zwaar door Duitsland gedomineerde Europese Unie aan holt. Waarom nemen ze geen voorbeeld aan de VS of Engeland, vraagt hij zich af.

Maya, zijn vierentwintigjarige, beeldschone, in Amsterdam wonende dochter heeft onverwacht aangekondigd dat ze om een uur of vijf langs zou komen. Ze heeft beloofd wat lekkere Italiaanse hapjes mee te nemen van 'haar' Amsterdamse traiteur en natuurlijk een paar oliebollen.

Ben verheugt zich zoals altijd enorm op haar komst en hoopt dat ze een paar uurtjes kan blijven. Hij denkt erover nog een halfuurtje te gaan hardlopen voordat zij komt, maar besluit uiteindelijk om thuis te blijven en alvast een fles rode wijn open te trekken.

Hij staat op, legt zijn cubaan in de zilveren asbak op zijn houten bureau en loopt naar de hoge witte deuren die uitzicht geven op de tuin en in de verte de plassen. De lucht is grijs en het regent heel licht. Het is een graad of zes buiten. Er is geen bootje op het water te bespeuren.

Het zou doodstil zijn als die stilte niet werd verstoord door het irritante geblaf van de honden van zijn buren. Ben overweegt serieus zijn jachtgeweer te pakken om er een einde aan te maken. Het is al jaren een bron van ergernis voor hem en zijn overige buren, maar de asociale eigenaar trekt zich niets van hun klachten aan.

Hij draait zich om, loopt zijn werkkamer uit, de hal in, en gaat de marmeren trap af naar zijn wijnkelder in de benedenverdieping van het met riet gedekte pand. Sam wandelt zoals altijd met hem mee.

Hij kijkt een minuut of wat rond op de houten planken en pakt uiteindelijk een margaux uit 2005. Ben drinkt bijna uitsluitend rode wijn en dan nog alleen bordeaux.

Terug in zijn kamer decanteert hij de wijn zodat de aardesmaak verdwijnt en steekt hij opnieuw het vuur in zijn inmiddels gedoofde sigaar.

Hij gaat weer in zijn stoel zitten, met de rug naar de tuindeuren en werpt een ongeïnteresseerde blik op de zes tussen de boeken gepositioneerde monitoren. Elk geven ze via diverse camera's een ander beeld van zijn huis en de directe omgeving. Er is geen enkele beweging te zien. Ben haat die krengen. De camera's werken alleen echt goed bij daglicht en als je niet uitkijkt gaan ze je leven regeren, denkt hij vaak genoeg. Hij heeft er vandaag geen zin in en schakelt de beeldschermen met een simpele druk op een knop van zijn afstandsbediening in één keer uit.

Hij bedenkt zich dat hij niet ook nog eens een uur wenst te wachten totdat de wijn perfect op dronk is, staat weer op en schenkt zichzelf een royaal glas in.

Zijn vaste telefoon op het tafeltje naast hem zoemt en hij neemt op. Slechts een zeer selecte groep mensen kent zijn geheime nummer.

'Ja,' zegt hij en luistert, terwijl hij zijn rechterhand door zijn licht grijzende, achterovergekamde haar haalt. Ben is ongeveer een meter negentig lang en ziet er goed uit voor zijn leeftijd, met zijn indringende ogen en markante kop. Menigeen schat hem niet ouder dan een jaar of zes-, zevenenveertig. Hij heeft een hoog voorhoofd, opvallend blauwe ogen, een rechte neus en een aanstekelijke lach die een prachtig, grotendeels gerestaureerd gebit laat zien.

Langzaam betrekt zijn licht gebruinde gezicht bij het horen van het nieuws. 'Ik begrijp het,' verzucht hij. 'Heeft ze nog pijn gehad?'

Hij luistert zeker een minuut zonder de beller te onderbreken, neemt ondertussen een slok rode wijn en zegt dan met de nodige dramatiek in zijn stem: 'Morgen ben ik in New York, bedankt voor uw telefoontje.' Daarna verbreekt hij de verbinding.

Hij staat op en loopt met het glas wijn in zijn hand peinzend naar de living. Sam volgt hem. Dus ze is dood, denkt hij. Het emotioneert hem meer dan hij had verwacht.

Hij zet zijn glas op een tafeltje, pakt zijn mobiele telefoon en belt Maya. Ze is in gesprek. Hij spreekt een halve boodschap in op haar voicemail, kijkt of hij zelf nog berichten heeft en legt het toestel weer weg. Hij vergeet zijn glas mee te nemen en loopt verzonken in gedachten, starend naar de vloer en met zijn handen in zijn zakken, zijn studeerkamer weer binnen.

Na enige passen kijkt Ben instinctief en abrupt op. Hij blijft als aan de grond genageld staan.

Plotseling voelt hij zich bevangen door een verlammende angst – een angst zoals hij nog nooit eerder heeft meegemaakt. De adrenaline giert door zijn lichaam als op nog geen drie meter afstand van hem een zware kloofbijl met een oorverdovende klap dwars door de ruiten van zijn witte tuindeuren wordt geslagen.

Sam begint hevig te blaffen, maar blijft op een veilige afstand.

Bens hart gaat enorm tekeer en hij voelt een lichte beklemming op zijn borstkas. In een flits vreest hij een hartaanval.

Maar die andere angst, die panische angst voor een gewelddadige confrontatie, overheerst. Zijn tuindeuren kraken in hun voegen onder de volgende met een hels kabaal gepaard gaande dreun van de vlijmscherpe bijl. Stukken hout en glasscherven vliegen naar binnen en hij ziet in een van de deuren een gapend gat ontstaan.

'Vuile klootzak!' roept een vaag bekende schorre mannenstem van achter een geel fluorescerend masker. 'Lúúúl, ik zal je verdomme leren!' Ben ziet nu de gestalte van de man, die de bijl hoog boven zijn hoofd tilt en naar achteren brengt. Weer valt de bijl met vernietigende kracht in de houten ruitjesdeuren.

Het is alsof Ben geen beweging meer kan maken en zijn lichaam geen enkele impuls meer krijgt vanuit zijn hersenen. Het zweet breekt hem uit, hij hapt naar adem en maant zichzelf uit alle macht tot kalmte.

Dan gaat weer de telefoon. Zijn geheime vaste nummer.

Door het oorverdovende lawaai van de zware klappen en het geblaf van zijn hond hoort Ben het nauwelijks, maar het doet zijn hersenen onmiddellijk weer functioneren en hij herkrijgt daarmee enigszins de controle over zijn lichaam. Hij realiseert zich pijnlijk dat het alarm nog niet ingeschakeld is en dat Maya elk moment kan komen. Een zogenaamde. 'overvalknop' heeft hij altijd geweigerd en afgewimpeld als onzin.

Hij draait zich om en vlucht zijn werkkamer uit, de hal in, de witmarmeren trap op naar zijn slaapkamer, waar zijn altijd geladen jachtgeweer ligt. Sam rent luid blaffend met de staart tussen zijn benen achter hem aan, maar remt af als hij ziet dat zijn baas een misstap heeft gemaakt op de gladde tapijtbekleding van de trap en is gevallen. Ben krabbelt zo snel hij kan weer overeind, maar het zijn kostbare seconden.

De donkere eikenhouten vloer van zijn studeerkamer en de antieke Perzische tapijten liggen inmiddels bezaaid met glasscherven en versplinterd hout. Dan bezwijken de tuindeuren onder het grove geweld en breken krakend open.

Een forsgebouwde, enigszins gedrongen kerel rent met de bijl in zijn beide handen geklemd vloekend naar binnen, Zandstra achterna. Zijn masker licht bizar op.

'Kom hierrrr... lul, ik maak je kapot!' brult weer diezelfde schorre stem. Nog voor hij boven aan de trap is voelt Ben dat zijn linkerenkel in een ijzeren greep wordt genomen. Er wordt hevig en ruw aan zijn been getrokken.

Dan slaat met een doffe klap de bijl net naast zijn rechterbeen in het tapijt van de half ronddraaiende trap. Ben hoort hoe het marmer eronder kraakt en versplintert.

Hij probeert met zijn handen houvast te krijgen in de donkerrode trapbekleding, maar dat lukt niet. Zijn nagels scheuren en hij grijpt in paniek de zwarte ijzeren trapleuning. Half hangend kijkt hij doodsbang schuin over zijn schouder naar beneden en ziet tot zijn ontzetting hoe zijn belager met zijn rechterarm de levensgevaarlijke bijl opnieuw opheft om moordend uit te halen.

Dan verandert er iets in Ben. Zijn overlevingsdrang wint het van zijn angst.

Hij draait zich, half staand en half hangend aan de trapleuning, helemaal om en staart de aanvaller een volle seconde met zo'n verachting aan dat deze een moment in verwarring raakt. De man moet wel het idee hebben dat hij oog in oog staat met de duivel zelf, zo ijskoud staan Bens ogen. De opgeheven arm aarzelt.

Ben aarzelt níét. Met alle agressie en woede die in hem naar boven zijn gekomen, haalt hij uit. Hij schreeuwt iets onverstaanbaars en geeft zijn achtervolger volstrekt onverwacht een schop. Het is een ongelooflijk venijnige en welgemikte schop, schuin tegen de onderkaak.

Ben komt door deze actie pijnlijk hard op zijn stuitje terecht en ziet even sterretjes, maar houdt zich stevig vast aan de metalen spijlen van de trapleuning. Zijn belager wankelt, verliest zijn evenwicht en is gedwongen Bens enkel los te laten. Hij probeert nog zijn schoen te pakken, maar die geeft onmiddellijk mee en schiet van de voet. Dan valt de man schreeuwend van de pijn achterover de brede trap af. Hij maakt zeker twee keer een koprol en komt vervolgens met een harde smak op de marmeren vloer onder aan de trap terecht. Dan pas laat hij zijn moordwapen los, dat over de vloer de hal in klettert.

Doodstil ligt de man op zijn rug, zijn benen nog half op de traptreden.

Zijn nek vertoont een merkwaardige knik. Zijn mond staat open en hij heeft de zwarte instapschoen van Ben nog in zijn rechterhand, op zijn buik. Het masker zit nog gedeeltelijk over zijn neus en ogen.

Sam, die boven aan de trap had staan blaffen, komt omzichtig de trap af lopen en besnuffelt de man.

De telefoon is eindelijk gestopt met zoemen.

De man draagt een dikke zwarte coltrui, een donkerbruine ribbroek en zwarte paardrijlaarzen. Er sijpelt wat bloed uit zijn neus en mond op het witte marmer.

Ben komt nog trillend op zijn benen en met een pijnlijke rug behoedzaam naar beneden. Hij verliest de bewegingloos liggende figuur geen seconde uit het oog.

Het is ineens angstaanjagend stil in zijn huis en hij twijfelt of hij niet eerst zijn geweer moet gaan halen en de politie bellen. Hij krijgt echter steeds meer het vermoeden dat zijn belager wel eens zijn nek zou kunnen hebben gebroken, gezien de onnatuurlijke houding waarin het hoofd zijwaarts ligt. Bovendien wil hij nu ook zeker weten of het de persoon is waarvan hij denkt dat die het is.

Als hij tot vlak bij het slachtoffer gekomen is, aarzelt hij. Hij moet denken aan van die Amerikaanse films waarin altijd nog iets huiveringwekkends en onverwachts gebeurt als iemand al dood lijkt. Met een korte ruk trekt hij het masker van het gezicht van de onbekende en doet snel een stap naar achteren. Twee niets ziende ogen in een verbeten gezicht staren hem wezenloos aan.

Ben Zandstra, een van de meest invloedrijke mediatycoons van Nederland en de wereld, staat voor de tweede keer die dag als aan de grond genageld.

Dit keer uit pure verbazing.

Snel grist hij zijn schoen uit de rechterhand van de man.

2

Ben Zandstra werd geboren in 1955 in Rotterdam, tien jaar na de Tweede Wereldoorlog. Veel warmte en vertrouwen kreeg hij in zijn jeugd niet van zijn ouders. Zijn vader was altijd aan het werk en zijn zwaarmoedige Amerikaanse moeder stuurde hem meestal de straat op, of ze liet de zorg voor de kinderen over aan haar ervaren Duitse kinderjuffrouw Carla. Ze woonden in een prachtige statige stadsvilla met een enorme tuin erachter in het centrum van Rotterdam.

Met zijn anderhalf jaar jongere broertje Michiel had hij op de een of andere manier weinig contact. Het leeftijdsverschil was niet groot, maar ze lagen elkaar gewoon niet. Ze speelden meestal met hun eigen vriendjes en slechts bij hoge uitzondering met elkaar.

Zijn ouders hadden aanvankelijk een goed huwelijk, maar enkele jaren na de geboorte van Michiel was de klad erin gekomen en leidden zij ieder hun eigen leven.

Tot op zekere hoogte had Ben tot aan zijn middelbareschooltijd een redelijk zorgeloze jeugd. Wat hij als klein jongetje van huis uit niet meekreeg, leerde hij in de straten van het naoorlogse Rotterdam. Het gonsde daar in de jaren zestig van de bouwactiviteiten om de stad na het desastreuze bombardement van de Duitsers opnieuw te doen verrijzen. De stad straalde een energie en ambitie uit die perfect pasten bij het leergierige karakter van de jonge, ongedurige en wilskrachtige Ben.

Vaak stond hij als kind van een jaar of twaalf aan de rand van een bouwput en keek hij gebiologeerd naar de enorme betonnen heipalen die de grond in werden gejaagd door ruige mannen met gele helmen op en kniehoge laarzen aan. Ooit, dagdroomde hij dan, zou hij zelf een hoog kantoorpand bouwen met daarop zijn naam in grote neonletters.

Ben Zandstra is voorzitter van de Raad van Bestuur van de Zandstra Media Groep (ZMG). Hij is een gerespecteerd lid van de Nederlandse samenleving en commissaris bij een aantal andere grote bedrijven. Hij is een oorspronkelijk denkend ondernemer, out of the box en wars van macht en uiterlijk vertoon.

Hij heeft ZMG zelf groot gemaakt, nadat hij het bedrijf in handen kreeg als middelgrote regionale krantenuitgeverij van zijn vader. Het afgelopen jaar had het beursgenoteerde concern een omzet van 11,4 miljard euro en een nettowinst van 1,2 miljard euro. Een kleine meerderheid van de aandelen, 52 procent, is nog steeds in handen van Ben en zijn vijfentachtigjarige, ernstig zieke moeder Elizabeth Zandstra-Sheldon. Ben heeft nog 27 procent en zijn moeder 25 procent. De overige 48 procent is door Ben verkocht en aan de beurs genoteerd.

Het concern opereert op drie continenten: in Europa, Azië en de VS. Het geeft kranten en tijdschriften uit, exploiteert commerciële radio- en tv-stations en controleert een van de grotere platenmaatschappijen ter wereld. Daarnaast bezit ZMG een van de belangrijkste tv-productiemaatschappijen. Het hoofdkantoor van ZMG is gevestigd in het centrum van Rotterdam in een hypermodern glazen kantoorpand van zo'n vijfendertig verdiepingen.

Bens grote droom: een overname in Amerika, in de filmindustrie. Hij wil naar Hollywood.

Ben Zandstra, inmiddels een van de meest besproken en beschreven zakenlieden ter wereld, is een autoritaire, lastig toegankelijke maar ook sympathieke man. Hij is welbespraakt, erudiet, charismatisch en heeft een grote overtuigingskracht. Zijn Engelse gevoel voor humor is bij zijn medewerkers legendarisch. Omdat de meeste mensen hem al snel vervelen, heeft hij een beperkt sociaal leven.

Als Ben echt iets wil, lukt hem dat meestal ook en hij kan uiterst charmant en ontwapenend overkomen. Bijna al zijn secretaresses werden verliefd op hem en met sommigen had hij een kortere of langere affaire.

Slechts een kleine kern binnen het bedrijf heeft directe toegang tot hem, waaronder zijn beide zoons en zijn spijkerharde financiële topman Tom Akkerman. Zijn personeel, ruim vijftienduizend mensen in de gehele wereld, kent hem vooral uit de pers. Niettemin voelen ze zich enorm door hem geïnspireerd en roemen ze zijn sociale beleid binnen het concern.

Maar ondanks al zijn succes is Ben Zandstra niet echt gelukkig. Zijn bedrijf boeit hem nog maar nauwelijks en hij neemt steeds meer afstand van de dagelijkse leiding.

3

Michiel Zandstra kijkt op zijn rechthoekige gouden horloge. Hij steekt een sigaret op, de vijfde deze ochtend, en neemt een slok van zijn derde kop koffie en daarna een slok water. Michiel drinkt zijn koffie altijd met water.

Het is tien uur 's morgens in zijn ruime, duur en eigentijds ingerichte bestuurskamer op de zevenenvijftigste verdieping van de glazen wolkenkrabber van LifeRisc in Chicago. Hij zit achter zijn bureau en staart voor zich uit.

Vandaag, 31 december, is een belangrijke dag voor hem.

Zijn moeder zal deze ochtend haar nieuwe testament tekenen.

Toen ze hem eind september belde met de mededeling dat ze terminaal ziek was, beroerde hem dat niet noemenswaardig.

Ze deed een dringend beroep op hem om hem tenminste nog één keer te mogen zien voor ze stierf. Hij had haar in de afgelopen dertig jaar maar een paar keer bezocht, en de laatste keer moest alweer zo'n tien jaar geleden zijn. Ze wilde haar spijt betuigen over een aantal gebeurtenissen uit het verleden.

Na overleg met zijn vrouw Ellen, die hem adviseerde de uitnodiging te accepteren, ging hij naar haar toe in haar New Yorkse appartement aan Central Park.

Wat Michiel betreft was het weerzien met zijn moeder geen succes.

Ze was naar zijn gevoel in al die jaren geen steek veranderd. In zijn ogen was ze een oude sentimentele vrouw die door de dood op haar hielen gezeten werd. Hij vond haar nog dezelfde kille en verbitterde vrouw die hij zich zo goed herinnerde uit zijn jeugd, en hij was niet in staat de gedaanteverwisseling te zien die Elizabeth na het overlijden van haar man ondergaan had. Wilde die ook niet zien.

Uiteindelijk had hij gezegd: 'Luister mam, het verleden is voorbij, ik ben het allang vergeten, maar ik kan je alleen vergeven als je rechtzet wat er in 1980 is gebeurd. Ik wil de aandelen terug in het bedrijf van mijn vader. Daar heb ik recht op.'

Zijn moeder had hem aangekeken en gezegd: 'Maar Michiel, waarom zou je dat nog willen? Je bent zelf een geslaagd zakenman, je bent vermogend, je hebt een lieve vrouw naar ik begrijp. En wat je denkt is niet waar. Ik geloof niet dat Ben jou of mij in 1980 bedrogen heeft. Het ging niet goed met papa's bedrijf, dat heeft hij me zelf ook vaak genoeg verteld voordat hij overleed. Ik kan je toch geen aandelen geven in een bedrijf dat door je broer en niet door jou is opgebouwd? Hij zou het niet begrijpen.'

'Daar gaat het niet om, mam. Het was het bedrijf van mijn vader en dat had een grote emotionele waarde voor mij. Je weet hoezeer ik op pa gesteld was en hoe graag ik na mijn studententijd bij hem als journalist had willen gaan werken. Ik heb nooit de kans gekregen en ben voor een schijntje uitgekocht.

Ben had tenminste een basis om verder te gaan, en wát voor een basis. Een bedrijf met 50 miljoen gulden omzet dat met bloed, zweet en tranen door pa was opgebouwd. Oké, het draaide misschien niet zo goed, maar ook weer niet zo slecht als papa deed voorkomen. Ben kreeg tenminste iets om zijn tanden in te zetten.

Toen ik in 1983 van de universiteit af kwam, had ik niets. Nul. Ik stond met lege handen en kon van scratch af beginnen. Maar goed, laten we erover ophouden. Je hoeft me de aandelen ook niet nu te geven. Maar ik vind dat ik recht heb op jouw belang als je komt te overlijden.'

'Dat zou betekenen dat ik mijn testament moet wijzigen,' had Elizabeth gezegd. 'Zoals ik het nu heb geregeld, krijgen jullie als mijn enige kinderen ieder de helft van mijn aandelen in ZMG. Ik denk dat je vader het ook zo gewild zou hebben.'

Daarop had Michiel zijn moeder lang aangekeken, was vervolgens opgestaan en had gezegd: 'Alles in het leven is een kwestie van keuzes maken, mam. Daar ben je nooit erg goed in geweest. Ook niet voor jezelf. Doe het nou eens één keer wél goed.'

Kalm was hij de slaapkamer van zijn moeder uit gelopen, haar in opperste verwarring en vertwijfeling achterlatend. Ze had haar tranen niet kunnen bedwingen.

Het was de laatste keer dat hij zijn moeder in leven zou zien.

Direct na de ontmoeting met zijn moeder had hij laten uitzoeken wie zijn moeders advocaat was en had de man opgebeld. Hij vertrouwde 'dat ouwe sentimentele wijf' voor geen dollar. Het was een middelgroot kantoor in New York en een afspraak met de *chairman* van LifeRisc had Samuel Douglas niet elke dag.

Drie weken na hun eerste afspraak belde Douglas al terug.

'Ik heb met uw moeder gesproken en ik heb haar ervan weten te overtuigen haar oude testament van elf jaar geleden nog eens met mij door te nemen. Er zijn voldoende aanknopingspunten en ze heeft toegestemd in een afspraak.'

Het was niet eenvoudig geweest de advocaat om te kopen. Maar met een vijfjarig contract ter waarde van 2 miljoen dollar per jaar tussen Delany, Sherman, Levy & Douglas en LifeRisc en een storting van 2 miljoen dollar op een door Samuel opgegeven rekening in Bermuda, had hij het voor elkaar gekregen.

Michiel had met de beleggingspoot van zijn concern via de beurs al een belang van ruim 11 procent opgebouwd in ZMG. Met de 25 procent van zijn moeder erbij en nog wat beursaankopen lag de weg open naar een controlerende meerderheid in het bedrijf van zijn broer – en eigenlijk dat van zijn vader. In ieder geval zou hij dan voorlopig de grootste aandeelhouder zijn.

Bovendien onderhield hij als grootaandeelhouder uitstekende relaties met Tom Akkerman, het financiële opperhoofd van ZMG.

Michiel staat op uit zijn bureaustoel en loopt in gedachten naar een van de gigantisch hoge ramen in de hoek van zijn indrukwekkende kamer. Het zonwerende glas is ruim 3,20 meter hoog en loopt zonder onderbreking van het plafond naar de vloer. Het biedt een spectaculair uitzicht over de bruisende stad en het water.

Even overweegt hij zijn vrouw Ellen in hun villa in Wassenaar te bellen om haar te vertellen dat hij haar mist en dat hij om 11.00 uur met het privébedrijfsvliegtuig van LifeRisc naar Nederland zal vliegen. Ze heeft als enige veel invloed op hem en bij haar voelt hij zich veilig. Ze wil graag een kind van hem.

Hij ziet ervan af. Dit is niet iets wat hij met haar wil delen. Dit is afrekenen met het verleden. En Ellen is het nu.

4

Michiel is inmiddels zesenvijftig jaar. Net als zijn broer is hij een meter negentig lang en slank. Wel loopt hij iets voorovergebogen, alsof hij altijd pijn in zijn rug heeft.

Hij heeft grijs, niet al te kortgeknipt haar met een scheiding in het midden. Hij draagt een bril met ronde glazen in een fijn gouden montuur, heeft een regelmatig gebit en dezelfde krachtige blauwe ogen als zijn broer Ben. Alleen lijkt hij tot zijn ergernis meer op zijn moeder. Van haar heeft hij een wat strenge, verbeten uitstraling geërfd, en zijn wat smalle gezicht met een middelgrote neus.

Zijn vrolijke en lichtzinnige karakter heeft sinds het overlijden van zijn vader en de aandelencoup van zijn broer een behoorlijke deuk opgelopen. Hij is een serieus en gedreven mens geworden die zijn gevoelsleven nog steeds laat beïnvloeden door de wrok tegen zijn moeder en zijn enige broer Ben. Hij heeft zijn familie vaarwel gezegd, is verbeten op zoek gegaan naar macht en aanzien.

Alleen bij zijn vrouw voelt hij zich ontspannen; in haar nabijheid ondergaat hij een metamorfose.

Michiel is sinds zes jaar voorzitter van de Raad van Bestuur van Life-Risc. Het beursgenoteerde bedrijf is het resultaat van een spectaculaire megafusie die in 2007 onder regie van de intelligente Michiel tot stand kwam tussen het Nederlandse bank- en verzekeringsconcern waarvan hij al bestuursvoorzitter was en een Amerikaans concern met dezelfde activiteiten. De groep heeft een omzet van meer dan 30 miljard Amerikaanse dollars en is met dank aan het doortastende optreden van Michiel nagenoeg ongeschonden door de financiële crisis van 2008 gekomen. Zijn aandeelhouders dragen hem dan ook op handen.

Michiel heeft zelf inmiddels ook een vermogen verdiend met het verzilveren van zijn aandelenopties in het concern.

'Handelaren in angst,' had zijn broer Ben verzekeraars kort na de fusie in een interview in het zakenblad *Business Facts* genoemd.

'Verzekeraars en banken voegen niets toe aan deze maatschappij,' verklaarde hij verder. Verzekeringsmaatschappijen profiteren schandelijk van de angstgevoelens van mensen. Ze wakkeren die gevoelens aan in opvallende krantenadvertenties en komische tv-spotjes en vragen daar dan nog geld voor ook. Maar als het op uitbetalen aankomt geven ze meestal niet thuis. Dan doen ze ineens moeilijk.'

En in hetzelfde interview:

'Banken bestaan bij de gratie van het feit dat er ondernemers zijn die iets creëren, die hun nek uitsteken en vaak grote risico's nemen. Dat zijn de arrogante bankieren in hun krijtstreeppakken blijkbaar vergeten.

Bankieren is de ultieme en volstrekt risicoloze vorm van zakendoen met het geld van een ander. En zelfs daar vragen ze geld voor. Veel te veel geld, zodat ze hun foute leningen kunnen financieren.'

'Bankieren is een staatsaangelegenheid en verzekeren ook, maak er maar stichtingen van zonder winstoogmerk.' Zo was de uiteindelijke strekking van het spraakmakende interview aan de vooravond van het uitbreken van de wereldwijde bankencrisis.

Michiel had zich tot in het diepst van zijn wezen gekrenkt gevoeld, want het verhaal was natuurlijk een directe aanval op hem. Ben was blijkbaar vergeten dat hij zijn eigen broer belazerd had met een door een bank verstrekte lening en met wederom geleend bankgeld zijn business had opgebouwd.

Hij was drieëntwintig jaar toen zijn vader overleed en het was een grote schok voor Michiel. Hij leefde destijds als rechtenstudent in een soort permanente feestroes en het bericht van zijn overlijden kwam dan ook als een donderslag bij heldere hemel. Hij wist natuurlijk wel dat papa ziek was, maar doodgaan, daar had hij totaal geen rekening mee gehouden.

Michiel was zeer op zijn vader gesteld en vast van plan om net als zijn broer Ben na zijn afstuderen in papa's krantenbedrijf te gaan werken. Met name de inhoudelijk kant van het vak trok hem zeer. Soms droomde hij van het hoofdredacteurschap van een groot landelijk dagblad.

Groot was zijn teleurstelling toen zijn broer en zijn moeder hem enkele weken na de begrafenis meedeelden dat het bedrijf verlies maakte en eigenlijk aan de rand van een faillissement stond. Bovendien wilde de fiscus afrekenen.

Ben vertelde dat er wellicht een koper gevonden zou kunnen worden, maar die zou niet veel meer dan een miljoen gulden willen betalen, waarschijnlijk minder. Er moest veel geld, miljoenen, in het bedrijf gepompt worden om een dure reorganisatie te bekostigen en te investeren in nieuwe drukpersen.

Ben wilde zelf nog graag een poging wagen en had een Franse bank bereid gevonden hem te steunen, maar dat betekende dat hij ook persoonlijk garant moest gaan staan bij de bank. Hij was alleen bereid dat te doen als hij de meerderheid van de aandelen zou verwerven en bood zijn broer een uitkoopsom van 250.000 gulden – ongeveer hetzelfde wat hij zou krijgen als het bedrijf verkocht werd.

In zijn testament had vader 50 procent van de aandelen aan zijn vrouw toegewezen en 25 procent aan elk van zijn zoons. Zijn moeder was ermee akkoord gegaan om zonder tegenprestatie 25 procent van haar 50-procentbelang over te dragen aan Ben, zodat deze uiteindelijk samen met het belang van Michiel 75 procent van de aandelen zou bezitten. Een ruime gekwalificeerde meerderheid.

Michiel voelde zich zwaar onder druk gezet door Ben en zijn moeder. Hij accepteerde ten slotte de uitkoopsom, temeer daar zijn moeder anders haar gehele belang dan maar zou verkopen aan derden: zoveel had haar man haar niet nagelaten. Bovendien kreeg hij de tijd niet om er goed over na te denken. Hij wílde dat ook niet, zo kort na de dood van zijn vader. Michiel tekende de akte van overdracht bij de notaris, wenste zijn broer veel succes en ging terug naar Leiden.

Die avond werd hij zo dronken dat hij op het Rapenburg, op weg naar huis, met zijn fiets de gracht in reed en ternauwernood door zijn kameraden van de verdrinkingsdood werd gered.

Als hij drie jaar later eindelijk met zijn bul op zak van de universiteit af komt, is de roes voorbij. Al zijn geld is op en zijn broer is een gevierd zakenman.

Michiel komt er na onderzoek achter dat het bedrijf er wellicht minder slecht voor stond dan hem op zijn drieëntwintigste voorgespiegeld werd. Bewijzen kan hij echter niets. In een hoogoplopend geëmotioneerd onderhoud met zijn moeder, waarin ook uitvoerig zijn jeugd langskomt en er geen eind komt aan zijn verwijten, zweert hij wraak te zullen nemen op zijn broer Ben.

Met zijn broer had hij op dat moment al nauwelijks contact meer.

5

Ben Zandstra is twee keer getrouwd geweest; de eerste keer met de wat oppervlakkige, maar zeker niet domme Eva Hogendoorn. Hij was drieëntwintig toen hij trouwde en bijna klaar met zijn studie economie aan de Erasmus Universiteit in Rotterdam. Uit het huwelijk werden twee kinderen geboren: in 1978 Sander en in 1979 Paul.

Eigenlijk was het een verplicht huwelijk. Eva, tweeëntwintig jaar en verpleegster in het Havenziekenhuis van Rotterdam, bleek gewoon na drie maanden zwanger te zijn. Niettemin maakten ze er in de roerige jaren zeventig het beste van, en ofschoon het in het begin zeker geen slecht studentenhuwelijk was, spatte de relatie na vijf jaar toch uit elkaar doordat Eva halsoverkop verliefd werd op een ander.

In 1983 vertrok ze met medeneming van Sander en Paul van de ene op de andere dag naar New York om aldaar in te trekken bij haar grote nieuwe liefde, een Amerikaanse jongen die in The Village woonde en carrière wilde maken als rockzanger. Ze had voor het eerst de lakens met hem gedeeld na een concert van zijn band in Amsterdam.

Randy was bevriend met de straatkunstenaar Jean-Michel Basquiat en had zijn hele appartement vol gehangen met diens tekeningen en schilderijen, maar al snel bleek dat hij nauwelijks de huur kon opbrengen van het armzalige appartement. Die huur werd betaald van Eva's alimentatie van Ben.

Het stond hun onstuimige liefdes- en seksleven in de bruisende popart-scene van New York overigens niet in de weg. Eva maakte in de Factory van Andy Warhol kennis met beroemdheden als Mick Jagger en Elizabeth Taylor, en vierde nachtenlang feest in de beroemde Studio 54, in de jaren zeventig gestart door de flamboyante Steve Rubell en Ian Schrager.

Sander en Paul speelden noodgedwongen veel met elkaar onder het toeziend oog van hun puisterige oppas. De herinnering aan hun eigen vader verbleekte op die leeftijd al spoedig.

Ben daarentegen was een teleurgesteld man. Niet zozeer doordat hij Eva kwijtraakte aan een ander (zo'n grote liefde was ze nooit geweest), maar veel meer omdat zijn kinderen zo plotseling uit zijn leven waren weggerukt. Er was een jaar procederen nodig voordat hij ze regelmatig over kreeg naar Nederland en ze kon opzoeken in New York. Zijn vertrouwen in het andere geslacht was behoorlijk geschaad.

In 1988 kwam Eva totaal berooid terug naar Nederland. Ze had zelfs niet de moeite genomen een of meerdere van de schilderijen van de later wereldberoemde Jean-Michel Basquiat mee te nemen die hij haar persoonlijk gegeven had. Sander en Paul waren toen tien, respectievelijk negen jaar oud. Dat ze terugkwam, was voornamelijk op aandrang van haar beide zoons, die meer bij hun vader wilden zijn. Althans, dat was Eva's versie.

De waarheid is dat Randy, nog het meest tot zijn eigen verbazing, het tot de status van superstar had gebracht in de hardrockgroep Angel. Hij was terechtgekomen in een ander leven, een leven van groupies, opnamestudio's, tournees en drugs – heel veel drugs. En in dat nieuwe leven was voor Eva geen plaats meer.

Daar ze nooit officieel getrouwd waren, kon Eva ook weinig rechten doen gelden. Een duur advocatenkantoor inschakelen kon ze zich absoluut niet permitteren, daarvoor was de alimentatie van Ben niet toereikend. Ze had er ook geen zin in. Eva hield nog steeds van Randy en bleef de stille hoop koesteren dat hij op een dag weer bij haar terug zou komen. Maar voor Randy was het uit het oog, uit het hart.

Hij stierf op tweeëndertigjarige leeftijd in Las Vegas aan een overdosis harddrugs.

In 1986 trouwde Ben Zandstra voor de tweede keer, nu met zijn aantrekkelijke secretaresse, de joodse Karin de Jong. Ook dit huwelijk werd geen succes, ofschoon de twee in het begin smoorverliefd waren – 'In love and in lust'. Ze waren wezenlijk verschillende persoonlijkheden.

Ben was eenendertig en druk bezig met het uitbouwen van zijn bedrijf. Karin, tweeëntwintig, was beschadigd in haar jeugd, conflictueus, theatraal en weinig tactisch. Maar de verliefdheid gaf haar vleugels en ze spiegelde haar nog niet tot wasdom gekomen persoonlijkheid aan de sterke karaktereigenschappen en stijl van Ben.

Tot Maya geboren werd, begin 1989. Ben en Karin waren net verhuisd naar een prachtig pand in Kralingen in Rotterdam. Verliep de gehele zwangerschap van Karin al niet voorspoedig, de bevalling onderging ze als een regelrechte ramp. Dat was eens maar nooit weer!

Karin belandde in een totale identiteitscrisis. Bovendien konden haar jonge benen, ze was inmiddels vijfentwintig jaar, de materiële weelde niet dragen. Tot afgrijzen van Ben veranderde Karin in een stuurloze vrouw die totaal de weg kwijt was en zeker niet in een toegewijde moeder. Ze stond open voor ieders mening behalve die van Ben, en menige avond bracht ze door in de Rotterdamse kroegen. Steeds meer was ze van mening dat Ben een maniakale controlfreak was die haar zijn leefregels dwingend oplegde, met zijn werk getrouwd was en nauwelijks tijd voor haar had. Karin werd volstrekt onbereikbaar voor hem.

Ben zag het voor zijn ogen gebeuren zonder er iets aan te kunnen doen. Na de ervaring die hij met Eva had opgedaan aarzelde hij dan ook niet lang. Als het mes dan toch moest snijden, dan hanteerde hij het liever zelf.

In 1991 eiste hij een echtscheiding en kwam voor de tweede keer in een slepende juridische procedure terecht. Ditmaal ging het vooral om de voogdij over Maya. Ze werd hem, ondanks al zijn pogingen, door de rechter met een routineus automatisme ontnomen.

Weer raakte hij een kind kwijt.

Zijn vertrouwen in de Nederlandse rechtsstaat en een bepaald slag advocaten was al niet al te groot, en het werd er hierdoor zeker niet beter op.

Maya ging met Karin mee, zo bepaalde de jonge, niet al te ervaren, carrièregerichte kantonrechter. Ben moest het met een bezoekregeling doen: één keer per week mocht hij Maya een dag zien. Toen zijn dochtertje na anderhalf jaar de nieuwe vriend van Karin 'papa' ging noemen, werd het zwart voor zijn ogen. Voor het eerst in zijn leven overwoog hij serieus fysiek geweld aan te wenden om zijn vaderschap af te dwingen.

6

Michiel Zandstra maakt zijn sigaret uit op zijn hypermoderne glazen bureau en loopt naar de aangrenzende kleine kamer van zijn twee secretaresses. Ze zijn in een levendige discussie verwikkeld. Even blijft hij voor de gesloten deur staan om te luisteren waar ze het over hebben.

'Ach, praat toch geen onzin,' vindt Jocelyn. 'Natuurlijk is Bill Clinton toen hij president was tientallen keren vreemdgegaan. Daar twijfel ik geen seconde aan. Wat ik alleen niet begrijp, is dat Hillary, terwijl ze nu zelf een carrière heeft opgebouwd, nog steeds bij hem is. Er is voor mij maar één acceptabele uitleg: ze gaat net als Bill ook zo vreemd als een deur. Die twee hebben daar gewoon een afspraak over, zoals zoveel stellen. Dat kan ze alleen niet zeggen, want dan kan ze haar eigen toekomst als eerste vrouwelijke president wel vergeten!'

'Ja hoor, Hillary gaat óók vreemd,' zegt Sarah. 'Nou, die had ik nog niet gehoord! Kom nou toch! Die vrouw deed ten koste van zichzelf haar uiterste best om haar man voor het oog van de natie nog een béétje overeind te houden toen hij president was en nou roep jij dat ze ook vreemdgaat.'

'Tuurlijk. Hoe wil je het anders verklaren? Waar kom jij eigenlijk vandaan? Van een andere planeet?' vraagt Jocelyn.

Michiel doet de deur open, kan een glimlach niet onderdrukken en zegt:

'Zullen we het oordeel maar aan anderen overlaten, dames?'

'Neemt u ons niet kwalijk, meneer Zandstra,' zegt Jocelyn. 'We hadden u niet horen aankomen.'

De telefoon gaat. Sarah neemt op. 'Met het kantoor van meneer Zandstra.'

Ze luistert even en zegt dan: 'Een ogenblik alstublieft.' Ze kijkt Michiel aan terwijl ze met haar hand de telefoonhoorn afschermt en zegt: 'Samuel Douglas voor u, meneer Zandstra.'

'Heel goed, verbind maar door en vraag aan Arthur of hij de bestuursvergadering van elf uur wil voorzitten. Ik ben er vandaag niet bij. En nog een kop koffie graag.'

'Natuurlijk, meneer Zandstra,' zegt Jocelyn.

Michiel sluit de deur en loopt in zijn perfect passende donkerblauwe Italiaanse maatkostuum naar de telefoon op zijn bureau.

'Samuel,' zegt Michiel. 'Is het gelukt?'

'Ik ben bang dat ik een minder prettige mededeling voor u heb, meneer Zandstra.'

'Heeft ze het nieuwe testament getekend, Samuel? Heeft ze getekend?'

'Ja, ze heeft getekend,' zegt Samuel.

'Zeg dat dan meteen. Daar gaat het toch om? Stuur me onmiddellijk per koerier een kopie.'

'Uw moeder is zojuist om tien minuten over tien overleden, meneer Zandstra'.

Het blijft even stil aan de andere kant van de lijn. Michiel weet niet goed wat hij zeggen moet.

'Ze is overleden?' vraagt hij. 'Juist nu, nadat ze getekend heeft?'

'Ja, meneer Zandstra. Nu net. Ik bied u mijn condoleances aan met dit enorme verlies.'

'Maar ze heeft wel getekend?'

'Dat zei ik u al,' antwoordt Samuel.

Het blijft weer stil aan de andere kant.

'En wat nu?' vraagt Michiel verbouwereerd.

'U hoort binnenkort nader van mij, meneer Zandstra. Ik ben tevens benoemd tot executeur-testamentair. Ik wens u veel sterkte.'

Samuel verbreekt de verbinding.

Michiel legt langzaam de hoorn op het telefoontoestel en staart niets ziend voor zich uit. Er komen allerlei herinneringen in hem naar boven.

Aan die laatste keer, toen hij haar zag in haar appartement in New York. Dat was bepaald geen plezierig weerzien geweest.

Aan vroeger, in Rotterdam, als jongetje thuis, samen met zijn broer Ben.

Hij moet aan zijn vader denken. Zijn geliefde vader, van wie hij nooit heeft begrepen dat hij met zo'n kille vrouw getrouwd was. Hij zou er wat voor overhebben als papa nog leefde, als hij van tijd tot tijd nog eens met hem van gedachten kon wisselen. Dat huwelijk moet een hel voor die man geweest zijn, dacht hij vaak. En nu is zij ook dood...

Hij denkt aan zijn broer Ben. Zou die het al weten?

Hij denkt aan het aandelenbelang van zijn moeder in ZMG dat hij nu in handen krijgt. Wat dus nog niemand weet. Alleen Samuel. Hij heeft ruim 36 procent van de aandelen van ZMG in handen! Van het bedrijf van zijn vader!

Hij vraagt zich af wat de dood van zijn moeder hem doet. Hij weet het niet. Hij voelt geen verdriet, geen leeg gevoel, maar ook geen euforie. Als hij al iets voelt, is het iets van opluchting. Maar nee, dat is het ook niet. Het doet hem eigenlijk gewoon helemaal niets.

Dat had hij ook niet verwacht, maar toch verbaast het hem.

Michiel Zandstra belt zijn secretaresses.

'Meneer Zandstra, wat kan ik voor u doen?' vraagt Jocelyn.

'Probeer Ellen aan de telefoon te krijgen voor me, schat.' Hij hangt op. Dan pakt hij weer de telefoon en zegt tegen Jocelyn:

'En zorg dat mijn vliegtuig om 11.00 uur klaarstaat, ik vertrek onmiddellijk naar Nederland. Laat mijn chauffeur in Nederland weten dat ik eraan kom. O ja, en die koffie: doe daar maar een glas cognac bij.'

'Zo,' zegt Jocelyn tegen Sarah. 'Die heeft blijkbaar goed nieuws gekregen.'

7

Bram Rietveld wordt om tien uur 's morgens wakker, is ook direct klaarwakker en staat onmiddellijk op uit zijn tweepersoonsbed op de eerste etage van zijn huis aan de Prinsengracht in Amsterdam. Hij is alleen en naakt en de houten vloer voelt koud aan. De kamer, die aan de achterkant ligt, is sober ingericht. Hij doet de witte katoenen gordijnen open en loopt naar de aangrenzende badkamer.

Zijn dochter Sacha ligt nog in bed op de verdieping boven hem; hij hoorde haar vannacht half wakker pas tegen een uur of vier thuiskomen.

Die komt er waarschijnlijk pas om een uur of een uit vanmiddag, denkt hij, terwijl hij zijn bleke en ongeschoren gezicht in de spiegel van zijn badkamer bestudeert en tevreden naar zijn getrainde lichaam kijkt.

Hij neemt een slok water uit de kraan, gorgelt, haalt een borstel door zijn lange haar en doet het in een staart met een simpel elastiekje.

Bram heeft de vorige dag tegen zijn gewoonte in geen druppel alcohol gedronken en heeft sinds tijden niet zo goed geslapen. Hij voelt zich top.

Hij doet zijn lenzen in, opent in zijn slaapkamer een houten klerenkast en pakt een zwart T-shirt, een zwarte joggingbroek en een paar rode gympen. Hij gaat de gang in, de trap af, pakt de Volkskrant van de deurmat en loopt naar de keuken aan de tuinkant van het rommelige grachtenhuis. Hij snijdt een paar sinaasappels doormidden en maakt een glas vers sap. Hij ergert zich aan de rotzooi van gisteren die nog op de keukentafel en het aanrecht staat, gaat aan de tafel zitten en bladert door de krant. Er is weinig nieuws wat hem kan boeien. Erg vrolijk wordt hij er bovendien niet van.

Buiten is het bewolkt en het miezert. Typisch druilerig Hollands winterweer.

Bram eet een paar rijstwafels met honing, drinkt zijn sinaasappelsap op en staart voor zich uit. Het is oudejaarsdag, de laatste dag van het jaar. Hij is twee maanden geleden zesenvijftig geworden.

Hij denkt aan Marianne en mist haar, zoals hij haar altijd mist. Elke dag. Ze stond erop altijd zelf oliebollen en appelflappen te bakken op oudejaarsdag.

Vandaag gaat het gebeuren, denkt hij, hoopt hij vooral.

Hij loopt al een jaar met het idee in zijn hoofd rond en heeft er grondig over nagedacht. Hij gaat zijn tot in de details gekoesterde en spectaculaire plan helemaal alleen uitvoeren. Dit wordt The Perfect Crime.

Hij heeft zelfs al een aantal keren een soort generale repetitie gehouden en de risico's zoveel mogelijk in kaart gebracht. Al zijn die natuurlijk nooit helemaal uit te schakelen.

Bovendien, al zou hij gepakt worden, zo redeneerde hij vaak, wat dan nog? Ik heb niets te verliezen en het grootste gajes loopt in Nederland na een paar jaar al vaak gewoon weer als een held rond op straat. Het ontoereikende strafrechtsysteem hield meer rekening met de dader dan met de gedupeerden. Die waren niet interessant. Daar kon je geen verhaal over houden. Die huurden geen slimme, gladde topadvocaten in. Bovendien stapelde het Openbaar Ministerie regelmatig fout op fout en was de gemiddelde Nederlandse gevangenis luxer dan een Formule 1 Hotel, en met nog gratis uitstekende medische zorg ook. Zelfs de moordenaar van Pim Fortuyn liep na twaalf jaar alweer als vrij man op straat na de meest spectaculaire politieke moord sinds mensenheugenis. Een moord die bovendien veel mensen een illusie armer had gemaakt. God, wat had die moordenaar die arme man zijn hoofd vol met kogels geschoten.

Nee, het viel allemaal wel mee. Als er ergens een ideaal land was om het te doen, dan was het Nederland wel. In ieder geval zou het hem wereldberoemd maken...

Bram staat op van de keukentafel, loopt weer naar boven, kleedt zich uit en neemt een lange, afwisselend warme en koude douche. Daarna scheert hij zich en kleedt zich aan, met als basis natuurlijk zijn spijkerbroek. Hij opent de nachtsloten van de voordeur en gaat naar buiten.

Hij probeert zich niet te ergeren aan 'die smerige woonboten' voor zijn huis en de hondenstront op straat, doet een paar boodschappen bij wat buurtwinkeltjes en loopt terug naar huis.

Eigenlijk zou ik uit die veel te tolerante klotestad moeten vertrekken, denkt hij, als hij ziet hoe de bestuurder van een bestelbusje rustig midden op de gracht een heel stel dozen uitlaadt, terwijl er al zeker tien auto's achter hem staan te wachten. Nog geen vijf meter verderop is er een plek vrij, maar de bestuurder is blijkbaar te besodemieterd zijn auto daar te parkeren en vijf meter met zijn dozen te lopen.

'Hé, asociale trekhond,' roept Bram. 'Je kunt toch daar parkeren in plaats van midden op de gracht stil te gaan staan', en hij wijst met zijn rechterarm naar de vrije parkeerplaats.

'Waar bemoei jij je mee, lul? Jij leeft zeker van een uitkering hè? Nou, ík moet werken voor de kost,' krijgt hij in plat Amsterdams naar zijn hoofd geslingerd.

'Van mensen als jij gaat deze maatschappij naar de kloten,' roept Bram, en hij gaat weer verder.

De chauffeur haalt zijn schouders op, roept 'Bemoei je met je eigen zaken, eikel' en hervat op zijn dooie gemak het uitladen, zich niets aantrekkend van de toeterende automobilisten.

Bram ziet zelfs dat een van de wachtende auto's een politieauto is met twee agenten erin.

Hoe is het in godsnaam mogelijk, denkt hij.

Als hij terugkomt maakt hij in de keuken een dubbele espresso. Hij loopt met het kopje in zijn hand naar zijn atelier op de altijd afgesloten bovenste verdieping van zijn grachtenhuis, direct onder het schuine dak. Daar bevinden zich overal verspreid gedeeltelijk afgemaakte linnen doeken van forse afmetingen. Bram werkt gewoonlijk aan diverse kunstwerken tegelijk.

Op een smalle, maar zeker drie meter lange mahoniehouten tafel staan een paar dozijn glazen potten, conservenblikken en plastic emmers met kwasten, penselen, messen, lepels en spatels. Er liggen minstens honderd volle, half uitgeknepen en lege tubes verf.

Verder bevinden zich in het atelier nieuwe en opengemaakte blikken en emmers met verf, plamuurmessen, potten en tubes met lijm, vegers, jerrycans met terpentine, een lasapparaat, een elektrisch kooktoestel, schilderijlijsten in allerlei kleuren, een pan kaarsvet, een aluminium bak met zaagsel, zand, potten met bijenwas en bossen touw. Ook liggen er in de ruimte allerlei onduidelijke voorwerpen, zoals oud speelgoed, half vergane boeken en roestige kleine metalen machine- en auto-onderdelen. Onder de tafel staat een geopende jutezak met veren.

In het schuine dak zijn twee gigantische ramen aangebracht waardoor het atelier van een stroom aan daglicht wordt voorzien.

De houten vloer is een coloriet van verfklodders, behalve in een afgescheiden gedeelte aan de grachtenkant van de verdieping. Daar bevindt zich een kleine foto/video-studio met een donkere kamer. Op een ouderwets metalen bureau staan twee monitoren, twee al wat oudere professionele video-editingmachines en er ligt een professionele Sony videocamera. Verder zijn er een aantal fotocamera's, een 8mm video-player/recorder, en op een andere houten tafel alle materialen om zelf foto's te ontwikkelen. Er slingeren diverse videocassettes rond en stapels zwart-witfoto's in allerlei formaten. Het raam naar de gracht is geblindeerd.

Bram drinkt zijn espresso langzaam op en aanschouwt kritisch op een paar meter afstand het doek van drie meter breed bij twee meter vijftig hoog waaraan hij gisteravond nog gewerkt heeft. Op een wit geschilderd stuk linnen heeft hij een ongehoorde hoeveelheid kippenveren geplakt in de vorm van een kolossale kip.

Het beest heeft geen kop; het is duidelijk dat die eraf gehakt is. De kop ligt, geschilderd, onder in de linkerhoek van het schilderij. Ter hoogte van de borst heeft Bram op de veren overvloedig kippenbloed laten druipen. Ook bij de met dikke klonters verf geschilderde poten van het geslachtofferde beest ligt een plas opgedroogd kippenbloed.

Boven in het doek staat in grote, met bloed geschreven letters: 'I AM NOT A PRODUCT, STOP FUCKING WITH ME'.

Hij is er nog niet helemaal tevreden over. Hij wil nog iets met wit kaarsvet doen over het opgedroogde bloed en de achtergrond moet anders, harder, grover.

En die tekst, die is ook nog niet goed.

Hij grijpt een brede verfkwast, gooit wat zaagsel in een pot met witte verf en gaat aan de slag.

Na een uur legt hij onrustig zijn kwast alweer neer, sluit de deur zorgvuldig achter zich af en loopt zachtjes de trappen af naar zijn slaapkamer.

Zijn hoofd staat er niet naar en zijn gedachten zijn ergens anders.

Het is al bijna half twee, tijd om te vertrekken en uitvoering te geven aan het beste en meest sensationele idee van zijn leven. Als het een beetje meezit, zullen Nederland en de wereld eindelijk weten wie Bram Rietveld is en zal zijn naam definitief gevestigd worden.

Sacha ligt nog steeds te slapen. Voordat hij weggaat legt hij een briefje voor haar op de keukentafel:

Lieve Sacha,

Ruim de rotzooi in de keuken op als je uit je nest komt. Ik heb al boodschappen gedaan. Ik ben vanavond niet al te laat thuis. Ik hoop dat je er dan ook bent.

Kus,

Bram

8

Direct na zijn scheiding van Karin bivakkeerde Ben Zandstra dag en nacht op zijn kantoor. Hij had afleiding nodig. Hij wilde met zijn bedrijf groeien, en snel.

Probleem was dat daar geld voor nodig was. Zandstra Uitgeverijen maakte weliswaar een mooie omzet (een kleine 80 miljoen gulden) en een aardige winst, maar van een oorlogskas was geen sprake.

De bijna toevallige overname van een noodlijdende, aan de beurs genoteerde platenmaatschappij bracht daar verandering in. Hij kocht het totaal uitgeklede bedrijf begin 1992 voor een symbolisch bedrag, maar had daarmee wel een beursnotering en dus toegang tot 'gratis' geld. Het was het begin van een spectaculaire opmars in de wereld van muziek, entertainment, tv-producties en commerciële radio en televisie. Met de steun van zijn aandeelhouders werd het ene bedrijf na het andere overgenomen.

Karin verhuisde naar Reeuwijk. Rotterdam vond ze niet geschikt voor de opvoeding van Maya. De ware reden was dat ze fysiek wat verder van Ben af wilde zitten. Hij stond haar een beetje te vaak voor de deur om buiten de bezoekregeling om zijn dochter te zien. Ze kon Maya wel alleen opvoeden, dat was haar eigen moeder tenslotte ook gelukt.

Ben ging naar de rechter, maar vergeefs.

Kleine muziekuitgeverijen en platenmaatschappijen die matig rendeerden, noodlijdende kranten en tv-productiebedrijfjes: Ben stond vooraan om ze te kopen. Bij een van die overnames kwam ook Tom Akkerman mee, die al snel uitgroeide tot tweede man binnen ZMG, zoals het bedrijf in 1994 genoemd werd. In 1995 stapten ze in Nederland in de opkomende commerciële radio en televisie.

Akkerman was briljant, een financiële duivelskunstenaar, die er een onbegrensd plezier in had het management van overgenomen bedrijven binnen de kortste keren de straat op te smijten. Om vervolgens het personeelsbestand tot een minimum terug te brengen en de crediteuren af te kopen met een laag bedrag ineens en mooie beloftes. Daarna werd nieuw management geïnstalleerd dat precies naar de pijpen danste van Ben en Tom.

Overal in Europa werden overnames gepleegd en kantoren geopend, en steeds werd daarbij dezelfde gouden formule gehanteerd.

Eind jaren negentig werd ook de grote stap naar Amerika gezet, met een eigen vestiging in New York. Hongkong volgde in 2003.

Als Maya op haar veertiende bij haar vader wil gaan wonen, weigert Karin. Na vele gesprekken stapt Ben naar de rechter. Op de uitdrukkelijke wens van Maya, die door de rechter alleen en achter gesloten deuren wordt gehoord, wordt de voogdij aan Ben toegewezen. Maya kan eindelijk bij haar vader wonen. Hij geeft het meisje alle vrijheid om haar moeder te bezoeken wanneer ze dat maar wil.

Sander en Paul wonen dan al zelfstandig en zijn inmiddels als trainee werkzaam in het concern van hun vader. Ben ziet er hoogstpersoonlijk op toe dat de jongens alle afdelingen van het bedrijf doorlopen en ook de eenvoudigste werkzaamheden goed onder de knie krijgen. Hij hoopt dat een van zijn zoons hem ooit kan opvolgen, of misschien doen ze dat wel samen. Ze hebben beiden, zoals Ben dat zegt, 'the makings'. Elke week moeten ze schriftelijk verslag uitbrengen aan Ben over hun ervaringen in het bedrijf. Ben leest die verslagen zelden.

Tegen 2010 is Ben Zandstra uitgegroeid tot een van de machtigste mediatycoons van Europa en de VS. Zijn invloed is groot. Via zijn tv- en radiostations en zijn dagbladen en opinieweekbladen is hij in veel landen in staat mensen te maken en te breken en politieke beslissingen op z'n minst te beïnvloeden. Hij zou zelf in de politiek kunnen gaan, maar tot op dat moment heeft hij daarvan weloverwogen afgezien.

Zijn beide zoons beginnen een steeds prominentere rol in het bedrijf te spelen en Ben betrekt ze steeds meer in zijn strategische beslissingen.

Sinds een jaar staat zijn optimistische en kleurrijke zoon Paul, inmiddels vierendertig jaar oud en afgestudeerd bedrijfsjurist, aan het hoofd van zijn muziekimperium ZMG Music.

Paul is een slimme en inspirerende manager die zowel innerlijk als uiterlijk opvallend veel op zijn vader lijkt, ofschoon hij minder zelfverzekerd is. Zijn artiesten lopen met hem weg. Hij heeft een perfect gevoel voor wat verkoopt en vooral voor wat níét zal verkopen. Paul maakt inmiddels ook deel uit van het management van de belangrijke tv-productiedivisie.

Hij is levensgenieter en workaholic tegelijk, is altijd opgewekt, opportunistisch, ambitieus en doet het fantastisch. Sinds hij aan het hoofd staat van de muziekgroep zijn de resultaten binnen een jaar al aanzienlijk verbeterd.

Sander, vijfendertig, lijkt qua uiterlijk nog het meest op zijn grootmoeder, maar heeft de blauwe ogen van Ben. Hij is misschien een minder goede manager dan zijn broer, maar wel een zelfverzekerde en briljante econometrist. Een wat meer introverte, maar zeer creatieve en eerlijke jonge kerel. Een denker. Hij kruipt steeds meer uit zijn schulp. Een perfectionist is hij, die weet wat hij kan en wat hij niet kan.

Sinds vijf jaar staat hij aan het hoofd van de zeer veelbelovende groeidivisie ZMG Internet Distributie in Utrecht. Hij voorspelt een gouden toekomst voor zijn divisie en heeft daar uitgesproken ideeën over.

Zo is hij met hulp van Paul de uiterst succesvolle muziekdownload- en streaming-internetsite MuzicSpinner gestart. Sander vindt dat de muziekindustrie te veel naar de pijpen danst van Apple en nadrukkelijker haar eigen distributie en prijsbeleid moet bepalen. Hij wil MuzicSpinner wereldwijd positioneren als het belangrijkste verkoopkanaal van de grote platenmaatschappijen.

Sinds kort zit hij op uitdrukkelijk verzoek van zijn vader tevens in het management van de kranten- en tijdschriftendivisie. Hij heeft er weinig mee en voorziet grote problemen vanwege het aan invloed winnende internet.

Bens vierentwintigjarige dochter Maya is serieus van karakter en, tegenstrijdig genoeg, ook een flirt. Ze is sexy met haar mooie, bijna zwarte, lange krullende haren. Haar Facebookpagina is dan ook razend populair bij haar mannelijke medestudenten.

Ze is blijmoedig en heeft een positieve instelling. En ze kan hard zijn, iets waarvan ze zelf nog niet helemaal begrijpt waar dat vandaan komt.

Ze lijkt nog het meest op haar moeder, maar heeft net als haar beide broers de blauwe ogen van haar vader.

Ze maakt gemakkelijk contact, maar is geen allemansvriend. Ze heeft een duidelijke eigen wil. Volgens Ben heeft ze 'een hart van goud, maar een beetje te veel aandacht voor haar kleding en uiterlijk'. Ze woont in Amsterdam-Zuid en heeft een hechte band met haar vader, die ze ook vaak in New York bezoekt. Dan gaat ze ook altijd een paar uur langs bij haar grootmoeder, met wie ze het, in tegenstelling tot haar broers en haar vader, uitstekend kan vinden.

De echtscheidingsperikelen tussen haar ouders hebben haar uiteraard niet onberoerd gelaten in haar vorming. Ze is bijna klaar met haar studie psychologie maar heeft nog geen vastomlijnd idee over haar toekomst. Ze vindt het bedrijf van haar vader wel heel interessant en volgt de ontwikkelingen op mediagebied op de voet. Vooral de sociale media. Ze discussieert er vaak over met Ben.

Maya plukt de dag, heeft al een redelijk scherp oordeel over anderen en begint zichzelf ook steeds beter te leren kennen. Ze heeft sinds een paar maanden een vriendje dat zichzelf beursmakelaar noemt, maar gewoon een crimineel is.

Paul en Sander hebben stevige kritiek op die jongen.

Maar ja, Maya heeft wel vaker een vriendje. Echt verliefd is ze nog nooit geweest.

9

Bram Rietveld is een ontluisterd, ontevreden en behoorlijk cynisch mens. Hij heeft weinig gemoedsrust en een zwartgallig gevoel voor humor. Hij heeft eigenlijk geen vrienden en geen sociaal leven. Bram is een geboren einzelgänger.

Naast zijn werk in zijn ecologische aannemersbedrijfje besteedt hij zijn vrije tijd hoofdzakelijk aan het vervaardigen van zijn kunstwerken, fotografie en video-opnames en-montages.

Behalve zijn grachtenpandje aan de Prinsengracht bezit hij ook een eenzaam gelegen oude boerderij in de Betuwe, die hij jaren geleden samen met zijn overleden vrouw heeft gekocht. Hij gaat er nog steeds regelmatig naartoe om helemaal alleen te zijn en te ontsnappen aan het hectische en veel te tolerante Amsterdam. Verder heeft hij in Diemen een bedrijfsloods met bouwmaterialen.

Bram heeft nog steeds lang haar, dat inmiddels wat grijzer is geworden en dat hij draagt in een staart. Hij heeft prachtige helblauwe ogen, een rechte, bij zijn gezicht passende neus, nog redelijk volle lippen en een scherpe kaaklijn. Hij gaat drie keer per week naar fitness- en karatetraining en er zit dan ook geen gram vet aan zijn goed geproportioneerde lijf. Hij ziet er een stuk jonger uit dan hij is.

Al jaren volgt hij één keer per week een tamelijk agressieve assertiviteitstraining bij een ultralinks clubje dierenactivisten, maar hij gaat nooit mee op pad met die jongens en vrienden heeft hij er niet gemaakt.

Bram heeft zich al in jaren niet wezenlijk gelukkig gevoeld. Zijn idealen uit de jaren zeventig zijn onderuitgehaald en hij heeft jammerlijk gefaald in de opvoeding van zijn twee kinderen. Hij drinkt meer dan goed voor hem is, hij verwaarloost zijn bedrijf en hij verdenkt zijn nieuwe vriendin Connie ervan dat ze alleen maar in hem geïnteresseerd is vanwege zijn steeds betere kunstwerken, die zij voor hem verkoopt. Ze wil ook al helemaal niet betrokken worden bij de opvoeding en begeleiding van zijn kinderen.

De klap van de plotselinge en raadselachtige dood van zijn vrouw

Marianne in 2005 is verdovend hard bij hem aangekomen. Hij had zich er nog maar nauwelijks van hersteld toen in de zomer van het afgelopen jaar zijn moeder, die andere belangrijke vrouw in zijn leven, op achtenzeventigjarige leeftijd onverwacht overleed. Zij stierf op de operatietafel ten gevolge van medisch falen van een hartchirurg in het AMC tijdens een bypassoperatie.

Sacha, Brams knappe dochter, is vijfentwintig jaar en woont nog bij hem. Ze verzorgt haar vader sinds het overlijden van haar moeder.

Sacha heeft haar havodiploma nooit gehaald en is tegen de wens van haar vader in van school gegaan. Sindsdien heeft ze allerlei baantjes in de Amsterdamse horeca gehad. Ze is lang, blond, slank en loopt meestal op hoge hakken en in heel korte rokjes. Het liefst had ze model willen worden.

Ze is op zoek naar een baan in de tv-wereld als soapactrice, iets wat nog niet erg wil lukken. Daarnaast werkt ze sinds een halfjaar, en tot groot ongenoegen van Bram, vier avonden per week achter de bar van een luxe Amsterdamse seksclub. En wil de juiste klant genoeg betalen, dan gaat ze ook met hem mee naar boven.

Sacha is goed in bed en weet dat ook. Net als haar moeder dat was, is ze verzot op seks, maar alleen met mannen die ze aantrekkelijk vindt. Ze laat zich goed door hen verwennen. Vieze ouwe mannen en kerels die stinken laat ze links liggen, al bieden ze een paar duizend euro voor een halfuurtje. Triootjes doet ze ook niet, ze heeft haar trots. Verliefd is ze nog nooit geweest, maar ze dagdroomt daar vaak over. Voor díe vent zou ze alles doen.

Elke week nog bezoekt Sacha het graf van haar moeder, en altijd neemt ze dan verse bloemen mee. Soms gaat Bram met haar mee. Dat zijn de mooiste momenten van haar leven, dan is ze weer samen met haar ouders en heeft Bram eindelijk tijd voor haar. Het zijn de enige keren dat ze echt met haar vader tot een zinnig gesprek kan komen.

Ze heeft de gruwelijke dood van haar moeder, ze was nog maar zeventien, nog absoluut niet verwerkt.

Brams zoon Patrick is twintig en lijkt op zijn vader. Net als Bram is hij zo'n een meter negentig lang en stevig gebouwd. Hij heeft donkerblond stekelhaar.

De hypergevoelige jongen hield het gymnasium in de vijfde klas voor gezien. Hij is sinds het overlijden van zijn moeder nog meer in zichzelf gekeerd en verder ontspoord. Hij is heel onvolwassen en conflictueus van karakter, en zoekt wanhopig naar een identiteit.

Twee jaar geleden is hij het huis uit gegaan. Hij woont in een kraakpand en heeft zich om te provoceren en in zijn wanhoop aangesloten bij een groepering van extreem gewelddadige en vuurwapengevaarlijke jongeren. De bende is inmiddels berucht in heel Amsterdam en staat bekend als levensbedreigend. De leden dragen allemaal dezelfde tatoeeringen op de bovenarmen en gebruiken harddrugs. Ze houden zich vooral bezig met autodiefstal, inbraken, verkrachtingen en het bedreigen en beroven van weerloze mensen.

Op dit moment wordt hij door de politie gezocht wegens vermeende deelname aan de verkrachting, samen met nog vier andere jongens, van een zeventienjarig meisje. Hij is door een van zijn maten verlinkt en door het meisje op basis van een wel heel onscherpe foto geïdentificeerd.

Bram had al een paar maanden niets meer van Patrick vernomen totdat hij in november door de politie werd opgebeld en gesommeerd om voor ondervraging naar het bureau te komen. Sindsdien heeft hij het idee dat zijn huis in de gaten wordt gehouden.

Eigenlijk wil Bram na dit alles niet veel meer met zijn zoon te maken hebben, maar hij twijfelt sinds hij Patrick een aantal keren huilend aan de telefoon heeft gekregen. Die beweert zich niets van een verkrachting te kunnen herinneren; hij claimt zwaar onder invloed van heroïne te zijn geweest.

Bram weet niet goed wat hij met de situatie aan moet. Hij mist Marianne meer dan hij ooit voor mogelijk had gehouden. Regelmatig vraagt hij zich af waar hij dit allemaal aan te danken heeft en waar en wanneer hij de fout is in gegaan. Hij twijfelt aan alles: de zin van het leven, zijn kwaliteiten als vader en opvoeder, de inborst van zijn medemensen, zijn werk, de toekomst. Hij ligt met zichzelf overhoop en heeft de grootst mogelijke moeite zijn zelfrespect overeind te houden.

Sinds een jaar groeit er langzaam iets boosaardigs en gewelddadig rebels in Bram.

Hij heeft een briljant idee. Een meesterplan.

10

Het is ongeveer acht uur 's morgens als de vijfentachtigjarige Elizabeth Zandstra-Sheldon in de slaapkamer van haar luxe, duizend vierkante meter grote en geheel in burberrystijl ingerichte luxeappartement op de hoek van Fifth Avenue en 72nd Street, tegenover Central Park, zachtjes gewekt wordt door haar privéverpleegster.

'Wakker worden, mevrouw Zandstra, het is tijd om uw medicijnen in te nemen,' fluistert de jonge vrouw in haar witte uniform. Met de rug van haar linkerhand streelt ze over de linkerwang van het bleke, fragiele gezicht van Elizabeth.

'Ja, ja,' verzucht Elizabeth, en ze opent rustig haar ogen. Ze sliep al niet meer, maar had uit vermoeidheid haar ogen weer gesloten. 'Ik ben al wakker, lieverd.'

Ze neemt met een flauwe glimlach het glas water aan dat de verpleegster haar aanreikt en een doosje met een half dozijn veelkleurige pillen.

'Hoe voelt u zich deze morgen, mevrouw Zandstra?' vraagt de jonge vrouw. Ze klinkt oprecht geïnteresseerd.

'Wel aardig, denk ik. In ieder geval niet slechter dan gisteren,' zegt Elizabeth en ze slikt twee van de pillen door met een slokje water. Het is een afschuwelijk ritueel, vindt ze, maar het is volgens haar artsen absoluut noodzakelijk dat ze de pillen om de zes uur inneemt. Ze remmen nog enigszins de voortgang van de afschuwelijke ziekte die bezit van haar lichaam heeft genomen en ze stillen de pijn.

Sinds twee maanden heeft ze een agressieve vorm van leukemie. Met de dag voelt ze zich zwakker worden en volgens haar dokters heeft ze nog een maand te leven. Elizabeth is echter nog uiterst helder van geest en gelooft er niets van. Ze voelt hoe het leven zich uit haar lichaam terugtrekt en hoe haar vlees en botten verkankeren. Naar haar eigen gevoel is het nog een kwestie van dagen. Daar heeft ze vrede mee. Hoe eerder hoe liever. Elizabeth Zandstra is moe. Ze heeft er bewust voor gekozen op haar leeftijd geen uitgebreide chemokuren meer te ondergaan. Haar spierwitte haar is nog dik.

Ze is inmiddels sterk vermagerd en kan nog nauwelijks een hap eten door haar keel krijgen. Ze ligt permanent aan een infuus in haar rechterarm en ze weegt nog hooguit vijfenveertig kilo.

'Ik ben bang dat ik niet veel trek heb, Sylvia.' Met haar magere handen neemt ze weer twee pillen uit het doosje en spoelt ze weg met een stevige slok water.

Vandaag heeft zij om negen uur een belangrijke afspraak met haar advocaat en twee psychiaters. Ze heeft een week geleden haar testament gewijzigd en vandaag gaat ze het tekenen. De psychiaters zijn er op advies van haar advocaat bij om vast te stellen dat ze volledig compos mentis is en in staat om haar laatste wilsbeschikking te maken, zodat er later geen geschillen uit kunnen voortkomen. Ze sluit niet uit dat haar zoons zullen proberen haar testament aan te vechten en haar postuum ontoerekeningsvatbaar te laten verklaren.

'Misschien moet ik wel stoppen met het innemen van deze tabletten, Sylvia. Ik wil niet meer langer leven dan strikt noodzakelijk is.' Langzaam laat ze haar verzwakte armen neerzakken op het bed. De laatste pillen glijden uit haar hand op het witte kanten dekbed. Sylvia weet nog net op tijd het glas water vast te pakken.

'Zo moet u niet praten, mevrouw Zandstra. Ik weet hoe u zich voelt, maar neemt u alstublieft uw medicijnen. Doet u het dan voor mij alstublieft.'

Elizabeth kijkt naar de jonge verpleegster met haar donkerblonde haar en blauwe ogen. Ze had zo graag een dochter gewild in haar leven, maar Jan, haar man, vond het na twee jongens wel genoeg. Zonder dat ze het wist had hij zich in het buitenland laten steriliseren. Een uitzonderlijke maatregel was dat, eind jaren vijftig.

Hij vertelde het haar pas jaren later, toen ze de wanhoop nabij was en dacht nooit meer zwanger te kunnen worden. Ze had haar man er jarenlang om gehaat en hem als straf seksueel totaal drooggezet. Haar onvrede reageerde zij af op haar zoons en natuurlijk ook op haar man.

'Alstublieft mevrouw Zandstra, uw medicijnen.' Elizabeth neemt weer het glas water in haar hand, doet met haar andere hand de aangereikte pillen in haar mond en slikt ze met twee slokken water door.

'Dank u,' zegt Sylvia. 'Zal ik u nu gaan wassen en aankleden voor uw afspraak met uw advocaat?'

'Ja, graag,' zegt Elizabeth 'Maar ik moet eerst plassen, lieverd.'

Als ze heel zachtjes en met aandacht en liefde door Sylvia wordt gewassen, zakt ze weg en droomt ze van vroeger. Ze ziet de beelden voor zich van haar twee jongens die in de tuin achter het huis in Rotterdam spelen. De zon staat hoog aan de hemel. Het is zomer.

Ze maken in het gras ruzie met elkaar en Carla, haar kinderjuffrouw, is boos op de kleine Ben. Ze slaat het vijfjarige kind in zijn gezicht en Ben begint te huilen en roept hartverscheurend: 'Mama, mama, ik ben lief. Mama, ik ben wél lief. Carla is niet lief.'

Ze wil Carla vertellen dat ze niet boos moet worden op Ben en dat ze hem niet moet slaan. Dat het de schuld van Michiel is, dat Michiel het eerst geschopt heeft. Maar er komt geen geluid uit haar keel. Ze kan niets zeggen.

'Blijf van mijn kind af!' wil ze schreeuwen, maar niemand hoort haar.

Jan staat hard achter haar te lachen met een onschuldig kijkende Michiel aan zijn hand. Carla schatert het uit en kijkt haar in het felle zonlicht, met haar beide handen in haar zij, uitdagend aan. En Ben, haar arme kleine Ben, zit daar maar alleen te huilen in het gras. Ze is woedend, razend, ze schreeuwt maar hoort haar eigen stem niet, ze wil naar Ben toe rennen, maar haar benen weigeren elke functie en iedereen blijft maar lachen, en...

'Mevrouw Zandstra, mevrouw Zandstra! Gaat het niet goed met u? Uw gasten zijn gearriveerd.'

Elizabeth doet haar ogen wijd open en is doodsbang. Ze trilt en wil rechtop gaan zitten in haar bed, maar dat lukt niet. Ze heeft de kracht niet meer.

'Een beetje water, Sylvia,' fluistert ze met een zwakke en trillerige stem. 'Ik denk dat ik gedroomd heb. Laat ze nog maar tien minuten wachten.'

'Ja mevrouw Zandstra.' En Sylvia zet voorzichtig het glas water aan haar mond.

Elizabeth kalmeert weer een beetje en ze vraagt aan Sylvia om haar kussens wat op te schudden, zodat ze wat rechter op kan zitten.

Elizabeth Zandstra heeft spijt van de manier waarop ze haar leven, dat nu bijna voorbij is, geleefd heeft. Ze is door de beursgang en de dividenduitkeringen op haar aandelenbelang in zmg inmiddels een vermogende vrouw geworden, die haar geld goed belegd heeft en regelmatig grote sommen geld aan charitatieve instellingen schenkt. Gelukkig is ze echter allerminst, en ze betwijfelt of ze het ooit geweest is. Ze heeft geen spijt van haar huwelijk met Jan Zandstra, maar ze had veel eerder van hem moeten weggaan. Nu is door haar eigen schuld dat veel te lange huwelijk ten koste van haarzelf en haar kinderen gegaan.

Toen hij in 1980 overleed was ze zesenvijftig. De mooiste jaren van haar leven waren voorbij. Ze had nauwelijks vrienden of kennissen in Nederland en haar ouders waren inmiddels overleden. Broers of zussen had ze niet. Ze besloot terug te gaan naar de stad waar ze de beste herinneringen aan bewaarde: New York.

Haar ouders waren in 1924 vanuit Blackpool in Engeland naar Amerika geëmigreerd, waar Elizabeth, of Liz zoals haar moeder haar graag noemde, in 1928 ter wereld kwam. Haar vader was edelsmid en had al snel een goedbetaalde baan bij een juwelier. Haar moeder deed de huishouding en verdiende wat bij in de bakkerij beneden hun woning in The Bronx. Het waren lieve, eerlijke mensen, die goed voor kleine Liz zorgden.

De economische crisis van 1929 kwam hard aan in het gezin Sheldon. Haar vader had al zijn spaargeld in aandelen gestoken en was in één klap straatarm. Hij raakte zijn baan kwijt bij de juwelier en van het weinige geld dat haar moeder verdiende, kon de huur nog maar net betaald worden. Haar zachtmoedige vader besloot uiteindelijk na lang aandringen van zijn Engelse familie in 1933 terug te keren naar Blackpool.

Elizabeth voelde zich ondanks haar jonge leeftijd ontheemd in de armoedige stad. Ze vond het leven en de mensen in Engeland afschuwelijk. Ze trokken in bij haar oom en zijn gezin met vijf kinderen, een broer van haar vader. Vanaf dat moment veranderde Liz van een vrolijke, jonge meid in een in zichzelf gekeerd, ongelukkig kind.

'Mrs. Zandstra, kan ik uw bezoek nu binnenlaten?' vraagt Sylvia.

Elizabeth kijkt het meisje niets ziend aan en knikt dan met haar lijkbleke hoofd van ja. Ze zit er verzorgd bij in haar witte hemelbed. Ze draagt een lichtblauw vestje dat tot onder haar kin is dichtgeknoopt over een satijnen witte nachtjapon. Haar witte lange haar is met een scheiding in het midden naar achter gekamd en met zilveren haarspelden op haar achterhoofd in een knot gedraaid. Haar handen liggen over elkaar gevouwen voor haar op het bed. Ringen of andere sieraden draagt ze niet.

'Goedemorgen, mevrouw Zandstra,' zegt Samuel Douglas. Vriendelijk glimlachend loopt hij op Elizabeth af om haar de hand te schudden.

Ze glimlacht flauwtjes met haar dunne lippen en zegt, terwijl ze langzaam haar rechterhand optilt: 'Goedemorgen, Samuel. Is alles in gereedheid?'

'Jazeker, mevrouw Zandstra. Uw nieuwe testament is klaar om door u getekend te worden.' Voorzichtig schudt Samuel haar hand. Ze ziet er een stuk slechter uit dan vorige week, denkt hij, maar hij ziet dat de ogen in het gerimpelde, magere gezicht helder staan.

Samuel Douglas is een man van even in de zestig, klein van stuk, corpulent en op een dunne grijze haarrand na volledig kaal. Hij draagt een zwart, onberispelijk maatkostuum en zwarte gladde schoenen. Hij is partner in het middelgrote advocatenkantoor Delany, Sherman, Levy & Douglas. Samuel is al jaren de vaste advocaat van Elizabeth en hij is haar in de loop der jaren gaan waarderen als een sympathieke, maar door het leven getekende vrouw die weet wat ze wil.

Elizabeth vertrouwt hem volkomen. Toen hij ruim twee maanden geleden opbelde om te vragen of ze haar testament weer eens met hem wilde bespreken – het was immers al elf jaar oud – had ze daarin geen enkel kwaad gezien. Integendeel, het ontluisterende en verdrietige weerzien met haar zoon Michiel had haar aan het denken gezet. Wel stond ze erop dat ook Jonathan Green erbij zou zijn. Ze had van haar man geleerd om als het om dit soort zaken ging, altijd met twee advocaten te praten.

Haar man vertrouwde geen enkele advocaat.

Hij gaat zitten op een van de vier stoelen die door Sylvia bij het bed zijn gezet en zegt tegen Elizabeth, terwijl hij het testament uit zijn leren aktetas haalt:

'Alles staat erin zoals we afgesproken hebben. Maakt u zich geen zorgen. Zoals u weet heb ik twee psychiaters uitgenodigd, zodat er later geen enkele twijfel zal zijn over uw verstandelijke vermogens. Zij zullen u een paar vragen stellen waar u naar beste vermogen op kunt antwoorden. Persoonlijke informatie hoeft u niet prijs te geven als u dat niet wilt. Daarnaast is natuurlijk ook mijn kantoorgenoot Jonathan Green aanwezig als getuige. Vindt u het goed dat ik ze nu binnenlaat of heeft u nog vragen?'

'Laat ze maar binnenkomen, Samuel. Maar houd het zo kort mogelijk, alsjeblieft. Ik voel me vandaag erg zwak.'

'Ik doe mijn uiterste best, mevrouw Zandstra', en Samuel vraagt aan Sylvia de andere gasten binnen te laten.

Als eerste komt Paul Jones binnen, direct gevolgd door Bernhard Yetnikov. De psychiaters, beiden van middelbare leeftijd, hebben elkaar tot vandaag nog nooit ontmoet. Als laatste komt Jonathan Green binnen, de collega-advocaat van Samuel Douglas.

Samuel stelt de heren aan Elizabeth voor; voorzichtig schudden ze beiden haar broze hand. Vervolgens verzoekt hij hun plaats te nemen.

Hij begint onmiddellijk.

'Mijn naam is Samuel Douglas, en zoals u weet ben ik de advocaat van mevrouw Elizabeth Zandstra-Sheldon, die hier naast mij zit. De reden van deze bijeenkomst is om vast te stellen of mevrouw Zandstra over haar volledige verstandelijke vermogens beschikt, zodat daarover geen enkele twijfel kan bestaan wanneer zij vandaag haar nieuwe testament en tevens uiterste laatste wilsbeschikking tekent. Het testament is door mij op haar uitdrukkelijk verzoek opgemaakt en ik heb het document hier in mijn hand. Met het tekenen daarvan herroept zij al haar vorige testamenten. Ik nodig de heren Jones en Yetnikov beiden uit om te beginnen met hun vraagstelling, waarbij ik aanteken dat zij niet gerechtigd zijn vragen over de inhoud van het testament te stellen.'

Bernhard Yetnikov stelt de eerste vraag.

'Mevrouw Zandstra, kunt u mij zeggen op welke datum u geboren bent en waar precies we ons nu bevinden?'

'Ik ben geboren op 2 november 1928 in New York. We zijn nu in de slaapkamer van mijn appartement op de hoek van 72nd Street en Fifth Avenue, eveneens in New York.'

'Kunt u ons de naam van uw overleden man vertellen, op welke datum hij overleden is en waaraan?' vraagt Paul Jones.

'Mijn man heet Johannes Pieter Maria Zandstra en is op 15 oktober 1980 in Rotterdam, Nederland, overleden aan zijn derde hartaanval.'

'De namen van uw kinderen en kleinkinderen?' vervolgt Jones.

'Ik heb twee kinderen, Ben, die nu achtenvijftig jaar oud is, en Michiel van zesenvijftig. Michiel heeft geen kinderen. Ben heeft twee zoons uit zijn eerste huwelijk, Sander en Paul, en een dochter uit zijn tweede huwelijk, Maya.'

Elizabeth geeft haar antwoorden met vaste stem en zonder enige aarzeling.

'Mevrouw Zandstra, u heeft een substantieel aandelenpakket in de Zandstra Media Groep. Kunt u ons zeggen hoe groot dat percentage is en welke waarde het pakket volgens de laatste beurskoers vertegenwoordigt?' vraagt Yetnikov.

'Het percentage is 25 procent, de beurskoers volg ik niet nauwgezet. Ik vermoed dat de waarde rond de 6 miljard dollar schommelt.'

Het antwoord was bijna griezelig nauwkeurig.

'Mevrouw Zandstra, u schenkt nogal eens grote bedragen aan charitatieve instellingen. Kunt u ons zeggen hoe groot het laatste bedrag is geweest dat u heeft gestort op de rekening van het Bronx Children Emergency Fund en wanneer u dat gedaan heeft?' Ook deze vraag komt van Yetnikov.

'Twee miljoen dollar, vandaag precies twee weken geleden, geloof ik.'

Jones neemt weer het woord. 'Mevrouw Zandstra, op welke datum ben u getrouwd, hoe oud was u toen en waar vond het huwelijk plaats?'

'Ik ben op 4 november 1946 getrouwd in Rotterdam. Ik was net achttien jaar geworden.'

Elizabeth wordt moe van de vragen en vraagt aan Sylvia, die aan de andere kant van het bed zit, een glas water. Sylvia doet onmiddellijk wat haar gevraagd wordt en reikt het glas tot aan haar lippen. Zelfs het slikken van water valt Elizabeth nu moeilijk.

Samuel Douglas ziet aan Elizabeth dat ze te zwak is om dit nog lang vol te houden. 'Mij dunkt dat u inmiddels voldoende moet kunnen vaststellen of mevrouw Zandstra over haar volledige verstandelijke vermogens beschikt, heren.'

'Ik heb nog één laatste belangrijke vraag, mevrouw Zandstra,' zegt Jones.

Elizabeth knikt.

'Zoals ons door de heer Douglas verteld is, en wij ook zelf kunnen constateren, bent u ernstig verzwakt door een ongeneselijke ziekte.

Kunt u mij vertellen wat voor ziekte dat precies is?'

'Ik lijd aan een agressieve vorm van leukemie, bloedkanker.'

'Dank u wel, mevrouw Zandstra. Ik weet voldoende,' zegt Jones.

Samuel Douglas kijkt Yetnikov vragend aan.

'Ook ik zou nog graag een laatste vraag stellen,' zegt die.

Elizabeth knikt weer en vraagt Sylvia om nog een slokje water.

'Mevrouw Zandstra, naar ik begrepen heb, worden met het testament dat u vandaag gaat tekenen, al uw vorige testamenten herroepen. U bent een zeer vermogende vrouw. Staat u onder enigerlei psychologische druk van een van uw kinderen of van andere personen of organisaties om dit te doen? Met andere woorden, herziet u uw laatste testament van elf jaar geleden geheel uit vrije wil en bent u zich ten volle bewust van de inhoud?'

Elizabeth glimlacht. 'Meneer Yetnikov, ik kan u verzekeren dat ik geheel uit vrije wil en zonder enige druk van wie dan ook dit nieuwe testament heb laten opmaken. Ik ben mij ten volle bewust van de inhoud. En daarbij: van wie heb ik nog wat te vrezen? Ik heb al vriendschap gesloten met de dood.'

'Dank u wel, mevrouw Zandstra. U heeft mij ervan overtuigd dat u volledig over uw verstandelijke vermogens beschikt. Ik zal aldus zonder enige twijfel mijn verklaring opstellen.'

'Daar sluit ik mij graag bij aan,' zegt Jones.

'Dank u zeer, heren. Ik verzoek u mij uw verklaringen zo spoedig mogelijk te doen toekomen. Dan verzoek ik u nu de kamer te verlaten, zodat ik het testament kan voorlezen en mevrouw Zandstra tot de ondertekening kan overgaan.'

Bernhard Yetnikov en Paul Jones staan op, geven Elizabeth voorzichtig een hand en verlaten de kamer. Nadat ze vertrokken zijn, vraagt Samuel of Elizabeth prijs stelt op de aanwezigheid van haar verpleegster Sylvia. Elizabeth knikt van ja.

Samuel Douglas neemt dan het testament in zijn handen en zegt dat het slechts vijftien pagina's tellende document naar zijn beste eer en geweten de enige en laatste uiterste wilsbeschikking van Elizabeth Zandstra-Sheldon is. Hij deelt voorts mede dat hij gezien de zwakke gezondheidstoestand van mevrouw Zandstra zal afzien van integrale voorlezing en zich zal beperken tot de hoofdpunten van het testament. Jonathan knikt instemmend.

'Vindt u het erg als ik mijn ogen sluit, heren?' vraagt Elizabeth. 'Ik ben nogal vermoeid, maar ik verzeker u dat ik alles zal blijven volgen.'

Geen van beide advocaten maakt bezwaar. Jonathan Green kijkt strak en uitdrukkingsloos voor zich uit. Dan begint Samuel: 'Ik Samuel Douglas, advocaat te New York van het kantoor...'

Elizabeth hoort het al niet meer. Ze staat weer in de schitterende kathedraal in Rotterdam, in haar prachtige witte lange bruidsjurk, naast de vijfentwintigjarige Jan Zandstra. Ze kijkt naar het altaar, maar het felle witte licht verblindt haar.

Ze hadden elkaar tijdens een vakantie in Cornwall in Zuid-Engeland ontmoet. Jan was op slag verliefd op haar geworden en Elizabeth vond hem niet onaardig. Jan vroeg haar nog aan het eind van diezelfde vakantie, in augustus van het jaar 1946, ten huwelijk. Het kwam totaal onverwacht: ze was nog maar zeventien jaar en was nog niet klaar met haar school. Maar ze haatte Blackpool en wilde dolgraag het huis uit. Jan Zandstra was zeer overtuigend en ze vond de belangstelling van een oudere man wel boeiend. Ze zei ja en vertrok zonder het haar ouders te vertellen twee maanden later met de veerboot naar Nederland. Op 2 november werd ze achttien jaar en Jan gaf een gigantisch feest waarop ze veel nieuwe mensen leerde kennen.

Twee dagen later trouwden ze, zowel in het stadhuis als in de kerk, en 's avonds was er een nog groter feest.

Haar huwelijksnacht was precies zoals ze zich voorgesteld had: spannend, romantisch en opwindend. Jan was voorzichtig, teder, lief. Hij was geweldig.

'En u, Elizabeth Sheldon, vraagt de ambtenaar van de burgerlijke stand van het stadhuis van Rotterdam, neemt u Johannes Pieter Maria Zandstra tot uw wettige echtgenoot tot de dood u scheidt. Wat is daarop uw antwoord?'

'Mevrouw Zandstra, mevrouw Zandstra?' Ze doet haar ogen open en kijkt naar de twee mannen aan de linkerkant van haar bed. Ze knikt glimlachend en zegt: 'Ik hoor u wel, meneer Douglas. Gaat u verder.'

Samuel Douglas schraapt zijn keel en gaat verder:

'Mijn appartement in New York, getaxeerd op een verkoopwaarde van

65 miljoen Amerikaanse dollars, aan mijn kleindochter Maya Elizabeth Zandstra, geboren op 3 februari 1989 te Rotterdam.

Alle roerende goederen in mijn appartement in New York, inclusief al mijn sieraden, contanten en kunstcollectie, totaal getaxeerd op een verkoopwaarde van 118,3 miljoen Amerikaanse dollars en volledig beschreven op de gecertificeerde bijgaande lijst, eveneens aan mijn bovengenoemde kleindochter Maya Elizabeth Zandstra.

Het saldo van al mijn bankrekeningen in Amerika en Europa behoudens mijn bankrekening in Zwitserland, tezamen een bedrag vormend van iets meer dan 19 miljoen Amerikaanse dollars, eveneens aan mijn bovengenoemde kleindochter Maya Elizabeth Zandstra.

Het saldo van mijn bankrekening in Zwitserland ter hoogte van 3,4 miljoen Amerikaanse dollars, aan Sylvia Esther Hoffmann, geboren op 14 juli 1982 in Philadelphia, USA, en thans wonend te New York.'

Sylvia slaat haar handen voor haar mond en begint te huilen. Ze zou mevrouw Zandstra wel willen omhelzen, maar een afkeurende blik van Samuel Douglas weerhoudt haar ervan. Elizabeth glimlacht geruststellend naar haar.

'Mijn beleggingsportefeuille aandelen en obligaties, niet zijnde mijn belang in ZMG Inc., met een beurswaarde per 30 december van 461 miljoen Amerikaanse dollars, aan de milieuorganisatie Greenpeace International te Amsterdam.

Mijn belang van 25 procent in ZMG Inc., met een beurswaarde per 30 december van 6,2 miljard Amerikaanse dollars, eveneens aan mijn bovengenoemde kleindochter Maya Elizabeth Zandstra.

Alles met alle rechten en verplichtingen zoals per heden...'

Elizabeth gebaart zwakjes met haar hand naar Samuel, die ophoudt met praten. 'Mag ik nu tekenen, Samuel? Ik word geloof ik een beetje te moe voor dit alles.'

'Maar natuurlijk, mevrouw Zandstra.' En Samuel Douglas legt het testament met de laatste bladzij opengeslagen op haar schoot. Hij legt er een ander document onder zodat ze steun heeft bij het ondertekenen en geeft haar zijn zilveren vulpen.

Elizabeth Zandstra neemt de vulpen aan, gaat met een uiterste krachtsinspanning rechtop zitten en zegt: 'Dit is de laatste wilsbeschikking van

Elizabeth Zandstra-Sheldon en hierbij herroep ik al mijn voorgaande testamenten en codicillen.' Dan tekent ze het testament en overhandigt het aan Samuel Douglas, waarna zowel Samuel als Jonathan Green het testament eveneens ondertekenen.

Als iedereen vertrokken is zakt ze terug in haar kussens, sluit langzaam haar ogen en fluistert onhoorbaar: 'Gelukkig hoef ik het nieuwe jaar niet meer mee te maken. Het ga je goed, Michiel.'

Met een tevreden glimlach op haar gezicht blaast Elizabeth precies om tien minuten over tien op de ochtend van 31 december haar laatste adem uit.

11

Bram had zich zijn leven heel anders voorgesteld toen hij in 1973 op zijn zestiende zijn havodiploma had gehaald. Hij wilde verder komen in de wereld dan zijn vader, die hem uitvoerig had geïnjecteerd met zijn marxistische en radicale gedachtegoed. Hij wilde geld gaan verdienen, iets gaan betekenen, iets bereiken. Wat dat zou worden, daar had hij nog geen idee van.

Bram leek qua postuur en lengte op die leeftijd al duidelijk op zijn een meter vijfennegentig lange, breedgeschouderde, ontzagwekkende vader. Die deed hem op zijn veertiende jaar op boksles en vond dat Bram na de havo wel lang genoeg op school gezeten had. Hij vond zijn zoon maar een moederskindje.

Het is niet zo dat de altijd nadrukkelijk aanwezige Willem Rietveld de mening was toegedaan dat zijn enige zoon niet meer kennis hoefde op te doen. 'Kennis is macht,' placht de socialistische potentaat te roepen, maar er moest ook brood op de plank komen. Willem had in die tijd zelf al moeite genoeg om zich in het bedrijf waar hij werkte, en waar hij bekendstond als 'die rooie', te handhaven. Bram kreeg te verstaan dat hij een baantje moest gaan zoeken en zijn bijdrage leveren aan het gezinsinkomen. Hij kon makkelijk verder leren op de avondschool. Hoe zijn moeder ook protesteerde, het mocht niet baten.

De gedachte aan een baan stond Bram in het geheel niet aan. De zestienjarige, wat introverte en verlegen Bram was ondanks de bokslessen nog steeds bang voor zijn beer van een vader. Die deinsde er bovendien niet voor terug om zijn mening met een paar rake klappen kracht bij te zetten.

Het was 1973. Er had zich in Nederland en in het bijzonder in Amsterdam een ware sociale en seksuele revolutie voltrokken, en Bram had het opschudden van het bed van dichtbij meegemaakt.

Midden jaren zestig stak de met veel uiterlijk vertoon gepaard gaande anarchistische provobeweging de kop op. Het omstreden huwelijk van prinses Beatrix met de Duitser Claus von Amsberg vond in Amsterdam onder veel protest plaats. Er werd een nieuwe, ondogmatische en linkse politieke partij opgericht die D'66 heette. Nieuw Links stond op binnen de PvdA. Toen Bram op een dag van school kwam, bezetten studenten met veel tumult gedurende vier dagen het Maagdenhuis, het administratieve centrum van de Universiteit van Amsterdam. Hij stond er als klein jochie bij toen de zaak met veel machtsvertoon ontruimd werd. Het maakte diepe indruk op hem.

Er was na de havo maar één oplossing voor de intelligente, goedaardige maar tegelijkertijd ingehouden rebelse Bram. Hij moest weg van zijn rechtlijnige vader. Een tijdje het land uit.

Zonder aankondiging vertrekt hij in de zomervakantie van 1973 van de ene op de andere dag met een schoolvriend liftend naar Frankrijk. In het begin voorziet hij in zijn levensonderhoud door druiven te plukken op het Franse platteland. Hij komt er voor het eerst in aanraking met softdrugs en begint de wereld na een paar maanden met andere ogen te zien. Ook de linkse signatuur van zijn vader gaat hij langzaam maar zeker in een ander daglicht plaatsen. Dat gebeurt wanneer hij via een Frans vriendinnetje in communistische studentenkringen van de Universiteit van Nanterre belandt.

Het is drie jaar lang een leven van seks, drank, muziek, softdrugs en lange nachtelijke gesprekken over Stalin, Mao en Marx.

Bram verdient in Parijs wat geld in de bouw als losse arbeidskracht, leert veel en vergeet zijn ouders en Nederland. Hij draagt zijn donkerblonde haar tot op zijn schouders en laat zijn prille baard staan. Ook begint hij met schilderen en doet dat zeker niet onverdienstelijk. Het brengt zelfs aardig wat geld op.

Hij bewoont twee armoedige kamers boven een café in het Quartier Latin en spreekt binnen een jaar vloeiend Frans. Zijn moeder stuurt hij af en toe een ansichtkaartje. Zijn vader leest ze het eerst.

Als hij op zijn negentiende terugkomt in Amsterdam is het 1976 en kan hij onmiddellijk de militaire dienst in. Het lukt hem zich te laten afkeuren op S5: ongeschikt voor de dienst wegens psychische instabiliteit.

Bram is veranderd in een jonge, strijdlustige hippie, en zo ziet hij er ook uit. Zijn vader en de samenleving bekijkt hij met zeer gemengde, opstandige gevoelens. Eén ding is duidelijk: hij kan absoluut niet tegen enige vorm van autoriteit. Hij is anti: antigezag, antimonarchie, anti-establishment, anti zijn vader.

Uiteindelijk besluit hij filosofie te gaan studeren aan de Universiteit van Amsterdam, ook al ontbreekt het hem aan de vereiste vooropleiding. Hij kan dan wel geen tentamen doen, maar het is niet moeilijk om zonder collegekaart toch colleges te volgen.

Hij vindt een etage in de Amsterdamse wijk de Pijp en verdient wat geld in de bouw. Hij is vrijwel van alle markten thuis, van loodgieter tot metselaar, van stukadoor tot schilder.

Op zijn tweeëntwintigste houdt hij het studentenleven voor gezien. Een jaar ervoor is hij zijn oude jeugdliefde Marianne van der Heijden weer op de universiteit tegengekomen. Hevig verliefd besluiten ze te gaan samenwonen.

Bram, die op dat moment ook wat geld bijverdient als freelance straatfotograaf voor twee Amsterdamse kranten, pakt het kunstschilderen weer op. Hij doorspekt zijn grote en abstracte, veel kracht uitstralende doeken met suggestieve en provocerende teksten. Toch verkoopt zijn werk maar mondjesmaat.

Daarnaast start hij in een gehuurd bouwvallig pand aan de Prinsengracht een aannemersbedrijfje dat uitsluitend met natuurlijke materialen werkt. Een 'ethisch bouwreveil' noemt hij het. Hij specialiseert zich in het restaureren van grachtenpanden, in het bijzonder de gevels, en weet af en toe een opdracht binnen te slepen.

Marianne is een aantrekkelijke, donkerblonde derdejaarsstudente sociologie. Ze is even oud als Bram en overtuigd aanhangster van het marxisme. Dat werd er op de Universiteit van Amsterdam in die jaren dan ook met de paplepel ingegoten. Marianne is een onafhankelijke meid, feministisch als haar dat zo uitkomt en politiek zeer geëngageerd. Bovendien is ze verzot op seks.

Bram gaat mee in haar linkse opvattingen en ze hebben een geweldige tijd samen. Ze praten en vrijen veel, roken joints en gaan volledig in elkaar op. Marianne maakt pas na grote vertraging haar studie af. Ze willen voorlopig geen kinderen en leven er jarenlang zorgeloos op los.

Pas in 1988 wordt hun eerste kindje geboren, Sacha. Vijf jaar later, in 1993, volgt Patrick. Hij is een ongelukje. Ze wonen dan inmiddels op de Prinsengracht; Bram heeft het pand zelf opgeknapt. Zijn haar is nog steeds lang, zijn baard is eraf en hij komt weer over de vloer bij zijn ouders, die – vooral zijn moeder – verguld zijn met hun kleinkinderen.

Het begeleiden en opvoeden van hun twee kinderen valt Marianne en Bram zwaar tegen. Het is absoluut niet wat ze ervan verwacht hadden.

Zeker Marianne voelt zich behoorlijk beperkt in haar bewegingsvrijheid en ze heeft bovendien het gevoel dat ze stilstaat in haar ontwikkeling. De moederrol kan ze eigenlijk niet verenigen met haar individualistische en opstandige karakter. Het zet de relatie met Bram, die geen zin heeft om de moederrol ook maar gedeeltelijk van Marianne over te nemen, flink onder druk.

Het gevolg is dat de kinderen al op zeer jonge leeftijd worden uitbesteed aan bevriende echtparen, de grootouders en de kindercrèche. Van een harmonisch gezinsverband is weinig sprake, laat staan van een behoorlijke, eenduidige opvoeding. De relatie tussen Marianne en Bram blijft daarbij betrekkelijk goed, ook al hebben beiden een eigen leven en gaan ze incidenteel naar bed met anderen.

Ze vertellen het elkaar niet. Dat is hun afspraak.

Patrick is sinds een paar jaar na zijn geboorte volstrekt onhandelbaar. Hij heeft last van driftbuien en leeft teruggetrokken in zijn eigen wereld. Het zijn nog net geen autistische trekjes.

Sacha is rustiger en extraverter, ze haalt goede resultaten op school en heeft veel vriendinnetjes. Ze is vanaf haar achtste jaar zoveel mogelijk van huis. Als ze maar even de kans ziet, gaat ze uit logeren.

Beide kinderen missen een veelvuldig contact met hun ouders. Marianne is een jaar na de geboorte van Sacha weer hele dagen gaan werken, in een blijf-van-mijn-lijfhuis, en Bram heeft het druk met zijn aannemersbedrijfje en zijn kunst.

In de jaren negentig stort de ideologische droomwereld van Bram en Marianne ineen. De val van de Berlijnse Muur wordt gevolgd door de ondraaglijke stank van ontbinding die wordt verspreid door het failliete communisme.

De realiteit is ontluisterend. Honderden miljoenen mensen blijken zeventig jaar lang schaamteloos belazerd te zijn door een kleine elite van machtswellustelingen. Die hebben de Sovjet-Unie humanitair, cultureel, economisch en ecologisch totaal geruïneerd.

Jozef Stalin en zijn opvolgers hadden met hun rode terreur naar schatting ruim 70 miljoen mensen vermoord, veel meer dan Hitler er naar de andere wereld had geholpen.

In 2005 komt Marianne op tweeënveertigjarige leeftijd op tragische wijze om het leven bij een afschuwelijk en mysterieus auto-ongeluk op de A1. Ze is te hard ingereden op een file, is het verhaal. Haar auto schuift onder een stilstaande vrachtwagencombinatie en ze wordt onthoofd.

De onverwachte dood van Marianne komt als een mokerslag aan in het gezin. Patrick is dan twaalf jaar oud en Sacha is zeventien. De kinderen reageren ieder verschillend op de verschrikkelijke dood van hun moeder. Bij hun vader vinden ze geen enkele steun. Die is, overmand door zijn eigen verdriet, drie maanden lang niet aanspreekbaar. Bram betwijfelt of het wel haar schuld was: Marianne reed immers nooit hard. Ze was sinds het vroegtijdig overlijden van haar vader als de dood voor het nemen van risico's. Hij tobt zich af met zelfverwijt en komt soms dagenlang zijn bed niet uit.

De kinderen gaan noodgedwongen al snel hun eigen weg. Beiden gaan ze steeds meer naast de werkelijkheid leven.

12

Terwijl Maya Zandstra in haar volkswagen, model Nieuwe Kever, op oudejaarsmiddag op weg is naar haar vader, zegt ze door haar mobiele telefoon tegen haar halfbroer Paul: 'Waarom kom je als verrassing ook niet even? Ik weet zeker dat hij dat te gek vindt.'

'Ik weet het niet. Als hij het zo leuk zou vinden, waarom heeft hij dan niet gevraagd of ik ook wilde komen?' vraagt Paul. 'En zet je radio een beetje zachter, ik kan je nauwelijks verstaan.'

'Hij heeft mij ook niets gevraagd, ik heb hem gewoon opgebeld. Eigenlijk zou hij vandaag naar New York vliegen om oud en nieuw te vieren met zijn nieuwe vriendin. Maar hij heeft uiteindelijk besloten toch hier te blijven. Hij vliegt pas morgen. Hij is nu helemaal alleen, dus heb ik tegen hem gezegd dat ik dan toch langs wil komen om hem nog even te zien op oudejaarsdag. Hij vond het meteen ontzettend leuk. Je weet toch hoe hij is?'

Paul kijkt op zijn horloge. 'Oké,' zegt hij dan. 'Ik ben nog een kwartiertje bezig en dan stap ik in de auto.'

'Je bent een schat! Je zult zien hoe leuk hij het vindt. Tot zo, lief broertje van me.' En Maya verbreekt de verbinding.

Ze zet haar radio loeihard als het nummer 'Viva La Vida' van Coldplay wordt gedraaid op 538 en denkt aan Paul. Ze wordt er altijd warm van als ze aan hem denkt en is blij dat hij ook komt. Als het toch eens niet haar broer zou zijn... Dan was ze in één keer klaar. Met Paul zou ze zo de rest van haar leven willen doorbrengen en geen andere vent meer aankijken.

Paul kijkt vanuit de tiende verdieping van zijn riante Amsterdamse kantoor op de A10. Het is niet bijster druk op de snelweg. Het is half vijf 's middags en bijna al het personeel van het splinternieuwe, hightech hoofdkantoor van zMG Music International is al naar huis.

Paul is nog aanwezig, evenals zijn secretaresse Mirjam. Hij bestudeert een onderzoeksrapport van zijn accountants betreffende de overname van een Duits platenlabel. Het ziet er, zoals verwacht, goed uit. Er zijn geen lijken in de kast.

Dat kan ik dan mooi gelijk even met pa doornemen, denkt hij.

De telefoon op zijn bureau gaat. 'Met Paul,' zegt hij.

'Joost van Schendelen voor je,' zegt Mirjam. 'Wil je hem spreken of moet ik hem afpoeieren?'

'Ik neem hem wel.'

Mirjam verbindt door en Paul zegt: 'Joost jongen, wat kan ik nog voor je betekenen op deze laatste dag van het jaar?'

'Nou, een extra jaarsalaris, daar zou ik wel van opknappen.'

'Dat begrijp ik, maar vertel me nou maar waarom je me belt.'

Joost van Schendelen is zijn beste nationale promotieman. Eigenlijk rapporteert hij aan zijn directeur Nederland van zmg Music. Maar zoals het met pluggers altijd gaat: ze proberen alles en iedereen in stelling te brengen ten behoeve van de promotie van hun plaatje. En misschien hebben ze daar ook wel gelijk in.

'Paul, ik heb het helemaal gehad. Ik werk me dus totaal uit de naad om die nieuwe plaat van Tammy Travis aan de bak te krijgen. De plaat die door jou persoonlijk tot Europese topprioriteit is gebombardeerd, die nr. 1 in Amerika staat, met een videoclip van een half miljoen dollar. En wat denk je? Radio 3 draait 'm, Q-Music draait hem, 538 draait 'm, ik heb zelfs drie tv-optredens geregeld. Alleen die eikels van onze eigen radio- en tv-stations weigeren hem dus weer eens op te pakken. Ik krijg hem niet op tmc gedraaid, zmg 3 doet verdomme niet mee en alle drie je radiostations laten me ook in de kou staan. Wat is dat nou voor gelul? Zodra ik met een plaat van zmg aankom lijkt het wel of ik melaats ben. O God, denken ze, als ze maar vooral niet versleten worden voor een station dat de plaatjes van het moederbedrijf draait. Doodziek word ik ervan, van al die ego's. Dus grote baas, wil je zo goed zijn je personeel even tot de orde te roepen?'

Paul liet hem uitrazen. Dat was het belangrijkste, ofschoon Joost wel een punt had. De afspraak met de radio- en tv-stations was duidelijk: ze bepaalden zelf wat ze in rotatie namen. Maar inderdaad, het was natuurlijk van de zotte dat dat bijna per definitie betekende dat een zmg-plaat daar pas gedraaid werd als het een hit werd via de andere stations.

'Draait Sky hem?' vraagt Paul.

'Ja, het is een ballad, dus Sky pakt hem ook.'

'Heel goed, Joost. Sky is het belangrijkst.'

'Nou het belangrijkst... Sky is niet groter dan 538, Q, Radio 3 en onze stations.'

'Weet ik, Joost. Alleen draait Sky een plaat soms een halfjaar lang, en de rest gooit hem na een week of tien van de playlist. De invloed van Sky is groter dan veel mensen denken.'

'Weet ik. Maar Sky kan er in z'n eentje geen hit van maken. Dat was tien jaar geleden zo, maar die tijden zijn voorbij.'

'Klopt,' zegt Paul. 'Maar je hebt nog meer stations. Ik zal in ieder geval een paar mensen bellen om je probleem op te lossen. Kan ik verder nog iets voor je doen?'

'Ik ben je zeer erkentelijk, Paul, vooral als je die zeikerds bij TMC en Power FM even goed aanpakt. Anders hou ik ermee op.'

'Je hoort nog van me, Joost.'

'Oké! Zie ik je nog bij het optreden van The Bad Masks morgenavond in Ahoy?'

'Misschien, ik moet je hangen.' En Paul verbreekt de verbinding.

Joost heeft gelijk, denkt hij. Dit kan zo niet langer. Ze denken verdomme allemaal dat ze koning zijn. Er is maar één remedie: ik flikker maandag een van die boys eruit. Ik vind er twee sowieso niet langer goed functioneren, en dan begrijpt de rest weer voor een jaar hoe het werkt.

'Wat een zielig, naargeestig gedoe toch met die mensen,' mompelt Paul. 'Wat word ik daar af ten toe toch helemaal niet goed van.'

Hij roept tegen zijn secretaresse door de openstaande deur naar haar kamer dat hij over twintig minuten weggaat.

'Als je het niet erg vindt en niets meer voor me te doen hebt, ga ik nu al,' roept Mirjam terug.

'Heel goed, schat,' roept Paul. 'En neem een kist mooie wijn mee. Ik heb er genoeg gekregen.'

Mirjam, zesentwintig jaar, lang, blond, hoge hakken en sexy, komt na een paar minuten het kantoor van Paul binnenlopen in haar weinig verhullende korte sexy rokje. Ze tilt een willekeurige kist wijn op.

'Nou, dan ga ik maar,' zegt ze aarzelend.

Paul kijkt op van zijn bureau. O, wat een lekker lijf, denkt hij, en hij vraagt:

'Wat ga je vanavond doen?'

'Niks bijzonders. Ik ga eerst lekker voor mezelf koken en na twaalf uur duik ik in ieder geval even de kroeg in bij mij op de hoek. En jij?'

'Ik ga zo meteen op dringend verzoek van mijn zus naar mijn vader in Reeuwijk, en daarna weet ik het nog niet.'

'Gezellig toch? Of heb je er geen zin in?'

'Voor een of twee uurtjes of zo. Daarna heb ik het wel gezien, denk ik. En jij, helemaal in je eentje, is dat niet een beetje ongezellig op oude-jaarsavond?' vraagt Paul schalks.

'Nee hoor, daar zit ik helemaal niet mee. Ik hou sowieso niet van dat gedwongen met z'n allen zitten wachten tot het twaalf uur is. Dat vind ik zó burgerlijk. Ik ga lekker een boek lezen, of misschien is er een leuke conference op tv. Ik zie wel.'

'Dus ook niet naar je ouders of zo?'

'Alsjeblieft niet! Trouwens, die denken er precies hetzelfde over.'

'Misschien kom ik nog wel even bij je langs,' zegt Paul lachend, terwijl hij op haar af loopt en haar vol op haar mond kust.

Ze beantwoordt zijn kus onmiddellijk en net iets te hartstochtelijk, maar houdt de kist wijn stevig in haar handen tussen hen in.

'Pas maar op jij! Trouwens, ik ben ongesteld, dus als het je alleen daarom te doen is kun je beter wachten tot volgend jaar.'

Paul lijkt op zijn vader: dezelfde ontwapenende charme, dezelfde scherpte, dezelfde doordringende ogen, hetzelfde charisma. Ze is heimelijk tot over haar oren verliefd op de knappe Paul met zijn dikke donkere bos haar en zijn volle lippen. Maar ze weet dat Paul daar niet aan toe is.

'Je weet toch dat dat me niets uitmaakt, schat,' zegt Paul, en hij kust haar nogmaals. 'Als het laat wordt bij mijn vader bel ik je in ieder geval voor twaalf uur vanavond nog even op.'

'Oké,' roept Mirjam glimlachend en ze loopt heupwiegend zijn kamer uit. 'Ik reken op je.'

13

Het is precies kwart voor twee als Bram zijn grachtenpand aan de Prinsengracht in Amsterdam verlaat en in een lichte motregen op weg gaat naar het Centraal Station. Hij let scherp op of hij niet gevolgd wordt vanwege de speurtocht van de politie naar Patrick.

Hij neemt de Leliegracht naar de Keizersgracht en blijft om de hoek even staan wachten. Daarna loopt hij via de Herenstraat de Herengracht op en blijft direct om de hoek weer even wachten. Als hij het niet dacht! Hij wordt gevolgd door een slungelachtige man in een spijkerbroek en een fout jack.

Zijn dochter ligt nog te slapen en moet tot diep in de nacht werken. Patrick moet zich verborgen houden voor de politie en Bram heeft hem al in geen weken gezien. Zijn vader is enigszins slecht ter been en is naar zijn beste weten thuis. Hij wordt een beetje verzorgd door diens jongere zus.

Niemand zal hem missen en hij heeft geen enkele afspraak gemaakt voor oudejaarsavond. Connie is de dag ervoor met een vriendin naar Antwerpen gegaan. Hij heeft alles bij zich wat hij nodig heeft; in zijn rechterhand draagt hij een lichtblauwe sporttas.

Terwijl hij bedaard via de Brouwersgracht het Singel op loopt zet hij voor de zoveelste keer de risico's en consequenties op een rijtje die verbonden zijn aan de uitvoering van zijn meesterplan. Eigenlijk kan er van alles fout gaan, maar om heel eerlijk te zijn interesseert hem dat absoluut niet. Veel belangrijker en opwindender is de gedachte dat de wereld eindelijk zal weten wie Bram Rietveld is en waar hij voor staat.

De pakkans is klein, denkt hij vaak genoeg. Van de Nederlandse politie valt niet al te veel te vrezen. Die zijn door alle bezuinigingsmaatregelen en reorganisaties van de laatste decennia behoorlijk gedemotiveerd geraakt, en ze worden onderbetaald. En dan moeten ze hun werk ook nog doen in het uniform met het logo van een verwarmingsmonteur, en rondrijden in zo'n goedkoop lullig autootje dat op geen mens nog indruk maakt. Al helemaal niet op die criminelen uit het oude Oostblok die met bosjes tegelijk naar Nederland komen.

Alleen die fucking camera's overal, dat was wel een probleem...

Hoe dan ook, eindelijk zullen zijn kinderen weten wie hun vader is en respect voor hem krijgen, al moet hij zijn actie met de dood bekopen. En eindelijk zal die rooie klootzak van een vader van hem weten dat zijn zoon er wat aan gedáán heeft en niet alleen maar loopt te schelden en te beschuldigen.

De wereld zal inzien dat ze op de verkeerde weg is.

Het is opgehouden met miezeren.

Op het Centraal Station wandelt hij eerst de drukte in van de hal. Hij gaat perron twee op, versnelt daar zijn pas en verbergt zich snel achter een reclamezuil. Hij moet eerst die hannes die hem volgt afschudden. Het is er druk en er stopt een trein.

Kijk, nou raakt-ie in de war, denkt Bram. Als zijn achtervolger met zijn rug naar hem toe staat, mengt hij zich in de menigte die het perron verlaat. Hij heeft zijn diepe capuchon opgedaan en een zwarte bril opgezet.

Tjongejonge, wat een blinde eikel...

Als hij er zeker van is dat hij zijn achtervolger definitief het bos heeft in gestuurd, loopt hij naar het busstation. Hij stelt zich onopvallend op naast een groepje mensen en neemt na vijf minuten de bus naar het AMC, het Academisch Ziekenhuis van Amsterdam. Het is niet druk in de bus; er zitten hooguit vijftien mensen in. Hij heeft niet de indruk dat hij nog gevolgd wordt.

Bram heeft zijn lange, met grijs doorschoten donkerblonde haar de dag daarvoor zwart geverfd. Hij heeft een donkergroen jack aan, waarvan hij de grote capuchon op houdt. Verder draagt hij een donkerblauwe, enigszins vuile spijkerbroek en een paar zwarte Timberlands.

Je zou hem zijn zesenvijftig jaar niet geven in die jeugdige uitdossing.

Bij het AMC gekomen stapt hij uit de bus en loopt zonder enige haast eerst naar de hoofdingang van het ziekenhuis. Hij gaat naar binnen, slentert vijf minuten doelloos rond en blijft af en toe staan om te zien of iemand hem in de gaten houdt of volgt. Als hij ervan overtuigd is dat niemand in hem geïnteresseerd is, gaat hij kalm en zonder enige aarzeling weer naar buiten. Hij begeeft zich naar een van de parkeergarages die hij goed kent.

Hij denkt aan zijn moeder, die in de zomer in dit ziekenhuis is overleden. Ze was nog maar achtenzeventig jaar en de gevoelens van onmacht komen weer bij hem boven. Hij heeft moeite zijn tranen te bedwingen als hij denkt aan haar lijkbleke, ontzielde gezicht op het witte kussen.

Rustig loopt hij verder door de garage, op zoek naar een niet al te opvallende, liefst donkere auto, een beetje oud en niet voorzien van een alarm. Het is inmiddels kwart voor drie en buiten Bram is er niemand. Hij doet zijn dunne leren handschoenen aan.

Hij voelt aan de portieren van verschillende auto's tot hij er een vindt die opengaat. Het is een oude zwarte BMW. Er ligt verder niets in de auto, de radio is eruit gehaald. Hij controleert de kofferbak. Leeg.

Perfect. Nu heeft hij nog een parkeerkaart nodig. Er is altijd wel iemand die de kaart in zijn auto laat liggen. Twee rijen verderop ziet hij er een op de bestuurdersstoel liggen. Geen alarm.

Hij haalt een stalen boksbeugel uit zijn tas en een dikke doek en slaat het zijruitje in. Het maakt nauwelijks herrie, er is niemand in de buurt en hij is buiten bereik van de camera's. Hij grist de kaart van de stoel en wandelt naar de dichtstbijzijnde parkeerautomaat. Na betaald te hebben loopt hij weer onopvallend terug naar de plek waar de oude BMW staat geparkeerd. Aan de andere kant van de parkeergarage komen drie meiden aanzetten; hun lachende stemmen galmen door het betonnen bouwwerk.

Bram stapt in de gedateerde BMW, rukt de contactkabels los, maakt kortsluiting en heeft de motor binnen vijftien seconden draaiend. Hij wacht tot de drie meiden zijn verdwenen en rijdt dan traag de parkeergarage uit. Hij rijdt de A9 op en zit dan al snel op de A2 richting Utrecht. Het is inmiddels tien over drie.

Tijdens het rijden haalt Bram een 10mg valiumtablet uit de rechter zijzak van zijn jack om zijn zenuwen in bedwang te houden. Hij voelt het metaal van het geladen pistool, een 9mm halfautomatische Beretta die hij een tijdje geleden in de kroeg heeft gekocht. Hij slikt het tabletje na er even op gezogen te hebben door en denkt aan zijn kinderen. Zijn dochter Sacha, die nu waarschijnlijk zijn briefje heeft gelezen, en zijn zoon Patrick.

Shit, denkt hij. Waarom heeft hij niet gewoon 'Ik hou van je, je vader' op dat briefje gezet?

Hij denkt aan zijn vrouw Marianne, die acht jaar geleden om het leven kwam. De pijn schiet weer door zijn lichaam.

Hij denkt aan Connie. Biseksuele Connie, die met hem neukt om zijn dure schilderijen. Kutwijf, hij zou haar zo snel mogelijk dumpen.

Hij schrikt als ter hoogte van Abcoude achter hem plotseling een uitgebouwde Mercedes komt aanstormen met groot licht aan. Zodra de auto achter hem kleeft, knippert de bestuurder met zijn lichten: of hij even op wil rotten van de linker rijbaan. In zijn achteruitkijkspiegel ziet hij dat er vier mannen in zitten.

Kan nooit politie zijn, denkt hij. Bram voelt de ergernis en agressie in zich opwellen en overweegt een moment er gewoon voor te blijven rijden en af en toe even licht het rempedaal aan te raken. Stelletje tuig...

Er staat hem vandaag echter wat anders te doen en met tegenzin wijkt hij uit naar de middenstrook. De Mercedes komt even naast hem hangen en een paar Oost-Europees uitziende types kijken hem met een duidelijk dreigende minachting recht in het gezicht aan. Dan geeft de chauffeur gas en rijdt de vet uitgebouwde auto met hoge snelheid weer verder.

'Lekkere jongens,' mompelt Bram. 'Met dat geteisem moet je geen ruzie krijgen.'

Hij maant zichzelf tot rust en neemt de afslag Vinkeveen richting Mijdrecht. Hij wil de snelweg af en de kentekenplaten verwisselen. Hij heeft een gestolen paar in zijn sporttas. Zodra hij een rustige plek ziet wisselt hij de platen.

Langzaam maar zeker wordt hij nerveuzer, maar gelukkig begint de valiumtablet te werken. Misschien moet hij er nog een nemen.

Rond kwart over vier is hij bij Bodegraven en rijdt dan gedecideerd recht op zijn doel af, aan de Reeuwijkse Plassen. Bram weet precies waar hij moet zijn. Hij heeft deze route al wel vijf keer gereden, steeds in een andere gestolen auto.

Al snel is hij op de plaats van bestemming. Met lage snelheid rijdt hij langs het betrekkelijk goed zichtbare, niet al te ver van de weg gelegen witte landhuis om poolshoogte te nemen.

Er staat alleen een zwarte Bentley op het grind voor de garages. De Audi van de chauffeur en bodyguard die er anders ook altijd staat, is nergens te bekennen.

Hij ziet ook geen andere auto's.

Precies wat hij had gehoopt. Je komt een keer aan de beurt, vriend, denkt hij vastbesloten. Ik heb maar vijf minuten nodig. Het is nu of nooit.

Er bevinden zich maar weinig huizen aan dit gedeelte van de Reeuwijkse Plassen en ze liggen bijna allemaal verscholen achter hoge hekwerken en beplanting. Een eindje verderop bevindt zich een doodlopend onverhard weggetje. Een stukje beschermd natuurgebied van Natuurmonumenten.

Bram parkeert er zijn gestolen BMW en zet de motor af.

Niemand te horen of te zien.

Rustig gaat hij naar de plek waar, verscholen in het riet, een oud en vies motorbootje ligt en kijkt goed om zich heen of er mensen zijn. Hij stapt in het polyester bootje, dat hij eerder gestolen heeft en daar neergelegd, haalt een kleine jerrycan met benzine uit zijn tas, vult de tank, doet een bougie in het buitenboordmotortje en start het ding. Vervolgens gaat hij zitten, doet zijn capuchon en bril af, zet een zwarte bivakmuts op en pruttelt, zo min mogelijk geluid makend, de plas op. Nog steeds is er geen levende ziel te bekennen.

Het is half vijf geweest en het schemert al behoorlijk.

Na ongeveer tien minuten varen in het halfdonker komt hij bij de tuin van het eerder door hem bespiede landhuis. Hij zet de motor af en laat het bootje het riet in glijden tot het met een zachte bons de beschoeiing raakt.

Het huis staat op een hectare grond, wat vrij uniek is voor Reeuwijk. Bram kan het huis vanuit zijn positie maar nauwelijks ontwaren. Hij weet echter zeker dat hij bij het juiste adres is. Hij heeft dit stukje al zeker vijf keer eerder gevaren en herkent duidelijk het boothuis en de dicht bij het water gelegen oranjerie.

Een beetje schichtig kijkt hij om zich heen, maar hij ziet niemand. Het enige geluid is het geblaf van de honden van de buren. Maar die blaffen altijd, dus niets aan de hand... Lekker, denkt hij, zulke asociale buren. In Amsterdam hadden ze die beesten al tien keer hun nek omgedraaid.

Zandstra zelf houdt er geen waakhonden op na, daarvan heeft hij zich vergewist. Die heeft alleen een brave labrador.

Hij stapt aan land en sluipt in gebogen houding behoedzaam richting het landhuis. Zijn zenuwen laten hem niet met rust en hij neemt nog een valium 10-tablet. Hij bijt hem snel kapot, zuigt op het verkruimelde pilletje en slikt het door. Hij is veel nerveuzer dan hij gedacht had, maar twijfelt geen moment.

Het is niet gemakkelijk om het huis onopgemerkt te benaderen, met de betrekkelijk open winterse begroeiing. Hij ziet ook nu in de tuin geen beveiligingscamera's, wat hem al eerder bevreemdde, maar tegelijkertijd niet verontrust. Dit gedeelte van de tuin is uiterst spaarzaam verlicht en het is inmiddels aardedonker.

Het is weer begonnen te miezeren, maar Bram merkt het niet als hij het huis tot op vijfentwintig meter is genaderd. Verscholen achter een grote bosschage ziet hij nu heel duidelijk de camera's die onder de rieten kap van het huis hangen. Die had hij allang eerder opgemerkt, maar toch... Shit, gaat het door hem heen, er zullen er toch niet méér zijn? En hij kijkt achterdochtig naar een nestkastje, waarvan er plotseling wel erg veel lijken te zijn. Zijn hart begint sneller te kloppen en ineens realiseert hij zich dat hij wel zeer amateuristisch bezig is.

Binnen brandt licht. In de studeerkamer kan hij door de ramen van de tuindeuren redelijk duidelijk een man onderscheiden die in een fauteuil bij een groot open vuur zit.

Het moet Ben Zandstra zijn, maar zekerheid heeft hij niet, want de stoel staat met de rug schuin naar de tuin gekeerd. Voor hetzelfde geld is dat toch een bodyguard of veiligheidsagent die naar hem zit te kijken op een beeldscherm. Maar nee, dat kan niet. Dan had die man er niet zo rustig bij gezeten. Plotseling staat de man op uit zijn stoel en Bram ziet dat het inderdaad Ben Zandstra is die naar de tuindeuren loopt en naar buiten kijkt! Bram duikt nog dieper weg achter de bosschage. Zou hij gezien zijn? Dan draait Zandstra zich om en verlaat rustig de studeerkamer, met zijn zwarte labrador achter zich aan huppelend. Er is niets alarmerends te zien aan zijn gedrag. Bram slaakt een zucht van verlichting maar is nog niet helemaal gerust. Hij wacht nog zeker tien minuten.

Bij het uitbroeden van zijn meesterplan was Bram van een paar dingen uitgegaan. In de namiddag van de eenendertigste december zou het meeste, zo niet alle, personeel waarschijnlijk al vrijaf hebben gekregen. Tegelijkertijd was het nog te vroeg voor eventuele gasten om al gearriveerd te zijn. En wat de camera's betreft: geen mens kijkt langer dan vijf minuten continu naar zo'n beeldscherm, zo was zijn theorie. Beveiliging door camera's werkt in praktijk maar beperkt. Eigenlijk was er in zijn plan maar één onzekere factor: het was de vraag of Zandstra zelf in Nederland in zijn huis zou zijn en oud en nieuw niet ergens in het buitenland zou vieren. Daarom was hij ontzettend blij dat het Ben Zandstra was, die daar zo in alle rust in zijn eentje zijn werkkamer uit wandelde.

Zijn plan ging slagen, het kon niet meer misgaan. En daarna was hij ook zo weer weg met zijn bootje. 'En vind mij dan maar in het bijna donker,' had hij tegen zichzelf gezegd.

Als de tien minuten voorbij zijn loopt Bram enigszins gerustgesteld en in elkaar gedoken in een halve cirkel om de achterkant van het huis heen, zich steeds snel achter een struik of boom verschuilend. De meeste vertrekken zijn verlicht, maar hij krijgt niet de indruk dat er verder iemand in het huis is. Zoals hij gehoopt had, is Zandstra dus waarschijnlijk alleen thuis. Hooguit houdt zich nog ergens een werkster of zo op. Hij bevindt zich nu achter een hoge rododendron, nog steeds zo'n vijfentwintig meter van het huis verwijderd. Op zijn hurken doet hij zijn sporttas open en pakt zijn nachtkijker. Hij aarzelt even, haalt zijn pistool uit zijn jack, ontgrendelt het vuurwapen en doet het vervolgens weer terug in zijn zak.

Plotseling hoort hij hoe iemand hijgend aan komt lopen.

Hij richt zich half op en ziet tot zijn grote schrik dat het een vent is met een masker op en een kloofbijl in zijn handen. De man rent niet in Brams richting maar naar het terras van de studeerkamer. Om beter te kunnen zien gebruikt hij nu zijn kijker en ziet behalve de voor hem ombekende man nu ook heel helder dat Ben Zandstra weer zijn werkkamer komt binnenlopen met zijn handen in zijn zakken.

De man met het bizarre masker slaat de kloofbijl met daverend geweld dwars door de tuindeuren. 'Vuile klootzak!' schreeuwt hij en nogmaals laat hij de bijl met een enorme klap op de deuren belanden. 'Lúúúl...' Hij ziet Zandstra verschrikt opkijken.

'Jezus christus,' mompelt hij als de niet herkenbare figuur nog een of twee keer zijn bijl met oorverdovend lawaai op de tuindeuren laat neerkomen alvorens die krakend openbreken. Glassplinters en stukken hout vliegen in het rond.

Net voor het moment dat de deuren het begeven ziet Bram door zijn kijker Ben Zandstra, met zijn hond achter zich aan, de studeerkamer uit rennen, bijna al op zijn hielen gezeten door de gemaskerde man met zijn bijl in zijn handen. Er is geen alarm afgegaan, althans niet hoor- of zichtbaar.

Verder ziet hij geen enkele beweging in het huis.

Bram stopt zijn kijker terug in zijn sporttas en controleert nogmaals zijn pistool. Hij laat zijn sporttas achter zich liggen en sluipt omzichtig, met gebogen hoofd naar de geforceerde en grotendeels verwoeste tuindeuren. Dan gaat hij, zoveel mogelijk de glasscherven ontwijkend, het huis binnen. Hij ziet een zestal monitoren in de kastenwand van de studeerkamer die niet aanstaan. Mooi zo... Direct vraagt hij zich af waar en of er camera's zijn opgesteld in de tuin en komt tot de voorlopige conclusie dat het alleen die nestkastjes kunnen zijn. Aan het botenhuis en de oranjerie zaten geen camera's bevestigd.

Hij glimlacht: zie je nu wel dat al die troep niet werkt! Maar helemaal gerust is hij nog niet. Wellicht is er een stil alarm in werking getreden.

Hij vist zijn met één hand bedienbare digitale pocketcamera uit zijn zak. Die heeft hij altijd bij zich voor onverwachte gebeurtenissen of situaties. Hij fotografeert de verwoeste deuren. Met de camera in zijn linkerhand en zijn pistool in de andere danst hij als ware hij een volleerd inbreker door de studeerkamer naar de openstaande deur die naar de felverlichte hal leidt.

En daar blijft hij abrupt staan, volkomen verbijsterd door wat hij ziet.

Op drie meter afstand van de deuropening ligt de gemaskerde man. Hij ligt met zijn nek in een merkwaardige en onnatuurlijke houding beneden aan de trap van de hal op de marmeren vloer. Brams camera klikt zachtjes. Hij loopt iets verder als Zandstra plotseling bij het lichaam opdaagt. Intuïtief begint hij onmiddellijk weer te fotograferen. Hij registreert hoe Zandstra bij de onbekende staat. Zich over hem heen buigt en snel het masker van het eigenaardig liggende hoofd af trekt. Er sijpelt bloed uit de man zijn neus en mond. Zandstra merkt Bram niet op: diens camera werkt zo goed als geluidloos. Bram neemt meteen een *close shot* van het gezicht van de man op de grond. Hij kent hem niet.

Dan hoort hij tot zijn grote schrik een auto aan de voorkant van het huis het grind op rijden. Politie? Eén moment krijgt hij de aanvechting om het hazenpad te kiezen, maar zijn nieuwsgierigheid wint het van zijn angst.

Hij bevindt zich nu vlak naast de deuropening naar de hal en is er getuige van hoe Zandstra als versteend en met verschrikte ogen naar de man op de vloer staart en de schoen uit zijn rechterhand pakt. Brams camera klikt en klikt.

Nu richt Bram zijn aandacht op de zojuist gearriveerde auto. Door het glas aan de zijkant van de voordeur ziet hij een onbekende vrouw uitstappen. Hij slaakt een onhoorbare zucht van verlichting. Ze loopt op de voordeur af.

Hij ziet hoe Ben Zandstra zich gehaast omdraait, de schoen, blijkbaar zijn eigen schoen, snel aantrekt en eveneens naar de voordeur loopt.

Dit ontwikkelt zich heel anders dan ik gedacht had, denkt Bram. Maar minstens zo interessant...

14

Maya stopt voor het zwarte ijzeren toegangshek van het landhuis van haar vader. Ze stapt uit haar auto en drukt een code in op een verlicht paneeltje op een van de witte stenen pilasters. Ze rilt in haar oversized jack; het regent zachtjes.

Er gaat een zoemertje af, lichten springen aan en het voorname, van spijlen voorziene hekwerk opent zich majestueus.

Ze hoort de honden van de buren oorverdovend blaffen.

Ze rijdt het grind op en parkeert haar auto, zoals altijd, pal voor de voordeur. Ze pakt haar mobiele telefoon, haar handtas en de plastic tas met Italiaansc hapjes en oliebollen en loopt naar de voordeur.

Het zware hekwerk sluit zich weer even majesteitelijk en bijna geruisloos achter haar.

Voordat ze haar sleutel in het slot kan doen, gaat de voordeur al open en verschijnt haar vader in de deuropening.

Ze stapt onmiddellijk op hem af, kust hem net naast zijn mond, omhelst hem met beide armen en zegt: 'Hoi pap.'

'Dag lieverd.' Ben kust haar op beide wangen en kijkt haar liefdevol aan terwijl hij haar hoofd met beide handen vasthoudt.

Sam springt tegen haar op en ze aait de hond over zijn kop.

Maya voelt intuïtief dat er iets aan de hand is en kijkt haar vader onderzoekend aan. Dan ziet ze langs hem in het licht van de hal onder aan de trap een man liggen met ontzielde, in het niets starende ogen. Zijn nek ligt in een onnatuurlijke hoek.

Naast zijn hoofd ligt een raar, geel, stupide masker en een plas bloed.

'Pap! Wie is dat? Wie is die man? Wat is er gebeurd?' Gebiologeerd staart ze naar het lichaam op de vloer. 'Is-ie dood?'

'Je vader heeft bezoek gehad, jongedame,' zegt een onbekende stem vanuit Bens studeerkamer 'En dat bezoek heeft hij gemakshalve vermoord'.

Ben en Maya schrikken, maar Ben is inmiddels wel wat gewend. Hij draait zich bliksemsnel om en gaat voor Maya staan.

'Wie ben jij, verdomme?' roept hij naar een man met een bivakmuts op die licht tegen de deurpost van zijn studeerkamer leunt en in zijn rechterhand een pistool op hem gericht houdt. 'Wat doe je hier?'

'Ik ben de man die alles gezien en gefotografeerd heeft,' zegt Bram. Triomfantelijk zwaait hij met de pocketcamera in zijn linkerhand. 'Je hangt, kapitalistische klootzak, je bent vies de lul. Dit had je nou níét moeten doen.'

Ben heeft geen idee wie deze man is en weet niet wat hij moet zeggen. Hij begrijpt er absoluut niets van.

Hij voelt dat Maya achter hem staat te trillen op haar benen. Zijn hersenen werken razendsnel terwijl hij zoekt naar een oplossing, een uitweg uit deze situatie.

'Dit is niet waar! Die kerel hier heeft mij gefotografeerd en ik heb er niets van gemerkt. Wat is dit? Een set-up? Hij ziet de foto's al voor zich in de dagbladen, en om je de koppen erboven voor te stellen is ook niet veel fantasie nodig: MEDIAMAGNAAT VERMOORDT INDRINGER, of: ZANDSTRA VERDACHT VAN MOORD.

Zijn hond is inmiddels naast hem komen zitten en kijkt zijn baasje vragend aan.

'Gerechtigheid is de naam,' zegt Bram met vaste stem. Dreigend loopt hij op Zandstra en zijn dochter af.

Niemand komt aan mijn dochter, denkt Ben. Niemand. 'Verdomme!' brult hij en in blinde woede springt hij op de tot op twee meter afstand genaderde indringer af.

Bram laat zich niet verrassen. Met een perfect getimede, flitsende karateslag in de nek slaat hij Ben in één keer tegen de grond.

Ben blijft versuft vooroverliggen en betast met zijn linkerhand de pijnlijke plek in zijn nek. Maya weet geen woord uit te brengen. Ze kijkt met grote ogen bang en verbijsterd toe.

'Naar binnen komen jij en doe als de sodemieter die deur dicht. Nu!' snauwt Bram tegen Maya. Hij zet zijn commando kracht bij door dreigend zijn Beretta te heffen.

Maya, nog diep onder de indruk van wat er zojuist gebeurd is, aarzelt. Bram aarzelt niet.

'Ik kan natuurlijk ook de knieën van je vader kapot schieten,' zegt hij met een ijskoude stem. 'Of zijn rugwervels. Dus aan jou de keus. Wil je dat hij de rest van zijn leven in een rolstoel zit?'

'Toe maar, Maya,' zegt Ben hees terwijl hij zich probeert om te draaien. 'Doe wat hij zegt.'

Maya zet, totaal onthutst, haar spullen op de vloer, draait zich om en doet snel de deur dicht. Haar mobiele telefoon heeft ze in de zak van haar jack gedaan. Even heeft ze overwogen om terwijl ze achter haar vader stond 112 te bellen, maar ze had het lef niet.

'Kijk, je dochter is een stuk slimmer dan jij. Die begrijpt tenminste wanneer ze in de shit zit en maar beter kan doen wat er gezegd wordt. Nog één keer zo'n grap en ik sla net iets effectiever. Dan ben je gewoon dood.'

Bram had de nieuwe situatie razendsnel geëvalueerd toen Zandstra naar de voordeur liep om de vrouw binnen te laten die naar al snel bleek zijn dochter was.

Er was verder niemand in huis, althans hij kreeg sterk die indruk. Anders was er inmiddels wel iemand tevoorschijn gekomen. Zandstra was zijn overvaller blijkbaar te slim af geweest. Wie het ook was en hoe het ook was gebeurd, die vent had zonneklaar bij een val zijn nek gebroken en was zo dood als een pier. Hij moest Zandstra dus beslist niet onderschatten, ook al niet vanwege de laatste exercitie.

Dat zijn mooie dochter plotseling haar opwachting maakte, was een complicerende factor, maar zeker niet nadelig. Hij had twee vliegen in één klap geslagen. Maya was een uiterst nuttig middel om Zandstra, indien noodzakelijk, meedogenloos te chanteren.

'Wat gaat er nu gebeuren?' vraagt Zandstra. Hij zit op de vloer, nog wazig maar al enigszins van de klap bekomen, en alweer strijdbaar.

Die strijdbaarheid ontgaat Bram niet en het maakt hem nog oplettender. Hij moet die vent meteen een toontje lager laten zingen.

'Kop dicht. Ik stel hier de vragen en ik geef de opdrachten,' zegt hij kortaf. 'Waarom stond je alarm niet aan?'

'Hoezo denk je dat? Natuurlijk stond het aan. Mijn beveiligingsagenten en de politie kunnen elk moment hier zijn,' liegt Ben zonder te blikken of te blozen.

'Ja hoor,' zegt Bram. 'Jij bent een nog grotere sukkel dan ik al dacht. En om antwoord te geven op je vraag: we gaan eerst een stukje wandelen en dan een stukje varen en dan een stukje rijden. Opstaan jij, handen achter je hoofd en naast je dochter gaan staan.'

Ben doet wat zijn belager verlangt.

'Jij ook, meisje. Handen achter je hoofd. Iets meer uit elkaar gaan staan jullie, ongeveer een meter. Kijk, dat is al beter. En nu draaien jullie kalm om zodat jullie helemaal met je rug naar mij toe staan, en dan halen jullie alles uit je zakken. Heel langzaam. En doe je horloge af. Leg alles voor je op de vloer en maak geen onverwachte bewegingen.'

Ze doen wat hij zegt.

Zandstra heeft alleen wat losse bankbiljetten in zijn broekzak en een Platinum Amex-creditcard. Hij doet zijn horloge af en legt het voorzichtig op de vloer bij zijn andere spullen.

Maya haalt haar mobiel uit haar jack, wat los geld, wat kauwgum en doet haar Swatch af. Ze legt ze vlak naast haar handtas en de plastic tas van de Italiaanse traiteur.

'Is dit alles?' vraagt Bram.

Ze knikken allebei.

'Oké, blijven staan, handen weer achter je hoofd. Jij, mooie meid, hoe heet je?'

'Maya,' zegt ze met gesmoorde stem. Bram hoort overduidelijk dat ze bang is. Heel even moet hij aan zijn eigen dochter Sacha denken en krijgt hij het te kwaad. Het duurt maar een paar seconden, dan heeft hij zich hersteld.

'Goed, mooie meid. Drie passen naar voren jij. Blijf met je rug naar mij toe gekeerd.'

Ze doet wat hij zegt en Bram loopt snel op Zandstra af, port zijn pistool hard in zijn rug en fouilleert hem. Ben kreunt.

Niets.

'Naast je dochter op dezelfde afstand gaan staan. En jij, meisje, doet je jack open en loopt dan drie passen terug. Langzaam!'

Maya opent de rits van haar jack, doet haar handen weer achter haar hoofd en stapt drie passen naar achteren.

Hij drukt het pistool tegen haar onderrug en fouilleert ook haar. Hij voelt een halsketting en rukt hem af. Maya schrikt maar blijft stokstijf staan.

Vluchtig betast hij haar borsten, die mooi rond zijn en vol aanvoelen in haar bh. Hij voelt in de zakken van het jack, strijkt met zijn hand over haar dijen ter hoogte van de zakken van haar spijkerbroek en voelt aan de achterzakken op haar billen. Hij kan het niet laten er even in te knijpen.

'Hoe oud ben je?'

'Vierentwintig.'

Het is een mooie meid met een wereldlijf. Verdomme. Hij kijkt naar de halsketting in zijn hand. Er hangt een medaillon aan. Hij opent het ding en ziet tot zijn verrassing dat er een fotootje van Zandstra in zit. Hij smijt het op de grond.

Gek op haar vader, denkt hij. Goed zo.

'Oké, langzaam omdraaien allebei. We gaan lopen.' De hele exercitie had nog geen drie minuten in beslag genomen. 'Jij voorop, Zandstra, en jij, mooie Maya, blijft vlak achter je vader. Doe geen gekke of onverwachte dingen, bij het minste geringste schiet ik jullie domweg overhoop. En je dochter is het eerst aan de beurt, Zandstra. Sorry schatje. Moven! De studeerkamer in en dan naar buiten.'

Sam huppelt kwispelend achter hen aan.

Zodra ze zich voor hem bevinden, volgt Bram hen en geeft hun af en toe een aanwijzing. Ze gaan door de opengebroken deuren de tuin in, richting het polyester bootje.

Zodra ze buiten zijn, zegt Bram: 'Waag het niet je muil open te trekken, want ik snij je mond zover open dat je voor je leven verminkt bent en je het eerste jaar helemaal niet meer kunt lullen. Dat geldt voor jullie allebei. Ik wil niets, maar dan ook niets horen. Lopen!'

Maya heeft op haar pumps moeite met lopen door het natte, tamelijk drassige gras. Twee keer verzwikt ze bijna haar enkel.

Plotseling roept Bram met een gedempte, maar duidelijke stem: 'Stop!'

Ze blijven staan en Bram opent de rits van zijn sporttas, die hij halverwege in de tuin van Zandstra had laten liggen.

Ben keert zich half om. 'Wat ga je doen?' vraagt hij.

'Wat heb ik verdomme gezegd! Kop dicht en voor je kijken!'

Hij doet zijn camera in de sporttas en pakt een paar handboeien, zonder Zandstra en zijn dochter een tel uit het oog te verliezen. Vervolgens gebiedt hij Zandstra zijn armen langzaam te laten zakken en gekruist achter zijn lichaam te houden. Hij doet behendig met één hand de boeien om en laat het sleuteltje in zijn broekzak verdwijnen. Op Maya had hij niet gerekend en daarom heeft hij maar één paar boeien bij zich. Hij pakt een touw uit zijn tas en gebiedt Maya eveneens haar armen te laten zakken en kruiselings achter haar lichaam te houden.

Ben wil zich weer omdraaien, maar een venijnige trap tegen zijn enkel weerhoudt hem ervan.

'Ik begin mijn geduld met jou te verliezen, mannetje,' zegt Bram op zangerige en dreigende toon.

Hij boeit ook Maya, pakt zijn sporttas en roept weer: 'Lopen!'

Sam scharrelt wat om hen heen.

Bram voelt duidelijk dat de twee valiumtabletten hun werk beginnen te doen en hij schudt twee keer heftig met zijn hoofd.

Ben vervloekt zichzelf dat hij dat verdomde alarm niet aan had staan. Dan zou hier al tien keer zijn eigen veiligheidsman hebben gestaan, of tenminste de politie. Naar die monitoren had hij waarschijnlijk toch niet gekeken als hij ze aan had laten staan. Maar dat alarm... dat zette hij meestal alleen 's nachts aan. Als hij het al in werking zette.

Hij vreest het ergste van deze man, temeer daar hij het woord 'kapitalistisch' gebruikte. Dat beloofde niet veel goeds.

Gelukkig heeft hij geen buitenlands accent, denkt hij. Waarschijnlijk een lid van een of andere linkse splintergroepering, lui die aandacht willen voor hun zaak. In het gunstigste scenario misschien een ordinaire afperser, die geld wil zien. Maar nee, dat was niet aannemelijk. De man liet zijn creditcard, zijn peperdure horloge en wat bankbiljetten gewoon op de vloer liggen. En ook de tas van Maya heeft hij niet aangeraakt.

Hoe heeft dit in vredesnaam kunnen gebeuren, denkt hij. Ik had Gerard nooit vrij moeten geven. Dat gezeik met personeel ook altijd... Die vent moet me vandaag afgelegd hebben, hoe weet hij anders dat ik alleen was? Dat Maya net nu aankwam is natuurlijk toeval. Twee kerels met een masker op, en dat op een en dezelfde middag. Het is te bizar voor woorden...

Ze zijn nu de beschoeiing genaderd van het terrein van zijn huis en Ben ziet in het donker een oud wit polyester motorbootje liggen.

'Oké, we zijn er,' zegt Bram. 'Allebei rustig in dat bootje stappen en voorin gaan zitten.'

Ben stapt wat onbeholpen in het schommelende ding. Hij valt bijna om maar weet net op tijd zijn evenwicht te bewaren. Bram houdt Maya bij haar arm vast als zij een been in het vaartuigje zet. Maya staat het huilen nader dan het lachen. Ze is doodsbang van deze man, die ze voor een soort terrorist aanziet. Ze heeft geen idee wat er te gebeuren staat, maar nog nooit in haar leven is ze zo zenuwachtig en angstig geweest. Het naarst vindt ze nog zijn bivakmuts, heel bedreigend. Ze moet heel nodig plassen, doet het bijna in haar broek en ze heeft pijn in haar voeten.

Bram duwt de boot met zijn voet van de kant, springt er tegelijk met Maya in en gaat ten behoeve van het evenwicht snel achterin zitten. Het buitenboordmotortje slaat in één keer aan.

Sam blijft piepend en af en toe blaffend achter op de oever. De rottweilers van de buren gaan nog harder tekeer.

Ze zitten nu recht tegenover elkaar, maar kunnen in het donker niet veel meer dan elkaars contouren onderscheiden. Ben rilt van de kou, het is hooguit een graad of zes. Traag pruttelt het bootje over de plas naar de parkeerplaats waar Bram zijn gestolen BMW heeft achtergelaten.

Het zicht is slecht, maar Bram weet precies de weg. Hij heeft zijn zaklamp zelfs niet één keer nodig.

Toch nog onverwacht botst het bootje tegen de kant. Bram manoeuvreert het oude ding met de zijkant langs de beschoeiing en beveelt Maya en Ben uit te stappen. Bram stapt vrijwel direct achter hen aan land. 'Lopen en kop dicht.'

Bram is alles bij elkaar misschien een halfuur weg geweest. Het is tien voor half zes. Er is geen mens te bekennen, het zit niet tegen. Ongelooflijk, denkt hij, dat het zo simpel is...

Zodra ze bij de BMW zijn doet Bram het kofferdeksel open, grijpt Zandstra bij zijn arm, zet de Beretta tegen zijn slaap en fluistert: 'Hier ga jij zonder enige vorm van protest in, grote vriend.' Hij duwt hem er al half in.

Zandstra kan niet veel anders dan gehoorzamen en zegt wijselijk niets.

Zodra hij erin ligt, plakt Bram zijn mond af met een stuk tape en doet het kofferdeksel dicht.

Maya is te bang om iets te zeggen en staat in haar broek te plassen. De warme urine stroomt langs haar benen in haar spijkerbroek en in haar schoenen. Ze merkt het nauwelijks.

Bram ziet het niet in het donker. Hij grijpt ook haar bij een arm, loopt naar het rechter portier, doet het open en klapt de rugleuning van de stoel helemaal naar achteren. Hij beveelt haar in te stappen en te gaan liggen. Daarna loopt hij met het pistool op de auto gericht om de voorkant en stapt snel ook in.

Hij zet zijn tas op haar dijbenen, maakt kortsluiting met de contactdraden onder de stuurkolom en de auto start. Hij legt het pistool op zijn schoot en kijkt Maya aan.

'Eén foute beweging en ik maak je af, schat. Het gaat me om je vader en niet om jou, dus voor mij is het niet zo moeilijk. Duidelijk?'

Maya knikt heftig.

'Oké, dan maak ik nu het touw los. Draai je naar me toe met je handen. Mochten we onderweg worden aangehouden, dan houd jij uiteraard stijf je lippen op elkaar. Je sliep. Duidelijk?'

Maya knikt weer.

Bram haalt het touw van haar polsen, doet zijn bivakmuts af en zet zijn capuchon op. Hij doet de spullen in zijn tas en plaatst die op de grond voor de stoel van Maya. Hij neemt zijn pistool in zijn rechterhand, waarmee hij tevens moet schakelen. Met de linker moet hij sturen.

'En draai je om. Ga op je linkerzij liggen met je gezicht naar mij toe.'

Langzaam trekt hij op en ontsteekt pas de lichten zodra ze op de weg zijn. Hij rijdt brutaal langs het huis van Zandstra, richting de A12. Er is nog steeds niemand te bekennen bij het huis. Bram vindt het ongelooflijk.

Beiden zwijgen ze. Uit de kofferbak komt geen geluid.

Eenmaal op de snelweg richting Den Haag vraagt Maya schuchter: 'Waarom doe je ons dit aan? Wij hebben jou toch ook niks gedaan?'

Toen Bram zijn bivakmuts afdeed had ze kort zijn gezicht gezien en ze was ineens minder bang geworden. Hij zag er normaal uit zonder die muts; ze vond hem zelfs wel knap. Achter in de veertig schatte ze hem.

'Daar kom je snel genoeg achter. Trouwens, wat doe jij eigenlijk? Zit je nog op school, of werk je of doe je gewoon niets?' vraagt Bram.

'Ik studeer psychologie in Amsterdam.'

Bram begint hard te lachen. 'Waarom, om jezelf beter te leren kennen of om de geschifte mensheid te gaan helpen?'

'Ik wil kinderpsychologe worden, en ja: om kinderen te helpen. En als ik dan ook nog iets meer over mezelf te weten kom is dat mooi meegenomen. Maar dat is niet de reden van mijn studiekeuze.'

Ze heeft moed geput en voegt er vlug aan toe: 'En jij, wat doe jij, behalve onschuldige mensen kidnappen?'

Bram kijkt met gefronste wenkbrauwen opzij, doet zijn capuchon even af en ziet dat haar broek van haar kruis tot aan haar knieën nat is. 'Waarom heb je in je broek gepist, schat? Dat gaat stinken. Ben je daar niet een beetje te oud voor?'

Eerst nu ziet Maya het zelf ook, voelt ze het ook en het schaamrood stijgt haar naar de kaken. Ze laat zich echter niet uit het veld slaan en zegt: 'Dat had jou ook kunnen overkomen; waarom beantwoord je mijn vragen niet?'

'Omdat ik daar nu geen zin in heb, rijk trutje. En omdat ik moe ben. En bovendien, zoals ik al eerder zei: daar kom je snel genoeg achter.'

Bram heeft spijt van de twee valiumtabletten, de slaap overvalt hem en hij heeft moeite zijn ogen open te houden. Hij voelt zich loom worden en weet dat dat gevaarlijk is. Hij draait het zijraam half open.

Bij Den Haag neemt hij de A4 richting Amsterdam.

'Waar gaan we naartoe?' vraagt Maya.

'Jezus christus mens, hou nou eindelijk je kop eens dicht, ik ben niet in de stemming voor je gekwek. We gaan naar Schiphol,' voegt Bram er chagrijnig en geïrriteerd aan toe.

'Gaan we vliegen?' vraagt Maya ongelovig.

'Nee, we gaan met de boot.'

Bram had de dag ervoor zijn eigen auto op een van de langparkeerplaatsen van Schiphol achtergelaten en was met de trein teruggegaan naar Amsterdam. Altijd met zijn jack met oversized capuchon op en elke camera die hij tegenkwam ontwijkend. Hij wilde de politie, die ongetwijfeld vroeger of later bij het verhaal betrokken zou worden, op een dwaalspoor brengen. De BMW zou als gestolen worden aangegeven, door camera's op de snelweg gesignaleerd worden en misschien ook wel door iemand in Reeuwijk. Daarom moest er van auto gewisseld worden, maar volledig uit de richting, op een totaal andere plek dan waar hij Zandstra uiteindelijk naartoe zou brengen. Schiphol was bovendien lekker anoniem en het viel niet op als je auto er een nachtje stond. Gisteren was hij niet gevolgd, dat wist hij zeker.

'Als je denkt dat je hiermee wegkomt, vergis je je. Mijn vader zal al snel vermist worden en dan breekt de hel los. Je krijgt de halve Nederlandse politiemacht op je dak,' zegt Maya.

'Welke politiemacht? Laat me niet lachen. De politie is allang niet meer wat ze ooit geweest is. Daar hebben al die domme politici wel voor gezorgd,' zegt Bram smalend.

'Je weet toch wie mijn vader is? Trouwens, zie je al die camera's langs de snelweg? En in de kwaliteiten van de Nederlandse politie kun jij je nog wel eens lelijk vergissen.'

'Je begrijpt het nog steeds niet, wijfie. Bovendien denk ik dat het nog wel een tijdje kan duren voordat hij vermist wordt, en dan zijn ze voorlopig wel effe zoet met die dooie kerel die daar ligt. Maar goed, al bemoeit de politie van heel Europa zich ermee, als er geen enkel spoor is, dan houdt het snel op. En nou hou je je hoofd dicht,' zegt hij ineens ongewoon scherp. 'Anders krijg je echt een lel op dat mooie smoeltje van je.'

Maya denkt aan Paul, die nu zo ongeveer wel bij het huis in Reeuwijk zou moeten zijn, maar zegt niets.

Hij vindt me wel wat, denkt ze, wie weet kan ik daar gebruik van maken...

Op de A4 neemt Bram de afslag naar Alphen aan den Rijn en rijdt vervolgens binnendoor naar Schiphol. Weer weg van de snelweg, van de camera's. De rit verloopt verder zwijgzaam en rustig. Bram houdt zich keurig aan de maximumsnelheid. Rond zes uur komen ze aan bij de luchthaven.

Maya voelt zich steeds ongemakkelijker in haar natte broek. Bovendien maakt ze zich zorgen over haar vader. Wanneer ze vraagt of hij wel genoeg zuurstof krijgt, kijkt Bram haar vernietigend aan.

Als Bram bij zijn auto arriveert, een oude, donkergroene Landrover, wil hij er niet naast parkeren en ook niet vlakbij. Hij rijdt nog zeker zo'n 200 meter verder. Daar positioneert hij de BMW. Er staan nergens camera's.

'We gaan een stukje wandelen, ik laat je eruit,' zegt hij tegen Maya.

Bram stapt uit, loopt snel om de voorkant van de auto heen en opent het portier van Maya. Hij pakt eerst zijn tas en ondersteunt dan Maya bij het uitstappen.

'Rustig, onopvallend naast mij gaan lopen en geen woord.'

Tijdens het lopen doet Maya haar jack dicht; ze heeft het koud. Ze voelt dat zelfs haar voeten nat zijn van haar plas. Bram heeft zijn capuchon op.

Het kost hun ongeveer drie minuten om Brams donkergroene Landrover te bereiken.

Onderweg komen ze twee druk converserende kerels tegen.

'Voor je kijken, rustig blijven en kop dicht,' sist Bram, en hij pakt haar stevig bij haar bovenarm. Zijn greep is ijzingwekkend sterk en Maya krimpt ineen van de pijn.

De beide mannen kijken niet op of om en lopen druk pratend en gebarend verder.

'We zijn er, die auto is het. Instappen en je niet verroeren. Voor de stoel op de grond gaan zitten, met je gezicht naar de stoelleuning.' Hij wacht haar antwoord niet af en duwt haar de auto in.

Hij rijdt de Landrover de parkeerplaats uit en plaatst zijn auto direct naast de BMW. Het parkeerterrein lijkt uitgestorven. De twee mannen die ze tegenkwamen zijn nergens meer te bekennen.

'Ik ga je vader bevrijden uit die kofferbak. Hij mag achterin gaan zitten. Jij verroert geen vin! Duidelijk?'

Maya knikt.

Bram opent het kofferdeksel. Zandstra knippert met zijn ogen en richt zich moeizaam half op.

'Eruit!' Bram grijpt hem bij een arm en sleurt hem de kofferbak uit.

'Hmmm-hmmm-hmmm' – Zandstra probeert duidelijk te maken dat hij wat wil zeggen, maar Bram reageert bot:

'Stil zijn en doen wat ik zeg. We gaan deze auto in, daar kun je in zitten. We moeten nog een stuk verder.'

Er scheert een laagvliegende Boeing 747 over hun hoofden en Ben realiseert zich dat ze op een parkeerterrein van Schiphol zijn. Hij heeft pijn in zijn rug en rechterarm. Hij is stijf, door en door koud en rilt van ellende. Hij ziet Maya niet en vraagt zich af waar ze is. Misschien zit ze al in die auto.

Voor hij het zich goed en wel realiseert wordt hij aan de achterzijde de Landrover in geduwd en wordt de deur achter hem dichtgesmeten. De achterste ramen van de auto zijn geblindeerd en er bevindt zich een schot tussen de laadruimte en de voorstoelen. Het is bijna volkomen donker, maar hij kan tenminste op de bodem gaan zitten.

Bram kijkt nog even in de BMW of hij niets vergeten is, daarbij Maya niet uit het oog verliezend. Hij mist niets. Dan pakt hij zijn tas van de grond en stapt ook in. Hij zet zijn tas op de andere voorstoel en start de auto. Zijn pistool stopt hij in de rechter zak van zijn jack.

Bram rijdt de parkeerplaats af, stopt onderweg om cash te betalen nadat hij Maya dreigend heeft duidelijk gemaakt dat ze niets onzinnigs in haar hoofd moet halen en doet het parkeerkaartje bij het hefboompje in het daarvoor bestemde apparaat. Even nog heeft hij overwogen om ook Maya achterin te gooien, bij haar vader, maar hij heeft daarvan afgezien. Er zal nog wel niet naar haar gezocht worden, denkt hij, en de gedachte dat die twee bij elkaar zitten zonder dat hij er een oogje op kan houden bevalt hem niet.

Hij zou wel een kop koffie kunnen gebruiken, maar om langs de weg te stoppen, daarmee zou hij het noodlot te veel tarten.

Toch nog iets vergeten. Een thermosfles koffie...

Al snel is hij bij de A4 en neemt de afslag Amsterdam/Utrecht, vervolgens de A9 en dan de A2 naar Utrecht. Het is nog geen half zeven.

Maya kijkt hem aan, maar zegt niks. Ze was al blij dat haar vader niet gestikt was in die smerige kofferbak. Ze had een glimp van hem opgevangen in de zijspiegel en de tranen waren haar in de ogen gesprongen. Ze zag hoe intens koud hij het had. Ze hoorde hoe hij de auto in geduwd werd en veegde snel de tranen van haar wangen, zodat Bram ze niet zou zien.

Ze vraagt zich af of ze niet iets moet doen. Een ruk aan het stuur geven, als ze er al bij kan? Of op de een of andere manier de aandacht proberen te trekken van andere weggebruikers? Ze moet iets doen. Stel dat ze straks naar het een of andere vage, afgelegen pand worden gebracht. Dan heeft ze helemaal geen kans meer. Ze moet denken aan die afschuwelijke scènes in de film *The Silence of the Lambs*, waarin een meisje in een diepe put is gegooid, overgeleverd aan een gestoorde idioot.

Hij lijkt wel of Bram haar gedachten kan lezen, want plotseling zegt hij vrij rustig:

'Luister, Maya. Tot op heden is alles goed gegaan, maar krijg alsjeblieft geen rare ideeën. En probeer niet de held uit te hangen. Ik heb dit al vaker gedaan en weet hoe het werkt. Eerst ben je bang, gekwetst en radeloos. Dan ga je denken: shit ik moet iets doen, ik moet actie ondernemen. Nou, dat heeft geen nut. Ik heb een pistool in mijn zak en nog een handgranaat. Bovendien ben ik karatespecialist. Ik kan je makkelijk met één klap doden. Je hebt gezien hoe ik je vader velde. Dus bij het minste geringste schiet of sla ik je dood. Of ik gooi via dit luikje achter me een handgranaat bij je vader naar binnen, rem af en spring naar buiten. En dan... boem! Zo doen we dat. Duidelijk?'

'Ik dacht nergens aan, hoor,' zegt Maya. 'Maar vind je het erg als ik mijn spijkerbroek uitdoe? Hij is nog steeds kletsnat en ik zit hier helemaal klem. Mag ik me trouwens niet omdraaien? Ik krijg een stijve nek.'

'Jij houdt netjes je kleren aan en je hoeft er ook niet aan te denken me op te geilen. Als ik je benen of meer wil zien, dan gebeurt dat toch wel, schat. Geloof me maar.'

'Kan die stoel niet wat verder naar achteren? En waar gaan we naartoe?' vraagt Maya. 'Dat kun je me nu toch zo langzamerhand wel vertellen.'

Bram zet de radio aan, Sky Radio. De stem van Phil Collins klinkt in de cabine van de Landrover met het nummer 'Against All Odds'.

'We gaan naar een huis. Een boerderij eigenlijk. In het midden van het land.'

'Waarom? En wat gaan we daar doen?'

'Omdat die boerderij van mij is en ik daar rustig met je vader kan praten. We moeten wat zaken regelen en als hij mijn bescheiden eisen inwilligt, is er niets aan de hand. Dan zijn jullie binnen een paar dagen weer vrij en gaat je rijke en verwende leventje gewoon weer verder. Wees niet bang, ik zal goed voor jullie zorgen. Alleen de oliebollen en champagne kun je natuurlijk vergeten. Daar heb ik helaas niet aan gedacht. Maar verder wordt het toch wel een verrassende jaarwisseling, vind je niet?'

'En als mijn vader niet aan je eisen voldoet?'

Bram pakt zijn pistool in zijn rechterhand en beweegt het koude metaal van de loop langs de zijkant van haar gezicht. Dan langzaam naar beneden, tussen haar borsten.

'Dan ga ik met jou spelen en dan weet ik zeker dat hij doet wat ik van hem vraag.'

Maya kijkt de andere kant op en zegt niets.

15

Om vijf uur 's middags pakt Paul Zandstra zijn spullen, waaronder het rapport over het Duitse platenlabel dat hij zou willen overnemen. Hij wil het nog deze middag met zijn vader bespreken. Hij gooit alles in zijn leren koffertje.

Hij doet zijn blauwe blazer aan die over de rugleuning van zijn bureaustoel hangt, pakt zijn sleutels en slentert zijn kamer uit. Hij schakelt het licht uit en sluit de deur van zijn kamer.

Behalve zijn blazer draagt hij een grijze coltrui, donkerblauwe jeans en zwarte Prada-schoenen. Nadenkend loopt hij naar de lift en drukt op P1, waar zijn auto staat, een zwarte Porsche 911.

In de parkeerkelder stapt hij in zijn auto. Hij doet een cd in de opening van het afspeelapparaat, *The Best Of U2*, en rijdt de garage uit.

Terwijl spijkerhard het nummer 'With Or Without You' klinkt, rijdt hij veel te snel over de A10 en dan de A4 richting Utrecht. Paul vindt de ruimte in zijn auto een van de beste plekken om muziek te beluisteren en hij is gek op de jaren negentig.

Eenmaal op de A4 moet hij zijn snelheid wegens de drukte matigen en steekt een sigaret op.

Als die ouwe in een goeie bui is, dan ga ik hem er weer eens van proberen te overtuigen dat het internationale hoofdkantoor van ZMG Music toch echt naar Londen moet, denkt hij. De internationale scene zit nu eenmaal daar en niet in Amsterdam of Hilversum. In Londen gebeurt het, en in New York, maar helemaal niet in Nederland. Voor seks, drugs en rock-'n-roll moest je allang niet meer op de beruchte Gooise matras zijn, in Hilversum – althans niet wat de muziekscene betrof.

Bovendien wilde hij weg uit Amsterdam. Hij kreeg een veel te hechte band met Maya en dat kon gewoon niet. Het was verdomme zijn halfzus!

Hij verwisselt de cd van U2 voor de *Best Of* van George Michael, zijn veruit favoriete artiest uit de jaren negentig. Een echte muzikant en kunstenaar, naar Paul zijn mening. Hij kiest voor het nummer 'Fast Love'.

Zijn repertoiremanagers hadden als opdracht bij voorkeur muzikanten onder contract te nemen die ook in staat waren zelf liedjes te schrijven. Tenzij het natuurlijk artiesten betrof met uitzonderlijke zangkwaliteiten. George Michael was naar Pauls maatstaven een uitstekende zanger en performer die in staat was gebleken zichzelf keer op keer te vernieuwen. Hij componeerde, schreef en produceerde ook alles zelf. Een man die al op zijn eenentwintigste met 'Last Christmas' een klassieker op zijn naam zette. Dan mocht je jezelf met recht 'artiest' noemen en noten op je zang hebben. Helaas liepen ze van dat kaliber niet veel rond in Nederland.

Marco Borsato en John Ewbank waren natuurlijk de grote uitzondering. En de jongens van de Golden Earring. Als het Amerikanen waren geweest, zouden ze groter geworden zijn dan The Eagles. Wat een oeuvre...

Paul bereikt binnen drie kwartier het huis van zijn vader. Er is behoorlijk wat verkeer, maar het is niet overvol op de snelweg.

Hij ziet Maya's auto al bij de voordeur geparkeerd staan en de Bentley van zijn vader voor de garages.

Hij belt aan en gaat weer achter het stuur zitten, in de verwachting dat de toegangshekken weldra open zullen gaan. Er gebeurt niets.

'Shit, moet ik er weer uit.'

Hij drukt weer op de bel, maar er komt geen enkele reactie. Maar overal in het huis brandt licht. Gek, ze wisten toch dat hij kwam? Misschien hoorden ze het niet, of was dat ding stuk.

Hij pakt zijn mobiel en belt die van Maya. Haar telefoon gaat een aantal keren over, maar ze neemt niet op. Hij krijgt haar voicemail.

Dan schiet hem te binnen dat hij de code van het hek in zijn agenda heeft staan. Hij loopt terug naar zijn auto, doet zijn koffertje open en pakt zijn grote bruinleren agenda. Hij heeft al snel de code gevonden en drukt het viercijferige nummer in.

De zware hekken openen zich traag en statig. Mooi zo.

Paul stapt weer in, gooit zijn agenda op de stoel naast hem en rijdt het grind van het landhuis van zijn vader op. Hij parkeert zijn wagen direct achter die van Maya.

Terwijl hij uitstapt sluiten de hekken zich en komt plotseling de hond van zijn vader kwispelend op hem af rennen. Hij aait het beest, loopt naar de voordeur, belt aan en wacht. Hij hoort duidelijk de beltoon in het huis. Er wordt niet opengedaan en Paul drukt nogmaals, dit keer langer.

'Waar is je baasje Sam, waar is je baasje?'

Sam kijkt hem vrolijk aan met zijn grote bruine ogen en springt kwispelend tegen hem op. Hij duwt de hond van zich af.

Hij kijkt door het glazen paneel naast de voordeur de hal van het landhuis in verstijft van schrik. Aan de voet van de trap ligt een man met naast zijn hoofd een plas bloed en een fluorescerend masker. Zijn mond staat open en het lijkt wel of zijn ogen hem kwaadaardig aanstaren. Hij kent de man niet.

'O shit, dit is helemaal fout,' fluistert Paul. Onmiddellijk maakt hij zich grote zorgen om zijn vader en Maya.

Hij pakt zijn mobiele telefoon en belt het nummer van Rob Korteland, hoofd beveiliging ZMG.

'Met Korteland.'

'Met Paul Zandstra. Rob, ik ben bij het huis van mijn vader in Reeuwijk. Er wordt niet opengedaan en in de hal ligt een vreemde man met paardrijlaarzen aan. Hij ligt onder aan de trap met een plas bloed naast zijn hoofd. Het zou me niet verbazen als hij dood is.'

'En je vader of Gerard, zijn die ergens te bekennen?' vraagt Korteland.

'Nee, maar mijn zus Maya moet ook binnen zijn. Haar auto staat pal voor de deur. Verder zijn er geen auto's en zie ik niemand. Maar ik ben hier net. Alleen mijn vaders hond staat hier bij me.'

'En de Bentley van je vader dan?'

'O ja, natuurlijk. Sorry, die staat voor de garage geparkeerd.'

'Zit er iemand in die auto's?'

Paul kijkt naar de auto van zijn zus en de Bentley. 'Weet ik veel? ik geloof het niet.'

'Waar precies bevind jij je nu, Paul?'

'Ik zit in mijn auto voor de deur.'

'Zie je verder iets ongebruikelijks? Is er een raam ingeslagen, is de voordeur beschadigd? Staat er een onbekende auto aan de weg, brandt er licht in het appartement van Gerard? Ben je om het huis gelopen of wat dan ook?'

'Het enige wat ik gedaan heb, is het pad op rijden en aanbellen. Verder zie ik niets raars of afwijkends en er stond geen wagen aan de weg toen ik aan kwam rijden. Bij Gerard is het donker. Ik heb jou onmiddellijk gebeld, zoals de afspraak is.'

Terwijl Paul dit zegt kijkt hij onafgebroken nerveus om zich heen. Hij ziet niets verdachts.

'Het alarm is niet afgegaan,' zegt Korteland. 'Dan zou ik gebeld zijn. Maar je vader zet dat meestal pas 's nachts aan en hij heeft Gerard misschien vrij gegeven. Doet hij wel vaker, tegen mijn wens in overigens.'

'Er is in ieder geval duidelijk iets aan de hand. Bovendien laat hij voor zover ik weet zijn hond nooit alleen buiten.'

'Het is niet onmogelijk dat je vader en je zus of eventuele inbrekers nog binnen zijn. Of ze zijn ergens op het terrein of zo. Misschien word je nu door hen bespied en wachten ze op wat je gaat doen. Je bent wellicht in gevaar, Paul. Dat je voor de voordeur in je auto zit te bellen is al niet slim.'

'Ja jezus, wat had ik dan moeten doen?'

'Gedragen alsof je niets gemerkt hebt, rustig maar zo snel mogelijk weggaan en uit het zicht mij onmiddellijk bellen. Ik wil dat je nu beheerst en zonder argwaan te wekken, maar als de sodemieter, wegrijdt en naar café Dikke Karel gaat. Daar wacht je op mij tot ik contact met je opneem. Ik ben binnen tien, hooguit vijftien minuten bij het huis van je vader en ik zal ook Gerard Verlinden bellen. Die kan er misschien iets eerder zijn. Oké?'

'Oké,' zegt Paul 'Ik vertrek, maar schiet alsjeblieft op.'

'Ik ben al onderweg. Hé Paul... nog geen politie bellen!'

'Oké,' zegt Paul weer en hij verbreekt de verbinding.

Paul kijkt op zijn horloge. Het is tien voor zes. Hij kent Rob goed. Een ex-politieman met een uitstekende staat van dienst. Een man die de politie nog steeds een warm hart toedraagt, maar die gedemotiveerd is vertrokken vanwege het zwalkende politieke beleid en de grote reorganisaties die het politieapparaat in de afgelopen jaren heeft ondergaan. Toen zijn vader hem een goed betaalde baan aanbood, is hij daar maar wat graag op ingegaan.

Rob moest uit Den Haag komen. Gerard, zijn vaders boomlange chauffeur en lijfwacht, had op het terrein zijn eigen appartement boven de garages, maar ook een in het centrum van Rotterdam. Zijn auto stond er niet en boven de garages brandde geen licht.

Dat zou dus nog wel eens wat langer kunnen duren dan Rob beweerde, en ondertussen waren zijn zus en vader hoogstwaarschijnlijk in groot gevaar. Dan kon hij toch moeilijk wegrijden en gaan zitten afwachten...

Hij vraagt zich af waarom hij niet gewoon de politie zal bellen. Dan herinnert hij zich weer wat Rob daarover zei: 'Omdat als ik in de buurt ben, ik het eerst wil zien. Je moet altijd eerst mij bellen, tenzij ik niet in het land ben of niet opneem.'

Paul stapt uit zijn auto en kijkt onderzoekend om zich heen. Hij bestudeert het huis van zijn vader, doet nagenoeg geruisloos zijn portier dicht en verzekert zich ervan dat hij zijn mobiele telefoon bij zich heeft. Hij heeft alvast 112, het centrale alarmnummer, ingetypt. Als er wat gebeurt hoeft hij alleen maar op het groene knopje te drukken.

Nerveus en op zijn hoede loopt hij langs de Nieuwe Kever van Maya naar de Bentley van zijn vader. Geen mens.

Dan gaat hij weer naar de voordeur en kijkt nogmaals door het raam.

De onbekende man ligt er nog steeds. Nu pas valt hem het luide geblaf op van de honden van de buren.

Verder ziet of hoort hij geen levende ziel. Hij besluit om het huis heen te lopen.

Zo geluidloos mogelijk sluipt hij enigszins gebukt, bang maar ook nieuwsgierig en bezorgd, om zijn vaders huis. Naar de achterkant, de tuinkant van het landhuis. Hij houdt Sam, die met hem meeloopt, vast aan zijn zwarte halsband.

Regelmatig kijkt hij door de ramen het huis in. De eetkamer, de biljartkamer, de enorme living: overal brandt licht, maar er is geen mens te zien. Geen enkel teken van leven.

Dan schrikt hij zich kapot en zakt onmiddellijk door zijn knieën in de schaduw achter een hoge rododendron. Sam rukt zich onverwacht los en rent blaffend weg.

Bij de openstaande en tot zijn verbazing totaal vernielde deuren van de studeerkamer van zijn vader staat een vrouw. Ze kijkt zijn richting uit en komt recht op hem af stevenen.

16

Achterin zit Ben Zandstra ongemakkelijk tegen de zijkant van de Landrover. Hij heeft geen enkel houvast. Hij is ongelooflijk kwaad op zichzelf. Zijn ogen zijn gewend aan het donker, maar hij kan desondanks maar weinig onderscheiden. Het metaal van zijn handboeien doet pijn aan zijn polsen en de tape over zijn mond irriteert hem vreselijk. Hij wordt er gek van en hij heeft het bovendien verschrikkelijk koud. Hij rilt bijna onophoudelijk. Hij heeft het gevoel dat zijn hele lichaam beurs is en al zijn botten doen pijn.

Zo goed en zo kwaad als het gaat volgt hij de spaarzame conversatie tussen zijn dochter en zijn ontvoerder. Hij hoort muziek op de achtergrond.

Plotseling zegt de man: 'We komen in de buurt. Zo meteen gaan we de snelweg af.'

Ben hoopt bij god dat het niet lang meer gaat duren. Hij heeft spijt als haren op zijn hoofd dat hij zijn personeel vrijaf heeft gegeven tot de volgende ochtend. Pas dan misschien zal hij vermist worden. Eerst dan zal zijn eigen veiligheidsdienst of de politie in actie komen, maar tegen die tijd is Maya misschien al verkracht en is hij wellicht al vermoord, of erger nog: verminkt.

Hij denkt aan de bizarre gebeurtenissen van die middag. Nog steeds kan hij niet geloven dat het nota bene zijn onaangepaste buurman was die met een bijl zijn tuindeuren aan gruzelementen had geslagen en vervolgens achter hem aan was gekomen met dat gestoorde masker op.

Maar dat diezelfde buurman samen zou werken met dat stuk gespuis voorin, nee, dat had hij nooit voor mogelijk gehouden, ofschoon hij daar bepaald niet zeker van was. Misschien was het gewoon een wonderlijk toeval, alhoewel dat nog steeds niet verklaarde waarom Habbe met een bijl op hem af was gekomen. Daar had hij zelf, Ben, bij wijze van spreken méér reden toe.

Wat een gefrustreerde dwaas...

Habbe Landman en zijn stompzinnig blaffende, agressieve rottweilers. Al jaren leefde Ben Zandstra met hem in onmin over de honden die Habbe los in zijn tuin liet lopen als waakhonden.

Toen praten niet meer hielp, had Ben, als hij in Nederland was, regelmatig de politie op zijn dak gestuurd. Niet dat dat veel geholpen had. Erger nog, het had Habbe des duivels gemaakt dat zijn buurman de politie op hem afstuurde. Zoiets had hij nog nooit meegemaakt.

Ben had zelfs een uitstekend bod op zijn huis gedaan en toen een diep beledigde Habbe dat resoluut van de hand had gewezen, had Ben met de rechter gedreigd als het aanhoudende en hoogst irritante oorverdovende geblaf nu niet eens eindelijk ophield. Bovendien waren de dieren gevaarlijk. Ze hadden zijn eigen hond Sam al eens lelijk te pakken gehad, waarop Ben een hogere erfafscheiding had laten plaatsen.

De uit Drenthe afkomstige Habbe liet de dieren ordinair aan hun lot over, zoals dat vroeger ook ging op de boerderij waar hij opgegroeid was. Hij of zijn vrouw gaf ze één keer per dag te eten en verder keken ze nauwelijks naar de honden om.

Op een zeker moment, een paar dagen geleden, had Ben hem voor de zoveelste keer chagrijnig opgebeld en hem toegebeten: 'Als het nu niet afgelopen is en je die honden verdomme niet voor eens en voor altijd naar binnen haalt, dan laat ik ze door mijn veiligheidsdienst afschieten. Met jou en die trut van een vrouw van je erbij!'

Habbe had met trillende stem geantwoord dat Ben maar eens een psychiater moest raadplegen. Vervolgens had hij de verbinding verbroken.

Maar het geblaf hield wel op, althans tot vandaag.

Dat was drie dagen geleden en sindsdien had Ben hem niet meer gesproken en was hij het incident alweer vergeten.

Eigenlijk was Habbe zo'n kwaaie vent nog niet, dacht Ben. Het was zijn vrouw die weigerde de honden binnen te halen en Habbe opjutte. Ze zei tegen haar man dingen als: 'Je moet je door die zelfingenomen eikel van hiernaast niet de les laten lezen', en: 'Hij denkt zeker dat hij hier ook al de baas is.' Zo had hij een keer vernomen van zijn schilder, die ook wel eens voor zijn buurman werkte.

Goedbeschouwd, dacht Ben, ben ik jarenlang veel te beleefd en begripvol geweest. In Nederland word je, gezien het lakse en milde optreden van de politie, nu eenmaal in tal van situaties gedwongen het recht in eigen hand te nemen.

Rob Korteland had hem er vaak op gewezen dat hij er zó een eind aan kon maken, maar daar wilde Ben niet van weten.

En nu had hij, Ben Zandstra, zijn oververhitte buurman uit zelfverdediging naar de andere wereld geholpen. Vermoord. En als hij die gek voorin moest geloven, was het nog gefotografeerd ook.

Ben spitste zijn oren. Er werd weer gesproken voor in de Landrover. Goed verstaanbaar bovendien, luid en duidelijk.

'Luister schat, je vader is een zeer invloedrijk man, die vermogens verdient aan het verdriet en de ellende van de onderkant van de samenleving. Hij is uitgever van kranten, tijdschriften en roddelbladen. Hij maakt televisieprogramma's en hij is eigenaar van de belangrijkste commerciële radio- en televisiestations. Dat lijkt heel onschuldig, maar overal zit een tot op het bot toe uitgedokterde, supercommerciële formule achter. Hij manipuleert alles en iedereen.

Neem bijvoorbeeld zijn commerciële tv-stations. Die zenden bijna alleen maar door zijn eigen programmafabrieken bedachte series uit met veel agressie, vreemdgaan, wangedrag, relatieproblemen, seks, geweld en vooral veel zielige, bange, domme en zieke mensen. En niet serieus, nee, op sensatie belust, zodat de kijker zich kan verlekkeren. Leedvermaak- en afzeik-tv.

In het nieuws laten ze zoveel mogelijk ongelukken, natuurrampen, terroristische acties, oorlogsslachtoffers en andere angstaanjagende ellende zien, net zolang tot je er depressief en bang van wordt. Speelfilms worden geselecteerd op de dosis geweld, agressie, seks, moord en verkrachtingen. Voor het leeuwendeel zijn het films die aanzetten tot gewelddadig of agressief gedrag. En allemaal alleen maar om poen te verdienen. Om er zelf beter van te worden.'

'Doen alle tv-zenders in de hele wereld dat dan niet?' zegt Maya.

'Laat me uitpraten,' zegt Bram. 'Heb je enig idee hoe indringend en invloedrijk het medium televisie is? Dat gaat recht bij mensen hun kop in. Het is een soort harddrug. Vooral de gewone man in de straat laat er zijn leven, zijn stemming en vooral zijn gedrag door bepalen. Die zetten die mensen uit die losgeslagen programma's op een voetstuk en doen ze na. Hij en zijn kinderen verheffen ze tot voorbeeld.

Als je een blauwe maandag in een soap speelt, ben je ineens een ster. En die zogenaamde sterren met hun echtscheidingen en zielige verhalen zijn weer dankbaar voer voor de roddelbladen van die pa van je. Het ondersteunt elkaar allemaal.'

'Nou en?' zegt Maya. 'Blijkbaar is daar een markt voor.'

'Blijkbaar is daar een markt voor... Is dat het enige waar jij aan denkt?' zegt Bram met stemverheffing. 'Kijk eens goed naar zijn kranten. Heb je er wel eens echt bij stilgestaan hoe slim die in elkaar steken? Hoe ze inspelen op de duisterste krachten binnen een mens? Pure sensatiejournalistiek is het. Als ik zijn ochtendkranten lees, is direct mijn dag verziekt. Bijna elke dag kondigen de hoofdartikelen rampspoed aan. Belastingverhogingen. Meer files. Dalende huizenprijzen. Dierenmishandeling. Moord- en doodslag. Inbraken. Berovingen. Wangedrag op straat. Criminelen die elkaar doodschieten. Oorlogen. Dreigend terrorisme. Zoek maar uit, het is één grote slechtnieuwsshow. Alsof er niets anders gebeurt!'

'Het zíjn toch ook dingen die elke dag gebeuren en die opvallen?' zegt Maya.

'Ja, maar ze blazen het buiten elke proportie op en geven aan alles een negatieve draai. Het is maar hoe je het brengt. De verhoudingen zijn zoek en ze maken de mensen doodsbang. Terwijl wij toch best in een leuk land leven. Alles is goed georganiseerd, het onderwijs is bijna gratis, het is redelijk veilig, er is nauwelijks armoede, iedereen heeft een dak boven zijn hoofd en niemand heeft honger. Als je ziek bent zal geen ziekenhuis je weigeren, en overal is wel een uitkering of subsidie voor. Weet je hoe lang er al geen oorlog is geweest hier? En we kunnen zeggen wat we willen! Hallo... dat heet vrijheid van meningsuiting. Staat dát wel eens in de kranten van je vader? Opent hij dáármee wel eens de dag op tv? Ben je wel eens in China geweest, of in Rusland of op Cuba? Daar kun je je mond niet opentrekken, hoor. Wist je dat we in dit land voor 4 miljard euro per jaar aan pillen wegslikken om ons op de been te houden? En weet je hoe dat komt? Omdat we alleen maar slecht nieuws horen. Omdat ons continu verteld wordt dat alles kut is.'

Maya heeft het moeilijk in haar benarde positie op de vloer van de auto. 'Waarom kan ik niet op die stoel zitten?' vraagt ze.

'Probeer me niet af te leiden. Omdat er overal camera's staan, daarom. En ik ben nog niet klaar. Neem je vaders roddel- en boulevardbladen. Die staan vol leugens, trucagefoto's en verzonnen verhalen. Op de voorkant van zijn tijdschriften staan vrijwel altijd wijven met siliconentieten, alsof dat de nieuwe norm is. Jouw lieve vader, beste meid, verkoopt negatieve, oppervlakkige rotzooi. Zelden iets positiefs. Er is geen enkele zelfregulering meer, zelfs geen poging tot enige zelfcensuur. Hij bezit niet één kwaliteitskrant, bijna geen enkel tv-programma heeft ook maar enige diepgang. Nooit zie je bij hem programma's die een wezenlijk morele bijdrage leveren en waar we met veel te veel mensen in deze klotewereld écht behoefte aan hebben. Programma's die ons iets positiefs leren en niet iedereen voor lul zetten. Die ons leren hoe we fatsoenlijk en waardig met elkaar moeten omgaan, met de dieren, met deze planeet. Díé zou hij eens moeten maken. Programma's waar we wat van opsteken, die de jeugd een moraal bijbrengen. Die niet aanzetten tot geweld en moord, maar tot respect voor elkaar. Waar je vrolijk van wordt in plaats van chagrijnig. Maar daar valt natuurlijk niet genoeg aan te verdienen en daar vul je geen roddelbladen, sensatiekranten en tv-zenders mee. Ik weet het wel, de mensen willen het ook graag zien. We vinden de ellende van een ander prachtig. Maar om dat vuurtje bij de mensen nou elke dag weer op te stoken en daar je boterham mee te verdienen, en er dan ook nog trots op te zijn...'

Even zwijgt Bram en staart hij naar het licht van de koplampen in de donkere nacht. Hij is ter hoogte van Utrecht al van de snelweg af gegaan en ze rijden alleen nog maar op binnendoorwegen. Plotseling gaat hij weer verder.

'En uiteraard is je vader slim genoeg om af en toe een avondje op tv te wijden aan een goed doel of een of andere natuur- of milieuclub, van die clubs die al van de poen bulken, met directeuren met veel te hoge salarissen. Maar dat zijn afleidingmanoeuvres, rookgordijnen. Door wat zijn media elke dag weer aan negatieve troep ophoesten, wordt het slechtste in een mens naar boven gebracht. Sterker: we worden er fysiek ziek van, we gaan slecht functioneren en zien de normen en waarden in deze maatschappij vervagen. We hebben niets meer voor elkaar over, we verliezen het respect voor elkaar en worden steeds egoïstischer. Ik zie het resultaat bij mijn eigen kinderen.

Mensen worden zonder pardon en uit zinloze agressie doodgeschopt op straat. De politici worden met de dag dommer. De jeugd van nu houdt zich alleen maar bezig met geweld, drugs, zuipen tot ze erbij neervallen en uitzinnige seks.

En dan worden we ook nog gehersenspoeld met stompzinnige reclames voor onbenullige en volstrekt overbodige producten. Iedereen vreet zich vol met smerige hamburgers van afvalvlees. Met kippenpoten die zijn volgepropt met antibiotica van zieke, machinaal vermoorde dieren. Die noemen we tegenwoordig "een product". Een dier is een product!!'

Ben hoort dat Bram nu begint te schreeuwen.

'Zie je zo'n lul van een vleesbedrijf op de tv staan met de tekst: "Wij maken een mooi exportproduct." Dan ben je toch de weg helemaal kwijt!'

'Net of mijn vader daar wat aan kan doen.'

Maar Bram is niet te stoppen. Voor zijn geestesoog ziet Ben hoe de man rood aanloopt.

'En waarom, meisje? Omdat we niet meer nadenken. We worden geleefd door de media. Die hebben veel meer invloed op onze kinderen dan hun ouders of leraren op school. Die kunnen daar niet meer tegenop! Alles en iedereen wordt gecontroleerd in deze maatschappij. Er is altijd en overal wel een vorm van toezicht - behalve bij de media! Die hebben zichzelf tot God gebombardeerd. De nieuwe opvoeders, de nieuwe machthebbers. Ze hebben veel meer te vertellen dan de regering of onze rechters! We gaan gebukt onder een mediacratie. Zij zijn de baas!

En daarom zijn we hier, Maya. Ik ga ervoor zorgen dat de media van je vader een ander deuntje gaan zingen.'

Maya zwijgt en denkt na over wat ze net allemaal in haar benauwde positie gehoord heeft. Ze probeert de ononderbroken emotionele en soms kwaadaardige spraakwaterval te analyseren. Het is niet de eerste keer dat ze met dit soort verhalen over haar vader is geconfronteerd. Ze heeft er ook wel eens wat over gelezen in de niet door haar vader uitgegeven kranten en bladen.

Meestal wimpelde ze dat af met teksten als: 'Het valt allemaal wel mee. Er zit toch een knop op je tv? Je hoeft toch niet te kijken? Jullie zijn gewoon jaloers op zijn succes, en als hij het niet doet, doet een ander het wel.' Of: 'De redacties werken allemaal geheel onafhankelijk. Hij heeft geen enkele journalistieke invloed. Mijn vader is niet meer dan de financier en eigenaar.'

Maar ze wist donders goed dat er een kern van waarheid stak in de kritiek. Misschien wel een harde kern. Haar vader betaalde uiteindelijk wél de salarissen, en hij liet er bij de hoofdredacties geen twijfel over bestaan wie er de baas was. Anders konden ze hun toekomst bij ZMG wel vergeten.

Ook met haar grootmoeder, die ze vaak bezocht in New York, had ze er regelmatig over gediscussieerd. Ook die had veel liever gezien dat Ben kwaliteitskranten en bladen uitgaf en kwaliteitstelevisie maakte in plaats van die banale rommel. 'Hij is rijk genoeg,' zei ze vaak. 'Waarom probeert hij de mensen niet wat mee te geven in plaats van ze alles af te nemen.'

Ben, achter in de Landrover, weet niet wat hij hoort. Hij raakt somber gestemd.

Die vent is een dagdromer. Een verknipte idealist en een gevaarlijke idioot die denkt dat hij de wereld kan verbeteren. Hij begrijpt er niets van. Jezus, wat een tragedie.

Wat hem nog de meeste zorgen baart, is Brams agressieve en geëmotioneerde toonzetting.

Het gaat hem blijkbaar dus niet om geld, denkt Ben. Of wel? Misschien wil hij me kapotmaken. Die gestoorde gek gelooft in zichzelf en in wat hij zegt. Dit wordt een groot probleem. Een heel groot probleem.

Dan stopt de auto en wordt de motor uitgeschakeld. Het is inmiddels kwart over zeven en Bram is bij zijn boerderij in de Betuwe gearriveerd.

Er brandt zegge en schrijven één buitenlamp. Verder is het er aardedonker.

Het pand is behoorlijk groot, ongeveer vijfentwintig bij tien meter, en ligt tamelijk geïsoleerd beneden aan een dijk, zo'n vijftig meter ervan af. Het is opgetrokken uit schoon metselwerk van ijsselsteentjes en heeft witte ruitjesramen. Het huis is flink verbouwd; de hele indeling is veranderd. De ingang is naar de zijkant verplaatst en de vroegere deel is getransformeerd tot living met open keuken en een grote open haard in het midden. De oude hooizolder is nu de ouderslaapkamer. Er is beneden een badkamer en er zijn nog drie slaapkamers. De voorraadkelder is vergroot en doet tevens dienst als wijnkelder.

De boerderij, die dateert uit 1896, heeft een indrukwekkend vuilrood oud-Hollands pannendak en wordt omgeven door ruim vijf hectaren grond, voornamelijk achter het gebouw, die vol geplant zijn met fruitbomen. Bram heeft het land verhuurd aan een fruitteler uit de buurt. De bomen staan er keurig gesnoeid bij.

Een kleine twintig meter achter het hoofdgebouw en grotendeels onttrokken aan het zicht vanaf de dijk staat een forse, oude, van dikke bruine houten planken opgetrokken schuur, met een schuin golfplaten dak dat volledig met mos begroeid is.

Ooit, in vervlogen tijden, had de schuur waarschijnlijk dienstgedaan als stal voor vee, voordat het perceel werd ingericht met fruitbomen. Maar Bram gebruikt het houten, niet verwarmde gebouw als opslagplaats voor bouwmaterialen, als werkplaats en garage.

In de schuur bevindt zich een nog uit de Tweede Wereldoorlog stammende, kleine gemetselde schuilkelder met een cementen vloertje. De toegang bestaat uit een plat langwerpig roestig ijzeren luik in de vloer in een hoek van de schuur. Het zware ding is ongeveer twee meter lang, een meter dertig breed en twee centimeter dik. Het is voorzien van een hengsel en twee geperforeerde ventilatieopeningen. Waarschijnlijk is de kelder gebouwd om onderduikers tijdelijk in te verbergen of om de bewoners zelf bescherming te verschaffen tijdens luchtbombardementen of artilleriegevechten. De rechthoekige ruimte onder het luik is niet veel groter dan zes vierkante meter en een meter zestig hoog. Je kunt er als volwassene niet rechtop in staan. Water en elektriciteit ontbreken. De toegang bestaat uit een schuin naar beneden lopende houten trap en het is er vochtig en muf. Een paradijs voor kakkerlakken.

Bram heeft zijn auto voor de hoge toegangsdeuren van de schuur geparkeerd. Hij heeft de koplampen aan laten staan, zodat hij voldoende licht heeft om het zware hangslot te openen.

'Kom maar weer uit je schuilplaats, wijfie. We zijn er en je mag uitstappen.'

Maya richt zich voorzichtig op en gaat op de rechter voorstoel zitten. Ze kijkt om zich heen naar buiten en ziet voor zich de door de koplampen felverlichte hoge donkere houten voordeuren van een stal of schuur. Rechts achter haar ontwaart ze de contouren van een boerderij.

'Ik ga er eerst uit. Dan loop ik om de voorkant van de auto heen, met dit pistool continu op jouw tieten gericht, en open ik jouw portier. Dan stap jij beheerst uit en wandel je voor mij uit naar de achterkant. Daar doe ik de achterklep open en jij gaat bij je vader naar binnen. Duidelijk?'

Maya knikt en Bram verlaat snel de Landrover. De contactsleutels heeft hij meegenomen. Hij beweegt zich zijwaarts stappend door de felle lichten om de voorkant van de auto heen naar Maya. Zijn vuurwapen houdt hij strak op haar gericht. Hij opent haar deur, ze laat zich van haar stoel af glijden en verzwikt zodra ze de grond raakt ongelukkigerwijze haar enkel. Ze gilt het uit van de pijn, zakt door haar knieën op de vochtige steentjes en gaat zitten. Maar Bram is onverbiddelijk.

'Doe die hoge kuthakken dan ook uit, trut. Vooruit, opstaan.'

Maya maakt geen aanstalten en wrijft met haar beide handen over haar pijnlijke enkel.

'Opstaan, verdomme. Nu! En doe je schoenen uit.'

Maya kijkt angstig omhoog, recht in de loop van Brams Beretta. Ze kiest eieren voor haar geld en schopt haar pumps uit.

Mooie voeten, denkt Bram. En goed verzorgd. Hij kan er niet omheen dat hij haar een prachtige meid vindt. Hij pakt haar onder haar rechterschouder en tilt haar omhoog.

'Lopen! Laat je schoenen maar liggen, die heb je voorlopig niet meer nodig.'

Maya hinkt op haar blote voeten over de met mos begroeide bestrate bodem voor hem uit naar de achterkant van de Landrover en blijft dan leunend tegen de auto staan.

Ze heeft het koud en voelt zich plotseling doodmoe.

Bram ontgrendelt het achterportier, doet onmiddellijk twee stappen naar achteren en houdt met beide handen zijn pistool gericht op de open laadruimte.

Ben ligt rillend van de kou op zijn linkerzij en kijkt, knipperend met zijn ogen, recht in die van Bram.

'Ga maar lekker naar je vader, schat. Volgens mij heeft die arme man het koud. Hij breekt mijn hart.'

Maya gaat in de auto zitten, zwaait haar benen naar binnen en kruipt naar Ben. Bram slaat direct de deur achter haar dicht en doet hem op slot.

Het is ineens pikdonker, maar de ruimte achter in de Landrover is klein en ze ligt al snel naast haar vader. Ze betast zijn lichaam, zijn hoofd, en voelt de ducttape over zijn mond. Ze probeert voorzichtig of ze het eraf kan halen. Eerst lukt dat niet, maar uiteindelijk heeft ze een hoekje losgepeuterd. Dat neemt ze stevig tussen duim en wijsvinger en dan rukt ze de tape in één keer van zijn mond.

'Au, verdomme,' roept haar vader. 'Jezus, wat doet dat pijn.'

'Sorry pap, maar dat moest even. Leef je nog?'

'Ik heb het koud. Maar hoe is het met jou en waar zijn we?'

Plotseling horen ze dat de Landrover weer gestart wordt en voelen ze dat de wagen langzaam begint te rijden.

'Het gaat wel. Ik heb m'n enkel verzwikt en ik voel me moe en leeg.'

De auto stopt alweer en de motor wordt afgezet. Ze horen Bram uitstappen en langs de auto lopen. Eigenlijk verwachten ze dat elk moment het achterportier weer wordt geopend, maar het geluid van zijn voetstappen wordt steeds flauwer. Het piepende gekraak van dichtslaande deuren. Daarna is het doodstil en horen ze alleen elkaars ademhaling.

'Pap, ik ben bang.'

'Ik ook, lieverd. Die vent is gestoord. Hij hoort in een inrichting te zitten.'

'Ik hoop dat Paul inmiddels je veiligheidsdienst heeft ingeschakeld of de politie heeft gebeld. Hoe laat zou het zijn?'

'Paul? Hoe moet die nou weten wat er gebeurd is?'

'Vlak voordat ik naar je toe kwam heb ik hem aan de telefoon gehad en gevraagd of hij ook wilde langskomen. Dat zou hij doen, dus ik neem aan dat hij inmiddels wel tot de ontdekking is gekomen dat er iets faliekant mis is en de politie heeft gebeld of Rob Korteland.'

'Ik hou van je, Maya. Je hebt geen idee hoe blij ik ben dat je me dit vertelt.' Hij probeert haar een kus op haar voorhoofd te geven, maar het wordt haar neus. 'Ik hield er al rekening mee dat het tot morgenochtend zou duren voordat iemand zou uitvinden dat we verdwenen waren en alarm zou slaan. Maya, weet jij waar we ergens zijn?'

'In een soort naargeestige schuur bij een afgelegen boerderij ergens in de Betuwe.'

Ze horen weer het piepende gekraak van een deur en voetstappen die op hen afkomen. Ze gaan langs de auto en het geluid verflauwt. Ze luisteren naar het ondefinieerbaar gerommel van een soort zeil en de holle klank van metaal.

Dan komen de voetstappen weer dichterbij.

'Niet geïrriteerd raken, Maya en niet uitdagen,' fluistert Ben.

De achterdeur van de Landrover gaat open en in het licht staat op enige afstand Bram Rietveld met zijn pistool in de aanslag.

'Kom er maar uit, tortelduifjes. Eerst jij, Maya. Daarna mag je je vader helpen.'

Maya schuift voorzichtig op haar buik naar buiten en laat zich eerst met haar goede rechterbeen op de stenen vloer van de schuur zakken alvorens de zool van haar linkervoet de grond aanraakt.

Daarna trekt ze haar vader, die vanwege de handboeien op zijn buik is gedraaid, aan zijn beide benen langzaam de auto uit, totdat ook hij op de stenen vloer staat. Vervolgens draaien ze zich om. De ruimte waarin ze zich bevinden is redelijk verlicht door twee lampen die aan het plafond hangen.

'Aha. Ik zie dat je de tape al van je vader z'n smoel hebt afgehaald, schatje. Volgens mij heb ik je daar geen toestemming voor gegeven, of wel?'

'Hij kon nauwelijks meer ademhalen,' zegt Maya en gaat dicht tegen haar vader aan staan, die moeite heeft zich te beheersen.

'Is het nou werkelijk nodig zo grof te zijn?' vraagt Ben zo vriendelijk mogelijk. Hij kijkt zijn ontvoerder onderzoekend maar niet arrogant aan.

Voor het eerst ziet hij het gezicht van zijn kidnapper en het valt hem mee. Hij heeft helblauwe ogen en een sterke kaaklijn. Ben schat hem rond de vijftig. Een heel ander verhaal dan met zo'n bivakmuts.

'Ze is nog maar vierentwintig.'

Bram begint hard te lachen. 'Ze is nog maar vierentwintig,' bauwt hij Ben schamper na. 'Dat zijn vrouwen op die leeftijd hoor, geen kinderen meer. Alles zit erop en eraan. Weet je hoe oud mijn dochter is? Mijn dochter is nog maar net vijfentwintig. En weet je wat ze doet? Ze werkt in een luxe hoerentent in Amsterdam en neukt daar kerels van jouw leeftijd. Waarschijnlijk ken je haar nog ook, want jij bent typisch een voorbeeld van het soort klootzakken dat jonge strakke meisjes in hoerenkasten neukt.'

Ben zegt niets maar kijkt hem vernietigend aan.

'En weet je wat ze verder wil? Ze wil graag in een van die pokkensoaps van jou spelen op tv. Dan wordt ze een bekende Nederlander en nodigen ze haar uit om als een soort franje filmpremières luister bij te zetten. En o ja, nog wel het allerbelangrijkste: dan wordt ze herkend op straat en aangestaard bij de bakker. Ik ben volgens jou grof? Terwijl jij ver- domme degene bent die het uitgevonden heeft met al die vuilbekkerij in je kranten en bladen en op je kut-tv-stations. Wat wordt het vanavond om twaalf uur op ZMG 3, Ben? Een lekker pornootje om het nieuwe jaar feestelijk in te luiden? Nee vriend, je dochter kun je misschien belaze- ren, maar mij niet.'

Ben verbijt zich, heeft zijn ogen van zijn ontvoerder afgewend en kijkt naar de grond. Het heeft geen zin deze man verder van repliek te die- nen, denkt hij. Bovendien moet hij aan Maya denken. Die vent is mis- schien tot alles in staat...

'Rechtsachter is een schuilkelder. Dat is jullie nieuwe bestemming. Omdraaien en als de sodemieter ernaartoe!'

Ben en Maya gehoorzamen en begeven zich naar de aangegeven plek. Maya hinkt en steunt met haar linkerarm op haar vader. Ze heeft in- middels ijskoude voeten.

Ze zien dat ze zich in een betrekkelijk grote en hoge schuur bevin- den, waar diverse soorten bouwmaterialen zijn opgeslagen en half af- gemaakte kunstwerken her en der verspreid staan. In een hoek is een soort werkplaats gemaakt met allerlei gereedschap dat geordend aan de muur hangt. Er staat een werkbank vol met rotzooi en een grote bank- schroef waarin een lange ijzeren pijp geklemd zit.

De kelder blijkt een donker gat in de grond te zijn met een houten, gedeeltelijk vermolmde trap en een ijzeren afdekluik dat openstaat.

Ze blijven staan bij de ingang, draaien zich half om en kijken Bram, die is meegelopen, vragend aan.

'Naar beneden,' gebaart Bram met zijn vuurwapen.

'Daarin? Dat meen je niet,' zegt Maya ongelovig.

'Jij eerst, Zandstra', en hij geeft Ben een ongenadige trap in zijn rug.

Ben slaakt een kreet en valt bijna voorover het gat in. Nog net op tijd weet hij zijn evenwicht te bewaren en gehaast en vloekend loopt hij de trap af, het donkere gat in.

'Alsjeblieft,' smeekt Maya. 'Ik doe alles wat je me vraagt en mijn vader ook. Maar alsjeblieft, dit niet.'

'Lopen, trut. Of moet ik je erin schoppen?'

'Wat wil je van me?' roept Ben vanuit de kelder. 'Laten we erover praten! Ik weet zeker dat we eruit komen. Dit is allemaal niet nodig.'

Maya barst in tranen uit en haar lichaam begint te schokken.

'Ik eh... ik kan het niet, ik wil het niet, ik eh... ik doe het niet,' fluistert ze met een geschokte stem tussen het snikken door. Dan schreeuwt ze: 'Ik ga dat hol niet in', en ze rent plotseling zo snel ze maar kan ervandoor. Weg van dat hol, richting de Landrover, naar de deuren, naar de vrijheid.

'Maya, Maya!' roept haar vader vertwijfeld.

Ze voelt haar verstuikte enkel niet meer en hinkstapt in doodsangst op haar blote voeten, zo hard als ze kan. De tranen biggelen over haar wangen.

Even plotseling als ze is weggerend, wordt ze ruw tot stilstand gebracht door een ijzeren hand die haar in haar nek heeft gegrepen.

'Meisje, meisje toch, je gaat toch niet weer in je broek plassen, hè,' zegt Bram sarcastisch. 'Kom mee, zo dramatisch is het allemaal niet. Je gaat gewoon een paar dagen de kelder in, samen met je briljante vader. En dan komt het allemaal weer goed.'

Bram draait haar om en duwt Maya hardhandig voor zich uit, geeft haar een harde schop en roept: 'Spazieren!'

Maya loopt bevend en met grote tegenzin naar het donkere gat als Bram haar hard vooruitduwt, de kelder in en de trap af, waar ze boven op Ben botst, die inmiddels alweer tot halverwege naar boven was geklommen. Samen vallen ze schreeuwend naar beneden. Vrijwel onmiddellijk daarna wordt het zware ijzeren luik met een klap dichtgegooid. Ze zijn van de buitenwereld afgesloten.

Bram draait de sleutel om in het zware hangslot, gooit een oud, vuil stuk zeil over het luik en roept: 'Tot gauw. En o ja, een prettige jaarwisseling samen!'

17

Rond half drie wordt Sacha Rietveld gewekt door een ondefinieerbaar geluid dat van buiten komt. Ze houdt haar ogen gesloten, wíl nog helemaal niet wakker worden. Ze droomt nog half en zou daar het liefst mee verdergaan; ze is opgewonden en wordt in haar erotische droom verwend door een donkere man met een prachtig gespierd lichaam.

Terwijl hij met zijn tong licht haar intiemste plekjes beroert streelt ze met haar rechtervoet zachtjes langs zijn harde geslacht.

Ze kreunt van genot.

Ze ligt in haar droombeeld naakt en met haar benen uit elkaar in een leren fauteuil, als in een pornofilm. De man, zonder herkenbaar gezicht, knielt voor haar terwijl zijn handen op de binnenkanten van haar dijen rusten. Ook hij is spiernaakt. Haar linkerbeen bungelt over zijn rechterschouder. Ze heeft zich schaamteloos overgegeven aan haar meest dierlijke gevoelens.

Haar levendige fantasie en haar begeerte nemen geheel bezit van haar en ze brengt haar beide handen naar haar kruis, trapt de lakens van zich af en spreidt haar benen. Tergend langzaam masseert ze zichzelf.

Ze streelt met haar linkerhand door de donkere haardos van de denkbeeldige man, drukt zijn goddelijke mond tegen haar kruis en houdt zijn hoofd precies op de plek waar ze hem wil hebben.

Gemeenschap interesseerde haar minder, daar kwam ze zelden van klaar. De man wil zich steeds oprichten om haar te penetreren, maar dat laat ze niet toe. Dit is haar spel, haar fantasie. Zíj bepaalt de regels.

De gedachte dat zij hem een erectie bezorgt, maar hij haar niet mag penetreren, windt haar enorm op.

'Proef me, drink me, eet me maar op!' kreunt ze. 'Maar ik kom eerst en pas dan mag jij! Pas dan mag je me helemaal nemen en bezitten. Als ík het zeg!'

Naakt ligt ze op het witte katoenen laken van haar bed, met haar perfect gevormde dijen wijd uit elkaar. Haar felrood gelakte lange vingers zijn ervaren in het spel en ze begint te zweten. Ze stelt de ophanden zijnde sensatie zolang mogelijk uit, zichzelf genadig martelend. Tergend langzaam werkt ze naar haar hoogtepunt toe.

Uiteindelijk kan ze haar aandrang niet langer bedwingen. Kreunend en hijgend komt ze totaal bezweet met haar onderlichaam in extase omhoog. Haar vagina begint hevig samen te trekken en ze strekt met een wilde beweging haar benen. Haar bloed slaat op hol en al haar intense genotgevoelens komen in één punt van haar lichaam tot een hartstochtelijke explosie. Ze kermt van decadente wellust.

Het kan haar niet lang genoeg duren en haar lichaam begint bijna onbeheerst te schokken als ze zichzelf weer streelt en zich nogmaals inleeft in de situatie.

Ze moet stoppen. Ze redt het niet meer.

Uiteindelijk zakt ze uitgeput, maar verzadigd en volledig ontspannen terug in het matras.

Na een paar minuten doet ze voor het eerst haar blauwe ogen open, richt haar hoofd op en kijkt naar zichzelf terwijl ze haar onderlichaam iets omhoogduwt. Ze doet haar benen weer een beetje uit elkaar en ziet dat haar schaamhaar nog kort geschoren is.

Ze vindt zichzelf verrukkelijk en begrijpt uitstekend waarom mannen maar ook vrouwen haar begeren. Ze rekt zich uit, streelt wulps met haar handen over haar peervormige jonge borsten en kroelt als een dier in haar bed. Ze voelt zich met haar vijfentwintig jaar op en top vrouw.

Opeens heeft ze trek, en ze moet plassen. Ze kijkt op de wekker op het houten nachtkastje naast haar bed en ziet dat het al half drie is. Ze richt haar bovenlichaam enigszins op, schudt haar lange haar naar achteren en blijft steunend op haar ellebogen liggen. Niets ziend staart ze voor zich uit.

Zou haar vader thuis zijn? Ze hoort niets, maar misschien is hij bezig in zijn atelier op de bovenste verdieping.

Ze denkt aan gisteravond. Niet één lekkere kerel. Allemaal dronken klootzakken en viezeriken. Hopelijk zou het vanavond beter zijn... Ook al was het oudejaarsavond, de club was gewoon open en had een speciale partyavond georganiseerd.

Ze staat op en loopt over de witte houten plankenvloer naar de ramen en doet de gordijnen open.

Wat een shitweer! Ze zou best een weekje naar de Canarische Eilanden willen om een beetje kleur te krijgen.

Nog steeds poedelnaakt loopt ze naar haar badkamer en bestudeert zichzelf in de spiegel. Ze neemt een slokje water, poetst haar tanden en bekijkt zichzelf van alle kanten.

Ik moet wel een beetje op mijn gewicht gaan letten. Ik krijg te veel heupen en dijen, denkt ze terwijl ze zichzelf zover mogelijk omdraait om de achterkant van haar welgevormde en supervrouwelijke lichaam te kunnen zien.

Dan opent ze de deur van de douchecabine, draait de kraan open en wacht, voelend met haar hand tot de temperatuur van het water haar bevalt.

Ze stapt eronder, laat het warme, bijna hete water over haar hoofd en lichaam spoelen en plast met haar bekken naar voren recht tegen de muur van de douche aan.

Het ongegeneerde plassen en het warme water voelen weldadig aan. Ze kijkt hoe haar lichtgele plas zich tussen haar roodgelakte tenen vermengt met het douchewater.

Ze zeept zich helemaal in en wast langdurig haar blonde haar. Zeker een kwartier blijft ze onder de douche staan en denkt ze aan helemaal niets. Ze voelt zich loom en staat nog na te genieten.

Dan doet ze de kraan dicht, pakt een grote witte badhanddoek en droogt zichzelf zorgvuldig af. Ze borstelt haar natte haar naar achteren en loopt naar haar kledingkast.

De telefoon gaat. Ze pakt de hoorn van de haak en zegt vrolijk: 'Met Sacha.'

'Sach, met Patrick. Ik heb geld nodig, vijfduizend euro. Kan ik dat van je lenen?' Haar broer klinkt gehaast en angstig.

'Tuurlijk kun jij vijfduizend euro van me lenen, Pat. Die tover ik toch zó tevoorschijn?'

'Sach, ik meen het! Ik heb het geld echt nodig en ik weet dat je het hebt. Je moet me helpen, anders kom ik nog meer in de problemen.'

'Heb je dat meisje nou verkracht of niet?'

'Nee, Sach. Of misschien ook wel. Ik zat onder de shit, ik weet het gewoon niet meer. Maar je kent me toch? Zo ben ik gewoon niet.'

'Je hebt haar dus verkracht, lul!'

'Sach, geloof me, ik weet het echt niet meer. Voor hetzelfde geld heeft een van die klootzakken gewoon mijn naam genoemd, terwijl ik er geen reet mee te maken had. Ik herinner me gewoon helemaal niets, echt niet. Volgens mij krijg ik hem niet eens omhoog als ik stoned ben!'

'Waar heb je die poen voor nodig? Voor nog meer shit?'

'Nee, ik sta al twee weken droog. Ik ga naar het buitenland en ik heb geen stuiver. Je moet me helpen. Alsjeblieft, Sach, jij bent de enige die ik nog vertrouw.'

'Nou, daar ben je anders lekker laat mee. Al maanden heb ik niks van je gehoord en dan heeft meneer ineens vijfduizend euro nodig.'

'Verdomme, Sach, alsjeblieft! Ik betaal het allemaal aan je terug.'

'Pat, papa denkt dat onze telefoon wordt afgeluisterd, dus...'

'Ik neem nog contact met je op.' En de verbinding wordt abrupt verbroken.

In gedachten loopt ze terug naar haar kledingkast, pakt automatisch een wit onderbroekje, schiet dat aan en hijst zich vervolgens in de strakke lichtblauwe spijkerbroek die ze de dag ervoor ook aanhad.

Daarna doet ze een wit T-shirt aan, pakt haar horloge en mobiele telefoon en gaat op haar blote voeten naar beneden naar de keuken. Ze doet de ijskast open en zet onmiddellijk een open pak melk aan haar mond.

Dan ziet ze op de keukentafel het briefje van haar vader liggen.

Tsjongejonge, pap, wat heb je dat weer heerlijk tactvol geschreven. Nou, hij ruimt zijn rotzooi maar mooi zelf op. Ik ben zijn dienstmeid niet.'

Ze kijkt geïnteresseerd in de krant en maakt ondertussen een cracker met jonge kaas voor zichzelf klaar. Rotkrant. Alleen maar oorlog en nare gebeurtenissen.

Ze vouwt hem weer op, ze heeft geen zin om haar stemming te laten beïnvloeden door al het deprimerende nieuws.

Pat wil naar haar buitenland. Misschien is dat wel slim.

Dan is hij in ieder geval weg van het tuig waar hij nu mee omgaat, denkt ze.

Ze kijkt op haar horloge, pakt haar mobiel en een pen en krabbelt iets op het briefje dat haar vader heeft achtergelaten.

18

Samuel Douglas legt de hoorn op de haak van zijn telefoontoestel en staart aan zijn met stapels dossiers beladen glazen bureau peinzend voor zich uit. Het advocatenkantoor Delany, Sherman, Levy & Douglas waarin hij al sinds mensenheugenis partner is, houdt kantoor aan Sixth Avenue in New York. Ze bezetten drie etages in een van de oudere wolkenkrabbers ter hoogte van 52nd Street en zijn eens zo riante uitzicht wordt tot zijn leedwezen sinds kort geblokkeerd door een nieuw verrezen glazen gevaarte.

Het is rond kwart voor elf 's morgens en hij heeft als executeurtestamentair van het vermogen van Elizabeth Zandstra-Sheldon zojuist Ben Zandstra in Nederland op de hoogte gesteld van het overlijden van zijn moeder.

Een onderkoelde reactie, denkt Samuel. Maar in ieder geval niet zo gedesinteresseerd als die van zijn broer Michiel...

Samuel moet weer denken aan zijn eerste ontmoeting met Michiel. De man had er niet omheen gedraaid. Al na een minuut had hij een hekel aan de pedante voorzitter van LifeRisc. Maar Samuel was inmiddels met zijn tweeënzestig jaar ook de jongste niet meer, en de zaken liepen de laatste jaren duidelijk minder voorspoedig dan voorheen. De huurkosten rezen de pan uit en de concurrentie van collega-kantoren was moordend. Bovendien was Samuel moe.

Meer dan vijfendertig jaar was hij nu al advocaat in het hectische New York en hij had er zijn buik van vol. Als Samuel iets geleerd had in al die tijd, dan was het wel dat er in deze wereld geen recht bestond, behalve het recht van de sterkste.

Samuel en zijn reumatische vrouw Lena droomden van een onbekommerde oude dag in een strandvilla aan de kust van het warme Florida, ver weg van het altijd drukke en rumoerige New York. Hij had in de loop der jaren wel een behoorlijk pensioen opgebouwd, maar de paar miljoen dollar die nodig was om zo'n huis aan te schaffen kon hij eenvoudigweg niet op tafel leggen.

De propositie van Michiel Zandstra kwam dan ook als een geschenk uit de hemel vallen, en na enig onderhandelen had Samuel het bedrag met gemak weten te verdubbelen. Het voorstel verbijsterde hem. Het was te slecht om waar te zijn en daardoor te mooi om aan zijn deur voorbij te laten gaan.

Er was geen haar op zijn hoofd – bij wijze van spreken dan, hij was vrijwel kaal – die erover piekerde om te frauderen met de laatste wilsbeschikking van Elizabeth. Daarvoor was Samuel te integer en was hij te zeer gesteld op zijn oude cliënte. Bovendien wist Samuel, als zoon van een Joodse Poolse immigrant, maar al te goed wat het betekende om op te groeien in de New Yorkse wijk The Bronx en daaruit te ontsnappen.

Een spijkerhard vijfjarig contract met LifeRisc van 2 miljoen dollar per jaar en een bedrag ineens van 2 miljoen dollar belastingvrij op de rekening van het kantoor in Bermuda. Alles bij elkaar 12 miljoen dollar, en Samuel was met zijn kantoorgenoten overeengekomen dat de helft daarvan aan hem zou toekomen.

LifeRisc kon moeilijk een rechtszaak tegen het advocatenkantoor opstarten, waarbij naar buiten zou komen dat de mondelinge afspraak om te frauderen met het testament van een van New Yorks prominentste inwoners niet na was gekomen. Ze waren er allemaal van overtuigd dat het beursgenoteerde LifeRisc alleen al uit publicitaire overwegingen daar nimmer aan zou beginnen. En evenmin zouden ze proberen ook maar een cent terug te vorderen.

Michiel Zandstra zou onmiddellijk als bestuursvoorzitter terug kunnen treden indien dit bekend werd en zijn verdere carrière wel kunnen vergeten. Bovendien zou de koers van het aandeel een gevoelige tik krijgen. Dat stond in geen verhouding tot de armzalige 12 miljoen dollar die ze aan het kantoor Delany, Sherman, Levy & Douglas moesten betalen.

LifeRisc zou keurig het contract uitdienen en zonder dat daar ook maar iets tegenover stond, elk jaar keurig 2 miljoen dollar op de bankrekening van het kantoor overmaken voor verleende adviezen en juridische bijstand. Daar waren ze het allemaal over eens.

Hij probeerde nogmaals het nummer van Maya Zandstra, maar vergeefs. Ze was blijkbaar niet op dat adres aanwezig en Samuel had geen mobiel nummer.

Dan maar weer het geheime nummer van Ben Zandstra. Misschien had die enig idee waar zijn dochter vertoefde. Maar ook daar werd tot zijn verbazing niet meer opgenomen. Terwijl hij hem toch nog geen vijf minuten geleden aan de lijn had gehad...

Hij belde het hoofdkantoor van ZMG in Rotterdam, maar daar wist de beveiligingsbeambte hem weinig anders te vertellen dan dat iedereen al vertrokken was.

Hij zou over een uurtje nog een poging wagen, misschien had hij dan meer geluk.

Hij belde zijn secretaresse en vroeg haar naar hem toe te komen. Hij moest de begrafenis van Elizabeth gaan regelen, want ook die taak was hem toebedeeld.

19

Jezus christus, wat was dit een ramp...

'Maya... Maya... Maya.' Ben probeert met zijn geboeide handen zijn achter hem liggende dochter aan te raken. Ze reageert niet.

Hij draait zich moeizaam op zijn linkerzijde. Zijn ogen beginnen weer te wennen aan het donker, maar hij kan hoegenaamd niets onderscheiden. Hij schuift naar haar toe totdat zijn gezicht bijna het hare aanraakt.

'Maya... Maya,' fluistert hij, maar zijn dochter geeft geen antwoord. Hij kust haar gezicht. 'Maya, alsjeblieft. Geef antwoord.' Het blijft stil.

Zachtjes begint Ben te huilen, totaal verslagen. Hij laat zijn tranen de vrije loop. De kou en de pijn in zijn botten voelt hij niet meer.

Hij probeert door zijn tranen heen te kijken naar zijn dochter, maar ziet absoluut niets. Boven hem hoort hij hoe de hoge houten schuurdeuren worden dichtgesmeten. Even later hoort hij de Landrover wegrijden.

Ben voelt zich hopeloos onmachtig. Hij gaat met de zijkant van zijn betraande gezicht tegen het voorhoofd van zijn dochter liggen en houdt zeker een minuut lang zijn adem in.

'Godzijdank,' prevelt hij plotseling, en hij slaakt een zucht van verlichting: hij hoort haar zachtjes ademen. Nogmaals kust hij haar. Ze was waarschijnlijk buiten bewustzijn door de val. Als ze maar niets gebroken had...

Het is vochtig en koud in de kelder, veel kouder dan in de Landrover. Zo goed en zo kwaad als het gaat probeert Ben dicht tegen zijn dochter aan te kruipen, zodat ze elkaar een beetje warm kunnen houden. Ze ligt net als hij op haar zijde.

Pas nu voelt Ben dat zijn rechterheup en -arm behoorlijk pijn doen. Gekneusd waarschijnlijk, toen hij door de overvaller was neergeslagen en tegen de grond gesmakt.

Waarom heeft die klootzak die verdomde boeien niet afgedaan, gaat het door hem heen.

Hij rilt bijna onophoudelijk.

Ben realiseert zich dat ze hier in ieder geval de nacht zullen moeten doorbrengen. Hij hoopt dat zijn dochter daar zo min mogelijk van mee hoeft te maken. Laat Maya maar slapen...

Hij denkt aan zijn moeder. Hij moest Maya nog vertellen dat ze overleden was...

Langzaam zakt de dodelijk vermoeide Ben weg in vergetelheid en hoort hij weer die prachtige trieste muziek, de Vijfde symfonie van Mahler, *Dood in Venetië*, waar zijn moeder zo vaak naar luisterde toen hij nog een klein jongetje was en waar ze altijd zo van moest huilen. Dan wilde hij niets liever dan dicht bij haar zijn, veilig bij haar op schoot zitten en zich tegen haar aan vlijen. Dan wenste hij zó dat ze hem zou knuffelen en stevig vast zou houden.

Maar hij durfde niet. Hij mocht haar kamer niet in als ze naar die muziek luisterde en soms zo hartverscheurend schreeuwde.

Dan kroop hij maar weg in zijn kamertje, witjes, en huilde hij onstuimig in zijn bed, net zolang tot hij eindelijk in slaap viel.

'Pap... Pap?'

'Eh... ja lieverd, wat is er?'

Hij voelt de hand van zijn dochter door zijn haren strijken en opent zijn ogen.

Hij ziet niets, maar is zich direct bewust van de situatie waarin hij zich bevindt.

'Hoe voel je je, Maya?'

'Ik heb ontzettend pijn in mijn kop. Dat wil je niet weten, pap. Ik denk dat ik met mijn hoofd tegen de muur aan geknald ben toen we van die trap vielen. Ik heb een behoorlijke bult. Hoe is het met jou?'

'Ik denk dat ik even geslapen heb. Ik heb geen idee hoe lang, maar ik voel me wel redelijk, geloof ik. Koud, dat wel.'

'Kom maar heel dicht tegen me aan liggen pap, dan doe ik mijn jack uit en leg het over ons heen. Het lijkt wel of je bevroren bent.'

Ze schuiven nog een paar centimeter naar elkaar toe en Maya rommelt haar oversized jack over hun bovenlichamen. Hun onderlichamen en benen liggen dicht tegen elkaar aan. Hun hoofden liggen op een mouw van Maya's jack. Ze voelen en ruiken elkaars adem. Op de een of andere manier geeft het Ben een veilig gevoel, alsof hij weer een klein jochie is. Het is een gevoel dat hij lang gemist heeft, bijna vergeten was.

'Ik hou van je, Maya. Je hebt geen idee hoe verschrikkelijk ik het vind dat je dit moet meemaken.'

'Sst, stil maar. Daar kan jij toch niets aan doen?' Ze geeft haar vader een kus op zijn voorhoofd.

'Zou hij snel weer terugkomen, denk je? vraagt Maya. 'Ik hoop niet dat we hier de hele nacht moeten blijven.'

'Ik heb geen idee, schat. Maar we zijn tenminste samen. Je zal hier niet alleen liggen.'

'Ik was zo bang toen ik hierin moest. Ik kreeg een soort paniekaanval.'

'Dat begrijp ik, lieverd. Ik hoop ook dat dit niet lang gaat duren.'

Plotseling horen ze een serie hevige knallen in de verte, en van de zenuwen beginnen ze allebei te lachen.

'Gelukkig nieuwjaar, pap' fluistert Maya.

'Gelukkig nieuwjaar, Maya.'

Ze luisteren naar het vuurwerk en naar elkaars ademhaling.

'Pap?'

'Ja?'

'Wie was nou eigenlijk die dode man die daar onder aan de trap lag bij jou in huis?'

'Mijn buurman.'

'Je buurman?' vraagt Maya vol ongeloof.

'Ja, bizar hè? Mijn buurman. Die vent die altijd zo asociaal zijn honden in zijn tuin liet blaffen, dat heb ik je denk ik wel eens verteld. Hij is er komen wonen toen jij net het huis uit was en naar Amsterdam bent gegaan.'

'Ja, nou weet ik het weer,' zegt Maya. 'Maar wat is er dan precies gebeurd, en wanneer? Heb jij hem vermoord, zoals die Bram zei?'

'Dat kun je geen moord noemen. Hij kwam achter mij aan met een bijl en wilde míj dus vermoorden. Hij heeft eerst mijn tuindeuren aan gruzelementen geslagen en kwam toen als een razende achter mij aan.'

'Ja, die tuindeuren heb ik gezien,' zegt Maya.

'Ik was als de dood. Die vent was buiten zinnen en schreeuwde dat hij mij kapot wilde maken. Ik ben de trap op gerend naar mijn slaapkamer boven, om mijn jachtgeweer te pakken, maar hij haalde me in doordat ik uitgleed. Toen heb ik hem op de trap een schop verkocht, pal onder zijn kaak. Uit zelfverdediging. Daarna viel hij achterover en heeft hij denk ik zijn nek gebroken.'

'En wanneer gebeurde dat? Net voordat ik binnenkwam?'

'Ja, een paar minuten daarvoor.'

'Wat een verhaal! Hadden jullie ruzie gehad of zo? Ik bedoel, waarom kwam hij ineens met een bijl op je af?'

'Een paar dagen geleden heb ik hem boos opgebeld, ik was dat voortdurende geblaf zó zat. Daar had ik al zo vaak wat van gezegd. Het ging ook 's nachts altijd door, hè. Ik wandelde in mijn tuin en realiseerde me dat ik nauwelijks van de natuur kon genieten, zo'n kabaal maakten die agressieve beesten. Toen heb ik tegen hem gezegd dat als het nú niet afgelopen was, ik ze af zou laten schieten, met hem en zijn vrouw erbij.'

'Zo, dat is heftig. Maar wel typisch jij. Wat zei hij toen?'

'Ik weet het niet meer, dat ik naar een psychiater moest of zo. Hij hing woedend op.'

'Had je het ook echt gedaan? Die honden af laten schieten, bedoel ik?'

'Ik heb het wel overwogen, en Gerard wilde het graag doen. Die was het ook spuugzat.'

'Nu heb je wel een probleem, pap. Hij is wél dood.'

'We hebben een veel groter probleem, Maya. We zijn verdomme ontvoerd door een of andere fanatieke wereldverbeteraar en zitten hier vast in dit benauwde keldertje.'

'Zouden die twee elkaar kennen, denk je?'

'Nu we het er zo over hebben betwijfel ik het, maar zeker weten...' zegt Ben.

'Toeval dus?'

'Wel heel toevallig, vind je niet?'

'Heel vaag,' zegt Maya. 'Maar het lijkt me inderdaad stom toeval. Ik denk niet dat die Bram wilde dat je vermoord zou worden. Anders had hij het bij jou thuis wel gedaan en ons hier niet opgesloten.'

'Ja, dat klinkt logisch,' zegt Ben.

'Heb je achterin gehoord wat hij allemaal tegen mij zei?'

'Ja, dat heb ik wel meegekregen. Althans, ik weet niet of ik alles gehoord heb, maar ik ben behoorlijk geschrokken. Wat een idioot. Levensgevaarlijk, dat soort mensen.'

'Hij wil dat je positieve programma's gaat uitzenden op tv. Hij vindt het nu allemaal negatieve rotzooi die jij bedacht hebt, alleen maar om er geld mee te verdienen. Hij vindt dat je de mensen daar ziek mee maakt en depressief. En dat door jouw schuld de ouders niet meer in staat zijn hun kinderen behoorlijk op te voeden.'

'Dat heb ik ook gehoord, ja. Wat een onzin! Wat moet ik dán uit gaan zenden?'

'Dat heeft hij er niet bij verteld. Hij roept dat je de samenleving naar de verdommenis helpt en veel te veel macht hebt. En dat niemand de media controleert. Ach, je weet het wel, pap. Er wordt zo vaak gezegd dat de media te veel negatieve troep uitzenden.'

'Dat klinkt alsof jij dat ook vindt.' Ben klinkt ineens lichtelijk geïrriteerd.

'Nou ja, de media wórden ook niet gecontroleerd, pap. Door niemand, dus daar heeft hij wel een punt.'

'Dat is niet waar! Wij staan wel degelijk stil bij wat we uitzenden en of dat verantwoord is. We zijn toch niet gek? Als we te ver gaan steekt er altijd een storm van kritiek op in de andere media of in het parlement, dus controle is er wel degelijk.'

'Dat weet ik ook wel, pap. Ik verwijt je ook niks. En jij bent niet de enige. Er zijn zoveel kranten en tv-zenders.'

'Hm... ik dacht even dat mijn eigen dochter voor de lulkoek van die verknipte wereldverbeteraar gevallen was.'

'Maar jullie rekken de grenzen wel steeds verder op.'

'Geef eens een voorbeeld?'

'Het taalgebruik bijvoorbeeld, als ik dát soms hoor. En ik ben vierentwintig hè, ik ben heus wel wat gewend in Amsterdam. Of de agressie en verloedering die ik zie op televisie en het weinige respect voor gezagsdragers en hulpverleners in sommige series. Ik bedoel, ik zou niet graag meer bij de politie gaan werken. Je wordt overal afgezeken.'

'Dat doen wij niet, dat doet de politiek.'

'Misschien, maar jullie doen er wel even hard aan mee.'

Ze zwijgen een poosje en gaan iets verliggen. Veel ruimte is er niet.

'De kou trekt vanuit de vloer op in mijn botten,' zegt Ben. 'Bij jou ook?'

'Ja, misschien is het slimmer als we op mijn jack gaan liggen in plaats van eronder. Zullen we dat eens proberen?'

'Ja, dat is goed.'

Ze gaan staan, leggen het jack van Maya op de vochtige koude cementen keldervloer en gaan weer liggen.

'Zullen we zo dicht mogelijk tegen elkaar aan gaan liggen? vraagt Maya. 'Houden we elkaar misschien ook een beetje warm.'

'Goed plan,' zegt Ben. 'Kom jij maar tegen mij aan liggen.'

'Zullen we proberen een beetje te slapen?' vraagt Maya.

'Is goed, schat.' Ben ligt met zijn hoofd op zijn linkerarm; de andere arm heeft hij over zijn dochter gelegd om haar een beschermd gevoel te geven.

Maya ligt met haar hoofd op haar dubbelgevouwen capuchon tegen haar vader genesteld.

Zeker een kwartier zeggen ze geen van beiden iets, maar ze kunnen de slaap niet vatten. Er gaat te veel door hun hoofden.

'Slaap je, pap?' fluistert Maya.

'Nee,' fluistert Ben terug.

'Je bent toch niet boos op me hè pap, over wat ik net zei?' vraagt ze nu met normale stem.

'Welnee schat, ik denk erover na. Wij zijn natuurlijk ook een afspiegeling van wat er in de samenleving gebeurt, maar het is altijd goed je steeds van je maatschappelijke verantwoordelijkheid bewust te zijn. Die verantwoordelijkheid hebben de media zeker.'

'Bemoei jij je daar ook mee?'

'Eigenlijk nooit, dat doen de redacties. Alleen als ik iets aanstootgevend vind of niet door de beugel kunnen.'

'Maar die redacties staan wel onder druk.'

'Hoe bedoel je?'

'Kijkcijfers. Oplagecijfers.'

'O, op die manier. Ja, dat klopt. Ze moeten presteren en dat houdt het gevaar in dat ze over de schreef gaan.'

'En wie controleert dat, als ze steeds een beetje verder over de schreef gaan?'

'Je bent slim.'

'Dat bedoel ik. Zo worden de grenzen toch steeds verder opgerekt zonder dat we het eigenlijk in de gaten hebben?'

Er valt weer een stilte. Beiden zijn ze in hun eigen gedachten verzonken.

Ben geeuwt regelmatig maar kan toch niet slapen.

'Hoe bang was je, pap, toen die buurman achter je aan kwam?'

'Ik ben in mijn hele leven nog nooit zo bang geweest, Maya. Het geweld van die bijl op mijn tuindeuren en zijn boosaardige geschreeuw. Ik zag het gebeuren, hè, ik stond in mijn werkkamer. Ik dacht dat ik een hartaanval kreeg.'

'Ik weet dat je niet gelovig bent, maar deed je dan geen schietgebedje of zo?'

'Dat weet ik niet meer. Ik geloof het niet. Daar had ik ook geen tijd voor. Het ging allemaal zo snel. Het was levensbedreigend hè, ik moest iets doen.'

'Ik denk dat ik het in mijn broek gedaan had en als aan de grond genageld was blijven staan,' zegt Maya.

'Dat deed ik bijna ook, maar het komt zo dichtbij, het is zo beangstigend dat je vlucht. Dat deed ik dan ook.'

'Jij gelooft wel in een God, hè Maya?'

'Ik denk wel dat er een God bestaat ja, of hoe je die ook moet noemen. Jij niet hè, pap?'

'Ik denk er de laatste tijd steeds meer over na. Ik denk wel dat er meer tussen hemel en aarde is, maar dat is zo'n vrijblijvend cliché. Ik denk vooral dat de mensheid het geloof in een God nodig heeft om dit leven door te komen. En het geloof dus zelf min of meer gecreëerd heeft.

Er zijn voor de meeste mensen in deze wereld meer redenen om uit dit leven te stappen dan om ermee door te gaan. Dan heb je iets nodig waaraan je je vast kunt houden. Een reddingsboei. Een handvat en leidraad om op terug te vallen en alles mee te verklaren wat niet uit te leggen valt. Een God dus. Iets mystieks.'

'Dus we hebben Jezus of Mohammed zelf bedacht,' zegt Maya.

'Die zullen wel geleefd hebben, maar we hebben zelf een geloof eromheen gebouwd, bedacht, met regels en al en in de loop der eeuwen verder aangedikt.'

'Wat bedoel je met: er is meer reden om uit dit leven te stappen dan om ermee door te gaan?'

'Kijk om je heen! Er zijn bijna 7 miljard mensen op de wereld, geloof ik. Daarvan wonen er meer dan 5 miljard in Azië en Afrika. Voor de meesten van hen is het een uitzichtloos bestaan. Die continenten worden geteisterd door armoede, ziektes, gebrek aan schoon drinkwater en werkeloosheid. Als je het mij vraagt zijn het eerder strafkampen. Wij in Europa en Amerika hebben het goed, maar het begint al in het Midden-Oosten en Rusland. Je bent daar nagenoeg kansloos. Ik begrijp wel dat ze hun toevlucht zoeken tot een geloof. Je moet wat.'

'En drugs,' zegt Maya.

'En drugs.'

'Dus jij gelooft helemaal niet in een God?'

'In ieder geval niet die van de bekende religies met al hun regeltjes wat wel en niet mag. Ik geloof wel dat we door een vorm van energie hier zijn, dat door die energie deze aardbol er is. En dat er vormen van leven zijn op andere planeten. Er zijn er miljarden, dus dat het alleen hier ontstaan of gecreëerd is, betwijfel ik.'

'Klinkt allemaal zo logisch en rationeel,' zegt Maya.

'Dat is een dooddoener,' zegt Ben. 'Rationele argumenten zijn net zo valide als emotionele of mystieke. Ze komen namelijk uit dezelfde plek, onze hersens.'

'Ik bedoel iets wat meer voor de hand ligt. Wat jij zegt klinkt heel aannemelijk, maar iedereen kan het bedenken.'

'Een geloof kan óók iedereen bedenken, het is oncontroleerbaar. Het geeft de bedenkers en belijders een bepaalde status en verder moet je het er maar mee doen. Geloven is niet weten, Maya, en dat gezegd hebbende weet ik als niet-gelovige overigens ook niks. We gissen allebei maar wat.'

Maya zwijgt.

Na verloop van tijd zegt Ben:

'Ik denk dat niemand het weet en we maar wat aanklooien. De wereld wordt geregeerd door angst, dus het geloof wint het vaak. Er is niks anders. Aan verklaringen heb je niet zoveel, en aan geloof wel. In die zin is geloof ook nuttig. Het geeft de mensen rust in een bange wereld.'

'Er ontstaan wel altijd oorlogen door,' zegt Maya slaperig.

'Dat geldt net zo goed voor ideologieën. Dat zijn ook vormen van geloof. Dat is ook zoiets van de mens. Je mening of geloof desnoods met geweld opleggen aan de ander. We zijn een beklagenswaardig ras.'

Het blijft stil. Maya is in slaap gevallen.

20

'Wie bent u?' roept een vrouwenstem. 'Hallo? Hallo?'

Paul geef geen kik.

'Hallo?' roept ze weer.

De vrouw loopt argwanend op de bosschage af waarachter Paul zich schuilhoudt. Sam drentelt met haar mee.

Ze is nog geen paar meter van Paul verwijderd.

Paul besluit de confrontatie aan te gaan. De vrouw ziet er met haar lichtbeige mantelpakje en lage zwarte hakken niet echt dreigend of gevaarlijk uit. Ze is hooguit een meter zeventig lang, slank en heeft halflang licht grijzend haar dat stijf staat van de haarlak. Blijkbaar kent ze de hond van zijn vader.

Hij staat op en zegt: 'Wie bent u in vredesnaam en wat doet u hier in de tuin?'

'O...' klinkt het verbaasd. 'Jij bent zeker een zoon van je vader. Dat kun je wel zien ook, je lijkt sprekend op hem.' De vrouw praat met een licht Drents accent.

'Ja mevrouw, ongetwijfeld. En wie bent u en wat is hier aan de hand?' vraagt Paul lichtelijk geïrriteerd.

'Misschien mag ik me even voorstellen. Ik ben Tineke Landman, ik woon hiernaast', en ze steekt haar tanige rechterhand uit naar Paul.

Hij schudt afstandelijk haar hand. 'Paul Zandstra. Mevrouw Landman, wat doet u hier? Wat is hier in Godsnaam gebeurd?' En Paul wijst naar de vernielde tuindeuren van zijn vaders werkkamer.

'Ik weet het niet. Mijn man en ik hadden ruzie over het geklaag van jouw vader over onze honden. Het was best heftig, en toen is Habbe totaal oververhit ineens naar je vader gegaan. Ik dacht nog, als dat maar goed gaat, want als Habbe echt kwaad wordt, dan kan hij lelijk uit de hoek komen. Het is een echte Drent, moet je weten.'

'Maar hoe komt u hier? En waar is uw man dan nu? Heeft u hem gezien?'

'Ik maakte me zorgen, en toen hij na een kwartier nog niet terug was ben ik maar eens poolshoogte gaan nemen. Ik heb eerst aangebeld, maar er werd niet opengedaan. Toen ik terugliep naar ons huis zag ik in onze tuin een ladder tegen de erfafscheiding staan. Dat zal Habbe wel gedaan hebben. Zo ben ik over het tuinhek geklommen en hier terechtgekomen. Het eerste wat ik zag waren die kapotte deuren. Ik schrok me dood en toen zag ik jou.'

Paul kijkt de vrouw onderzoekend aan. Het is maar een vreemd verhaal en hij vindt haar maar een vaag mens, maar ze lijkt de waarheid te spreken. Ze aarzelt met haar antwoorden geen moment en kijkt Paul recht aan met haar flets blauwe ogen.

'En uw man?'

'Die zal wel binnen zijn, neem ik aan. Bij je vader. Als er maar niets ergs is gebeurd.'

'Had hij rijlaarzen aan?'

'Ja,' zegt Tineke. 'Hij had net nog paardgereden. Hoezo, heb je hem dan gezien?'

'Ik ben bang van wel. Laten we maar snel gaan kijken wat er zich heeft afgespeeld.'

Ze lopen samen naar de vernielde deuren van het werkvertrek van Ben en gaan behoedzaam naar binnen, Tineke voorop.

Ze merken de figuur die een meter of tien achter hen in de tuin staat niet op.

Om de een of andere onverklaarbare reden gaat Sam niet mee de studeerkamer in. Hij blijft piepend buiten zitten.

'Grote goden,' roept Tineke. 'Wat is hier gebeurd?'

Paul schrikt van de ravage die is aangericht en bidt dat zijn vader en zus niets is overkomen. Tineke loopt snel door, de hal van het huis in.

Paul loopt voorzichtig achter haar aan, ook de hal in, waar, naar hem nu duidelijk wordt, de man van die vage buurvrouw ligt.

'Nee! nee!' krijst Tineke als ze Habbe aan de voet van de trap ziet liggen. Ze stort zich onmiddellijk op hem.

'Habbe, jochie toch! Wat is er gebeurd? Wat hebben ze met je gedaan?' Ze barst in een dramatisch snikken uit.

Tineke Landman pakt zijn hoofd tussen haar handen en kust hem op zijn mond, op zijn wangen, zijn neus en voorhoofd en streelt door zijn haar. Ze rust op haar knieën naast hem en huilt ononderbroken. Haar lichaam schokt en totaal verdwaasd kust ze haar man onophoudelijk op zijn gezicht.

'Habbe, Habbe. Habbe toch,' fluistert ze hyperventilerend, en ze legt zijn hoofd op haar schoot. Ze is een beetje besmeurd met het bloed dat uit de mond van haar man sijpelt, maar schijnt dat niet in de gaten te hebben. 'Je kan me toch niet zomaar in de steek laten.'

Paul heeft het geëmotioneerde tafereel niet lang aanschouwd en heeft een begin gemaakt met een speurtocht naar zijn zus en vader. Hij heeft het horloge en de creditcard van zijn vader in de hal gevonden en ook de Swatch, de mobiel, het medaillon en de handtas van zijn zus, plus wat Italiaanse eetwaren en oliebollen en wat geld. Hij heeft inmiddels alle ruimtes beneden gehad en rent nu de trap op.

'Maya! pap! Waar zijn jullie?'

Snel doorzoekt hij alle slaapkamers en badkamers, maar er is geen enkele indicatie van hun aanwezigheid.

Plotseling hoort hij buiten twee schoten.

Hij rent de gang door, vliegt de trap af, de hal in naar de voordeur. Hij kijkt omzichtig naar buiten, maar alles lijkt rustig.

Tineke zit nog steeds totaal van de kaart met het hoofd van Habbe op haar schoot wanneer Paul langs haar rent, de werkkamer van zijn vader in.

In de opening van de kapotgeslagen deuren staat Gerard Verlinden, de chauffeur van zijn vader. Hij heeft een vuurwapen in zijn handen; Sam zit achter hem.

'Gerard, heb je die schoten gehoord? Wat is er gebeurd?'

'Is die klootzak binnen echt dood?' vraagt Gerard.

'Heb je het al gezien dan?'

'Ja,' zegt Gerard, die eruitziet als een typische chauffeur: stevige vent, zeker een meter vijfennegentig lang, zwart verfomfaaid pak, wit overhemd, zwarte stropdas, grote zwarte schoenen met rubberen zolen.

'Die vent is morsdood,' zegt Paul 'Maar waar kom jij ineens vandaan? Waar zijn mijn vader en Maya?'

'Ik ben bang dat ze ontvoerd zijn, Paul. Vijf minuten geleden kreeg ik een telefoontje van Rob Korteland, die me jouw verhaal vertelde. Stomtoevallig was ik op weg hierheen, ik wilde mijn fotocamera ophalen. Ik zag jou nog net met onze geliefde buurvrouw naar binnen gaan en ben jullie gevolgd. Toen jij aan je zoektocht door het huis begon, ben ik nog even in de tuin gaan kijken. Ik heb een spoor van drie mensen gevonden dat naar de plassen leidt. Een van de drie droeg hoge hakken, dus dat moet Maya geweest zijn. Ze zijn hoogstwaarschijnlijk per boot vertrokken.'

'Maar die schoten, wat was dat dan?'

'Die heb ik afgevuurd.'

'Hoe bedoel je?'

'Op die honden van hiernaast. Vind je het niet heerlijk rustig ineens? Ze stonden bij het hek te blaffen bij een ladder. Ik kreeg zo de takken in toen ik dit allemaal zag, dat ik er definitief een eind aan heb gemaakt.'

'Je bedoelt dat je ze doodgeschoten hebt?'

'En je hebt geen idee met hoeveel plezier ik dat gedaan heb, Paul. Ik woon hier meer dan je vader, en net als hij had ook ik het helemaal gehad met die agressieve kolerebeesten. Altijd maar blaffen hè, ook 's nachts. Dan lieten ze die beesten ook gewoon buiten.'

Vanuit het niets komt ineens ook Rob Korteland met zijn vuurwapen in de aanslag opdagen. Hij draagt een donkergroen windjack met daaronder een bruine ribfluwelen broek met halfhoge suède schoenen. Sam blaft maar herkent hem al snel en springt tegen Rob op.

'We hebben een groot probleem, jongens,' zegt Gerard. 'Binnen ligt een lijk en ik heb sterk de indruk dat Ben en zijn dochter ontvoerd zijn. We zullen de politie moeten inschakelen.'

'Wie is het lijk?' vraagt Rob.

'De buurman. En dat jankende wijf bij hem is zijn vrouw.'

'De buurman?' vraagt Rob ongelovig. 'En zijn vrouw? Wat is hier in godsnaam gebeurd dan?'

In staccato zinnen legt Paul uit wat hij heeft meegemaakt en wat Tineke en Gerard hem net verteld hebben. Rob luistert aandachtig en onderbreekt hem niet één keer. Gerard knikt instemmend bij het aanhoren van Pauls verhaal.

'Oké,' zegt Rob en hij loopt behoedzaam de studeerkamer van Ben in, naar de hal. In één oogopslag ziet hij bevestigd wat hij net gehoord heeft. Hij spiedt verder rond, in de hal en naar boven.

Tinke Landman lijkt hem niet op te merken.

Hij aanschouwt ook nauwgezet de ravage in de werkkamer van Ben en ziet dat de monitoren uit staan. Hij checkt het alarmpaneel. Niet ingeschakeld. Hij loopt voorzichtig door de glasscherven en houtsplinters weer naar buiten, waar Paul en Gerard staan. Daar steekt hij een sigaret op en wrijft peinzend met zijn hand over zijn kale schedel.

'Ga jij naar binnen, Gerard. Probeer die vrouw wat te kalmeren maar laat haar zo zitten en wacht op mij. Check eerst grondig het hele huis, van onder tot boven, overal. Je weet maar nooit of er nog iemand aanwezig is.'

'Ik heb boven al overal gekeken,' zegt Paul. 'Niemand.'

'Check toch nog maar een keer, Gerard, met je pistool in de aanslag.'

Gerard knikt.

'Heb je een flashlight voor me en de sleutels van het botenhuis en de oranjerie?'

'Pak ik even uit de bijkeuken,' zegt Gerard.

'Ik bel Tom Akkerman en de politie, maar ik ga eerst even het botenhuis en de oranjerie checken,' zegt Rob. 'Paul, als jij binnen even wacht bij die vrouw terwijl Gerard het huis nog eens onderzoekt, dan gaan we daarna dat spoor naar de plassen nog een keer bekijken.' Rob spreekt in een snel tempo. Er is haast geboden.

Rob Korteland belt eerst met Tom Akkerman, de tweede man van ZMG en vertrouweling van Ben. Hij legt hem snel de situatie uit en stelt voor de recherche van de Regionale Eenheid Den Haag in te schakelen. 'Ik ken de mensen daar goed, ze behoren tot de top van Nederland.' Tom Akkerman gaat akkoord.

'En de pers,' vraagt Akkerman, 'moeten we die ook niet onmiddellijk op de hoogte stellen? Gelijk een signalement van Ben en Maya eruit? Of via onze eigen media, over een uur op tv in het nieuws van half acht?'

'Dat overleg ik met de politie als ze hier zijn en met Paul,' zegt Korteland. 'En ik bel jou uiteraard ook. Kom anders hiernaartoe. Ik denk dat het helemaal mis is, Tom.'

'Oké Rob, bel me zo snel mogelijk terug op mijn mobiel, ik stap nu in mijn auto.'

Rob haast zich naar het botenhuis en de oranjerie, met Sam op zijn hielen. Hij voert een snelle maar grondige check uit, met gestrekte armen, zijn pistool in de aanslag in de ene hand en gekruist daarover in de andere zijn flashlight, dat een enorme felle witte lichtstraal geeft. Niets te zien, geen enkel spoor of indicatie dat daar ook maar iets gebeurd is of dat zich iemand verbergt in de Riva, de speedboot van Ben. Er is niets geforceerd. Hij loopt voor de zekerheid ook nog eens uitgebreid door de tuin, rondom het huis, checkt de Bentley en loopt vervolgens via de werkkamer van Ben weer naar binnen, de hal in. Hij is zich ervan bewust dat hij het daarmee de forensische specialisten er straks niet gemakkelijker op maakt, maar het is niet anders. Te veel mensen zijn al door de werkkamer en de hal gelopen, de 'crime scene' zoals dat heet.

In de hal staan Gerard en Paul met elkaar te praten. De vrouw zit wezenloos voor zich uit te staren op de vloer met haar benen wijd en in haar schoot het hoofd van het levenloze slachtoffer. Ze wrijft maar over zijn voorhoofd en zijn haar en huilt.

'Hoe heet u, mevrouw?' vraagt Rob aan haar. Ze antwoordt niet. 'Hallo,' zegt hij nogmaals, nu wat nadrukkelijker, 'hoe heet u?' De vrouw kijkt verdwaasd op en zegt met een klein stemmetje: 'Tineke Landman.'

'U bent de buurvrouw van hiernaast en dit is uw man?'

'Ja.' Met haar rechterhand veegt ze de tranen uit haar ogen.

'Mevrouw Landman, ik vind het heel erg wat er met uw man is gebeurd,' zegt Rob kalm. 'Maar het is heel belangrijk wat ik nu van u wil weten. Het lijkt er sterk op dat uw buurman, meneer Zandstra, en zijn dochter Maya ontvoerd zijn. Er loopt een spoor naar de plassen van drie personen. Daar zijn ze denk ik met een boot vertrokken. Weet u daar iets van?'

'Ontvoerd? Waar heeft u het over? Mijn man houdt helemaal niet van boten en hij ligt hier. Dood!'

'Mevrouw, uw man heeft met grof geweld met een bijl de tuindeuren van meneer Zandstra kapotgeslagen, althans daar lijkt het heel sterk op. Of hij heeft het samen met iemand anders gedaan, iemand die meneer Zandstra en zijn dochter heeft gekidnapt! Begrijpt u wat ik zeg?'

'Ja,' zegt ze zachtjes. 'Maar zoiets zou Habbe nooit doen. Dan zou ik het weten. Wij weten alles van elkaar, we zijn heel close.'

Rob kijkt haar indringend aan, terwijl Paul en Gerard belangstellend toekijken.

Dan vraagt Rob aan Gerard: 'Nog wat in het huis gezien of gevonden?'

'Behalve die spullen daar op de vloer van meneer Zandstra en Maya: helemaal niets.'

Rob pakt zijn telefoon, doet zijn pistool in zijn jack en belt terwijl hij weer de tuin in loopt het mobiele nummer van Victor Stikker, recherchebaas van de Regionale Eenheid Den Haag.

Zodra hij Victor aan de lijn heeft legt Rob het verhaal in korte zinnen uit, om aan het einde van het telefoongesprek te zeggen:

'Victor, ik wil als de sodemieter het hele circus hier, forensisch, alles. Verder alles afzetten en een chopper de lucht in boven de plassen. Ik denk dat we zelf via onze eigen media groot alarm gaan slaan, maar ik wil dat jij het ook doet via de publieke omroep. Dit is helemaal fout. God mag weten wat hier gebeurd is, maar die twee zijn ontvoerd, dat staat voor mij als een paal boven water. Ik zou je hoogste bazen maar inlichten, hierover breekt de pleuris uit.'

'Rob, ik vind het een vreemd verhaal,' zegt Victor. 'Vooral van die buurman. Die móét er iets mee te maken hebben. Ik schakel mijn beste mensen in. Ik ga even wat rondbellen, we komen eraan!'

Vervolgens belt Rob met de hoofdredacteur van *ZMG 3 Nieuws* en vraagt of er nog bijzondere berichten binnengekomen zijn. De hoofdredacteur zegt van niet, maar voelt onmiddellijk nattigheid en vraagt Rob wat er aan de hand is. Rob zegt hem niet veel meer dan zich voor te bereiden op iets bijzonders voor het nieuws en verbreekt de verbinding. Dan belt hij met het hoofdkantoor van zmg in Rotterdam en stelt daar dezelfde vraag. Hij hoort van de nachtdienst dat er slechts een paar personen gebeld hadden het afgelopen uur, waaronder ene Samuel Douglas, een advocaat uit New York. De man vroeg naar meneer Zandstra, maar had verder geen bericht achtergelaten.

Dan wendt Rob zich tot Paul, en zegt: 'Ga je mee nog even de tuin in naar dat spoor kijken? Kunnen we ook even praten. Gerard, jij blijft nog even hier. Over een kwartier barst het hier van de politie. Dus raak verder niks aan en laat alles zoals het is, ook die spullen van Ben en Maya daar op de vloer. O ja, en Tom Akkerman komt eraan. En houd de telefoon in de gaten. Mevrouw Landman, de politie komt eraan. Blijft u zo nog maar even zitten, ze zijn er zo.'

Tineke reageert niet.

Rob en Paul lopen de karig verlichte tuin in en volgen, met behulp van Robs flashlight, het overduidelijke spoor van drie mensen in de drassige grond. Ze waken ervoor erdoorheen te lopen. Sam huppelt mee. Het is opgehouden met regenen.

'Ik geloof er geen reet van,' zegt Rob. 'Je gaat toch niet met een hakbijl en een masker op naar het huis van je buren vanwege een ruzie over een paar blaffende honden? Dat roept dat vage wijf nou wel, maar het lijkt me meer voor de hand te liggen dat haar man een van de ontvoerders van je vader was, die door Ben tijdens een handgemeen de trap af is geduwd of zoiets. Die vent heeft gewoon zijn nek gebroken.'

Plotseling houdt hij stil. 'Kijk Paul, nog een vers spoor, precies in tegenovergestelde richting. De voetafdruk komt exact overeen met een van de afdrukken in ons spoor. Dat betekent dus dat ongeveer of waarschijnlijk tegelijkertijd de een via de plassen is gekomen en de ander, de buurman, gewoon via zijn eigen tuin.'

'Je hebt gelijk,' zegt Paul. 'Dat is precies dezelfde voetafdruk. Volgens mij zijn het de afdrukken van Timberlands. Ik heb ook van die krengen. Zou die Tineke er echt niet meer van weten?'

'Dat betwijfel ik,' zegt Rob. 'Ze was behoorlijk in shock toen ik het haar vroeg en ik kreeg de indruk dat haar antwoord oprecht was. Dat is er eentje die denkt dat ze alles van haar man weet. Je kent dat wel. De hele straat is al op de hoogte behalve zij zelf.'

Ze zijn aan de rand van de plas gearriveerd. Rob schijnt met zijn felle lamp over de donkere plassen, naar links, naar rechts, voor zich uit – niets. Sam begint uit het water van de plassen te lebberen.

'Waarom heb je de beeldschermen van mijn vader niet gecheckt?' vraagt Paul.

'Heeft weinig nut. Beetje verouderd spul. Camera's werken slecht bij weinig licht en er wordt niets opgenomen. Je vader had daar allemaal geen zin in. Ik mocht het ook niet veranderen. Vond hij allemaal onnodig. Zelfs het alarm stond niet aan.'

'Ja, ik ken hem,' zegt Paul. 'Had hij tenminste dat alarm maar wél aangezet. Dan was hier in ieder geval binnen tien minuten de lokale politie geweest.'

'Zo werkt het niet in Nederland, Paul. De politie komt helemaal niet kijken als er een alarm afgaat. Dat alarm gaat naar een meldkamer en daar gaan ze vervolgens een lijst van personen bellen, in de eerste plaats je vader zelf. De politie komt pas als je zelf in hoge nood belt, een van de mensen op de lijst alarm slaat of als je over een overvalknop beschikt. Die had je vader ook niet.'

'Top geregeld dus,' constateert Paul.

'Nou ja, als de politie voor elk alarm moet uitrukken hebben ze alleen daar al een dagtaak aan en zitten ze onmiddellijk met een enorm mensentekort, dus dat begrijp ik wel. Het meeste alarm dat afgaat is loos alarm. Maar hij had Gerard niet naar huis moeten sturen,' zegt Rob. 'Die is namelijk heel goed in zijn werk. Hij heeft alles in de gaten en hem kun je bijna blind vertrouwen. Bovendien heeft hij een wapen en is hij zo sterk als een beer. Die gozer meet bijna twee meter.' Rob zwijgt even en vervolgt dan:

'Dat zei je vader trouwens altijd als ik aandrong op betere beveiliging door camera's: "Ach Rob, ik heb Gerard toch altijd om me heen. Die is beter dan alle alarmen en camera's bij elkaar."'

'Shit,' zegt Paul. 'Trouwens, wat bedoelde je eigenlijk met "dan kunnen we even praten"?'

'Over dit verhaal en hoe we dit gaan aanpakken. Het is nogal wat. Je vader en je zus zijn ontvoerd, althans ik denk niet dat ze een pleziertochtje op de plas aan het maken zijn. De kidnapper of de kidnappers zijn natuurlijk ergens anders weer aan wal gegaan en met een auto ervandoor gegaan. Het is nu kwart over zes. Ik denk dat het alles bij elkaar ongeveer twee uur geleden is dat dit allemaal gebeurd is, of misschien nog wel langer, dus die kunnen nu overal in het land zijn, of al in België of Duitsland.'

'Jezus christus,' zegt Paul.

'Precies, dit is een gigantisch drama, Paul. Ik heb nog geen idee wat voor lui het zijn, of ze gewelddadig zijn, waarom ze het gedaan hebben, bedenk het. Maar één is er in ieder geval dood. Zo meteen barst het hier van de politierechercheurs en forensische specialisten en dan moet je maar hopen op een vingerafdruk, iemand in de buurt die iets of iemand heeft gezien of iets anders concreets. Maar dat schiet allemaal niet op, de klok tikt verder. En als ze niets vinden, tasten we helemaal volledig in het duister. Dan kun je er honderd man politie op loslaten, maar wordt het helemaal niks totdat we wat van de kidnappers horen.'

'Dus?' vraagt Paul.

'Dus wil ik zo snel mogelijk het signalement van Maya en je vader verspreiden via alle ons ter beschikking staande middelen. En dan werkt de televisie het beste en het snelste. Mee eens?'

'Dat zal mijn vader niet leuk vinden, Rob, zijn hoofd op zijn eigen tv-kanalen. Hij haat publiciteit.'

'Ja, maar heb jij een betere aanpak? Er ligt daar een dooie, dus dit is geen grap, Paul!'

'En de politie, verspreidt die het signalement ook, ik bedoel naar luchthavens en zo?' vraag Paul.

'Ja natuurlijk, maar ik denk niet dat ze via Schiphol vertrekken. Als het al per vliegtuig gebeurt, dan moet je eerder aan een obscuur start- en landingsbaantje in Duitsland denken of zo, maar dat lijkt me allemaal erg sterk. Met grote waarschijnlijkheid zijn ze gewoon ergens in Nederland, althans zo gaat het meestal bij ontvoeringen. Of misschien net over de grens.

Het liefst wil ik zo snel mogelijk vanavond elk uur onze ZMG-televisieprogramma's in Nederland, België en Duitsland onderbreken met een opsporingsbericht. Tom Akkerman komt eraan, dat is de vervanger van je vader, en die kan het onmiddellijk afdwingen op al onze zenders. Dat zijn er in Nederland twee, ZMG 3 en ZMG 8, in Duitsland ZMG 4 en Super ZMG en in België ZMG 5 en ZMG 6. Dat lijkt me voorlopig voldoende naast wat de politie gaat doen via hun kanalen en de publieke omroep. Verder wil ik een persbericht met hun foto's uitsturen naar alle andere media. Het moet in alle ochtendkranten staan. Wij hebben de middelen Paul. De politie zou wensen dat ze die had.'

'En als het geen ontvoering is?' vraagt Paul.

'Wat denk je zelf? Maar goed, dan mag je vader me ontslaan, Paul. Maar ik wil wel expliciet jouw akkoord. Het zijn jouw vader en jouw zus. Er zijn geen direct belanghebbende andere familieleden, behalve natuurlijk Sander. En Michiel, de broer van je vader. Maar die twee hadden weinig contact voor zover ik weet. En zijn moeder, jouw grootmoeder, maar die is ziek en veel te oud. Bovendien, als er iets met je vader gebeurt, ben jij morgen waarschijnlijk de baas van ZMG. Dus, ben je het ermee eens?'

Die gedachte was bij Paul überhaupt nog niet opgekomen en hij wilde er ook niet aan denken. Hij dacht aan zijn oma, die inderdaad ernstig ziek was en die hij al in geen jaren had gezien. Ineens kreeg hij daar spijt van.

'Moeten we ze dan niet toch tenminste op de hoogte brengen? Ik bedoel, als dit op de televisie komt dan duiken alle media erop. Die bellen iedereen op. En wat dacht je van al die mensen die bij ZMG in de hele wereld werken, Rob? Dit gaat een onrust geven, dat wil je niet weten.'

'Ik weet het wel degelijk, maar we moeten prioriteiten stellen, Paul. Keuzes maken. We kunnen niet iedereen tegelijk informeren. Er is ook al een paar maanden een nieuwe vrouw in je vaders leven, maar ik ken haar niet. En dan heeft hij ook nog twee ex-vrouwen. Een ervan is jouw moeder.'

Paul zucht en kijkt Rob onzeker aan.

'Oké, laten we het dan maar doen,' zegt Paul een beetje weifelend. 'Ik bel eerst Sander en dan wil ik er ook nog even over praten met Tom Akkerman en de politie.'

'Mooi, die zijn zo hier,' zegt Rob. 'Kom op Paul, we lopen terug naar Gerard. En sorry dat ik het zo hard breng bij je, maar ik heb geen keus.'

Sam loopt voor ze uit mee terug.

21

Patrick Rietveld en zijn vriend Wessel zijn straalbezopen. Ze zijn allebei lid van dezelfde bende die Amsterdam onveilig maakt en waarvan diverse leden door de politie worden gezocht. Het is elf uur 's avonds en ze hebben samen zeker anderhalve fles whisky gedronken, zonder ook maar iets gegeten te hebben.

'Jezus, ik sterruf van de honger, ik mot whhh.. at eten Patrick, ik zou wel een pp.. pp.. paar berenlullen en een pp.. patatje oorlog lusten,' lalt Wessel. Ze dragen allebei een vintage zwartleren jack, een zwarte spijkerbroek en hoge zwarte legerkistjes. De dresscode van de bende waar ze lid van zijn, rechtstreeks gekopieerd uit een of andere Amerikaanse film.

Patrick staart wezenloos naar de kapotgeslagen ketting van de boeien om zijn polsen en kijkt Wessel verdwaasd, met bloeddoorlopen ogen aan.

'Je b.. b.. bent een wereldpik, W.. Wfff.. Wessel. Heb jij.. h.. heb jij nog een b.. beetje poen? Hij zet de fles Jack Daniel's weer aan zijn mond.

'We motte ophouwen m.. mhhhh.. met zuipen, kom op wffff.. hhhh gaan effe naar ome Klaas,' lalt ook Wessel, en met een onbehouwen beweging slaat hij de fles whisky uit de handen van Patrick. De fles spat met kletterend geraas uiteen tegen de stenen muur van het vervallen industriepandje in het noordelijke havengebied van Amsterdam.

'Kuthh, lllul, w.. whhat doe je nou man, nou he.. hebbe we niks mhmheer te zuipen,' zegt Patrick met dubbelslaande tong.

Buiten horen ze in de verte het geknetter van rotjes, terwijl het nog lang geen twaalf uur is.

'Kom op Patrick, lll.. let's go, man.'

De hele avond hebben ze elkaar enthousiast en schaterlachend zitten opnaaien over de spectaculaire ontsnapping van Patrick uit de handen van de Amsterdamse politie. Hij was via de achtertuin van de benedenwoning van zijn opa een pand in gevlucht dat verbouwd werd, nadat hij de beide rechercheurs die hem gearresteerd hadden behoorlijk te pakken had genomen. De een had hij een stevig knietje in zijn kruis gegeven en van de ander had hij met een keiharde schop met zijn lood-zware hoge leren schoen het rechterscheenbeen gebroken.

Bouwvakkers waren er niet in het gebouw op oudejaarsdag en Patrick had zich met zijn lange, slungelachtige lichaam in een grijze flexibele pvc-pijp laten glijden. Die werd daar vanaf de tweede verdieping ge-bruikt om puin en andere rotzooi in af te voeren naar een op straat geplaatste container.

Het was met zijn schouders soms wringen geweest en met kunst- en vliegwerk had hij het drie kwartier lang volgehouden halverwege de pijp te blijven hangen.

Toen hij vermoedde dat de politie de zoektocht had opgegeven, had hij zich langzaam naar beneden laten zakken, daarbij lelijke schaafwon-den oplopend. Eenmaal in de container was het hem na een paar keer proberen gelukt met zijn gestolen mobiele telefoon Wessel op te bellen, en die had hem dertig minuten later met zijn aftandse Amerikaanse pick-up brutaalweg opgehaald. Onder de neus van de nog steeds aan-wezige politie had hij zich over de rand van de halfvolle container met bouwafval in de achterbak laten zakken en Wessel was op zijn dooie ge-mak weggereden. En dat terwijl hij met zijn handen op zijn rug geboeid was.

'Wach effe, Wessss, hhhhh.. ehh.. ik denk dat ik eh.. effe mmme kop onder de kraan steek.' Patrick draait zwaaiend op zijn benen de kraan boven een gootsteen open, steekt zijn hoofd eronder en laat het ijskoude water zeker een minuut lang over zijn schedel, door zijn haar en over zijn gezicht stromen, daarbij een paar keer stevig in zijn ogen wrijvend.

Vervolgens drinkt hij zeker tien seconden van het verfrissende water en richt hij zich blazend en zuchtend weer op. Hij doet zijn gulp open, pist boerend in de gootsteen, terwijl het water blijft stromen, en laat een fluitende wind.

"Mmmot jij ook effe doen, Wes.'

'Zeik toch n.. niet man, ik mot gewoon ehhhhh.. wat eten, dan ben ik weer prima.'

'Oké,' zegt Patrick, die het bloed door de aderen in zijn hoofd voelt tintelen, 'mmm.. maar ik rij.'

'Never nooit, hhh.. het is mijn auto.'

Ze gaan naar buiten en klimmen de pick-up in, Wessel achter het stuur.

Beschonken of niet, Wessel rijdt verbazingwekkend goed en ze arriveren binnen tien minuten bij snackbar Ome Klaas. Daar werken ze vier frikadellen, twee zakken patat met mayonaise en ketchup en twee kipsateetjes naar binnen. Patrick verorbert ook nog een broodje paling.

Het is half twaalf en het is ineens bijna verdacht stil op straat. Het voorbarige geknal is als bij toverslag opgehouden. Er is verder niemand in de snackbar.

'Ww., wat zullen we gaan doen, Patrick?'

'Weet ik vvv.. eel, ik moet eerst nog een vvv.. eilige plek vinden om vvv.. annacht te kunnen pitten. Ik ben kapot.' Versuft kijkt hij zijn vijfentwintigjarige, kaalgeschoren en uit de kluiten gewassen vriend aan. Patrick is duidelijk aan het ontnuchteren en realiseert zich weer pijnlijk dat hij elk moment door de politie opgepikt kan worden. Hij heeft nog steeds de metalen boeien om zijn polsen, verborgen onder de mouwen van zijn leren jack.

'Je m.. moet het land uit, Pat. Vannacht hebben ze hun handen nog vvv.. ol met dat oudejaarsgezeik, maar vanaf morgen ben jij weer volop ddd.. de lul. Hoe zit het met die zus van je, die www.. werkt toch in een seksclub? Die heeft toch wel een beetje poen voor je?'

Patrick zegt niets en staart wazig voor zich uit. Het liefst zou hij zijn ogen willen sluiten en gaan slapen, maar zodra zijn ogen dichtvallen begint zijn maag te draaien. Plotseling staat hij kotsmisselijk op, houdt zijn hand stevig voor zijn mond en rent naar de deur. Hij is nog maar net buiten of het braaksel spuit in een golf zijn mond uit, de straat op. Het houdt niet op, hij heeft geen enkele controle meer over zijn lichaam en hij heeft het gevoel alsof zijn maag naar buiten komt. Uiteindelijk braakt hij alleen nog maar in hevige schokken wat maagzuur en komt hij langzaam weer tot rust.

Hij is totaal leeg, dodelijk vermoeid en vreselijk eenzaam. Hij moet zich enorm vermannen om niet in huilen uit te barsten. Dan voelt hij de hand van Wessel op zijn schouder en richt hij zich zuchtend weer op. Hij kijkt zijn vriend in de ogen. Vreemd, denkt hij. Zijn ogen staan niet goed in zijn kop. Het zal wel aan mij liggen...

'Jezus, wat vvv.. oel ik me kut,' zegt hij dan.

'Kom op Pat, we gaan effe bij je zus kkkk.. kijken, ik heb zin om te neuken.'

Wessel duwt hem opzij, weg van het braaksel, maar Patrick protesteert. 'Ten eerste gg.. ga jij niet met mm.. me zus neuken en ten tt.. tweede moet ik eerst ww.. water drinken, ik stink gigantisch uit mijn bek.'

'Nou en? Dd.. dat doen we bij je zus wel, het is zo twaalf uur en dd.. straks komen we de stad niet meer door.'

De portier van club Jolanda heeft het niet zien aankomen en had dat ook niet gekund.

Zoals altijd heeft hij eerst door het in de zware toegangsdeur gemonteerde kijkoog naar buiten geblikt. Hij ziet niets bijzonders en opent de naar binnen draaiende deur om een gast te laten vertrekken. Hij staat schuin achter de deur als Wessel zich er met zijn volle gewicht tegenaan gooit. De scherpe metalen rand van de deurlijst komt met een harde klap frontaal tegen zijn lichaam en gezicht en hij tuimelt met een van pijn vertrokken gezicht en bebloede mond naar achteren.

Wessel en Patrick stormen naar binnen en smijten de deur weer dicht. De man die net het bordeel wilde verlaten trekt wit weg van schrik en stamelt: 'Jongens, eh... ik heb hier niks mee te maken, dit is jullie zaak. Ik eh... heb niks gezien, laat me eh... alsjeblieft gewoon weggaan, oké?'

Liggend op zijn rug in de entreehal van de seksclub kijkt de portier totaal verdoofd naar Patrick en Wessel. Binnen klinkt luide discomuziek en het ordinaire geschreeuw van hitsige stemmen. Het is blijkbaar volop feest.

De groggy portier richt zich half op, leunt op zijn ellebogen en voelt met zijn tong dat twee voortanden zijn afgebroken en dat een paar ondertanden loszitten. Er gutst bloed uit zijn gebroken en gescheurde neus, zijn gespleten lippen en uit zijn mond, en zijn hoofd doet ondraaglijk pijn. Hij heeft het gevoel alsof zijn schedel is gebarsten en zijn hersenen open en bloot liggen weg te branden.

Hij vloekt onverstaanbaar binnensmonds en ziet tot zijn ontzetting hoe Wessel een pistool uit zijn binnenzak haalt, met gestrekte arm de loop op het voorhoofd van de bordeelbezoeker richt en in koelen bloede de trekker overhaalt. Hij hoort slechts in de verte een schot, maar ziet duidelijk hoe bloed en hersenen tegen de muur spatten en de man geluidloos ineen zijgt. Het vreemde is dat hij het vanuit een heel andere positie waarneemt dan vanwaar hij ligt.

De portier schudt verdwaasd met zijn hoofd; bloed slingert in het rond.

Hij ziet nu weer vanaf zijn positie op de vloer hoe de andere jongen tegen de moordenaar schreeuwt, maar het geluid van zijn stem dringt niet echt tot hem door, hij kan het niet verstaan. Het lijkt wel of hij naar een stomme film kijkt. Zijn oren suizen en ver weg hoort hij een vage, monotone dreun.

Hij volgt met zijn ogen hoe de arm met het pistool zich op hem richt. Hij merkt hoe zijn lichaam in een reactie verstijft van angst en zijn ogen zich wijd opensperren. Maar hij hoort zichzelf niet schreeuwen als de kogel met grof geweld boven zijn linkeroog zijn schedel binnendringt. Hij ziet zichzelf. Hij ziet dat in een bijna rechte, verticale lijn een vuurrode diepe snede over zijn gezicht loopt, ziet dat zijn voorhoofd is gespleten. Hij ziet hoe zijn hoofd naar achteren tolt, hoe het dodelijke projectiel zich door zijn hersenen boort en aan de achterkant het bot versplintert. Alle stress en angst verlaten nu definitief zijn lichaam, hij heeft zich nog nooit zo ontspannen, zo vrij en zo blijmoedig gevoeld en hij vraagt zich af waarom er niets gebeurt, waarom er geen pijn komt. Hij ligt daar maar en kijkt toe hoe de jongen met het pistool opnieuw op zijn levenloze lichaam vuurt, dit keer op zijn borst.

Waarom doet die jongen dat toch?'

'Hou verdomme op, man. Je ziet toch dat hij kapot is? Hou op!' schreeuwt Patrick, in paniek en inmiddels totaal ontnuchterd. Maar Wessel vuurt nog een derde keer op het dode lichaam.

'Ik hh.. heb een bl.. bloedhekel aan portiers,' zegt hij lallend en naargeestig lachend. 'Dd.. dat ww.. weet je toch?'

Wessel stopt zijn pistool weer terug in zijn binnenzak en fouilleert de beide mannen die hij zonder een spier te vertrekken heeft omgebracht.

Patrick staat van verbijstering en schrik te trillen op zijn benen en is doodsbang. Het zweet is hem uitgebroken.

'Kkk.. kijk, kijk, kijk, wie hebben we daar!' roept Wessel als hij het rijbewijs van de bordeelganger bestudeert. 'Volgens mij ken ik deze gg.. gozer. Hij is lid van de Tweede Kamer voor zo'n christelijke pp.. partij, ww.. weet je dat. En hij heeft nog behoorlijk wat pp.. oen op zak ook. Hier, zz.. zeker vijftienh.. honderd euro, P.. pat, dat is ll.. lekker.'

Uit de club klinken nu een luid gejuich en knallende kurken van champagneflessen. Ook buiten barst het oudejaarsvuurwerk in alle hevigheid los. Wessel trekt zich er niets van aan en grist ook de portefeuille van de portier uit diens binnenzak.

'Kom op man,' roept Patrick zenuwachtig, 'we moeten gaan, man. Straks komen die lui uit de club naar buiten.' Wessel wil er niks van weten.

'Wat sta je toch in je bb.. broek te schijten, ll.. lul. Hebben we alle poen die jij nodig hebt om naar het buitenland te vertrekken en jj.. jij staat maar te zz.. zeiken. Ik wil eerst nog naar binnen en een potje nn.. neuken.'

'Dat doe je dan maar ergens anders, want hier breekt zo meteen de pleuris uit en daar wil ik niet bij zijn. Je hebt met je dronken harses verdomme net twee mensen vermoord, lul!'

Wessel kijkt zijn vriend lachend aan. 'Ww.. weet je ww.. wat? Hier heb jij de pp.. poen, die ben ik je wel schuldig.' Hij overhandigt hem beide portefeuilles. 'Lazer maar op, schijthuis, ik ga je zz.. zus een beurt geven.'

Wessel draait zich om, doet de deur naar de seksclub open en waggelt naar binnen.

Patrick blijft onthutst achter bij de twee lijken. Door de deur ziet hij een hossende massa mensen, van wie er verscheidenen naakt rondlopen, en een dronken hoer die vrijwel onmiddellijk om de nek van Wessel hangt en hem hevig begint te betasten. Dan gaat de deur weer dicht.

Terwijl hij daar met de portefeuilles van de twee slachtoffers in zijn hand staat, beginnen de woorden van de merkwaardig uit zijn ogen kijkende Wessel traag maar duidelijk tot hem door te dringen. 'Die ben ik je wel schuldig,' had hij gezegd. Langzaam begint het bij hem te dagen dat het Wessel geweest moet zijn die dat meisje heeft verkracht en zijn naam heeft gelekt naar de politie. Die klootzak was onder invloed tot alles in staat, zelfs moord...

Hij herinnert zich nu ook dat Wessel die middag al stoned was toen hij hem kwam ophalen in zijn pick-up.

Ineens is Patrick heel helder.

Hij gooit de portefeuilles op de grond en kijkt om zich heen. Bij een kleine garderobe ligt een witte handdoek. Hij wrijft er zorgvuldig het leer van de twee portefeuilles op de vloer mee schoon aan beide kanten, ervoor zorgend dat hij ze niet meer met zijn vingers aanraakt. Heel voorzichtig vist hij het geld eruit en doet dat in zijn achterzak.

Ondertussen malen zijn hersens. Hij begrijpt dat hij Sacha onmogelijk aan haar lot kan overlaten, nu hij van dichtbij heeft meegemaakt wat voor een levensgevaarlijke en gewetenloze moordenaar Wessel is.

'Kut,' mompelt hij.

Het liefst zou hij nu in de nacht willen verdwijnen en net als zijn vader een tijdje naar Frankrijk vertrekken. De verhalen daarover hadden hem altijd gefascineerd.

Met de handdoek opent hij behoedzaam de deur naar de club en gluurt door een kier van net drie centimeter naar binnen.

Het is er één feestende, decadente orgie. Diverse mannen en vrouwen copuleren openlijk en volledig naakt op banken, tafels of aan een rood-leren smalle balie die aan de wanden bevestigd is. Anderen likken de rijkelijk stromende champagne van elkaars genitaliën. Een dikke hoer pijpt op haar knieën, fanatiek alsof haar leven ervan afhangt, een kale vent met een weerzinwekkende pens en een klein stijf pikkie met een veel te groot condoom eromheen. Een aantal beschonken mafkezen danst bloot met feestmutsjes op in een ridicule polonaise overal tus-sendoor. 'Happy New Year,' lallen ze op de muziek van ABBA, onderwijl her en der in borsten en billen knijpend.

Zijn zus staat met ontblote, glimmende borsten met sterretjes erop ongeveer in het midden achter de tamelijk lange bar die aan de andere kant van de spaarzaam verlichte ruimte tegen de muur gesitueerd is. Ze schenkt drankjes in, maar lijkt niet dronken. Wessel zit op een kruk aan het einde van de bar en staart naar Sacha. Hij roept haar een aantal keren, maar ze reageert niet.

Opeens verschijnt er vanuit het niets een breedgeschouderde vent ach-ter Wessel. Hij heeft een zwart kostuum aan en fluistert iets in Wessels oor.

Als zijn vriend zich om wil draaien, schieten de handen van de kleer-kast razendsnel onder zijn beide oksels om weer samen te komen achter zijn nek.

Hij drukt het hoofd van Wessel naar voren en klemt zijn armen naar achteren. De jongen kan geen kant meer op en wordt door de duidelijk veel sterkere krachtpatser van de vloer getild. Hij draait half van de bar weg en een andere, veel kleinere man die Patrick tot op dat moment ook nog niet opgemerkt had, begint Wessel te fouilleren. Al snel heeft hij het pistool gevonden. Zorgvuldig bestudeert hij het wapen, terwijl hij het in zijn handen omdraait en betast. Dan begint het kleine mannetje agressief te schreeuwen en met zijn armen te zwaaien tegen Wessel, die er wat hulpeloos bij hangt in de armen van de kleerkast, maar geen spoor van angst vertoont en geen kik geeft.

Plotseling schopt Wessel het tegen hem tekeergaande mannetje hard in zijn kruis, zet zich razendsnel met beide benen en al zijn kracht af tegen de barrand, dendert naar achteren met zijn belager, die op zijn beurt Wessel loslaat teneinde zijn achterwaartse val te breken.

Alsof de duivel hem op de hielen zit komt Wessel overeind, grijpt zijn pistool, dat de van pijn kreunende eigenaar van club Jolanda uit zijn handen heeft laten glijden, springt met een zwaai over de bar, bereikt binnen twee stappen de volledig verraste Sacha en richt met gestrekte arm de loop van zijn vuurwapen tegen haar slaap.

'DD.. don't move, honey!'

Strak kijkt hij zijn belagers aan.

De commotie is een groot aantal bordeelbezoekers inmiddels niet ontgaan. Ze deinzen achteruit, bang om in het conflict betrokken te worden. Al snel heeft iedereen in de ruimte in de gaten dat er een probleem is, en het is helemaal duidelijk als Wessel de volumeknop van de versterker omdraait en ABBA's 'Happy New Year' verstomt.

'Ww.. waarom gaf je me geen antwoord ss.. schat,' vraagt Wessel grijnzend. 'Bb.. ben ik soms niet goed genoeg voor die vette tt.. tieten van je? Nou? Of heb je gewoon een bb.. beurt nodig? Daar ben ik in gespecialiseerd, ww.. weet je, ww.. want niemand weet dat ik Repelsteeltje heet, zelfs die stomme kloot van een broer van je nn.. niet.'

Terwijl hij dit zegt houdt hij voortdurend zijn ogen gericht op de inmiddels weer op zijn benen staande krachtpatser en op de nog steeds van pijn kreunende eigenaar.

'Eén ff.. foute move en ik schiet haar door d'r kk.. kop, jongens!'

'Geen gekke dingen doen, rustig blijven, dan komen we hier altijd uit.' Het sportschooltype dat die woorden heeft gesproken, probeert langzaam dichterbij te komen, maar Wessel gebiedt hem te blijven waar hij is.

'Oké Wessel, zo is het wel weer mooi genoeg geweest. Laat verdomme nu mijn zus met rust, wil je.' Patrick komt langzaam de club in lopen en de aanwezigen maken met wat onderdrukte kreten onmiddellijk ruimte voor hem.

Wessel is verrast en kijkt zijn vriend aarzelend aan.

Twee hoeren vluchten achter Patrick de entreehal in om vrijwel meteen weer terug te komen. 'Karel en een klant zijn doodgeschoten!' gillen ze tegelijk.

Er ontstaat een enorme paniek. Vrouwen lopen angstig gillend en gebarend heen en weer en de meeste mannen zoeken wanhopig hun kleren.

De eigenaar van club Jolanda en zijn lijfwacht maken van de gelegenheid gebruik om dekking te zoeken, terwijl Sacha met haar knie de overvalknop heeft ingedrukt, die zonder dat er een alarm afgaat direct de politie waarschuwt.

Patrick is Wessel inmiddels tot op een meter afstand genaderd.

Wessel houdt nog steeds een nerveuze Sacha onder schot als hij een droge harde knal hoort en voelt dat hij geraakt is. Hij staart in opperste verbazing naar zijn borst, waar hij linksboven is getroffen door de corpulente man die zojuist nog oraal bediend werd door een dikke prostituee.

Wessel kijkt de man ongelovig aan en wil zijn pistool op hem richten als de dikzak voor de tweede maal op hem schiet en hem dit keer lager treft, midden in zijn borst.

Terwijl Wessel wankelt rent Sacha naar de andere kant van de bar, maar ze komt niet ver. Ze grijpt met beide handen naar haar rug, schreeuwt het uit van de pijn en valt op haar knieën als de verdwaalde kogel uit het pistool van de ter aarde stortende vriend van haar broer haar ruggenwervels net boven haar billen versplintert.

Patrick springt over de bar en ziet zijn zus met een wanhopig, van pijn vertrokken gezicht op haar zij liggen. De tranen springen in zijn ogen, en in een vlaag van alles verblindende woede pakt hij Wessels pistool en schiet het leeg op zijn al bijna levenloze lichaam.

'Ga weg,' sist Sacha. 'De politie is gewaarschuwd. Ga weg,' zegt ze nogmaals, nu harder, door haar tranen heen. 'Ik red me wel.'

Patrick kijkt haar vertwijfeld en vol medelijden aan, blikt omhoog in de spiegel achter de bar en ziet dat iedereen zich in paniek verdringt bij de uitgang. De eigenaar en zijn bodyguard zijn in geen velden of wegen te bekennen.

Sacha begrijpt wat hij denkt en fluistert: 'Er is nog een uitgang, via de kelder, dan moet je daar dat luik in.' Ze knikt met haar hoofd in de richting van het luik.

Patrick kust zijn zus op haar voorhoofd en zegt zachtjes: 'Ik kom snel bij je terug, Sach. Ik hou van je. Het komt allemaal goed.'

Sacha glimlacht flauwtjes en fluistert: 'Dat is voor het eerst in mijn leven dat je zegt dat je van me houdt.'

Terwijl hij het luik boven zijn hoofd dicht laat vallen, hoort hij, ondanks het oorverdovende lawaai van het vuurwerk, in de verte de loeiende sirenes van de politie. Het is oudejaarsnacht in Amsterdam.

Geen enkel probleem, denkt Patrick als hij met brandende ogen om zich heen kijkt en zijn vluchtroute al in het vizier heeft. Maar hij heeft zich nog nooit zo miserabel en eenzaam gevoeld.

Hij bestudeert het pistool van Wessel dat hij nog steeds in zijn hand heeft. Als er nog kogels in gezeten zouden hebben, had hij zichzelf daar ter plekke doodgeschoten.

Wat een wereld, denkt Patrick alvorens hij verdwijnt in de nacht.

22

Rond twee uur 's nachts landde de privéjet van LifeRisc met Michiel Zandstra aan boord op Schiphol. Hij was rond elf uur 's morgens Chicago-tijd vertrokken en had er precies acht uur over gedaan. In Nederland was de jaarwisseling al gevierd en nog volop bezig, in Amerika moest het allemaal nog beginnen. Daar was het pas zeven uur 's avonds.

Voordat hij wegging had hij op het vliegveld zijn vrouw Ellen nog gesproken en haar op de hoogte gebracht van het overlijden van zijn moeder. Ze kende de moeder van Michiel niet persoonlijk, eigenlijk alleen maar uit de verhalen van Michiel. De tweeënveertigjarige knappe Ellen vond Michiels verstandhouding met zijn moeder toch wel bizar, en uit zijn reactie viel het haar op dat het hem blijkbaar meer deed dan hij zelf verwacht had. Zijn stem klonk anders, zachter, vrolijker bijna. Het was de stem die ze alleen als ze samen intiem waren van hem kende.

Michiel had overigens met geen woord gesproken over zijn deal met de advocaat van Elizabeth.

Zoals altijd keek ze uit naar zijn komst, ook al was dat midden in de nacht. Ze hield van het kleine jongetje in hem, hield van de onbezorgde man die hij, voordat zijn vader overleed, geweest moest zijn, en die hij in haar armen, in haar bed, ook vaak weer werd. Dan was Michiel een tedere minnaar, was hij ronduit lief. Ze kende hem nu twaalf jaar en hoopte dat hij ooit nog eens een kind met haar wilde maken.

Het vliegtuig van LifeRisc was van alle denkbare luxe voorzien en Michiel had zelfs een paar uur geslapen in zijn eigen bed aan boord.

Anderhalf uur voor de landing, ergens boven de Atlantische Oceaan in de buurt van Engeland, had de copiloot hem op zijn verzoek gewekt, zodat hij voor aankomst nog even een douche kon nemen.

Toen hij uit de douche stapte droogde hij zich af, kamde zijn grijze haren naar achteren en deed daarna zijn gouden ronde brilletje weer op. Toen hij in de spiegel keek verbaasde hij zich over het feit dat hij zijn haar naar achteren had gekamd. Hij kamde het altijd naar de zijkanten met een scheiding in het midden.

Vreemd, zo droeg hij het als student altijd. Het beviel hem eigenlijk prima; hij zag er zo veel jonger uit. Hij moest ook maar eens een wat hippere bril kopen.

Eenmaal geland op Schiphol werd Michiel opgehaald door zijn privé-chauffeur op Schiphol-Oost en door de douane geloodst. Daar stond hem in de kleine aankomst- en vertrekhal een verrassing te wachten in de vorm van de altijd perfect geklede Tom Akkerman.

Michiel liep onmiddellijk op hem af en vroeg: 'Tom, Happy New Year, maar wat doe jij hier midden in de nacht? Is er iets aan de hand?'

'Michiel, jij ook een gelukkig nieuwjaar. Ik ben bang dat ik je slecht nieuws te vertellen heb. Je broer Ben is vanmiddag samen met zijn dochter Maya ontvoerd uit zijn huis in Reeuwijk.'

'Wat?!'

'Ik kan er helaas niets anders van maken. Het moet ergens tussen vier en vijf uur 's middags gebeurd zijn. We hebben geen idee wie het gedaan heeft of waarom. Het sporenonderzoek van de politie heeft in ieder geval nog niets opgeleverd en van de ontvoerders hebben we ook taal noch teken ontvangen.'

Michiel is even sprakeloos en kijkt zijn chauffeur aan.

'Waarom zei jij niks in de auto?'

'Meneer Akkerman wilde het u persoonlijk vertellen, meneer Zandstra. Het is de hele avond al op het nieuws, op radio en televisie.'

Michiel kijkt weer naar Tom, nog steeds stomverbaasd.

'Wacht even, Tom. Dit moet ik even laten inzinken. Je bedoelt gekidnapt op klaarlichte dag, zonder dat er getuigen zijn? Had hij geen beveiliging of alarm? Is het met geweld gebeurd? Vertel eens wat meer!'

'Hij had zijn beveiliger naar huis gestuurd en was alleen thuis met Maya. Er stond geen alarm aan. De deuren van zijn werkkamer waren met een bijl aan gruzelementen geslagen door zijn buurman, en diezelfde buurman hebben we dood aangetroffen in de hal van het huis van Ben. Hoe dat gebeurd is weten we ook niet precies. Vermoedelijk is hij van de trap af geduwd of geschopt en ongelukkig terechtgekomen. Of hij wat met de ontvoering te maken heeft weten we ook niet zeker. Zijn vrouw weet in ieder geval niets en verkeert in een shocktoestand.'

'Nou, het lijkt me dus dat die er wél wat mee te maken heeft – jezus christus, met een bijl de deuren in geslagen,' zegt Michiel.

'Ja, en met die bijl heeft hij ook op een traptree geslagen, vermoedelijk toen hij Ben achternazat. We denken dat Ben hem uit noodweer van de trap af heeft geschopt. De politie doet uitgebreid onderzoek in zijn vriendenkring en onder zijn personeel. De man was projectontwikkelaar.'

Michiels mobiele telefoon gaat af. Het is Ellen.

Hij neemt op en zegt: 'Hé schat, ik ben net geland. Hoe is het met je?'

'Goed, goed,' zegt Ellen. 'Maar heb je het al gehoord?'

'Je bedoelt van mijn broer en zijn dochter? Ja, net. Ik sta hier nog in de aankomsthal met Tom Akkerman, de financiële man van het bedrijf van Ben. Hij heeft me zojuist op de hoogte gebracht.'

'Jezus, wat een drama, Michiel. Het is *all over the news* en de sociale media zijn er vol van. Dit gun je je ergste vijand niet. Weet die Akkerman al iets meer? Is er bericht van de ontvoerders?

'Ik geloof het niet, maar ik bel je zo terug, schat. Oké?'

'Oké, schat, ik wacht op je. Gelukkig nieuwjaar, lieverd.'

'Jij ook Ellen, tot zo.' En Michiel verbreekt de verbinding.

'Ik stel het zeer op prijs dat je mij dit persoonlijk hier midden in de nacht komt vertellen, Tom. Dit is een tragedie voor mijn broer en zijn dochter. Maar ook voor ZMG. Ik hoop dat dit goed gaat aflopen. Wie heeft de regie in handen als er bericht komt van de ontvoerders? Jij?'

'Dat is mede een reden waarom ik gekomen ben, Michiel. Ben is mijn baas en ik ben geen familie. De regie voor wat betreft het contact met de politie en het onderzoek is nu in handen van Rob Korteland, ons hoofd beveiliging. Hij overlegt veel met mij en Paul, de jongste zoon van Ben die ook in het bedrijf werkt. Maar ik denk dat we een sterkere persoon nodig hebben om "de regie te voeren" zoals jij dat noemt, en daarbij dacht ik aan jou. Je bent niet alleen zijn broer, je bent met LifeRisc ook grootaandeelhouder in ZMG en je bent een sterke leider, net als Ben. We hebben iemand nodig die de storm die opgestoken is kan trotseren. Ik heb een paar commissarissen gesproken, en ook die dringen aan op een sterke figuur. We vinden zijn zoons allemaal nog wat te jong om die verantwoordelijkheid te dragen. Ze zijn het daar zelf overigens helemaal mee eens.'

'Daar vraag je nogal wat, Tom. Je weet dat Ben en ik elkaar niet bepaald liggen. Ik heb hem in ruim dertig jaar tijd maar een paar keer gesproken.'

'Ik weet het, maar je blijft wel zijn broer. Je weet neem ik aan dat je moeder vandaag, of liever gezegd gisteren, is overleden? Mijn condoleances, ik vergat het helemaal in alle commotie.'

'Dank je, ja ik weet het. Ze was al op leeftijd.'

'Reden temeer voor jou om de regie te nemen, Michiel. Zij had ook een groot pakket aandelen in ZMG, dat neem ik aan nu bij haar enige twee kinderen, te weten jij en Ben, terechtkomt. Er werken rond de vijftienduizend mensen bij ZMG en de onrust is groot. Ik ben overvallen door het grote aantal steunbetuigingen en telefoontjes de afgelopen uren. En ik vrees het ergste voor de koers van het aandeel als de beurzen straks weer opengaan. Sorry dat ik zo zakelijk ben, maar daar voel ik me toe verplicht.'

Michiel denkt na.

'Je hebt gelijk, Tom. De belangen zijn enorm, maar het allerbelangrijkste is nu het welzijn van Ben en Maya. Geef me heel even tijd om hierover na te denken. Ik rijd nu naar mijn vrouw en overleg ook even met haar. Je begrijpt dat dit me overvalt. En ik begrijp ook dat jij snel een antwoord wilt. Ik ben over een halfuur in Wassenaar. Bel me over anderhalf uur op. Akkoord?'

Tom kijkt Michiel aan en zegt: 'Goed, ik bel je rond half vier vannacht op. Ik loop met je mee naar buiten. En Michiel... misschien is dit ook wel een uitgelezen kans om de onmin met je broer aan de kant te schuiven.'

Michiel glimlacht en loopt mee.

Het valt Tom op dat Michiel niet meer gebogen loopt.

23

Het is net kwart voor twaalf 's avonds als de telefoon gaat. Bram ligt te slapen op de bank in zijn grachtenpandje in Amsterdam.

Achteloos neemt hij op en hoort voordat hij iets kan zeggen:

'Hòòòòi schat Happy New Year, I luf youuuuu!'

Het is de dronken stem van Connie. Hij heeft er absoluut geen trek in en gooit de hoorn onmiddellijk weer op de haak.

Bij nader inzien legt hij hem naast het toestel, zodat iedereen die het in zijn hoofd mocht krijgen hem nu te bellen een ingesprektoon krijgt. Een mobiel apparaat heeft hij nooit aangeschaft. Hij haat het overal gevolgd te worden door onbenullige telefoontjes.

Ineens is hij weer klaarwakker. Hij gaat zitten en vraagt zich af hoe lang hij geslapen heeft.

Hij kijkt op zijn horloge. Twee uurtjes of zo. Alles staat hem onmiddellijk weer helder voor de geest.

Hij is een van de meest gezochte mensen van Nederland, alleen weet niemand dat, behalve hijzelf. Hij grinnikt.

De perfecte misdaad pleeg je alleen, helemaal alleen.

Hij had het in zijn auto op de radio al gehoord, maar was benieuwd naar de televisiebeelden.

Toen hij om negen uur 's avonds eindelijk doodmoe en vaag van de valium thuiskwam en de televisie aanzette, viel hij gelijk in een nieuwsonderbreking op een van de tv-zenders van Zandstra, ZMG 3.

Foto's van Ben en Maya. Er werd gesproken over een vermoedelijke ontvoering en eenieder met tips of inlichtingen werd verzocht een nummer in Den Haag te bellen of de lokale politie. Op Nederland 1 was een extra nieuwsuitzending van *Nieuwsuur* aan de gang. Weer foto's van Ben en Maya, maar nu ook beelden van het met rood-witte linten afgezette huis van Zandstra in Reeuwijk. Er stonden veel politieauto's en aardig wat nieuwsgierige mensen.

Een heel verhaal over het bedrijf van Zandstra. In hoeveel landen het vestigingen had. De bijna vijftienduizend mensen die er werkten.

Het grote succes van de tv-producties die het bedrijf maakte en die wereldwijd werden uitgezonden.

Zijn broer Michiel werd ook genoemd. De voorzitter van de Raad van Bestuur van het grote, aan de beurs genoteerde verzekeringsconcern LifeRisc.

Bram wist het allemaal maar al te goed, hij had het afgelopen jaar een hele studie gemaakt van Ben Zandstra, zijn bedrijf en zijn familie.

Verder was er volgens de presentator nog geen bericht van de kidnappers en was ook niet bekend of er losgeld werd geëist.

Namens zMG hadden ze ene Akkerman geïnterviewd, maar die gaf weinig commentaar. Het opsporingsbericht werd ook in België en Duitsland via de zMG-zenders verspreid, zei hij, en hij riep iedereen die iets of iemand dacht te hebben gezien op zich te melden.

De minister van Binnenlandse Zaken was voor de camera gehaald en die sprak er schande van. Het leek wel of de man een borrel ophad, want hij sliste behoorlijk. Hij verklaarde dat alles uit de kast gehaald zou worden om een van Nederlands meest succesvolle ondernemers op te sporen. Er was een team van twintig rechercheurs vrijgemaakt en de hele omgeving van het huis werd uitgekamd. Iedereen in de buurt werd ondervraagd.

Er waren zelfs beelden van een helikopter boven de plassen bij het huis van Zandstra...

De uitzending werd afgesloten met het blijkbaar zojuist binnengekomen nieuws dat vandaag de moeder van Ben Zandstra was overleden, op vijfentachtigjarige leeftijd in New York.

Ze weten niks, denkt Bram. Maar indrukwekkend was het wel. Bram werd er enigszins nerveus en opgewonden van. Dat had hij toch maar mooi even gedaan, dacht hij. En dit was nog maar het begin! Toch gaf hij zichzelf niet over aan gevoelens van euforie.

Er werd trouwens met geen woord gerept over die kerel die daar dood in de hal lag, denkt Bram. Dat viel hem eigenlijk nog het meest op. Of hij moest dat gemist hebben. Hij pakte zijn camera en keek naar de foto's die hij gemaakt had van die man. Wie was die vent in vredesnaam en waarom was hij Zandstra met een bijl achternagegaan?

Moest hij morgen toch eens aan Zandstra vragen.

Hij zet de tv uit en denkt aan wat er die dag allemaal gebeurd is, aan zijn ontvoering van Ben Zandstra en zijn dochter Maya. Het was allemaal zo makkelijk gegaan, eigenlijk angstaanjagend simpel.

Die meid had hem sterk aan zijn eigen dochter doen denken. Hij vond eigenlijk dat hij haar iets te bot had aangepakt. Ook Ben Zandstra had een andere indruk op hem gemaakt dan het beeld dat hij uit de media had gekregen. Die Zandstra bleek niet zo'n zelfingenomen eikel als hij gedacht had en Maya was ronduit een lieve meid. De gebeurtenissen van die avond zag hij weer in levendige beelden voor zich terwijl hij alles nog eens de revue liet passeren.

Waarom had hij die mensen tenminste niet een beetje fatsoenlijk behandeld? Hij had Zandstra best van zijn handboeien kunnen ontdoen en hij had ze in ieder geval een fles water en een po met toiletpapier of iets van dien aard kunnen geven. God weet had een van hen iets gebroken toen hij het meisje de kelder in schopte en ze boven op haar vader terechtkwam. Het kind had haar enkel al verstuikt.

Dit was weer de kant van hem geweest die hij ook zo goed kende, sterker nog: ontkende, een heel ander gedeelte van zijn persoonlijkheidsstructuur die wel degelijk bestond, zelfs heel vaak de overhand had, maar waar hij niet bij durfde of wilde stilstaan.

Welbeschouwd ging hij op die botte en kille manier ook met zijn eigen kinderen om. Het antwoord van Sacha op zijn briefje van die ochtend sprak boekdelen. Hij pakte het papiertje, las eerst nog eens zijn eigen woorden en vervolgens de drie zinnen van zijn dochter die eronder geschreven stonden:

Pap, als je niets anders te melden hebt, schrijf dan geen briefjes.
Geen kus, Sacha.
PS Vanavond ben ik er niet. Waarom zou ik?

Hij vroeg zich af waar die dubbelhartigheid, dat dualistische karakter toch vandaan kwam. Om welke reden hij bijvoorbeeld vaak koud en vijandig was, zodat hij mensen afstootte. Hij had geen enkele vriend, hij liet zijn zoon vallen als een baksteen zodra die in de problemen verkeerde en zijn dochter zocht niet voor niets haar vertier en aandacht buiten de deur.

Toen hij jong was had hij dat probleem niet, het was hem min of meer overkomen sinds hij volwassen was geworden. Iets of een opeenstapeling aan ervaringen had hem veranderd, zichzelf doen afsluiten. Als hij een aantrekkelijke vrouw ontmoette, gedroeg hij zich vaak vreselijk arrogant en straalde zijn hele wezen een afwijzende houding uit. Met als gevolg dat het uiteraard niets werd.

Ziek kon hij ervan zijn. Zijn wil en weggestopte gevoelsleven vochten dan met zijn spijkerharde afweermechanisme, met de dikke lagen eelt op zijn ziel die zijn vader en de maatschappij ongewild, maar niet minder systematisch, hadden aangebracht.

Hij had er met psychologen over gesproken; die dachten dat het een soort sociale fobie was. Maar echte angsten kende hij niet zozeer en de adviezen die hij kreeg hielpen dan ook niet. Hij had altijd zijn onzekerheden gehad, maar echt bang was hij voor niemand.

Bram had de poort die toegang gaf tot zijn emoties, ook al schreeuwden die om aandacht en een bestaansrecht, al lang geleden uit een soort noodzaak om te overleven dicht gemetseld, ook voor zichzelf. Alleen Marianne was het altijd gelukt erdoorheen te komen, en dat had een ontluisterend effect op hem gehad. Gemengde gevoelens van gelukzaligheid en verwarring, eindelijk in staat om lief te hebben, om te huilen, om zich verdomme te kunnen uiten. Bij haar durfde hij zichzelf te zijn, zich kwetsbaar op te stellen.

Maar afgezien van zijn vrouw en zijn moeder won zijn betonnen afweermechanisme meestal de strijd. Het was de enige manier waarop hij zijn leven aanvaardbaar kon maken.

Hij nam zich voor om zijn kinderen meer tijd en aandacht te geven, aardiger voor hen te worden. Tenslotte hield hij zielsveel van ze, en als ze hem al kwetsten, dan deed dat minder pijn dan wanneer het gebeurde door een of andere lul in de kroeg.

Nee, zo overtuigde hij zichzelf weer, die Zandstra was gewoon een ordinaire klootzak, puissant rijk geworden aan het leed van anderen. En die dochter van hem was natuurlijk geen haar beter. Dat leek alleen maar zo. Die had haar hele verwende leventje nog nooit ene reet uitgevoerd, wat wist die nou van de wereld? Het was prima dat hij die twee keihard had aangepakt. Het initiatief moest bij hem blijven liggen, hij moest angst inboezemen teneinde zijn plannen te verwezenlijken. Dat zou het allemaal veel gemakkelijker maken.

Nee, hij, Bram Rietveld, had niemand nodig. Ze konden allemaal het lazarus krijgen. Als ze eenmaal mijn tv-spots op televisie zagen, dan zouden ze wel anders piepen!

Hij voelde zich al een stuk beter, gooide de hoorn weer op de haak, schonk zichzelf een glas whisky in en ging naar boven, naar de ruimte in zijn atelier waar zijn camera's en videoapparatuur zich bevonden.

Hij was blij dat hij even geslapen had, de valium was uit zijn kop.

Het was inmiddels bijna twaalf uur en het werd een stuk onrustiger buiten.

Hij pakt een van zijn favoriete videocassettes, met het label 'kind/dier, 90 sec. Engelse versie', plaatst hem in een professionele recorder, schakelt een monitor in, gaat zitten en drukt op 'play'.

Na enkele seconden start een tv-spot met hartverscheurende beelden van een bedrijfsleider die een kleine jongen aftuigt door hem te schoppen, te trappen en te slaan met zijn leren broekriem.

Onder in het scherm staat:

A factory in Pakistan, 2013. The boy is 8 years old and too exhausted to work.

Een verborgen camera registreert haarscherp hoe een in lompen geklede magere jongen op de smerige grond van een textielfabriek vakkundig in elkaar wordt geslagen. Het joch siddert van angst, hij oogt dodelijk vermoeid en probeert weg te kruipen van zijn ongecontroleerd tekeergaande belager.

Het beeld bevriest en over het gehele scherm verschijnen in grote witte letters, de volgende zinnen:

This boy works 16 hours a day, 7 days a week. He never sees daylight or any of his relatives. His only crime is that he wants a life.

De tekst verdwijnt weer en de kijker ziet hoe de man zijn longen uit zijn lijf schreeuwt en het arme kind razend en tierend ongenadig afranselt. Andere, ongeveer even oude kinderen kijken gelaten toe. De camera zoomt in op de betraande en doodsbange donkere ogen van het kermende jongetje. Dan bevriest het beeld. Over het stilstaande gezicht zijn de woorden te lezen:

Feel this?
Now look at this

Hemeltergende opnames volgen van een kalf dat door een dikke scheldende boer met een stomp sigaar in zijn mondhoek, nog harder wordt geslagen en geschopt dan het jongetje, omdat het dier weigert een veewagen in te gaan. Onder in het scherm staat vermeld:

A farm in Belgium 2013.
The calf has to go to the slaughterhouse.

De camera laat meedogenloos zien hoe de boer het weerloze en noodkreten uitstotende beestje in blinde woede halfdood trapt. Het ongelukkige kalf, dat niet meer op zijn verzwakte poten kan staan, bloedt uit zijn neus en een van zijn ogen terwijl twee jonge mannen grijzend toekijken.

   De opnames worden bevroren en beeldvullend valt wederom in witte letters, zin voor zin, te lezen:

This animal is only 8 months old and spent his entire life in a cage.
He has never seen daylight and can hardly walk.
His only crime is that he wants a life.

De geagiteerde boer weet niet van ophouden. De camera zoomt eerst in op het verbeten gezicht van de man en dan op de zwaargewonde kop van het jonge weerloze dier, waar het beeld bevriest en de volgende woorden verschijnen:

Feel this too?

Nieuwe bloedige beelden volgen van tijdens een transport zwaar mishandelde en gewonde, angstig steigerende paarden. Het scherm schreeuwt:

And this?

Dan tientallen varkens die op een paar vierkante meter elkaars staart aanvreten; hun poten zijn verminkt en overwoekerd met etterende zweren.

And this?

Een kleine groep olifanten wordt zonder pardon afgeschoten door twee rücksichtslose stropers. Ze schieten onnauwkeurig en hebben heel wat kogels nodig om de wankelende dieren te doen neergaan. Dan grijpen ze hun kettingzagen en verwijderen ze de slagtanden tot in de kop van de dieren. Het bloedige tafereel is niet om aan te zien.

And this?

Een jong meisje, ze is hooguit een jaar of dertien, wordt op brute wijze verkracht. Het kind, met nog nauwelijks borsten en schaamhaar, verzet zich hevig, maar wordt door een kwijlende corpulente vent diverse keren met zijn grote handen keihard in het gezicht geslagen. Het bloed spuit uit haar neus als ze het uiteindelijk opgeeft. Ze schreeuwt het uit van de pijn als hij haar met een stoot diep penetreert.

Over het bevroren beeld verschijnt de tekst:

She will never be able to have children.

De tv-spot gaat verder.

And this?

Een knielende en geboeide man wordt met een mes de strot doorgesneden door een man in een zwart gewaad met een zwart masker.

And this?

Drie babyzeehondjes worden op het ijs op laffe en gruwelijke wijze doodgeknuppeld en gestroopt onder de ogen van hun wanhopig krijsende moeders.

And this?

De kijker is getuige van de walgelijke slachting van een gevangen maar nog levende walvis.

Dan worden de meest weerzinwekkende en tot de verbeelding sprekende fragmenten van de opnames razendsnel achter elkaar herhaald, aangevuld met weer andere beelden. Achtereenvolgens ziet men flitsen van het jongetje, de varkens, een juichende mensenmassa, de onthoofding, de paarden, het jongetje, het kalf, het meisje, de olifanten, de zeehondjes, een junkfood etende mensenmassa, het jongetje, het meisje, het jongetje, het kalf, het jongetje, de zeehondjes, de onthoofding, het jongetje, het meisje...

Over de opeenvolging aan schokkende beelden zijn draaiende krantenkoppen gemonteerd.

Dan stoppen de misselijkmakende beelden abrupt en komt tegelijkertijd de tijdens de gehele spot te horen aanzwellende gedragen muziek tot een dramatisch explosief einde. Er is geen geluid meer, geen beeld. Niets.

Vervolgens verschijnen in absolute stilte, zin voor zin, de volgende regels in heldere witte letters tegen een diep zwarte achtergrond:

Soon the human race shall be all alone on this world.
Then we'll start killing each other until extinction.

Stop the madness.
Kill the human birthrate.
Let's change the world!

Bram stopt de band en spoelt hem terug. Hij vraagt zich af of hij toch niet beter met de beelden van de verkrachting van het meisje had kunnen beginnen.

Hij heeft daar niet voor gekozen, omdat de opnames, die hij van een verboden Oost-Europese kinderpornosite heeft gekopieerd, wel erg heftig zijn, en hij wil dat iedereen de spot kan zien, vooral juist kinderen. De verkrachtingsscène die er nu kort in voorkomt is weliswaar aangrijpend, maar kort en ontdaan van de porno-elementen. Gekuist als het ware.

Hij haalt de cassette uit de machine, doet hem terug in het plastic opbergdoosje en zet hem tussen de andere: de Nederlandse, de Franse, Duitse versie.

Hij is trots op zijn creatie en op de parallel die in de spot wordt getrokken tussen de volstrekte weerloosheid van een kind en een jong meisje aan de ene kant, en van dieren aan de andere kant. De meerderheid van de mensheid interesseert het geen fluit dat de dieren waarmee ze hun magen vullen zo massaal mishandeld en vermoord worden. Maar de combinatie met schokkende beelden van kinderen en onthoofdingen zal ze in ieder geval meer aan het denken zetten, zo is zijn verwachting. Wekenlang was hij ermee bezig geweest.

Hij had ook bewust gekozen voor harde beelden. Hij wilde choqueren.

Natuurlijk is de spot voorlopig niet geschikt voor het doel waarvoor hij hem wil gebruiken. Het publiek wordt al overladen met negatieve berichtgeving, en dat wil hij juist aan de kaak stellen. Maar hij vindt hem wel helemaal geweldig. Die spot komt nog wel een keer van pas, maar niet nu.

Zo had hij op zijn semiprofessionele apparatuur uit de jaren negentig ook een tv-spot gemaakt over alcohol en belangrijke politici. Je zag bekende wereldleiders, koningen, presidenten en ministers in rap tempo achter elkaar champagne, wijn, whisky, cognac enzovoort drinken, met daaronder teksten als:

They all use hard drugs and they run your life.

En:

Alcohol is a hard drug, it blurs the mind and kills you.

Bram vond ook die spot een van zijn betere.

Weer een andere spot gaat over de mishandeling en onderdrukking

153

van vrouwen en meisjes door fundamentalistische islamieten, met onder in beeld de tekst:

Religion is only an excuse to enslave you.

Eentje over de paus in zijn pausmobiel in Afrika tussen de aidspatiënten, met onder in beeld:

Religion kills you. Religion is a mindfuck.

En natuurlijk ontbreekt niet een tv-spot vol met negatieve krantenkoppen en gewelddadige agressieve televisiebeelden. De tekst:

The media raise your children, not you.
Who controls the media?

Al zijn tv-spots eindigen met zijn overkoepelende tekst:

Let's change the world.

Hij heeft ze allemaal gekopieerd op 8mm cassettes, zodat hij ze aan Zandstra kan laten zien op het kleine beeldscherm van zijn digitale Sony camera/recorder.

Hij heeft bewust gekozen voor het formaat van 8mm cassettes. Hij haat computers.

Maar de allereerste tv-spot die uitgezonden moest worden was er een met alleen maar tekst waarin ZMG het boetekleed aantrok. Waarin zij schuld bekennen en daar ook nog eens helemaal geen probleem mee hebben!

Soms dacht Bram dat dat misschien wel zijn beste tv-spot was, en wellicht effectiever dan al die heftige, choquerende beelden die hij met zoveel genoegen en eindeloos geduld aan elkaar gemonteerd had.

Hij had die tv-spot met alleen maar witte tekst tegen een zwarte achtergrond pas een paar weken geleden gemaakt.

Daar zou Marianne waarschijnlijk het meest trots op geweest zijn.

De telefoon gaat weer, het is kwart voor een. Hij was ondanks alle vuurwerkexplosies op de gracht toch weer een beetje in slaap gesukkeld.

Geërgerd kijkt hij naar het apparaat dat op een klein vierkant bijzettafeltje in zijn atelier staat, loopt ernaartoe en neemt op.

'Met Bram.'

'Spreek ik met de heer Rietveld?'

'Ja. Met wie spreek ik?'

'U spreekt met brigadier Tollens van de Regionale Politie Amsterdam. Heeft u een dochter die Sacha heet en vijfentwintig jaar oud is?'

'Ja, hoezo?'

'Dan verzoek ik u zo spoedig mogelijk naar het Onze Lieve Vrouwe Gasthuis te gaan, meneer Rietveld. Uw dochter is ernstig gewond geraakt tijdens een schietpartij in de club waar ze werkt. Ze ligt nu in de ambulance, die hier zojuist vertrokken is.'

'Wat?! Wat is er precies gebeurd?! Is ze in levensgevaar?! Waar is ze geraakt?!'

'Ze is in haar onderrug geschoten, meer kan ik u ook niet vertellen. Ik denk niet dat u direct voor haar leven hoeft te vrezen, maar het zag er niet goed uit, meneer Rietveld.'

'Verdomme, ik heb haar wel honderd keer gezegd dat ze uit die kutclub weg moet blijven, ik...'

De politieman onderbreekt hem.

'Blijft u vooral kalm, meneer Rietveld. Heeft u eigen vervoer naar het OLVG?'

Bram zucht. Er zijn tranen in zijn ogen gesprongen.

'Ja, ik ga onmiddellijk.' En hij gooit de hoorn erop.

24

Op hetzelfde moment dat boven het hoofd van Patrick het luik dicht-valt, gaat bij Sacha het licht uit. De kogel in haar onderrug veroorzaakte in eerste instantie een vlammende pijn, maar nu voelt ze nauwelijks nog iets, behalve een soort trekkende pijn door haar bovenlichaam. Ze bloedt behoorlijk uit de wond op haar rug. Ze probeert het, op haar zij liggend achter de bar, met haar rechterhand te stelpen, maar dat lukt heel slecht. Er is ook niemand die zich om haar bekommert. Ieder-een schijnt alleen maar aan zichzelf te denken. Personeel en klanten verdringen elkaar bij de uitgang van de seksclub.

Ze voelt hoe haar krachten langzaam maar zeker afnemen. Ze wordt steeds vager, slaperiger, om uiteindelijk weg te glijden in een soort gelukzalige leegte.

Als ze weer bij een beetje bij kennis komt voelt ze weer een bepaalde trekkerige pijn, een soort pijn die ze niet kent. Ze ligt op haar borst met haar hoofd opzij, maar nu in een ambulance die zich met gillende sire-nes een weg probeert te banen door feestend en zuipend Amsterdam.

De jaarwisseling wordt uitbundig gevierd.

Ze heeft een kap over haar mond en neus en kijkt in het gezicht van een onbekende man in een groen-blauw pak. Hij kijkt haar aan en zegt iets, maar het bereikt haar niet.

Ze wil haar arm optillen om iets te gebaren, maar dat lukt haar niet.

Dan verliest ze weer haar bewustzijn.

Het volgende moment dat ze weer vaag bij kennis komt ligt ze op een operatietafel van het OLVG-ziekenhuis in Amsterdam. Er staan wel zeven of acht mensen om haar heen in groene kleding, met groene kapjes over hun hoofd en ook witte mondkapjes. Ze hebben plastic handschoenen aan en schijnen vooral met zichzelf bezig te zijn.

Niemand kijkt naar haar.

Ze ligt op haar zij en ze proberen haar om te draaien; alleen voelt ze haar benen en haar onderlichaam niet.

Daar ben ik natuurlijk wakker van geworden, denkt ze. Maar waarom voel ik dan niks?

Ze hoort iemand zeggen: 'Wat zonde van zo'n mooie meid. Hoe oud zou ze zijn? Tweeëntwintig, drieëntwintig jaar? Het zal je dochter maar zijn...'

Ze herinnert zich weer het oudejaarsfeest in de club en de vechtpartij. De totale paniek en die stoned uit zijn ogen kijkende jongen die haar maar riep en die een pistool op haar hoofd zette. En toen ineens die harde knal en dat gat in de borst van die jongen. Het bloed. Zijn verbaasde gezicht. Ze had in de richting gekeken waar het schot vandaan kwam. Weer ziet ze de dikke man met het pistool in zijn hand, ze ziet hem nog een keer schieten. Ze ziet de jongen vallen als de tweede kogel hem treft. De angst had bezit van haar genomen, ze was naar de andere kant van de bar gerend terwijl ze bleef kijken naar de man die de kogels had afgevuurd.

Dan beleeft ze weer die vlammende steek als iets haar raakt in haar rug. Ze valt en schreeuwt, een langdurige jammerklacht van pijn. Ze ziet tot haar ontzetting hoe haar broer het pistool van de jongen op hem leegschiet. Ze huilt.

Ze is bang. Ze is nog nooit zo bang geweest.

Er wordt nog steeds aan haar lichaam gesjord, dat merkt ze, dat ziet ze, maar ze voelt het maar gedeeltelijk.

Ze wil wat zeggen, maar dan wordt ze door vele handen omgedraaid en op haar borst gelegd. Weer verliest Sacha het bewustzijn.

25

'Pap, pap... Slaap je niet meer?

Maya was stijf en koud wakker geworden. Haar spijkerbroek was nog steeds nat en ze rook haar eigen urine. Ze lag al een tijdje stilletjes in het donker te staren, luisterend naar de ademhaling van haar vader tot ze de indruk kreeg dat hij niet meer sliep.

'Nee schat, ik heb nauwelijks een oog dichtgedaan.'

'Hoe voel je je, pap?'

'Waarschijnlijk hetzelfde als jij. Koud en belabberd. Heel koud. Hoe voel jij je, Maya?'

'Ik heb nog steeds pijn aan mijn enkel, die is behoorlijk gezwollen, maar verder ben ik denk ik wel oké. Ik heb het ook koud en ik heb nog wel een beetje hoofdpijn. Ze voelt aan de pijnlijke bult op haar hoofd. 'En ik moet naar de wc.'

Ze gaan allebei iets verliggen, zoekend naar een houding die enigszins te doen is op de harde cementvloer.

'Mag ik je wat vragen, pap?'

'Natuurlijk, lieverd.'

'Hield je van mama toen je haar pas kende? Ik bedoel, waren jullie heel erg verliefd?'

'Waarom vraag je dat nu?' Ben rilt van de kou.

'Daar lag ik net aan te denken. Ik heb je niet vaak iets aardigs over haar horen zeggen, dus ik vroeg me af of je wel echt van haar gehouden hebt.'

'Heb je dat wel eens aan haar gevraagd?'

'Ja natuurlijk, maar ik wil het van jou weten.'

'Wat zei ze dan?'

'Pap, toe nou.'

'Daar zegt ze zeker niet veel over?'

'Pap, geef nou eens antwoord op mijn vraag!'

'Lieverd, moeten we daar nu over praten? Ik heb het koud, ik moet naar het toilet, ik heb pijn in mijn rug, pijn aan mijn heup en mijn hoofd staat er nu niet echt naar.'

Maya geeft haar vader een plaagduwtje tegen zijn schouder.

Ben zucht. 'Oké dan. Toen ik je moeder ontmoette vond ik haar heel spannend, en zij mij ook. Toch kregen we niet direct een relatie. Het heeft zeker een halfjaar geduurd, waarin we om elkaar heen draaiden voordat de vonk definitief oversloeg en we beiden verliefd werden. Ik was eenendertig en je moeder tweeëntwintig. We waren stapel op elkaar. Ik vond dat ze prima bij me paste, we hadden dezelfde mening over veel dingen, dezelfde smaak, dezelfde humor en interesses. Je bent dus in liefde gemaakt, Maya. Totdat jij geboren werd, toen werd ze...'

'Sst, dat gedeelte ken ik wel,' fluistert Maya. 'Vertel eens iets meer over de periode voordat het fout ging. Wat deden jullie allemaal samen? Was je trots op haar? Vond je haar mooi? Wilde je voor altijd bij haar blijven? Vertel!'

Ben zucht.

'Was ik trots op Karin? Ja natuurlijk was ik trots op haar, ik vond haar de mooiste vrouw van de wereld. Ik was verliefd. We deden van alles, ze was mijn secretaresse en assistente. We werkten dus veel samen, praatten veel, ook over mijn problemen met Eva, de omgang met Sander en Paul. Daarin heeft ze me veel steun gegeven. Mijn bedrijf was in die tijd nog maar klein vergeleken met nu. We woonden al snel samen, we gingen samen op vakantie, huurden bootjes op de Loosdrechtse Plassen. We reden paard in de bossen, we gingen naar het strand, de bioscoop, uit eten, skiën, van alles. Wat alle verliefde mensen zo'n beetje doen.'

'Maar had je het gevoel dat mama de vrouw van je leven was? Dat je oud met haar zou worden?'

'Ja, hoewel ik daar op dat moment niet zo mee bezig was. Maar als ik mijn gevoel van toen moet beschrijven, dan is het antwoord: ja.'

'En je eerste vrouw, Eva. Hield je van haar net zoveel als van mama?'

'Nee, dat weet je ook wel. Dat was een heel ander verhaal. Op Eva ben ik nooit verliefd geweest. Ik had wel respect voor haar, wat overigens ophield toen ze met Sander en Paul als een dief in de nacht verdween, maar ik geloof niet dat ik ooit echt van haar gehouden heb. Eva was drie maanden nadat ik haar had leren kennen ineens zwanger.'

'En daar had jij geen enkele weet van?'

'Nee, het was echt per ongeluk. Althans, ik geloofde haar destijds en dat doe ik nog steeds. Ik was net eenentwintig jaar. Ik studeerde nog en toen vertelde ze me tijdens een etentje pardoes dat ze een kind verwachtte. Eigenlijk was ik van plan het die bewuste avond uit te maken. Maar ja, het zit niet in mijn karakter om over abortus te beginnen. Bovendien, als een meisje van je in verwachting raakte, dan had je toen als man nog wel de morele verplichting met haar te trouwen. Nu ligt dat godzijdank heel anders.'

'Abortus, hm... Daar hebben we het later nog wel eens over. Hield ze van jou, pap?'

'Dat weet ik eerlijk gezegd niet. We waren in ieder geval wel op elkaar gesteld en we hadden zelden ruzie, maar we zijn nooit verliefd op elkaar geweest. Doordat we samen kinderen hadden, zijn we nog zo lang bij elkaar gebleven, anders hadden we het denk ik geen halfjaar volgehouden.'

'Heb je mama ooit gemist nadat het uit was tussen jullie?'

'Ja natuurlijk! Maar wat vraag jij veel. Waarom wil je dat allemaal weten?'

'Omdat ik je dochter ben en omdat ik wil weten waarom het tussen mijn ouders, tussen wie zo'n grote liefde was, nooit meer goed is gekomen. Ik kan me voorstellen dat er een breuk in een relatie komt, maar wat ik niet begrijp is waarom die scheur nooit gelijmd is. Heb je daar echt moeite voor gedaan?'

'Dat kun je beter aan haar vragen.'

'Maar ik vraag het aan jou.'

Ben zucht. 'Natuurlijk heb ik daar mijn best voor gedaan, maar vanaf een bepaald moment kon ik je moeder niet meer bereiken. Ze had zich opgesloten in haar eigen wereld en stond alleen nog open voor de mening van anderen. Als ik met haar sprak blokkeerde ze volledig, en vaak weigerde ze gewoon met me te praten. Liep ze gewoon weg. Weet je, toen ik je moeder ontmoette was ze nog maar net tweeëntwintig. Ze deed zich wel heel volwassen voor, maar was dat volstrekt niet, zo bleek later wel.'

'En jij wel?'

Ben glimlacht. 'Een hele goeie. Misschien ook wel niet, maar het leven had me al wel veel meer geleerd, veel meer bijgebracht wat waardevol is en hoe de dingen werken. Ik geef het niet zo snel op.'

'Dat zeg jij.'

'Je vraagt het ook aan mij. Karin zal ongetwijfeld wat anders roepen. Ze is bovendien een vrouw en ik ben een man, die zien en verwerken dingen vaak wezenlijk anders. Maar goed, je moeder was op jonge leeftijd haar vader kwijtgeraakt, en zonder dat ik het me realiseerde was ik naast haar minnaar en werkgever ook nog eens de vaderfiguur. Die combinatie heeft ons denk ik geen goed gedaan. Daarbij komt dat het succes van ZMG en de weelde die daarmee gepaard ging voor haar veel te snel kwamen. Ze kon het, ook nog eens met een kind erbij, allemaal niet aan.'

'Vind je dat gek?'

'Nee, dat vind ik niet gek, temeer omdat ze in die zo belangrijk puberjaren zonder vader is opgegroeid. Maar een mens krijgt nou eenmaal tegenslagen in het leven te verwerken, Maya, en de dingen lopen niet allemaal zoals je graag zou willen. Op mij zal ook wel het nodige aan te merken zijn geweest. Je weet, ik ben dominant en probeer de dingen naar mijn hand te zetten. Maar ik had niet verwacht dat ze het zo snel op zou geven en ik vraag me nog steeds af wat het echte probleem nou precies geweest is. Ze heeft het me nooit echt duidelijk kunnen maken. Er was ook geen andere man in het spel, bij mijn weten. Echt, ik begrijp het tot op de dag van vandaag niet. Misschien heb ik dat wel het moeilijkst gevonden, want volgens mij was ik de liefde van haar leven.'

Er valt een stilte in de benauwde, naar urine stinkende kelder. Ben verwacht een reactie van zijn dochter, maar ze doet er het zwijgen toe. Ze zou graag in haar vaders ogen kunnen kijken, maar ze ziet niets. Het is te donker.

Ze gaan voor de zoveelste keer verliggen.

'Wat is die verdomde vloer hard,' zegt Ben. 'Ik ga op mijn andere zij liggen.'

'Ik ook,' zegt Maya.

'Pap?'

'Ja?'

'Heb je het haar ooit vergeven?'

'Ik heb haar allang vergeven dat de relatie stuk is gelopen. We zijn allemaal maar mensen en je moeder was gewoon veel te jong en niet in balans. Het zijn sterke benen die de weelde kunnen dragen, Maya. Maar wat ik nog niet ben vergeten, is dat ze ineens moeilijk ging doen over jou. We hadden duidelijk afgesproken dat we jou samen zouden opvoeden. Daarom had ik ook een huis voor haar in de buurt gekocht. Maar van de ene op de andere dag had ze daar om onverklaarbare redenen geen zin meer in, verkocht ze het huis en ging ze in een andere stad wonen. Nou ja, je kent het verhaal. En dat doe je verdomme dus gewoon niet, een kind van haar vader proberen weg te houden. Ik heb je nauwelijks zien opgroeien. Alle kleine en intieme dingen met jou, die mijn en jouw leven zoveel meer kleur gegeven zouden hebben, heeft ze mij, heeft ze jou ontnomen. Al mijn gevoelens moest ik in één dag per week stoppen. En dat heeft ze zeker zes jaar volgehouden.

Ik mag dan fouten gemaakt hebben, waar er twee strijden hebben er twee schuld, dat weet ik ook wel. Maar een kind zoveel mogelijk bij haar vader weghouden, iets wat veel vrouwen uit een soort wraakzucht nogal eens doen na een scheiding, dat is onder de gordel. Dat moet wettelijk verboden worden. Kinderen zijn zo weerloos als ze jong zijn, en een moeder heeft zoveel macht.'

Er valt weer een stilte. Maya voelt nog steeds de boosheid in haar vader als hij over het onderwerp spreekt.

'Geloof jij eigenlijk in eeuwige liefde tussen man en vrouw?' vraagt Maya. 'Ik bedoel dat twee mensen voor elkaar bestemd zijn en altijd bij elkaar blijven?'

'Jezus, wat vraag je veel, Maya. Ik heb alle antwoorden niet.'

'Pap...'

'Eh... ja,' zegt Ben dan aarzelend. 'Ofschoon dat erg afhangt van wat je onder liefde of verliefdheid verstaat. Kijk, je hebt verliefdheid, dat is een soort betovering, een permanente staat van euforie, en je hebt de liefde. De liefde tussen man en vrouw – of tussen twee mannen of twee vrouwen – komt meestal pas na verliefdheid, maar ze kan ook ontstaan zonder verliefdheid. Het is denk ik meer dan welke andere liefde ook, een bijzondere soort intieme vriendschap.

Dus er is seksuele aantrekkingskracht en intimiteit, net als bij verliefdheid, maar minstens zo belangrijk zijn respect, eerlijk zijn, wat voor elkaar overhebben en elkaar vertrouwen. Het is niet zoals bij verliefdheid het altijd alles samen willen doen, je moet elkaar vooral ook los kunnen laten, maar wel het maatjesgevoel. Een twee-eenheid. Sommigen noemen dat "soulmates". Ik denk dat het kernwoord "intimiteit" is, waar of met wie je ook bent.'

'Is liefde ook niet een vorm van egoïsme?' vraagt Maya.

'Natuurlijk speelt eigenbelang een grote rol. Een liefde waar je niks aan hebt of niets mee kan, wordt nooit wat en zal ook nooit lang duren. Onbaatzuchtige, niet-jaloerse opofferingsgezindheid, dat is allemaal prachtig gezegd, maar ik geloof er niet in. Althans niet tussen man en vrouw. Jaloezie en boosheid als je partner vreemdgaat horen net zozeer bij de liefde als euforie, lustgevoelens of intens verdriet. Dus als bijvoorbeeld de vrouw van flirten houdt en de man trekt dat niet van zijn vrouw, dan zal de vrouw dat niet meer moeten doen waar hij bij is. En omgekeerd ook. Anders breekt dat de relatie geheid op.

Het geheim van een goede relatie is denk ik dat dat soort dingen vanzelfsprekend goed gaan. Ze spelen niet. Als ze elkaar kwetsen doen ze, vanwege de liefde voor elkaar, ook zichzelf te veel pijn. Het eigenbelang, dat egoïsme waar jij het over had, komt in het geding. Ze houden zoveel van elkaar en van zichzelf dat het bekende "geven en nemen" een automatisme is. Tenminste, dat is hoe ik ertegenaan kijk.'

'Dus de notoire vreemdganger houdt meer van zichzelf dan van zijn vrouw? Hij laat zijn eigenbelang prevaleren boven het belang van de ander en van zijn relatie?' vraagt Maya.

Ben kan een glimlach niet onderdrukken.

'Er gaan ook genoeg vrouwen vreemd, Maya. Als een man vreemdgaat doe hij dat bijna altijd met een vrouw.'

Maya geeft haar vader een plaagstoot in zijn zij en zegt: 'Klopt, maar wat is je antwoord?'

'Daar zullen de meeste vreemdgangers lang omheen draaien, maar het antwoord is: ja. De liefde in de relatie is dan uit balans, anders gebeurt het niet. Met incidenteel vreemdgaan ligt het iets anders, maar dat is ook al moeilijk. En de ideale relatie... Maya, daar zijn er niet zoveel van, of ze duren maar een bepaalde tijd.'

Maya zwijgt.

'Maar goed, mijn antwoord op je vraag is dus: ja, ik geloof voor sommige mensen in eeuwige liefde. Maar voor de meeste mensen geloof ik meer in de liefde, een relatie voor bepaalde tijd. De liefde is net als al het andere in het leven aan erosie onderhevig. Een mens ontwikkelt zich, wordt ouder, staat niet stil, net als de wereld om ons heen. Twee mensen die dus perfect bij elkaar passen als ze pakweg dertig jaar oud zijn, kunnen wel eens helemaal uit elkaar gegroeid zijn als ze beiden bijvoorbeeld vijftig zijn. Ook al waren ze stapelverliefd en was die verliefdheid overgegaan in echte liefde, of voor mijn part blijven voortduren. Dat zie je ook vaak. Ze gaan uit elkaar of ze leiden aparte levens, hebben gescheiden slaapkamers, gedogen elkaar of blijven alleen nog maar samen vanwege de kinderen.'

Maya onderbreekt haar vader.

'Dus dat je voor altijd voor elkaar gaat, in voor- en tegenspoed, dat je alles voor elkaar overhebt, dat je bij wijze van spreken je leven voor degene van wie je houdt wilt geven, dat je alles met elkaar deelt – dat is volgens jou dus maar voor heel weinig mensen weggelegd.'

'De meeste mensen zijn veel te egoïstisch, niet begiftigd genoeg om tot die vorm van liefde in staat te zijn. Dat is maar een enkeling gegeven. Zo ken ik bijvoorbeeld niet één relatie waarop jouw beschrijving van toepassing zou kunnen zijn. Zelfs in de verste verte niet.

Ze roepen het wel op hun trouwdag of gedurende een hevige verliefdheid, maar de dagelijkse praktijk haalt hen al snel in. Daarom ben ik, zoals je weet, ook tegen het instituut "huwelijk". Het schept valse verwachtingen, de uitgangspunten zijn gebaseerd op dagdromerij en sterk verouderde wetgeving. Kijk om je heen. Ik ken zelfs geen langdurige relaties zónder huwelijk die aan mijn criteria voldoen.'

Maya zucht. 'Ik weet het, jij bent voorstander van het huwelijk voor bepaalde tijd en met een proefperiode van zeven jaar, een soort arbeidsovereenkomst.'

'Klopt, maar altijd met de verplichting de kinderen samen op te voeden, en naar financiële draagkracht. En laten de geliefden na die zeven of bijvoorbeeld vijftien jaar dan nog maar eens eeuwige trouw aan elkaar beloven.

Maar goed, verliefdheid bestaat en liefde ook,' gaat Ben verder. 'Het eerste is overweldigend, het domineert gedurende een bepaalde periode je leven en drukt al het andere naar de achtergrond. Het geeft je vleugels en het aangename gevoel dat je leeft tot in je tenen. Het is een, meestal tijdelijke, sterk interactieve staat van lichaam en geest. Zelden werken ze zo krachtig samen. Maar het is ook misleidend. Het maakt je nog egoïstischer, nog bezitteriger, nog jaloerser, nog banger. Het maakt je uiterst kwetsbaar. En het allerbelangrijkste: het gaat goeddeels voorbij, en dan moet blijken wat er over is.

Liefde is heel iets anders. Voor de een is het een soort uitgeklede, tot wasdom gekomen verliefdheid. Voor mij is het een zeer intieme vorm van gegroeide vriendschap en er voor de ander zijn als dat nodig is. Daar is ook niet altijd verliefdheid voor nodig geweest. En liefde heeft ook de tijd nodig om te rijpen, vergeet dat niet.

Kijk, je kunt alles omschrijven, rationaliseren of proberen te definiëren, Maya. Maar liefde of verliefdheid laten zich niet vangen in woorden. Het is voor iedereen weer anders. Het is het meest besproken, bezongen en beschreven emotionele onderwerp in de geschiedenis van de mens. Niemand kan het je uitleggen. Het is toch bovenal een gevoel, een bepaalde aantrekkingskracht. En als dat gevoel weg is, dan houdt het op. Dan is het voorbij en komt de pijn.'

'Was dat de reden waarom jij en mama uit elkaar gingen?'

'Ja en nee. Al die andere factoren die ik genoemd heb, speelden ook een grote rol. Het was zo complex, zo verdomd moeilijk. Je moeder wilde bijvoorbeeld gelijk aan mij zijn, ze wilde een relatie op basis van gelijkwaardigheid. Dat heb ik nooit helemaal begrepen. Mensen zijn per definitie niet gelijk of gelijkwaardig. Dat maakt het nu juist zo spannend. Zij had kwaliteiten die ik niet had, en andersom. Ik heb wel eens gedacht dat haar vaardigheden bij mij gewoon niet uit de verf kwamen. Ik overschaduwde haar persoonlijkheid te veel, ze verloor haar zelfvertrouwen. Wellicht zei ik te weinig dat ik van haar hield of toonde ik onvoldoende begrip voor haar problemen. Misschien was het wel zo eenvoudig. Mannen zijn zo anders dan vrouwen, zoveel logischer. Sommige vrouwen zijn bijvoorbeeld gek op flirten, en mannen zijn bijna uitsluitend op jacht. Mannen lossen een probleem op en zijn er dan klaar mee, vrouwen willen erover praten, begrip krijgen, dan is het al vaak voldoende.'

Nadat er ongeveer tien minuten in volkomen stilte zijn verstreken en ze nog dichter tegen elkaar gekropen zijn, vraagt Maya:

'Ben jij vreemdgegaan toen je met mama was, pap?'

'Je stelt wel heel persoonlijke vragen nu.'

'Dus wel?'

'Hoezo?'

'Je beantwoordt mijn vraag niet, pap.'

'Het antwoord is nee. Nee, ik ben tijdens de relatie met je moeder nooit vreemdgegaan.'

'Ik zou zo graag willen dat eeuwige liefde wél bestaat, zonder dat je elkaar wilt bezitten en jaloers bent,' zegt Maya na een minuut.

'Dat is meer de ongecompliceerde, eerlijke liefde die je voor een kind voelt, Maya. Voor jou zou ik alles doen, voel ik geen jaloezie. Ik wil je ook niet bezitten; je bent van jezelf en al zou je nooit meer naar me omzien, wat me veel verdriet zou doen, dan nog zal ik altijd van je blijven houden. Je bent een deel van me. Misschien reïncarneert een mens wel via zijn kinderen.'

'Dat geloof jij, hè pap, dat je wordt hergeboren via je kinderen. Dus jij zit nu ook in mij, samen met mama. Zo zijn jullie toch weer bij elkaar.'

'Ik geloof inderdaad dat iets van de energie van mij in jou zit en dat dat een vorm van reïncarnatie is. Het gebeurt onder onze eigen ogen, zonder dat we het zien. Maar loop nooit weg van verliefdheid of de liefde, Maya. Pak het met beide handen aan als het langskomt en neem het, accepteer het zoals het is en laat het niet snel los. Aan iedereen mankeert wel wat. Het is het mooiste wat er is, ook al zal het lang niet altijd aan je verwachtingen beantwoorden. Het geeft je zoveel energie. En blijf eerlijk, maar deel niet alles. Er is wijze eerlijkheid en domme eerlijkheid. Tien of twintig procent van je gedachten, je mening, je gevoelens blijft van jou, en dat is goed.'

'En als je verliefd wordt op een ander terwijl je al van iemand houdt?'

'Tja, wat denk je zelf? Dan is er blijkbaar niet voldoende meer over van de liefde.'

'En als je twijfelt?'

'Dan ook,' zegt Ben. 'Maar Maya, ik heb niet overal een antwoord op. Je moet alles wat ik gezegd heb ook niet voetstoots aannemen. Dit is míjn visie, gebaseerd op mijn leven, mijn ervaringen, mijn perceptie. De jouwe kan wel eens heel anders zijn. Bovendien ben jij een vrouw en ik een man, dat is al een groot verschil. En dan is er nog een hele grote groep mensen die nooit aan een verbintenis begint en toch gelukkig is. Niet ieder mens is geschikt voor een relatie.'

'Ben jij zo'n mens?'

'Je zou het onderhand wel zeggen. Ik weet het niet, schat. Ik ben een dominante man, die gewend is iedereen zijn wil op te kunnen leggen. Dat maakt het niet eenvoudig, maar ik kan mezelf ook niet zomaar veranderen. Je bent wie je bent, het grootste gedeelte daarvan krijg je via je genen bij je geboorte al mee. Ik heb een vrouw nodig die dat begrijpt, niet bang van me is en niet probeert zich met mij te meten of me te veranderen. Ze moet gewoon zichzelf blijven.'

'Ben je gelukkig, pap?'

'Soms. Geluk zit in kleine dingen. Hoe vreemd het ook mag klinken, maar ik ben nu gelukkig, hier met jou in dit muffe hol met handboeien om. En ik ben weer een beetje verliefd op Joyce, je weet wel, de vrouw die ik een paar maanden geleden ontmoet heb, maar dat is allemaal nog heel pril. Vaak voel ik me stuurloos, onbestemd, en dat komt denk ik ook doordat ik niet echt een doel meer heb in mijn leven. ZMG heb ik langzamerhand wel gezien en mijn kinderen staan op eigen benen, die hebben mij niet meer nodig.'

'Pap, praat geen onzin!'

'Ik wil iets anders, iets wat me weer energie en motivatie geeft, maar ik weet nog niet wat. Misschien is het gewoon mijn leeftijd, misschien moet ik andere kanten van mijzelf gaan exploreren, ze een kans geven. Wat ik tot op heden heb nagejaagd, het neerzetten van een groot en succesvol bedrijf, heeft me financieel onafhankelijk gemaakt en aanzien gegeven. Maar ik word ook omringd door heel veel jaloezie. Bezit is ook een last. Iedereen zit boven op mijn nek, van mijn personeel tot de fiscus. En nu dus ook een of andere idioot die me ontvoerd heeft. Ik heb elke dag het gevoel dan ik me steeds opnieuw moet verdedigen voor wie ik ben en vooral voor het vermogen dat ik daarmee verdiend heb. De weg is leuker dan de finish, Maya.'

'Zo heb ik er nog nooit naar gekeken,' zegt Maya. En dat jaloezieverhaal begrijp ik wel. Dat voel ik ook al om me heen zodra mensen weten wie mijn vader is.'

'En dan is er ook nog het déjà vu,' zegt Ben. 'Het gevoel dat je alles al eens gezien hebt. Dat je de dingen die je al zo lang doet niet echt interessant meer vindt. Een mens moet waarschijnlijk ook niet zijn hele leven hetzelfde doen. Ik drijf te veel op routine. Ik herhaal mezelf te veel. Dat is ook niet goed voor het bedrijf. Het wordt tijd voor nieuw elan.'

Ben gaat een beetje verliggen. Zijn pantalon is vochtig geworden van de spijkerbroek van zijn dochter, maar hij maakt er geen opmerking over.

'Vaak droom ik de laatste tijd voor ik in slaap val van een eenvoudig wit houten huis met een rood pannendak en een waranda met uitzicht op zee. Ergens aan een ongecultiveerd strandje in een baai in Midden-

Amerika, waar ik alleen woon en verder niks. Veel boeken, een type-machine om te schrijven, een oude jeep en pluk de dag. Ik ben er alleen maar, ik besta en ik leef. Geen zorgen, geen verplichtingen, geen perso-neel, geen buren, geen bezit, geen jaloezie, geen inbrekers, geen fiscus. Helemaal niets. Misschien moet ik alles maar verkopen, genoeg over-houden voor dat huisje aan het strand en de rest over honderd goede doelen verdelen. Hoeft de fiscus ook niet te dansen op mijn graf.'

'De fiscus die danst op je graf?'

'Weet je wat die krijgen als ik kom te overlijden? Het is gewoon crimi-neel. De fiscus in Nederland is blij als er iemand doodgaat. Krijgen ze weer erfbelasting.'

'O, bedoel je dat,' zegt Maya. 'Ja, dat vind ik ook crimineel. Het houdt nooit op.'

Plotseling horen ze iets. De deur van de schuur gaat open, er wordt iets op de grond gegooid, de deur gaat weer dicht. Het licht gaat aan en er komen voetstappen hun kant op.

Nu pas voelt Ben hoe verstijfd hij is geraakt door de kou. Hij moet heel nodig naar het toilet. Hij zucht en voelt dat zijn zenuwen licht beginnen op te spelen.

'Het lijkt erop dat onze kidnapper weer terug is. Hopelijk gaan we nu snel vernemen wat hij in godsnaam van me wil, Maya!'

26

Achter in zijn Audi, op weg naar Wassenaar, peinst Michiel over wat hij zojuist allemaal gehoord heeft van Tom Akkerman.

Wat kan het leven toch onverwachte wendingen nemen, denkt hij bij zichzelf. Mijn moeder is vandaag overleden, mijn broer en zijn dochter zijn ontvoerd en ze vragen aan mij of ik de regie wil overnemen. Aan míj! Hij moet er zelfs om grinniken. Het moet niet gekker worden...

Voor hij het zich realiseert rijdt de zwarte, redelijk anonieme auto de oprijlaan op van zijn moderne villa in Wassenaar. Ellen doet de deur open.

Hij is blij haar te zien en voelt ineens hoe moe hij is.

'Dat vliegen is altijd veel vermoeiender dan je denkt,' zo begroet hij haar.

'Dag lieverd,' zegt Ellen.

'Dag schat.'

Ze omhelzen en kussen elkaar kort en gaan naar binnen.

'Tot morgen, Jacques,' roept hij nog tegen zijn chauffeur, die ook op het terrein woont.

Het is inmiddels kwart voor drie 's nachts en eenmaal binnen horen ze alleen in de verte nog een enkele verdwaalde knal.

'Glas witte wijn?' vraagt Ellen.

'Lekker,' zegt Michiel. 'En een sigaret.' Hij doet zijn colbert uit, gooit zijn sigaretten op de salontafel, doet zijn stropdas af en valt neer op de bank in de eigentijds maar sfeervol ingerichte living. Het open vuur brandt nog volop.

Ellen, lang blond haar, slank, klassieke gelaatstrekken en lange benen, Tweede Kamerlid voor de PvdA, komt al snel met twee glazen witte wijn naast hem zitten en een schaal met warme oliebollen en appelflappen.

'O, heerlijk,' zegt Michiel en neemt een appelflap.

Ellen draagt zwart gelakte hakken en heeft alleen haar witte zijden badjas aan.

'Je ruikt verrukkelijk en je ziet er geweldig uit,' zegt Michiel.

'Proost, schat.'

'Proost,' zegt ook Michiel.

'Je haar zit anders,' zegt Ellen, en ze strijkt met haar hand door Michiels achterovergekamde, wat lange grijze haren. 'Nieuwe look? Leuk!'

'Zo droeg ik het vroeger altijd. Ik kamde het ineens zo in het vliegtuig, toen ik uit de douche kwam.'

'Geef me een kus en zit aan me,' zegt Ellen.

Ze zoenen elkaar en Michiel voelt aan de warme, volle borsten van zijn vrouw. Ondanks het feit dat ze al drieënveertig is, zijn ze niet verslapt en hangen ze niet.

Zijn hand streelt haar buik en onderbuik. Hij doet haar badjas verder open en doet haar benen uit elkaar. Zijn hand glijdt van de binnenkant van haar dijen langzaam naar boven. Ze is warm en vochtig en Michiel krijgt onmiddellijk een erectie. Hij speelt met haar vrouwelijkheid en kust haar borsten.

Ellen zakt van genot wat onderuit. Haar badjas is nu helemaal open en glijdt van haar af. Ze is volledig naakt en wellustig.

'Kom in me,' fluistert ze in zijn oor. 'Doe je broek uit en kom in godsnaam in me. Op je knieën, ik wil je voelen.'

'Maar lieverd, ik wil met je praten. Ik word over een halfuur gebeld en dan moet ik iets besloten hebben,' sputtert Michiel lachend tegen.

'Dat is tijd zat, schat. Eerst kom je thuis.'

Michiel kan de verleiding niet weerstaan. Dat was hij trouwens ook helemaal niet van plan.

Vanaf de eerste dag dat hij Ellen ontmoet had, kon hij haar niet weerstaan. Hij wist precies wat ze lekker vond en zij wist dat van hem. En na dertien jaar relatie was het nog altijd spannend.

Ellen wilde het zien als Michiel haar penetreerde, vooral als hij tegen klaarkomen aan zat. Dat moment, die spanning in zijn lijf, in zijn geslacht, die blik in zijn ogen. Dan bouwde ze ritmisch precies getimed haar eigen orgasme op met het zijne. Dan vormden ze een twee-eenheid, verzonken in elkaar, genietend van elkaar en van zichzelf.

Binnen vijf minuten komen ze allebei als hongerige dieren en tegelijkertijd tot een explosief orgasme. Ze vergeten even alles en iedereen op de wereld.

Ze 'zijn' alleen maar. Michiel valt in haar armen en kust haar. Daarna ploft hij voor de tweede keer binnen tien minuten op de bank en drinkt hij zijn glas witte wijn in één keer leeg. Eindelijk steekt hij die sigaret op.

Beiden zwijgen ze en staren voldaan in de vlammen van de open haard. Ellen voelt zich volkomen ontspannen. Ze heeft geen enkele behoefte haar badjas weer aan te doen. Hier had ze dus de hele avond op gewacht. En dan als een klaargekomen del op die bank blijven hangen – heerlijk...

Michiel heeft alleen zijn sokken nog aan en ligt in precies dezelfde houding; zijn linkerhand rust op de binnenkant van haar rechterdij.

'Jezus, wat was dat lekker,' verzucht Ellen. 'Dat mag je zo nog een keer doen. Heb je daar nog de energie voor, schat?'

'Dat zien we straks wel, lellebel. We moeten eerst echt even praten.'

Michiel is in een opperbeste stemming en de seks heeft hem weer nieuwe energie gegeven.

'Die Akkerman van het bedrijf van mijn broer wil dat ik de regie overneem in die ontvoeringszaak. Ik, of all people! Dus namens de familie en ZMG.'

'Wat, jij? Weet die man niet dat jij en je broer niet on speaking terms zijn? Trouwens, waarom doet hij dat zelf niet? Hij is toch de tweede man van ZMG?'

'Jawel, maar ze hebben blijkbaar met elkaar besloten dat ik daar wel eens de betere figuur voor zou kunnen zijn. Dus hij, Ben, zijn zoon Paul en de commissarissen. Ze zijn gek geworden. Wat vind jij?'

'Hij heeft toch nog een zoon?' zegt Ellen.

'Ja, Sander. Die zal het er ook wel mee eens zijn. Wat moet ik hiermee?'

'Ik vind het nogal wat,' zegt Ellen. 'Ik bedoel, dit is een heftig verhaal, Michiel. Ik heb vanavond een beetje tv-gekeken en op de zenders van ZMG werd het programma om het uur onderbroken met een opsporingsbericht. Het is veelbesproken op Twitter en Facebook, en bij de publieke omroep was er ook veel aandacht voor in de journaals en in een extra uitzending van *Nieuwsuur*. Het verhaal is enorm opgeblazen; je kunt het bij wijze van spreken alleen nog maar fout doen.'

'Zou er iets achter zitten?' vraagt Michiel. 'Als straks die ontvoerders zich melden willen die natuurlijk losgeld, en het is dan nog maar de vraag of ze mijn broer en zijn dochter in leven houden. Dat gaat me allemaal heel veel tijd kosten. En net wat je zegt, als het fout gaat krijg ik de schuld.'

'Precies,' zegt Ellen. 'Ze branden jou af. Trouwens waarom moet jij zo nodig de regie nemen? Doet de politie dat niet? Die hebben daar toch specialisten voor in dienst?'

Ellen is inmiddels weer rechtop gaan zitten maar maakt geen aanstalten zich aan te kleden.

'Ik vind het ook een raar verhaal,' zegt Michiel. 'Ik begrijp het wel van Akkerman en de commissarissen, naar de aandelenbeurs toe en zo, maar van zijn zoons?'

Michiel heeft zijn broek weer aangedaan en zit weer naast haar.

'Wil je nog een glas wijn?' vraagt ze.

'Nee dank je, schat. Er ligt trouwens ook nog een dooie in zijn huis. Zijn buurman, had ik je dat al verteld?' Terwijl hij praat loopt Michiel naar de open haard en draait zich dan om naar Ellen.

'Nee,' zegt Ellen.

Michiel zwijgt even.

'Hoezo ligt daar een dode buurman?' vraagt Ellen.

'Weet ik niet. Naar wat ik ervan begrepen heb is die vent met een bijl achter mijn broer aan gegaan en vervolgens van de trap gelazerd. Hij is in ieder geval dood.'

'Jezus, dus ook nog een moord,' zegt Ellen.

'Moord?' zegt Michiel. 'Ben is tot veel in staat, maar moord? Ik denk eerder aan zelfverdediging. Weet je,' gaat Michiel verder, 'ik ben voor de buitenwereld natuurlijk wel zijn broer. Het is niet echt algemeen bekend dat wij elkaar nauwelijks spreken. Ik heb een high profile-baan en ben met LifeRisc grootaandeelhouder van ZMG. Ik kan ook niet niks doen. Morgen staat de pers ongetwijfeld ook bij mij voor de deur. Wat ga ik dan zeggen? "Ik bemoei me er niet mee"? Dit is morgen voorpaginanieuws, en niet alleen in Nederland, ben ik bang. ZMG is een enorm mediaconcern. De baas ervan en zijn beeldschone dochter zijn ontvoerd. Vinden de mensen prachtig. Dat wordt op de voet gevolgd.'

'Misschien is het wel een hele slimme zet van ze dat ze de voorzitter van LifeRisc erbij betrekken,' zegt Ellen. 'Ik bedoel, het geeft publicitair wél gewicht aan de zaak. Zo van: we nemen dit heel serieus, ZMG is absoluut niet in gevaar en we zijn op alles voorbereid.'

'Dank je, schat. Waarom ben jij eigenlijk geen minister van Binnenlandse Zaken?'

'Mijn tijd komt nog wel,' glimlacht Ellen.

'Weet ik, lieverd. Ik plaag je alleen maar. Je zou een hele goeie zijn.'

Ze staren een minuut zwijgend naar het knapperende vuur en genieten van elkaars nabijheid.

'Wat zou je broer ervan vinden als je dit doet, denk je?' vraagt ze. 'Zou hij het je in dank afnemen? Zou hij hetzelfde doen voor jou? Hoezeer haten jullie elkaar eigenlijk, Michiel?'

'Ik denk dat ik hem meer haat dan hij mij. Hoewel, "haten" is eigenlijk niet het goede woord. Ik haat hem niet zozeer, ik vind hem een klootzak omdat hij me op een zwak moment als het ware uit het bedrijf van mijn vader heeft gezet. Dat had hij ook anders kunnen doen, en hij is er ook nooit op teruggekomen. Dat neem ik hem allemaal zeer kwalijk. Ik wil payback!

Toen Akkerman me vertelde dat hij ontvoerd was, was ik ook niet blij of zo. Het is ook niet dat ik medelijden heb, hooguit met zijn dochter. Ik ben eerder boos, verontwaardigd. Je blijft verdomme van mijn broer af, zoiets. Als iemand hem al te grazen neemt ben ik dat. Begrijp je wat ik bedoel? *He is mine.*'

'Ja, dat begrijp ik. Als iemand aan mijn zus zou komen, komen ze ook aan mij. Dat herken ik wel. Maar ik dacht dat dat bij jou niet meer zo was. Niet dus, en dat is misschien wel het enige positieve aan deze treurige zaak. Je geeft kennelijk nog om hem.'

'Dat zijn jouw woorden,' zegt Michiel. 'Dat weet ik niet.'

'En je moeder?' vraagt Ellen.

'Wat bedoel je?'

'Wat doet haar dood je?'

'Niet veel, volgens mij.'

'Nou,' zegt Ellen, 'ze is gisteren overleden en vandaag zit je haar anders, loop je voor het eerst sinds ik je ken rechtop en blijk je meer gevoelens voor je broer te hebben dan je had gedacht. Ik denk dat zij er wel degelijk iets mee te maken heeft. Misschien wel veel meer dan je ooit voor mogelijk hebt gehouden.'

Ellen staat op, loopt naakt naar Michiel en streelt zijn schouder en gezicht. Ze is op haar hakken bijna even lang als Michiel.

'Lieverd, wat je ook beslist, ik zal je door dik en dun steunen, ik sta achter je. Ik wil dat je dat weet. Ik hou van je, maar je weet ook dat ik helemaal niet van ruzie hou. Ik heb het nooit leuk gevonden dat jullie, twee broers, twee mannen die zoveel bereikt hebben, elkaar nauwelijks meer spreken. Als Ben dit overleeft en jij helpt hem daarbij, dan hoop ik dat jullie elkaar weer zullen vinden. Dat is ook goed voor jou, je hebt niks aan al die negatieve gevoelens. Het wordt tijd dat die worden opgeruimd.'

'Dus je zegt dat ik het moet doen?' Michiel kijkt Ellen onderzoekend aan. Op zijn beurt streelt hij haar buik met de rug van zijn hand en speelt met haar schaamhaar.

'Ik zou dat heel goed begrijpen.' Ze kust Michiel teder op zijn mond.

Michiel glimlacht. 'Wat ben je toch een goed wijf,' zegt hij.

Ze knijpt hem in zijn arm en zegt: 'Zullen we naar bed gaan? Ik wil tegen je aan liggen en je mag me ook nog een beurt geven.'

'Ik krijg nog een telefoontje van Akkerman, maar laten we alvast naar boven gaan.'

Michiel heeft het nog niet gezegd of zijn mobiele telefoon gaat af.

Het is Akkerman.

'Loop jij maar alvast naar boven, ik doe de haard uit en kom eraan,' zegt Michiel tegen Ellen.

'Ha Tom. Ik heb erover nagedacht en ik doe het. Zijn er nog nieuwe ontwikkelingen?'

'Dank je Michiel, je weet niet hoezeer wij dit op prijs stellen. En nee, er zijn geen nieuwe ontwikkelingen. Ik heb nog steeds niets gehoord van de ontvoerders.'

'Oké, dan stel ik voor dat we morgenvroeg weer contact hebben. Het is natuurlijk een feestdag, maar ik neem aan dat de politie gewoon doorwerkt. Het lijkt me het beste dat we in ieder geval tegen twaalf uur bij elkaar komen en een paar mogelijke scenario's doornemen. Tenzij er eerder nieuws is natuurlijk. Akkoord?'

'Akkoord, Michiel. Ik regel het. Welterusten.'

'Welterusten en tot morgen.'

27

Samuel Douglas valt van verbazing bijna van zijn stoel als hij naar het CBS-avondnieuws kijkt in zijn appartement in de Upper West Side van New York.

Ben Zandstra, de man die hij vanmorgen nog telefonisch heeft gesproken, is ontvoerd, samen met zijn dochter Maya.

Hij gelooft zijn ogen en oren niet. Dat moet dan niet lang nadat ik hem aan de lijn heb gehad gebeurd zijn, denkt hij. Vandaar dat hij die dochter Maya niet te pakken kreeg.

Nu begrijpt hij ook wat die chauffeur van hem, die Gerard, bedoelde met: 'Hij wordt op dit moment vermist en zijn dochter ook.' Hij vond die man al zo vaag toen hij voor de derde keer naar Ben Zandstra belde die ochtend.

Dit is toch wel een heel spectaculaire ontwikkeling, denkt Samuel. Wat een familie. Eerst had die Michiel hem proberen om te kopen om het testament van zijn moeder te vervalsen, nu was zijn broer ontvoerd met zijn dochter. En vandaag was Elizabeth, de moeder van die twee jongens, in het bijzijn van Samuel overleden. Het moest niet absurder worden...

Wie zou daarachter kunnen zitten? Even denkt Samuel aan Michiel, de grote voorzitter van LifeRisc. Die had geprobeerd hem te verleiden tot testamentfraude, die deugde van geen kant. Maar hij liet de gedachte onmiddellijk weer varen. Nee, die was vanmorgen nog in Chicago, en dat was meer een witteboordencrimineel wat hem betreft. Niet iemand die zijn handen zou vuilmaken. Dit was meer iets voor gewelddadige criminelen of ander tuig. Het zou wel ordinair om geld gaan.

Hij dacht aan Zandstra's dochter Maya, die alle aandelen van haar grootmoeder in ZMG zou erven.

Arm kind, denkt Samuel.

Trouwens, wat kon het hem ook eigenlijk schelen... Hij zag wel eens van die programma's uit de productiefabriek van die Ben op televisie langskomen en vond het allemaal van een hoog pulpgehalte. Gemaakt voor de massa, weinig inhoud en veel leedvermaak.

Die jongens hebben geen niveau, denkt hij. Heel anders dan hun moeder. Nou ja, ik hoor het wel hoe dit afloopt.

Hij doet de televisie uit met zijn afstandsbediening, doet het licht uit en loopt naar de slaapkamer waar zijn vrouw Sarah al ligt te slapen.

Ze hebben al in geen jaren seks met elkaar gehad.

'Help me even rechtop te gaan zitten, lieverd. Jezus, wat heb ik een pijn in mijn rug. Hoe laat zou het zijn?'

Terwijl Maya haar vader helpt overeind te komen, horen ze dat het stuk zeil wordt weggenomen en gerommel aan het luik. Ineens stroomt het kunstlicht naar binnen als Bram het ijzeren luik openklapt.

Er schijnt een felle zaklamp op hun hoofden en daarachter horen ze boven aan het houten trappetje van de kelder de stem van Bram, die zegt:

'Goedemorgen. Alles wel daarbeneden, naar ik aanneem?'

'We zijn zo ongeveer bevroren,' zegt Maya.

Ben en Maya knipperen met hun ogen en staan moeizaam op.

'Kom er maar uit. Jullie zullen wel naar het toilet moeten en dorst hebben.'

'Hoe laat is het in godsnaam?' vraagt Ben.

'Kwart voor zes. In de ochtend welteverstaan.'

Maya en Ben staan nu rechtop en Maya voelt ogenblikkelijk haar pijnlijke enkel, maar het valt mee. Ze is stijf en verkleumd, maar kan haar linkerbeen weer redelijk gebruiken.

Ze ondersteunt haar vader, die stram is van het liggen, terwijl ze samen voorzichtig het houten trappetje op lopen. Het gaat maar net.

Ze zijn nog niet boven of Bram doet een paar stappen terug en schreeuwt:

'Ik heb fantastisch nieuws voor jullie.'

Maya en Ben kijken elkaar even verbaasd aan.

'Nou? Willen jullie het niet weten? Zijn jullie niet brandnieuwsgierig?'

'Je hebt spijt en je stelt ons onmiddellijk in vrijheid,' zegt Maya.

Bram negeert de opmerking van Maya en roept luid en duidelijk:

'Het leven van mijn dochter is definitief naar de klóóóóteeee... Is dat niet helemaal te gek? Nou, zeg eens. Ze kan haar hele verdere leven lang in een rolstoel gaan doorbrengen met een uitkering. Ze hoeft nooit meer ene reet te doen. Neuken kan ze ook wel vergeten.'

'Wat bedoel je precies?' vraagt Ben 'Heeft ze een ongeluk gehad?'

'Ze is vannacht in haar rug geschoten door een of andere smerige klootzak, een vriendje van mijn briljante zoon.'

Plotseling barst Bram in tranen uit en gaat een paar meter verderop met zijn gezicht naar zijn slachtoffers achterstevoren op een vuile keukenstoel zitten, waarvan er een paar op die plek in de schuur staan, vlak bij wat onafgemaakte kunstwerken.

Maya en Ben staan er aan de rand van de kelder wat onbeholpen bij.

Ben kijkt ondertussen nieuwsgierig de schuur rond en laat zijn blik rusten op de werkbank met gereedschap aan de andere kant van de ruimte.

'Ze kan verdomme nooit meer lopen,' zegt hij snikkend. Hij slaat zijn handen voor zijn gezicht en laat zijn ellebogen op de rug van de stoel rusten.

'Ik kom net uit het Onze Lieve Vrouwe Gasthuis, waar ik bijna de hele nacht heb doorgebracht. Het arme kind is voor haar leven verlamd, misschien wel tot aan haar nek.'

'O wat erg, o wat vreselijk,' fluistert Maya duidelijk geschrokken. 'Hoe heet ze?'

'Wat leven we verdomme tegenwoordig toch in een kutmaatschappij,' verzucht Bram, terwijl hij Ben en Maya met zijn betraande ogen verslagen aankijkt. 'Nergens ben je meer veilig. Mensen hebben elk respect voor elkaar verloren. Het stuk schorem dat het leven van mijn dochter heeft vernietigd zat onder de harddrugs. Heroïne in combinatie met alcohol. Die jongen was nog geen vijfentwintig jaar oud. Mijn zoon heeft hem doodgeschoten en is op de vlucht geslagen. Voordat mijn dochter de lul was hebben ze eerst nog de portier en een andere kerel om zeep geholpen. Gewoon door hun kop geschoten. Dat geloof je toch niet. Mijn eigen zoon was er verdomme bij betrokken. Waar gaat het in christusnaam naartoe in deze wereld?'

'Dat zou ik ook wel eens willen weten,' zegt Ben. 'Ik vind het oprecht heel triest, maar ben jij niet op dezelfde manier bezig, zoals je ons die kelder in getrapt hebt? Het mag een wonder heten dat we geen ledematen gebroken hebben. Zoals je mijn dochter hebt geschopt... Realiseer je je dat ze haar nek had kunnen breken of haar rug onherstelbaar had kunnen beschadigen? Dat ze er hetzelfde of nog erger aan toe had kunnen zijn dan jouw dochter? Wie is er nou eigenlijk de vader van die kinderen?'

Ben heeft geen stuiver medelijden met zijn ontvoerder en probeert van zijn moment van zwakte gebruik te maken.

Bram is niet dom en voelt direct waar Ben heen wil.

'O, dus jij dacht dat je kans nu gekomen is, hè? Jij denkt werkelijk dat mijn falen als vader, zoals je het zo fijntjes uitdrukt, dat mijn verdriet jouw vrijheid betekent? Dat kun je schudden, mannetje. Zo had je nou net níét moeten reageren. Je kent de spelregels niet. Je moet eerst mijn sympathie zien te winnen en niet onmiddellijk over jullie eigen benarde positie beginnen. Eerst nog even je medeleven betuigen, zo van: "Wat erg voor je dochter, kunnen we misschien iets voor je doen, de beste artsen ter wereld invliegen, hoe is ze er zelf onder en waar is je zoon nu", enfin, bedenk het maar, en dan langzaam jezelf in beeld kaarten. Ik had toch verwacht dat je slimmer was, Zandstra. Jij moet nog veel leren.'

Brams tranen zijn inmiddels opgedroogd, en hij kijkt Ben scherp aan. Die is niet uit het veld geslagen. Totaal niet.

'Ik denk niet dat ik daar punten mee gescoord zou hebben. Bovendien was dat mijn bedoeling niet. Wat ik zei meende ik ook,' zegt Ben droog. 'Ik vind het verschrikkelijk voor je dochter, maar dat neemt niet weg dat jij geen haar beter bent dan die jongen van vijfentwintig die het schot op haar heeft gelost. Of dan je zoon die zijn kameraad en misschien ook wel die andere mensen om zeep heeft geholpen. Je hebt mij en mijn dochter gekidnapt en mishandeld, van onze vrijheid beroofd. In sommige landen in deze wereld staat daar de doodstraf op. Je had me trouwens tenminste van mijn handboeien kunnen ontdoen.'

'Ik ben blij dat je zo reageert, Ben. Mag ik je Ben noemen, grote machtige mediatycoon? Dan mag je mij vanaf nu met Bram aanspreken. Nu weet ik tenminste weer waar ik het allemaal voor doe.'

Bram staat tergend langzaam op en kijkt Ben uitdagend aan.

'Even, heel even maar, dacht ik in de auto hiernaartoe: waar ben ik mee bezig? Maar nu ik die arrogante smoel van je zie en je zelfverzekerde teksten aanhoor, weet ik weer wie ik voor me heb. De man die er met zijn kuis verrotte media voor zorgt dat mensen als die jongens zich als idioten en agressieve moordenaars gaan gedragen. Want dat is het gevolg van jouw bloedige speelfilms, je gewelddadige series en je zogenaamde reality-tv op je supercommerciële televisiestations. Of wil je dat ontkennen?'

'Die jongen zat onder de drugs, dat is de reden,' zegt Ben ijzig.

Maar Bram lijkt niet naar hem te luisteren. 'Jij bent het toch die die troep elke dag uitzendt, of vergis ik me nu?' Met zijn handen in zijn zakken cirkelt hij om Maya en Ben heen. Zijn woorden druipen van dramatiek en sarcasme.

'Je weet toch dat televisie recht de hersens van de mensen in gaat? Dat de invloed daarvan gigantisch is, vooral op onze minder begaafde medemens die massaal naar jouw programma's kijkt en bijna dagelijks een van jouw verderfelijke filmpjes downloadt op een van je betaalzenders? En ga me alsjeblieft niet vertellen dat er een knop op je kwelbuis zit. Je bent je er verduiveld goed van bewust hoe verslavend het medium televisie is. Wat dat betreft hoort het thuis in het rijtje alcohol, tabak, cocaïne en cafeïne. Nu ik dat zeg: je bent gewoon een drugsbaron. Dus welbeschouwd is het niet overdreven om te stellen dat de poging tot moord op mijn dochter en het gewelddadige gedrag van mijn zoon een rechtstreeks gevolg zijn van de rotzooi die jij al jarenlang uitzendt. Zijn we het daarover eens, Ben?'

'Volstrekte onzin,' zegt Ben.

Bram staat nu pal voor hem. Hij is ongeveer net zo lang en kijkt hem doordringend aan. Ze ruiken en voelen elkaars adem.

Ben zucht en haalt diep adem, maar zijn ogen laten die van Bram niet los.

'Weet je vrouw hier eigenlijk van?' vraagt Ben.

'Geef antwoord op mijn vraag, Ben. Ben jij niet direct verantwoordelijk?'

'Natuurlijk is mijn vader niet...'

'Hou je mond, Maya. Ik wil het van je vader zelf horen.'

'Elk mens is verantwoordelijk voor zijn eigen handelen. Ik kan dus nooit, zelfs in de verste verte niet, direct noch indirect, beschuldigd worden van iets waar ik volledig buiten sta. Bovendien had die jongen drugs gebruikt. Jij als vader bent eerder verantwoordelijk. Jij hebt ze toch grootgebracht?'

'Maar jouw tv-programma's en films brengen die jongens op ideeën. Die hebben al zo vaak gezien hoe stoer het is om iemand gewoon dood te schieten en dan als een held door te gaan met je leven. Dat deden wij vroeger niet, Ben. Toen hadden we die programma's allemaal nog niet. Dus nogmaals, de drugsbaron kan niet verweten worden dat miljoenen mensen naar de kloten gaan door het gebruiken van de drugs die hij verkoopt?'

'Ik ben geen drugsbaron. Die vergelijking gaat volledig mank,' zegt Ben.

De twee staan nog steeds pal tegenover elkaar. Plotseling geeft Bram Ben een kopstoot tegen zijn kin. Ben tuimelt duizelend naar achteren en kreunt van de pijn. Zijn voortanden knarsen en scheuren en hij bijt bijna een stukje van zijn tong af. Maya schrikt maar reageert razendsnel en kan nog net op tijd voorkomen dat hij hard op de vloer terechtkomt en de kelder weer in tuimelt.

Ze gaat naast hem zitten op de grond en slaat een arm om zijn schouder. Als Ben zijn mond opent, sijpelt er bloed uit langs zijn kin. Hij spuugt een stukje voortand op de grond en schudt, nog steeds duizelig, met zijn hoofd.

Bram heeft geen stap verzet en kijkt minachtend op de twee neer. Luidkeels roept hij vervolgens op intimiderende toon:

'Je moet mijn vragen serieus nemen, beste Ben. Als we net geconstateerd hebben dat televisie verslavend is en jij een drugsbaron bent, dan moet je geen onzin uitkramen. De troep die jij de wereld in stuurt – daar kan geen enkele ouder tegenop. Dus nogmaals, treft de drugsdealer schuld of mogen we van de verslaafde verwachten dat hij simpelweg een knop omdraait in zijn hoofd en de drugs door de plee spoelt?'

Ben kijkt verdwaasd omhoog maar zegt redelijk verstaanbaar:

'Elke vergelijking tussen televisie en drugs slaat nergens op. Deze discussie is te onzinnig voor woorden.'

Daarbij wil hij het eigenlijk laten, maar Ben voelt instinctief dat hij de discussie met deze idioot gaande moet houden. Hij moet hem weerwoord geven, anders gaat hij misschien nog gekkere dingen doen.

'Als er morgen geen televisie meer zou zijn, hoef je niet af te kicken. Realiseer je bovendien heel goed dat als er op een avond 2 miljoen mensen naar een programma van mij kijken, en dat is heel veel, er ook 14 miljoen níet kijken. Die doen iets anders, gaan naar een concert, besteden aandacht aan hun postzegelverzameling, gaan sporten of zitten voor mijn part te kaarten.'

'Nee Ben, die kijken naar andere tv-programma's, lezen je kranten of je ranzige roddelbladen of wat voor rotzooi dan ook wat jouw concern uitkotst.

Als je de kijkcijfers van alle tv-programma's op een avond bij elkaar optelt zijn het er wel wat meer. Veel meer. Dacht je dat ik achterlijk ben.'

Ben zucht en likt het bloed van zijn pijnlijke lippen.

'Ik bied mensen via al mijn media vertier, ontspanning na een dag hard werken. En als ik het niet doe, doet een ander het. Bovendien maken we ook veel programma's over kunst, natuur, muziek, brengen we veel nieuws, informatieve programma's en talkshows.'

'Ha, laat me niet lachen. Die gaan ook allemaal over het leed van anderen.'

'Begrijp je nou nog steeds niet hoe mensen in elkaar steken?' vraagt Ben. Hij richt met moeite zijn hoofd omhoog en kijkt Bram strak in zijn ogen. 'Ze zijn belust op sensatie. Ze willen het zien, lezen, horen, proeven, ruiken, voelen. Net zoals ze drugs willen gebruiken. De wereld rookt, slikt, spuit en zuipt bij het leven. We slikken ons wezenloos aan tranquillizers en antidepressiva, valium en god mag weten wat nog meer voor rommel. Dat hebben ze nodig, Bram, anders trekken ze het leven niet. Wees dus blij dat zoiets als televisie bestaat. Wat moeten ze anders de hele avond? De straat op? Elkaar het leven nog zuurder maken? Heb je wel eens aan het alternatief gedacht?'

Ben begint zijn stem te verheffen.

'Heb je je wel eens bedacht wat er zou gebeuren als al die mensen geen brood en spelen meer zouden krijgen? Nou, wereldverbeteraar? We sterven van de mensen op deze wereld. Ze kunnen geen kant meer op. Ze zitten al boven op elkaars nek. Werk alleen is niet voldoende om ze rustig en in toom te houden. Dan gaan ze elkaar helemaal opvreten! En er is niemand die durft te zeggen: "Ho, nu is het genoeg, geen mensen meer maken. Ophouden met wippen." Zelfs de Paus wil geen condooms. Zeg liever tegen me wat je van me wilt.'

'Ik wil verdomme dat je mijn vragen beantwoordt en niet uit je nek lult,' schreeuwt Bram. 'Wat ben jij nou toch voor een eikel. Je draait alles om. Dat drugsgebruik is het gevolg van wat jij uitzendt. Jij bent de oorzaak. Daarom trekken mensen het leven niet meer en worden ze depressief. Ze hebben die rotzooi van jou helemaal niet nodig! Het zou een verademing zijn als jouw schermen op zwart gingen en je kranten failliet. Je weet toch dat jongeren het gedrag van hun helden uit films en televisieseries overnemen, tot in detail kopiëren? Dat ze op school verschijnen met een geweer en de hele klas overhoopschieten? Alcohol zien drinken doet drinken. Geweld zien doet geweld ontstaan. Zo simpel is het, klootzak.'

'Dat bedenk jij, maar daar is geen enkel bewijs voor,' roept Ben.

'Geen bewijs? Meen je dat nou?' schreeuwt Bram. 'Meen je dat nou, mindfucker? Zien roken doet roken, agressie zet aan tot agressie, zien eten doet eten, moorden zet aan tot moorden. Dat is verdomme wetenschappelijk aangetoond. Er is rechtstreeks causaal verband. Sinds er commerciële televisie is, verloedert de maatschappij steeds verder. Eerst Amerika, toen Europa en vervolgens de rest van de wereld. Waarom denk je dat die Russische criminelen zo meedogenloos zijn? Die mensen zijn door die communisten ruim zeventig jaar belazerd en nu zien ze ineens in jouw moordlustige films hoe we dat hier in het Westen doen. Gewoon iedereen overhoopschieten of de strot doorsnijden. En waarom denk je dat die moslims die Amerikaanse cultuur niet willen?'

Ben begint nu paars aan te lopen. Hij heeft nog nooit in zijn leven zoveel gefrustreerde domheid bij elkaar gehoord.

'Wat wil je dan, sukkel?' schreeuwt hij slissend.

'Dat je wat anders uit gaat zenden!'

Ben luistert niet en gaat vanaf zijn liggende positie op de vloer woedend verder.

'Dat het daar communistisch was gebleven? Dat ze er nog meer vermoord hadden of in werkkampen weggestopt? Is dat je oplossing? Ben je er wel eens geweest? Heb je die mensen wel eens gesproken? Ga eens naar Cuba of Noord-Korea, daar predikt een handjevol mensen het nog, terwijl ze zich stiekem afrukken bij westerse porno's. Maar vraag eens aan de mensen daar wat díe ervan vinden. Of ga je liever naar een islamitisch land waar je hand eraf gehakt wordt als je een fiets gejat hebt? Waar je je kop niet open mag doen en waar de vrouw een geblindeerde slaaf is? De ideale samenleving bestaat niet. Mensen zijn dieren met hersens, en niet meer dan dat. Elk systeem dat jij weet te bedenken waarin we "lief zijn voor elkaar" is gedoemd te falen. Vast te lopen en te stranden op de baatzucht van de mens.

Ja, sta me nou maar niet zo stom aan te kijken. De mens is baatzuchtig, báát-zúch-tíg. Dat is zijn niet te ontkennen aard. Dat zit er evolutionair in tot op het bot. Jij wilt toch ook laten zien wie je bent? Je hebt me toch niet voor niets ontvoerd, hè. Daar wil je toch geld voor, of niet soms?'

'Ik wil verdomme helemaal geen geld. Je begrijpt er geen reet van!'

Maar nu laat Ben zich de mond niet snoeren. Hij krabbelt op en gaat op een van de stoelen zitten.

'Jij en ik staan misschien wel door het lot niet aan dezelfde kant van het hek, maar dat maakt ons niet verschillend. Kijk naar je communistische of linkse vriendjes met hun censuur. Als ze eenmaal de macht hebben, komt de ware aard pas boven. En die heet zelfzuchtigheid, báát-zúch-tíg-héíd, sufferd! Geen enkel mens kan de wereld veranderen of naar zijn hand zetten, en ik heb nog nooit een boek gelezen van wie dan ook, dat ook maar in de richting kwam. En geloof me, ik heb ze allemaal gelezen, want ik begrijp precies waar je het over hebt. Maar het kan niet. Gooi je boek van Marx maar in de zee, hij en vele anderen met hem hebben er niets van begrepen. De mensheid, de evolutie reguleert zichzelf. Waarschijnlijk gaan we aan onszelf ten onder.'

'Ik heb helemaal niks met Marx, man. Hoe komt je erbij dat ik links ben?' Bram gilt nu bijna. 'En ik wil helemaal geen geld van je, steek dat maar in je reet. Ik wil dat je wat anders uit gaat zenden en ik zal je laten zien wat. Ik wil dat jij je verantwoordelijkheid eens neemt en stopt met het uitzenden van die smerige, oppervlakkige kutprogramma's!'

'En ik wil verdomme persvrijheid en geen enkele censuur, idioot.' Ook Ben schreeuwt nu. 'Dat mag nooit, maar dan ook nooit gebeuren. Dan gaan we weer terug naar de Middeleeuwen.'

'Stop, stop, stop. Alsjeblieft,' smeekt Maya 'Alsjeblieft, stop hiermee.' Ze kijkt haar vader en Bram met grote angstige ogen aan. 'Hier bereiken we niets mee.'

Plotseling voelt Bram zich moe. Doodmoe. Hij heeft de hele nacht nog geen oog dichtgedaan.

'Oké,' zegt hij, en hij knikt. 'Ik zal een fles water voor jullie halen.' Hij draait zich om en loopt naar de andere kant van de schuur, waar zich bij de ingang een toilet, een kast en een kraan boven een gootsteen bevinden.

Terwijl hij wegloopt roept hij: 'Geen dingen doen waar je spijt van krijgt, Maya. Ik heb ogen in mijn rug.'

Maya gaat naast haar vader op een van de bruine stoeltjes zitten. Zuchtend fluistert Ben:

'Kijk of je iets in de buurt ziet, een schroevendraaier, een spijker of wat dan ook waarmee we misschien straks mijn boeien kunnen openmaken, Maya.'

Maya spiedt de vloer en directe omgeving af, maar ziet niets bruikbaars.

Bram vult inmiddels een vuile, lege plastic spa-fles met water en blikt over zijn schouder naar zijn slachtoffers. Hij is verbaasd over zichzelf. Het ene moment heeft hij spijt van de kidnap en wil hij bij zijn dochter zijn, voelt hij zich doodongelukkig, om vijf minuten later totaal te verkillen, al zijn emoties te onderdrukken en spijkerhard op te treden. Nooit heeft hij goed begrepen waar zijn diepste gevoelens vandaan komen en hoe hij ze moet bereiken.

Hij slentert terug en neemt in ogenschouw hoe Maya met haar rechterhand over het hoofd en het gezicht van haar vader strijkt. Haar ogen zijn vochtig. Ze fluisteren tegen elkaar.

'Niet smoezen in mijn aanwezigheid, graag,' roept hij en overhandigt de fles aan Maya.

'Mogen we naar het toilet?' vraagt Maya, terwijl ze de fles voorzichtig aan de mond van haar vader zet, die er gulzig uit drinkt.

'Ja, we lopen er zo naartoe, dan kunnen jullie er beiden gebruik van maken als je wilt.'

Bram pakt weer een stoel en gaat wijdbeens, op ruim twee meter afstand, tegenover hen zitten, met de rugleuning weer voor zich. Hij plaatst zijn ellebogen erop, ondersteunt met zijn handen zijn hoofd en bestudeert het tweetal aandachtig terwijl ze beiden uit de fles drinken. Dan zegt hij een stuk rustiger:

'Wel eens van normen en waarden gehoord, Ben? Hoe je met elkaar hoort om te gaan? Dat we in een rechtsstaat leven, waarbij we met z'n allen wettelijk hebben vastgelegd dat je pas veroordeeld bent als dat na uitgebreid hoor en wederhoor door een rechter besloten wordt? Maar dat geldt natuurlijk niet voor jouw kranten. Die flikkeren gelekte informatie van de belastingdienst of justitie gewoon op de voorpagina. Of het waar is wordt niet onderzocht.'

'Dan moet je bij de overheid zijn, niet bij ons,' zegt Ben, maar Bram gaat gewoon door.

'Die aanpak, alles en iedereen maar om de geringste fout afzeiken, veroordelen, wegzetten als klootzak of crimineel, dat ondergraaft de normen en waarden. Dat ondergraaft het respect voor elkaar. Dat creëert het scheve beeld bij de mensen dat iedereen verrot is. Elke fout van elke arts, elke accountant, elke onderwijzer, elke politicus, elke ondernemer wordt onder het vergrootglas gelegd. Hele beroepsgroepen worden tot op de bodem afgezeken. Wat ze wél goed doen, wordt nooit gemeld. Mensen maken fouten, Ben. En als jullie zelf een fout maken, ja, dan zet je dat natuurlijk niet op de voorpagina. En de rectificaties staan altijd ergens weggedrukt onder een advertentie op pagina vierentwintig.'

'Dat is weer een ander verhaal,' zegt Ben. 'En politici moeten gecontroleerd worden.'

'Nee, dat is géén ander verhaal. Dat is jouw uit de hand gelopen persvrijheid. Dat is de reden dat kinderen geen respect meer hebben voor de onderwijzer op school, voor de politieagent, de dokter of voor hun ouders. Waarom niemand de politiek meer in wil, alleen ijdele idioten en querulanten.'

'Je bent een dagdromer,' zegt Ben.

'Hou je kop...' Bram kijkt dreigend. 'Jij hebt je persvrijheid misbruikt, je erachter verscholen en de normen en waarden ondergraven, weggevaagd. Inhakend op sensatielust. Alles voor de oplagecijfers. Alles voor de poen. Persvrijheid is bedoeld om de politiek te controleren, om aan waarheidsvinding te doen. Niet om rotzooi te produceren waar de mensen ziek, bang, depressief en agressief van worden.'

Ben wil weer wat zeggen, maar Bram heft zijn hand op. 'Ik ben nog steeds aan het woord,' zegt hij nadrukkelijk. 'Ik heb nog nooit een voorpagina van een krant van jou gezien die vrolijk is. Die het leven viert en de mensen een extra zetje in de rug geeft. Die benadrukt in wat voor mooi land we leven. Hoe weinig moorden er hier gepleegd worden in vergelijking met andere landen. Hoe goed het onderwijs is, of de medische zorg. Hoe redelijk betrouwbaar het rechtssysteem is. Dat er gelukkig nog voldoende politieagenten zijn. Dat je mag zeggen wat je wilt. Nee, in plaats daarvan is het één grote slechtnieuwsshow. Alles moet kunnen, niets mag onbesproken blijven, niets is meer heilig. Dat heeft niks met links of rechts te maken. Niet ieder mens is even zelfzuchtig, maar door de smerige indoctrinatie van jouw media zijn ze dat wel geworden! Gaan de mensen 's morgens al met de pest in de deur uit. Moeten er op de snelwegen overal camera's geplaatst worden om de agressie in te tomen. We zijn sociale dieren, Ben. We zijn van nature geen geweldplegers, geen zwartkijkers, geen dwarsliggers.'

Ben trekt het niet, maar blijft kalm en zegt: 'Mag ik nu? Ben je klaar met je zelfbedachte onzin? Dus het is allemaal de schuld van de media? Een béétje gemakkelijk, vind je niet? Politieke stromingen worden maar even vergeten. Misschien vergis ik me, maar was het niet het socialisme dat predikte dat iedereen gelijk behandeld moest worden? Dat de dokter en de onderwijzer van hun voetstuk af moesten? Inspraak was toch het heilige woord in de jaren zestig en zeventig? We zijn toch allemaal gelijk? Doe je mond open en protesteer! Breng de kiesgerechtigde leeftijd omlaag, richt een vakbond of studentenraad op. Macht aan het proletariaat, macht aan de onmondige massa!

Welnu, zie wat er van die nivellering geworden is. De mensen hebben de boodschap goed begrepen. Ieder voor zich en de staat voor ons allen, van de wieg tot het graf. Dat heeft alles te maken met links, met jaloezie. Overal zijn uitkeringen voor waar je niets voor hoeft te doen. Kun of wil je niet werken? Prima, dan krijg je een uitkering. Voel je je niet lekker? Een uitkering. Kun je de huur niet betalen? Subsidie.

En weet je wat dat met die mensen doet? Je geeft ze eigenlijk straf. Je zet ze buiten de maatschappij, buiten het leven. Ze horen er niet meer bij, het worden paria's, ze vervlakken. Het maakt de samenleving kapot, want de mensen die wél hard werken, ook als ze ziek zijn, hebben er ook geen trek meer in. Het respect voor elkaar verdwijnt. Alles moet maar kunnen. Dat is de kern. Heb je ergens ingebroken? Heb je iemand vermoord? Nou ja, kan gebeuren toch? Het is de schuld van de maatschappij. Als je belooft dat je je vanaf nu weer goed gedraagt, hoef je niet lang de bak in.'

Ben moet even op adem komen, zo boos is hij.

'En de media zijn daar een afspiegeling van, niets meer en niets minder. Dát is het verhaal, dáár hebben we het over. De media zijn niet schuldig. De media, dat zijn wij allemaal! Daar heb ik ook geen invloed op. Begrijp je dan niet dat dit allemaal het gevolg is van dat idiote socialistische denken? Van dat gedwongen lief zijn voor elkaar? De journalisten die ik in dienst heb zijn de kinderen van dat tijdperk, geïndoctrineerd en vergiftigd door het dwaze gedachtegoed van jouw vriendjes.'

'Dat zijn niet mijn vriendjes,' zegt Bram geërgerd, maar Ben gaat door.

'Het socialisme heeft de normen en waarden doen vervagen, heeft de hebzucht van de mens juist verder aangewakkerd in plaats van geneutraliseerd. "Ik heb rechten," roepen ze allemaal, maar plichten ho maar. En weet je waarom? Omdat die socialisten niets van het fenomeen mens begrepen hebben. Als het erop aankomt kiest bijna elk mens voor zichzelf, ook jouw linkse vriendjes. Mensen zíjn niet gelijk. De een is nou eenmaal slimmer dan de ander. En de ene mens werkt harder dan de ander en wil dat uitbetaald zien! En niet aan zijn buurman! Het wordt tijd dat we dat eens accepteren! We zijn níét gelíjk! Dat kan de staat niet wegpoetsen met uitkeringen en subsidies tot in het oneindige. Je kunt de maatschappij niet maar steeds de schuld blijven geven en je eigen handen in onschuld wassen. Het is zoals het is.

Echt zieke en heel oude mensen moeten we helpen, en verder moet iedereen gewoon aan de bak. Dan doe je mee, hoor je erbij, daar knap je van op.'

Ben hapt naar adem, maar probeert kalm te blijven.

Bram kijkt peinzend naar Ben en Maya.

'Je vader wil het niet begrijpen of hij kan het niet begrijpen, en dat laatste is helemaal verontrustend. Ben jij het allemaal met hem eens, meisje?'

'Ik heb niet het idee dat jij luistert,' zegt Maya. 'Volgens mij heb jij vooral jezelf geïndoctrineerd. Je hebt me trouwens nog steeds niet verteld hoe je dochter heet.'

'Weet je dat de mens de enige diersoort is op aarde die zoiets als politie nodig heeft? Om zich te beschermen tegen zijn eigen rovende en moordende soort? Dat is te bizar voor woorden, dat we dat nodig hebben, toch?' zegt Bram.

'Inderdaad,' kaatst Maya terug. 'En sommige mensen scheppen er ter meerdere eer en glorie van zichzelf blijkbaar een ranzig plezier in om ander mensen van hun vrijheid te beroven en hen te mishandelen. En kunnen we misschien nu gewoon gaan plassen? Ik houd het niet langer meer op.'

Bram kijkt Ben en Maya zeker vijftien seconden in volkomen stilzwijgen aan.

'Ze heet Sacha,' zegt Bram, 'en ze is pas vijfentwintig jaar. Haar moeder is nog niet zo lang geleden overleden.'

Bram staat zuchtend op.

'Ga je gang maar. Ik hou jullie in de gaten.'

'Wil je misschien de handboeien van mijn vader losmaken? Nogal on- handig.'

'Draai je om,' zegt hij gebiedend tegen Ben. 'En jij meisje, twee stap- pen terug.'

Zwijgend doet Bram vervolgens de boeien van Ben af.

Ik heb fysiek niet veel van die twee te vrezen, denkt hij, maar hij heeft voor de zekerheid toch zijn pistool uit zijn zak gehaald. Nadat hij Ben zijn boeien heeft afgenomen geeft hij hem een zet in zijn rug richting Maya en doet twee stappen terug. 'Lopen! Het toilet is daar' Hij wijst met zijn pistool naar de hoek naast de ingang van de schuur. Daar lig- gen ook de pumps van Maya die Bram blijkbaar buiten heeft gevonden en meegenomen toen hij aankwam.

Als ze klaar zijn roept Bram: 'Terugkomen, hiernaartoe, jullie gaan je hol weer in.'

'Dat meen je niet,' zegt Maya als ze met haar vader richting Bram loopt.

'Vertel me tenminste waarom je ons hebt ontvoerd en wat je van plan bent,' zegt Ben. 'Hoeveel geld wil je hebben? Ik regel het en je kunt op ons stilzwijgen voor eeuwig rekenen. Maar laten we in godsnaam iets afspreken. Ik houd dit niet vol en mijn dochter ook niet. We zijn half bevroren. Heb je niet wat te eten en iets van verwarming hier?'

'Lopen!' zegt Bram. 'Denk maar eens goed na over wat ik allemaal ge- zegd heb, Ben. Dat heb ik niet voor niks gedaan, daar gaat dit allemaal over.'

Ben blijft staan. 'Waarover? Wat bedoel je? Wat wil je? Waarom doe je dit?'

'Heb ik je toch gezegd. Ik wil dat jij wat anders uit gaat zenden.'

'Wat dan? En wanneer?' vraagt Ben.

'Zal ik je straks laten zien. Nu lopen. Kom op, moven!'

Ben en Maya houden elkaars hand vast en lopen langzaam in de rich- ting van de kleine schuilkelder.

'Heb je geen deken of warme kleren?' vraagt Maya. 'Het is hier ijs- koud.'

'Zal ik straks meenemen, en dan krijgen jullie ook wat te eten. En nu naar beneden!'

29

Om half zeven 's morgens stapt Patrick bij het OLVG in Amsterdam uit de auto van Wessel.

Nadat hij via de kelder van de seksclub in de achtertuin van het grachtenpand terecht was gekomen, is hij over wat tuinhekken geklommen en doodleuk via de achterdeur van een ander pand een oudejaarsfeestje binnengelopen.

Geen hond die aan hem vroeg wie hij was. De meeste feestneuzen waren dronken of stoned.

Hij had een glas cola genomen, en nog een, en was toen via de vooringang de gracht op gelopen, richting de pick-uptruck van Wessel, die aan de overkant van de gracht, vrijwel recht tegenover club Jolanda, geparkeerd stond.

Overal wordt vuurwerk afgestoken, totaal onbekenden zoenen elkaar spontaan en er wordt gedanst. Patrick rilt van de kou en loopt zoveel mogelijk om de mensen heen.

Hij weet dat Wessel een reservesleutel in de voorbumper heeft verstopt. Eenmaal bij de auto pikt hij de sleutel op en gaat naar binnen. Hij start de wagen en zet de verwarming hoog, maar probeert niet te gaan rijden. Dat is voorlopig onmogelijk; hij zal een halfuurtje moeten wachten tot het ergste vuurwerk voorbij is. Ondertussen houdt hij de deur van de seksclub in de gaten, waar nog steeds mensen naar buiten komen. Hij vist een sigaret uit een pakje dat in de auto ligt en steekt hem aan.

Patrick is inmiddels aardig ontnuchterd door wat er gebeurd is, en de cola heeft hem goedgedaan. Hij voelt het pistool van Wessel in de zak van zijn jack. Hij heeft in ieder geval geen bewijs achtergelaten. Hij moet dat ding zo snel mogelijk ergens dumpen. Straks flikkert hij het wapen wel ergens vanuit de auto in een andere gracht.

Toen hij op Wessel schoot was die volgens hem al dood. Zou iemand behalve Sacha het echt gezien hebben? Het was zo'n zootje geweest van in paniek rennende mensen, en het gebeurde achter de bar.

Hij denkt aan zijn zus en hoopt dat er snel politie of een ziekenwagen komt. Hij is zijn mobiele telefoon kwijt en vindt het een beetje link om zelf ergens in een kroeg een ambulance te bellen. Maar hij hoeft niet lang te wachten, hij hoort in de verte de sirenes al.

De politie. Een autootje met twee man erin, dat is alles. Geen ziekenauto. Hij ziet de agenten naar binnen lopen en wacht.

Er zijn daar drie moorden gepleegd en zijn zus is neergeschoten; er zal dus wel snel meer politie komen en een ziekenwagen voor zijn zus. Eigenlijk is het wel link dat hij nog zo dichtbij is. Of misschien ook wel niet. Niemand verwacht dat natuurlijk.

Hij voelt in zijn achterzak het geld van de door Wessel doodgeschoten klant en portier en telt het snel. 1260 euro. Daar kan hij wel een tijdje van leven.

Hij maakt zich grote zorgen om zijn zus: er is nog steeds geen ambulance. Wel is er inmiddels nog een politiewagen gearriveerd.

Eindelijk komt er om half één een grote gele ambulance aangereden die stopt voor club Jolanda. Er komt een agent naar buiten die gebaren maakt en twee mannen in groen-blauwe pakken rennen met een brancard en een soort oranje koffertas naar binnen. Na vijf minuten komen ze alweer naar buiten. Dit keer met iemand op de brancard.

Patrick kan vanaf die afstand niet zien of het Sacha is, maar dat moet natuurlijk zijn zus zijn.

Het is inmiddels iets rustiger geworden en Patrick start de pick-up. Hij heeft besloten de ambulance te volgen, zodat hij weet naar welk ziekenhuis ze Sacha brengen. Hij wil weten hoe het met haar is. Dat is wel gevaarlijk, want het valt op. Hij heeft niet eens een rijbewijs en de auto is niet van hem. Hij heeft ook geen kentekenbewijs. Maar hij neemt het risico.

Als de ziekenauto na een kwartier de Weesperstraat op draait weet Patrick dat ze naar het OLVG gaan. Hij volgt de ambulance bijna tot de ingang voor Spoedeisende Hulp en parkeert de pick-up op een pleintje dat er schuin tegenover ligt. Hij doet de lichten en de motor uit. Het enorme ziekenhuis ligt aan die kant tegenover een woonwijk, dus hij valt niet onmiddellijk op. Tegenover de ingang van de Spoedeisende Hulp ligt een politiebureau.

Ongeveer vijftien meter verderop op het plein stopt er plotseling nog een auto die inparkeert. Het lijkt de Landrover van zijn vader wel. Krijg nou wat, denkt hij. Dat is de auto van mijn vader, het is zijn kenteken.

Hij krijgt al snel de bevestiging als hij Bram ziet uitstappen en naar de ingang van Spoedeisende Hulp ziet rennen. Even denkt hij eraan om zijn raam open te draaien en zijn vader te roepen. Maar hij durft niet. Hij heeft het lef niet zijn vader te vertellen wat er gebeurd is. Trouwens, misschien weet hij het al. Die is natuurlijk gebeld.

Gevoelens van schaamte en eenzaamheid overvallen Patrick.

Hij voelt zich zo'n enorme klootzak dat hij overweegt om weg te rijden. Weg van alles, van zijn vader, van zijn zus, van alle narigheid. Weg te rijden om nooit meer terug te komen. Hij doet het toch allemaal verkeerd, niemand hield van hem, niemand gaf om hem. Leefde zijn moeder nog maar.

Hij duikt verder weg in zijn jack achter het stuur van de auto en begint langzaam te snikken.

Op het plein worden nog volop rotjes afgestoken en er zijn nog aardig wat mensen buiten. Hij hoort en ziet het nauwelijks. Hij moet steeds aan het van pijn vertrokken gezicht van zijn zus denken, en aan zijn moeder, en dat zijn vader nu bij Sacha is. En dat hij daar dus gewoon niet normaal bij kan zijn.

Na een kwartier valt de pas twintigjarige Patrick dodelijk vermoeid in slaap, om pas tegen half zeven 's morgens weer wakker te worden.

Het is nog aardedonker maar rustig buiten, en hij is stijf en koud. Hij kijkt op het klokje in de auto en ziet de tijd. De Landrover van zijn vader is weg.

Patrick steekt een sigaret op en start de auto. Hij rilt van de kou. Hij rookt de sigaret helemaal op en krijgt het weer iets warmer, terwijl hij nadenkt wat hij zal gaan doen. Hij heeft een droge mond en spijkers in zijn kop. Hij moet iets drinken en naar de wc. Hij heeft honger.

Hij krijgt een knagend gevoel in zijn maag als hij aan zijn zus denkt en besluit dan het ziekenhuis binnen te gaan. Hij wil haar nog één keer zien en dan voorgoed uit Nederland vertrekken.

Het is druk in de ontvangstruimte van de Spoedeisende Hulp. Heel druk. Het barst er van de mensen met vuurwerkverwondingen.

Een klein joch staat te schreeuwen en te stampvoeten van de pijn. Hij mist een paar vingers van zijn linkerhand, die rood is van het bloed.

Zijn vader heeft de vingers meegenomen in een plastic zakje.

Er staat een donkere man met een open wond aan zijn been; de pijp van zijn spijkerbroek is opengescheurd en hij zit onder het bloed.

Een meisje van een jaar of zestien mist een oor en een groot gedeelte van haar blonde haren zijn verbrand. Ze is besmeurd met bloed en het verband over de plek waar het oor heeft gezeten bungelt langs haar hoofd.

Iedereen schreeuwt, jankt en roept door elkaar, en het ziekenhuispersoneel probeert de mensen zo goed en zo kwaad als dat kan te helpen.

Niemand let op Patrick.

Achter hem gaan de deuren weer open en er wordt een zwaargewonde man op een brancard naar binnen gebracht. Een groot gedeelte van zijn gezicht is weg.

'Deze moet naar de operatiekamer, snel,' roept een hulpverlener. Er komt een verpleegkundige aansnellen met een brancard op wielen en de man wordt erop gelegd.

Patrick tikt de verpleegkundige op haar schouder en zegt: 'Ik zoek mijn zus, die is hier vannacht binnengebracht. Ook ernstig gewond.'

'Moet je daar bij de balie vragen.' En weg is ze.

Patrick kijkt naar de balie, waar zeker vijftien wachtenden voor hem staan, en besluit dan maar zelf op onderzoek uit te gaan.

Hij weet niet veel van ziekenhuizen, maar hij weet uit de ziekenhuisseries op televisie dat zwaargewonde patiënten uiteindelijk vaak op de intensive-careafdeling belanden. Hij vermoedt dat Sacha daar ook wel eens zou kunnen zijn.

Als hij de afdeling gevonden heeft en door de deuren de gang in loopt ziet hij een bord met een pijltje: MELDEN BIJ DE BALIE. Hij volgt de aanwijzing en ziet onderweg diverse kamers. De meeste deuren ervan zijn dicht. De ramen in de deuren zijn van een soort draadjesglas en grotendeels geblindeerd, maar aan de boven- en onderkant is er ruimte om naar binnen te kijken. In bijna alle kamers liggen patiënten aan monitoren en allerlei infusen en bossen met draden, en hier en daar ziet hij ook een verpleegkundige in een groen pak.

Van sommige kamers staat de deur open.

Hij ziet Sacha niet onmiddellijk en als hij bij de balie is aangekomen, zit daar niemand. Het is stil op de afdeling. Hij kijkt wat onwennig om zich heen en weet niet wat hij moet doen. Vreemd dat er niemand is en dat hij daar zomaar vrij rond kan lopen. Hij besluit te wachten.

Na twee minuten komt er een vrouwelijke verpleegkundige aanlopen op van die typische witte ziekenhuisklompen. Ze is betrekkelijk klein en heeft kortgeknipt bruin haar. Ze draagt een zwarte bril die haar iets pittigs geeft.

'Wat kan ik voor u doen?'

'Ik heb begrepen dat mijn zus hier ligt. Ze is vannacht zwaargewond hiernaartoe gebracht. Zou ik haar even mogen zien?'

'Wat is haar naam?'

'Sacha Rietveld.'

'En het is je zus?'

'Ja.'

'Heb je iets van een ID bij je?'

'Ja,' zegt Patrick, en hij vist zijn identiteitskaart uit zijn achterzak. De vrouw inspecteert het kaartje en geeft het weer terug aan Patrick.

'Die ligt hier inderdaad. Ze is vannacht geopereerd. Je vader was hier de hele nacht al, althans in het ziekenhuis. Wist je dat? Je lijkt sprekend op hem, je hebt dezelfde blauwe ogen. Hij had het nog over je.'

'Nee, ik heb hem nog niet gesproken. Hoe is het met haar?'

'Hoe heet jij?'

'Patrick.'

'O ja, dat stond op je ID. Niet goed, Patrick. Haar onderste ruggenwervels zijn versplinterd door een kogel, wist je dat al?'

'Nee, ik hoorde alleen dat ze gewond was.'

'Van wie hoorde je dat?'

'Doet er niet toe. Kan ik haar even zien?'

'Je was zeker aan het feesten vannacht?'

'Ja, zoiets,' zegt Patrick.

'Loop maar even mee. Ze slaapt volgens mij, maar je kunt haar wel even zien door het raam.'

Als ze bij de kamer van Sacha aankomen ziet Patrick haar door de kleine opening aan de onderkant van het deurraam onmiddellijk liggen. Ze bevindt zich in een kamer met nog twee andere patiënten. Bij een van die patiënten staat een verpleegkundige. Ze slaapt en ligt aan allerlei slangen en kabels. Er gaat ook een slangetje haar neus in, dat vastgeplakt is op haar bovenlip. Ze ligt op haar borst in een speciaal bed. De tranen springen in zijn ogen.

'Ze ligt hier nog maar een paar uurtjes, ze zijn lang met haar bezig geweest,' zegt de verpleegkundige. Ik ben Marjan.' Ze geeft Patrick een hand.

'Ik ben bang dat je zus niet meer zal kunnen lopen, Patrick. Het moet nog blijken hoe groot de schade is die de kogel heeft aangericht en ik ben niet de behandelend arts, maar dat ze ernstige verlammingsverschijnselen zal hebben, dat is wel zeker. Weet jij wat er precies gebeurd is?'

'Geen idee,' zegt Patrick met een schorre stem en hij veegt de tranen uit zijn ogen. 'Kan ze echt nooit meer lopen?'

'Ik ben bang van niet, die kogel is precies verkeerd terechtgekomen in haar rug; daar lopen alle zenuwbanen.'

'Jezus christus,' mompelt Patrick, en hij laat nu zijn tranen de vrije loop.

'Wil je iets drinken misschien?' vraagt Marjan.

'Graag, een colaatje of zo.'

'Is koffie ook goed?'

'Doe dan maar water.'

'Oké, kom maar mee. Je kunt niks voor haar doen hier, we moeten nu afwachten.'

Ze duwt Patrick met zachte dwang mee terug door de gang heen naar de ingang van de afdeling, stuurt hem dan een soort familiekamer in en wijst op de meubeltjes.

'Ga daar maar even zitten, ik ben zo terug.'

Patrick gaat zitten en staart wezenloos voor zich uit. De stilte op de afdeling en de aanblik van de arme Sacha missen hun uitwerking niet op hem. Hij voelt zich eenzamer en meer verlaten dan ooit.

Marjan is al snel terug met een glas water en hij drinkt het gulzig op.

'Jij weet wel wat er met je zus gebeurd is vannacht, toch?' vraagt ze.

'Nee! Hoezo denk je dat?'

'Omdat je vader me dat vertelde. Hij heeft met de politie gesproken.'

Patrick zwijgt en kijkt naar de vloer. 'Was de politie hier?' vraagt hij.

'Niet hier op de afdeling, maar wel in het ziekenhuis, met je vader. Ze zoeken jou.'

'Ik moet weer eens gaan. Wil je Sacha als ze wakker wordt vertellen dat ik geweest ben?'

'Luister Patrick, niemand denkt dat jij het gedaan hebt, volgens je vader. Maar ze weten wel dat je erbij was toen ze werd neergeschoten en ze willen jouw versie weten van het verhaal. Ik denk dat het verstandig is dat je naar de politie gaat.'

'Heb jij de politie net al gebeld?'

'Nee, maar het is ons wel gevraagd.'

'Waarom niet?'

'Omdat je mij een lieve jongen lijkt die in de problemen zit. Het is sterker als je jezelf meldt, uit eigen beweging. Dus dat je niets te verbergen hebt. Dat heb je toch niet?'

'Nee, maar ze zoeken me ook nog voor iets anders. Iets wat ik niet gedaan heb.'

'Wat is dat dan?"

'Ik woon met een paar vrienden in een kraakpand en we vreten wel eens wat uit, niets bijzonders, maar ik krijg op de een of ander manier overal de schuld van.'

'Er zijn in de club waar je zus werkt ook een paar mensen doodgeschoten, heb ik gehoord. Had jij daar wat mee te maken?'

'Nee, totaal niet,' zegt Patrick, nu heftig. 'Dat was die idioot van een Wessel, hij was totaal stoned toen hij dat deed. Die gozer die spoort niet. Hij heeft me ook al een verkrachting in mijn schoenen geschoven waar ik niets mee te maken had. Ik had nooit met die lul naar mijn zus moeten gaan. Nu kan Sacha misschien wel nooit meer lopen.' En weer springen Patrick de tranen in zijn ogen.

Er loopt een andere verpleegkundige door de gang langs de familiekamer. Ze knikt naar Marjan, die terugknikt.

'Maar waarom schoot hij dan op je zus en deed jij niets?' wil Marjan weten.

'Hij wilde helemaal niet op mijn zus schieten, maar op een vent die op hem had geschoten. Maar hij viel en toen schoot hij dus per ongeluk op mijn zus.'

'Sst, niet zo hard praten,' zegt Marjan. 'Er liggen hier veel zieke mensen. Wacht, ik doe de deur even dicht.'

'Sorry,' zegt Patrick met een snik in zijn stem.

'Hier, neem nog wat water,' zegt Marjan. Patrick.' vraagt ze dan. 'Ben je bereid jezelf aan te geven bij de politie?'

'Ik weet het niet, ik heb geen zin in de gevangenis.'

'Maar je bent onschuldig, toch?'

'Ik kan het alleen niet bewijzen.'

'Maar ik geloof je, Patrick, en ik ben van de politie.'

Patrick kijkt Marjan ongelovig aan door zijn tranen.

'Jij werkt toch hier?'

'Nee, ik werk bij de Amsterdamse politie. Ik ben rechercheur Marjan Opstelten en ik werk al wat langer aan jouw zaak. Ik heb vannacht een tijd met je vader gesproken, en die hield het wel voor mogelijk dat jij hier ook zou verschijnen. Dus ben ik nog maar een tijdje gebleven, ik heb op je gewacht. Een collega van mij is hier ook; hij staat hier net buiten bij de ingang. Hij heeft je gevolgd toen je het ziekenhuis binnenkwam.'

Patrick kijkt Marjan wezenloos aan.

'Luister Patrick, je zit goed in de nesten. Je hebt vandaag ook een van mijn collega's behoorlijk toegetakeld, die heeft een gebroken scheenbeen.'

Patrick knikt. 'Dat spijt me, dat was niet de bedoeling.'

'Oké... Nou ja, je verhaal klink aannemelijk. Het klopt in ieder geval met dat van de andere... gasten zal ik maar zeggen uit de club. Maar ik wil nog veel meer van je weten, met name over je vriendjes waarmee je in dat kraakpand woont. En je lijkt me inderdaad geen verkrachter, maar ik wil weten wie het dan wél gedaan hebben.'

'Wessel,' zegt Patrick. 'Dat heeft hij vanavond zelf ongeveer bekend tegen me.'

'Het was een groepsverkrachting. Er waren er meer.'

'Ik was er helemaal niet bij, ik weet er niets van,' zegt Patrick.

'Hm... Geef jezelf maar aan, Patrick, dat lijkt me het beste. Dan kun je schoon schip maken en weer een leven opbouwen. Als het klopt wat je allemaal zegt dan heb je niet zoveel te vrezen. Kom je er misschien met een voorwaardelijk straf van af.'

'Oké,' zegt Patrick met een heel klein stemmetje.

'Kom, we gaan naar het bureau, doen we gelijk de kapotte boeien af die je nog om hebt.'

'Weet jij wie die man was die Wessel heeft neergeschoten?' vraagt Patrick.

'Dat was een van de stille eigenaren van club Jolanda. We hebben hem gearresteerd. Hij heeft jouw verhaal bevestigd en een bekentenis afgelegd. Hij moest wel, we hebben nog meer verklaringen over wat er is gebeurd. De club had helaas geen camera. Daar houden de klanten niet van. Trouwens, we hebben het pistool van Wessel niet kunnen vinden. Weet jij waar dat is?'

'Dat heb ik meegenomen, het ligt nog in de auto van Wessel.'

Marjan kijkt hem aan en zegt: 'O.'

30

Ellen wordt om negen uur 's morgens gewekt door de telefoon van Michiel. Ze pakt het ding van het nachtkastje en kijkt naar het scherm. Anoniem.

Michiel, die inmiddels ook wakker is geworden, zegt: 'Geef maar, schat.'

Hij neemt op, gaat half zitten in bed en zegt: 'Ja, met Zandstra.'

'Meneer Zandstra, u spreekt met Bert Veldkamp van de AIVD, de Algemene Inlichtingen- en Veiligheidsdienst. Bel ik u wakker?' De man klinkt uiterst formeel.

'Ja,' zegt Michiel.

'Neemt u mij niet kwalijk. Ik bel u in verband met de vermoedelijke ontvoering van uw broer en zijn dochter. De minister van Binnenlandse Zaken heeft mij persoonlijk verzocht het onderzoek te leiden...'

Michiel onderbreekt hem. 'Vermoedelijk, zegt u?'

'Ja, we hebben nog steeds niets van eventuele ontvoerders gehoord. Het is dus nog steeds mogelijk dat het niet om een ontvoering gaat, maar om iets anders.'

'Hoe bedoelt u?'

'Het zou kunnen zijn dat er iets anders gebeurd is. Misschien is uw broer samen met zijn dochter uit vrije wil op de plassen gaan varen met een bekende, of misschien zijn ze gevlucht. Misschien was uw broer niet helemaal zichzelf, had hij last van depressies. We kunnen niets uitsluiten.'

'Gelooft u het zelf?'

'Het lijkt me onwaarschijnlijk, maar ik heb wel vreemdere dingen meegemaakt.'

'Oké, wat stelt u voor?'

'Dat wij elkaar vandaag ontmoeten en alles rustig bespreken. U bent vannacht aangekomen in Nederland, heb ik begrepen, en ik stel u graag op de hoogte van hetgeen het onderzoek tot op heden heeft opgeleverd. En wat er zich volgens ons allemaal heeft afgespeeld in het huis van uw broer. U weet neem ik aan dat er ook iemand om het leven is gekomen?'

'Ja, ik heb begrepen dat zijn buurman dood in de hal gevonden is, waarschijnlijk van de trap geduwd of zoiets.'

'Dat zou kunnen. Het lijkt in ieder geval op levensberoving en daarom houden we de optie open dat uw broer niet ontvoerd maar wellicht gevlucht is. Het enige wat we namelijk tot op heden hebben is een dode buurman en een bootje dat gebruikt is door drie personen, onder wie uw broer en zijn dochter. Eigenaar onbekend.'

'Hm...' bromt Michiel. 'Mijn broer lijkt me niet echt het type dat op de vlucht slaat. Wie zijn er allemaal bij de bespreking?'

'Ik wil mede in belang van de zaak het aantal mensen zo beperkt mogelijk houden. Ik stel voor het hoofd recherche van de Regionale Eenheid Den Haag, het hoofd beveiliging van ZMG, de heer Akkerman, Paul Zandstra, uzelf en ik.'

'Akkoord. Waar en hoe laat spreken wij af?'

'De heer Akkerman stelde het hoofdkantoor van ZMG voor in Rotterdam. Schikt u dat om twaalf uur?'

'Voor mijn beeldvorming is het misschien beter dat we in het huis van Ben afspreken. Ik wil graag met eigen ogen zien wat er gebeurd is.'

'Dat zou ook kunnen. Het sporenonderzoek is inmiddels afgerond en ik ben er zelf ook nog niet geweest. Lijkt me een goed plan, ik ga het regelen. Om twaalf uur daar dan maar?'

'Prima, ik zal er zijn.'

'Dank u, meneer Zandstra. Tot straks.'

'O ja, meneer Veldkamp, nog iets. Moet zijn andere zoon er niet bij zijn? Het is tenslotte ook zijn vader en zijn zus.'

'Ik had van meneer Akkerman begrepen dat hij er niet bij kon zijn, maar door hem en Paul Zandstra nauwgezet op de hoogte zal worden gehouden.'

'Oké,' zegt Michiel. 'Tot straks.'

Michiel hangt op, gooit zijn mobiel op bed en gaat weer liggen.

'Twaalf uur in Reeuwijk, dat was een vent van de AIVD,' zegt Michiel. 'Ze hebben nog niets gehoord van de ontvoerders.'

'Wil je nog even slapen of zal ik een ontbijtje voor je maken?' Ellen kruipt tegen Michiel aan; ze is naakt, evenals Michiel.

'Doe maar ontbijt, ik ben nu toch wakker.'

Michiel doet zijn arm om zijn vrouw en ze gaat met haar hoofd op zijn borst liggen. Haar blonde haren kriebelen in zijn neus en hij strijkt ze liefdevol weg.

Haar hand glijdt onder de lakens naar zijn penis.

'Ken jij trouwens de minister van Binnenlandse Zaken, Ellen?'

'Ja, ik ken hem nog vanuit de Tweede Kamer. Het is een PvdA'er.'

'Goeie vent?'

'Weet ik niet, durf ik niet te zeggen. Hoezo?'

'Hij schijnt zich er al mee te bemoeien. Die man die ik net aan de lijn kreeg was persoonlijk door hem op de zaak gezet.'

'Dat verbaast me niks,' zegt Ellen terwijl ze met zijn erectie speelt. 'Ik zag hem gisteren ook al in een interview op televisie. Het is groot nieuws hier, Michiel. Dat moet je niet onderschatten. Je broer kent verschillende prominente liberalen en daar zitten we wél mee in een kabinet.'

'Dus je denkt dat een van jouw partijgenoten de minister heeft gebeld?'

'Zou zomaar kunnen, misschien mijn fractievoorzitter wel. Maar misschien is het ook zijn eigen initiatief. Dat zou wel voor hem pleiten.'

'Dat zou het zeker. Ik ben benieuwd hoe dit af gaat lopen.'

Ellen glijdt nu ook met haar hoofd naar beneden en neemt de penis van Michiel in haar mond. Hij kreunt van genot, streelt haar rug en billen en rekt zich uit.

'Hoeveel procent van de aandelen heb jij met LifeRisc in ZMG, schat?' vraagt ze ineens terwijl ze haar hoofd omdraait naar Michiel.

'Waarom vraag je dat? Ga door!'

'Nieuwsgierig', en ze blijft hem aankijken.

'Ik denk een procent of 11 of 12 inmiddels. Schat, *finish what you started.*'

'Erf je nog wat van je moeder? Die is toch ook aandeelhouder?'

'Daar heb ik nog helemaal niet bij stilgestaan, zou zomaar kunnen. Dat zou me wel een hele grote aandeelhouder maken.'

'Dat bedoel ik,' zegt Ellen glimlachend, en ze neemt de gezwollen penis van Michiel weer in haar mond. Ze geniet van haar macht over hem. Het duurt maar een paar minuten of Michiel komt stotend tot een orgasme.

Ellen houdt zijn penis stevig in haar mond totdat hij zuchtend van genot ophoudt. Ze legt haar hoofd nu op zijn buik, houdt zijn verslapte penis in haar hand en speelt er weer mee, masseert hem.

Samen liggen ze minutenlang stil zonder iets te zeggen.

'Maar mijn moeder heeft de Amerikaanse nationaliteit,' verbreekt Michiel de stilte. 'En ik was met haar gebrouilleerd, dus misschien krijgt een ander die aandelen wel. Ben bijvoorbeeld, of een van zijn kinderen.'

'Dat kan, maar ze had wat goed te maken met jou, toch? Ben is er destijds voor een koopje aan gekomen, heb je me altijd verteld. En je bent laatst nog bij je moeder geweest.'

'Dat was geen prettig gesprek,' zegt Michiel.

'Heb je verteld, maar toch...'

'We zien het wel, Ellen. Ik ga douchen. Hij geeft zijn vrouw een kus op haar mond en stapt uit bed.

Ellen kijkt naar de naakte rug, billen en benen van haar man als hij naar de douche loopt in hun badkamer. Hij ziet er nog strak uit voor zijn leeftijd.

Er is iets veranderd bij hem, denkt ze. Hij loopt rechtop, zijn haar zit anders en hij is milder. Alsof er een last van hem is afgevallen.'

31

Als Bram om half acht 's morgens op 1 januari Amsterdam weer binnenrijdt is het nog rustig in de stad. De wegen liggen bezaaid met vuurwerk, vooral met van die leeggeschoten rode pakketten rotjes. Het geeft de straten een trieste aanblik, alsof er strijd is geleverd. Hier en daar ziet hij al schoonmaakploegen aan het werk.

Het is zwaarbewolkt en fris, een graad of zes à zeven.

Eigenlijk is het belachelijk dat iedereen die rotzooi maar achter zijn reet op straat laat liggen, denkt Bram. De gemeenschap mag weer voor de kosten opdraaien, en dat terwijl veel mensen een bloedhekel hebben aan dat geknal. Het moest verboden worden, zoals dat in veel grote steden in de wereld al het geval is.

Hij kan vlot doorrijden en staat om tien voor acht voor de deur van zijn grachtenpandje. Hij kan zowaar voor de deur parkeren.

Zodra hij boven is doet hij zijn lenzen uit en ploft aangekleed op zijn bed. Hij is doodmoe, maar kan de slaap niet vatten. Hij ligt te piekeren over zijn kinderen. Telkens weer ziet hij Sacha in dat ziekenhuisbed op de intensive care van het OLVG voor zich. Hij vraagt zich af waar Patrick zou uithangen en hoe het met hem is. Die jongen is uiteindelijk pas twintig, hij had hem niet zo moeten veroordelen.

Hij denkt aan Maya en Ben, en aan de perfecte kopstoot die hij Ben heeft gegeven. Als hij daaraan denkt kan hij een glimlach niet onderdrukken. Maar hij was niet bang uitgevallen, die Ben. Dat viel hem alles mee, de man bleef maar doorlullen, ook toen hij hem gevloerd had.

Hij zou hem straks een paar van zijn tv-spots laten zien en zijn Beretta op het hoofd van Maya zetten. Die Ben ging wel door de knieën.

Hij moest wel wat te eten meenemen voor die twee en een paar dekens. Het was kouder dan hij zich had gerealiseerd. Hij dacht eraan wat er met ze zou gebeuren als hij een auto-ongeluk of een hartaanval zou krijgen. Niemand wist dat ze daar zaten. Ze zouden langzaam uitdrogen en verhongeren. Een vreselijke dood.

Hij dacht aan Marianne. Hij dacht elke dag aan Marianne.

Toen hij eindelijk in slaap viel, droomde hij dat Marianne en hij weer bij elkaar waren en ze samen met de kinderen ontbeten. Dat Patrick net geslaagd was en zijn gymnasiumdiploma op zak had en dat Sacha een leuke baan had gevonden als verpleegkundige. Echt iets voor haar. Hij droomde dat ze gelukkig waren en hij een groot aannemersbedrijf had en zijn eigen appartementen verbouwde en verkocht. En dat ze met het hele gezin naar Zuid-Frankrijk op vakantie gingen met de auto. Hij droomde van een gezellige lunch met zijn vrouw en kinderen tussen de druivenstokken in de Provence en...

Zijn telefoon gaat.

'Met Bram,' zegt hij half groggy.

'Met Patrick, pa...'

Er valt een stilte van een paar seconden.

Hij gaat op de rand van zijn bed zitten en vraagt:

'Waar zit je?'

'Mag ik weer thuis komen wonen?' vraagt Patrick.

'Wanneer? Nu?'

'Nee, nu nog niet. Ik zit bij de politie; ik heb ze alles verteld wat er vannacht gebeurd is. En dat Wessel ook dat meisje verkracht heeft. Dat waar ze mij van beschuldigden. Maar ik bedoel, als ik vrijkom, mag ik dan weer bij jou komen wonen?'

Bram vertrouwt zijn zoon niet helemaal. Voor hetzelfde geld is hij onder invloed van drugs en belazert hij de boel. Zijn stem klinkt niet erg vast, nerveus.

'Waar zit je bij de politie?'

'Eh... hier op het bureau, bij die rechercheur die jij vannacht ook in het ziekenhuis gesproken hebt, Marjan Opstelten.'

'Ben je bij Sacha geweest?'

'Ja, ik moest haar zien. Ik moest weten hoe het met haar was. Ik vind het zo erg...' De stem van Patrick wordt zeer emotioneel. 'Ik vind het zo ongelooflijk kut... Sach betekent alles voor me, ik ga mijn hele leven voor haar zorgen... dat zweer ik je.'

Bram hoort de emotie in de stem van zijn zoon en realiseert zich dat het een hele opgave voor Patrick moet zijn om hem op te bellen.

'Ze kan nooit meer lopen, pa,' zegt hij zachtjes.

Bram is ook geroerd, maar weet niet goed of dat door toedoen van zijn zoon is of dat het komt door de gedachte aan zijn dochter in het ziekenhuis.

Er valt weer een stilte.

'Je kan weer bij me komen wonen, Pat. In je oude kamer, naast die van Sacha. Maar je gaat nooit meer met dat tuig om en je blijft van de drugs af. Zodra je dat weer doet, zet ik je op straat, zonder pardon. En je zoekt een baan en je gaat op de avondschool je opleiding afmaken...'

'Oké.'

'En dan maak ik ook een lift in het pand. Voor Sacha.'

'Ja, te gek! Dan ga ik overal met haar naartoe, of we gaan met z'n drieën naar de film of naar het strand in de zomer.'

Bram zegt even niets.

'Nemen ze je nu in hechtenis?' vraagt hij uiteindelijk.

'Ik heb ze alles verteld wat er gebeurd is. Ik heb niks gedaan, het was die idioot van een Wessel. Dat weet je toch, hè?'

'Ik weet niet alles, maar als jij dat zegt... dan wil ik je geloven.'

'Ze houden me in ieder geval nog drie dagen vast voor het onderzoek. Daarna beslist de rechter of ik voorlopig vrij mag of nog langer vastgehouden word. Ze hebben diverse getuigen die verklaren dat niet ik Wessel heb doodgeschoten maar iemand anders, en dat Wessel het pistool had toen hij binnenkwam.'

'Oké, Pat. Vertel ze de waarheid en niets dan de waarheid.'

'Doe ik, pa. Ik wil ook mijn leven veranderen en geen drugs meer. Ik wil er nu zijn voor Sach. Heb jij nog wat over haar gehoord?'

'Nee, ik ga er zo langs.'

'Je kunt me hier bellen, hè, als je nieuws hebt over Sach.'

'Ja, is goed. Ik kom denk ik morgen wel even bij je langs, ik moet vandaag ook nog een spoedklus doen, vuurwerkschade, en ik heb de omzet nodig.'

'Oké. Je weet waar ik ben, toch?'

'Ja, ik heb het kaartje met telefoonnummer van die Marjan. Komt goed, jongen.'

'Oké, pa. Tot morgen.'

'Tot morgen, Pat.'

Bram voelt zich verslagen. Hij is moe, boos op zichzelf, op zijn zoon, op Marianne en op de wereld. Hij kijkt op zijn horloge. Hij moet met zijn ogen knijpen om te zien dat het half twaalf is.

Hij heeft maar een paar uur geslapen. Hij doet zijn lenzen in, loopt zijn slaapkamer uit, doet onderweg zijn jack uit en gaat de trap af naar de keuken op de begane grond van het pand.

Hij perst een paar sinaasappels en drinkt het sap langzaam op. Hij is er helemaal niet van overtuigd dat zijn zoon over drie dagen vrijkomt. Niet alleen zijn dochter is neergeschoten, de portier en een klant zijn vermoord. Als Patrick het met zijn vage hoofd al niet gedaan heeft, dan is hij op zijn minst medeplichtig.

Hij pakt het kaartje van het OLVG uit zijn broekzak en belt het nummer van de afdeling Intensive Care.

'Met Bram Rietveld. Mijn dochter ligt bij u op de afdeling. Ik wilde graag even informeren hoe het met haar gaat.'

'Een ogenblik alstublieft, meneer Rietveld,' zegt een warme vrouwenstem.

'Met dokter Sanders. Meneer Rietveld, ik ben de chirurg die uw dochter vannacht geopereerd heeft.' De man praat bekakt. 'Ik sta toevallig hier bij de telefoon en ben net bij uw dochter geweest. U heeft vannacht al even kort met een collega van mij gesproken die ook bij de operatie aanwezig was.'

'Ja, dat klopt.'

'De algehele situatie van uw dochter is stabiel. U weet dat er sprake is van een dwarslaesie. Uw dochter voelt waarschijnlijk haar benen en een gedeelte van haar onderlichaam niet meer. Wellicht is er ook verdere functie-uitval, maar laten we niet op de zaken vooruitlopen.'

'Wat voor functie-uitval? Haar armen?'

'Dan moet u eerder aan bepaalde organen denken, zoals de blaas of de darmen. Ze maakt het naar omstandigheden redelijk, ze slaapt nu. Ze is even wakker geweest, maar niet voldoende om zich te realiseren waar ze is. Ze krijgt stevige pijnstillers. Het was een zware operatie.'

'Dus ze kan echt nooit meer lopen, dokter?' vraagt Bram.

'Ik verwacht het niet, meneer Rietveld. Het is een nagenoeg complete dwarslaesie. De kogel heeft zo'n beetje alle zenuwbanen doorgesneden. Maar het menselijk lichaam is nooit zonder verrassingen. Ik zei "nagenoeg"; het was een bende in de rug van uw dochter om het maar ronduit te zeggen, dus in het gunstigste geval zou er nog enig functioneren mogelijk kunnen zijn. Maar hoopt u daar niet op, vaak valt dat later ook weer weg.'

'Krijgt ze veel pijn?'

'Haar ruggenmerg en diverse wervels zijn beschadigd. Het is een behoorlijke wond. We proberen de pijn zoveel mogelijk te bestrijden, maar ze zal zeker last van met name zenuwpijn krijgen. Het centrale zenuwstelsel is ernstig beschadigd. Hoe erg de pijn is, verschilt per patiënt. Maar ook dat is goed met pijnstillers te bestrijden.'

'Ze is toch niet in levensgevaar of zo, dokter?'

'Het is een sterke jonge meid, ik zou zeggen van niet. Maar het was geen sinecure, meneer Zandstra. Zo zie ik ze niet zoveel.'

'Dank u, dokter. Wanneer kan ik haar weer bezoeken?'

'U kunt het eind van de middag proberen. Ik denk dat ze dan wel een beetje wakker is.'

'Dank u, dokter. Dat zal ik zeker doen.'

'Tot ziens, meneer Zandstra.' En de arts verbreekt de verbinding.

Kut, denkt Bram. Eind van de middag. Dan ga ik daarna wel naar Zandstra en zijn dochter. Ik moet nog even slapen, ik ben kapot.

32

'Jezus, pap, dat was wel heftig,' zegt Maya. 'Doet je lip pijn?'

'Valt wel mee,' zegt Ben. 'Ik baal er eigenlijk meer van dat er een stuk van mijn voortand af is.'

'Was dat nou wel verstandig om die Bram zo kwaad te maken? Ik bedoel, is het niet slimmer om met hem mee te praten, hem gelijk te geven? Hij kan tenslotte alles met ons doen wat hij wil.'

'Voorlopig nog niet. Hij wil iets van me en dat kan alleen maar als hij ons in leven houdt,' zegt Ben. 'Daar ben ik dus niet zo bang voor. Bovendien trek ik zijn teksten niet. Dat heb ik al zo vaak gehoord. En altijd van jaloerse geesten. Mensen die er zelf weinig van bakken in het leven en dan maar op mij gaan afgeven. Alsof het ergens in de wereld anders gaat.'

'Weet ik, pap, maar hij kan je wel iets aandoen. Zo zachtzinnig is hij niet.'

'Dat is waar, je hebt gelijk.'

Ze liggen weer dicht tegen elkaar aan in de benauwde schuilkelder. Ben rilt regelmatig van de kou. Hij heeft alleen een overhemd en een dun vest aan met daaronder een spijkerbroek. Maya's grijze jack houdt de optrekkende kou uit de vloer nauwelijks tegen. Haar spijkerbroek is nog steeds nat van de urine. Het is koud maar ook vochtig in de kleine kelder, waardoor de broek niet snel droogt.

'Het is niet alleen een piskelder, het stinkt hier ook naar pis,' zegt Maya.

Ben schiet in de lach en Maya lacht mee.

'Dat kun je wel zeggen, schat. Maar ja, daar kun jij ook niks aan doen. Ik hoop maar dat die eikel snel terugkomt met dekens en iets te eten.'

'Wat zou hij nou precies willen, pap?'

'Ik kan me er geen voorstelling bij maken. Hij wil dat ik iets anders ga uitzenden. Dat waren zo'n beetje z'n laatste woorden. Ik heb geen idee. Wat vind je van hem, Maya?'

'Gefrustreerd en teleurgesteld in het leven. Zoals half Nederland. Er zit hem veel dwars waar hij niets mee kan, maar volgens mij is hij niet echt slecht. Niet gewetenloos. Hij doet zich stoerder voor dan hij is.'

'Dat dacht ik ook, totdat hij mij die kopstoot gaf. Dat past eigenlijk helemaal niet bij hem, zou je zeggen, maar hij deed het toch. Het lijkt me iemand die zichzelf kan verliezen in het spel dat hij speelt, en dat is gevaarlijk. Hij gaat er te veel in op en kan dan geen afstand meer nemen. Hij gelooft zijn eigen frustraties.'

'Daar heb je gelijk in, pap, en dat maakt hem onvoorspelbaar.'

Er valt een stilte. Ze rillen allebei en trekken Maya's jack strak om zich heen.

'Ben je bang, Maya? Ik bedoel, wat doet het met je?' vraagt Ben.

'In het begin was ik als de dood. Vooral bij jou thuis en in dat bootje, en toen hij die bivakmuts nog op had en van die heftige teksten schreeuwde. En toen jullie daarnet zo verhit tegen elkaar stonden te schreeuwen ook. En ik ben toch ook nog steeds wel bang dat hij ons iets aan zal doen. Gelukkig voor ons heeft hij zelf een dochter die nu in het ziekenhuis ligt. Dat maakt hem hoop ik kwetsbaarder, iets milder.'

'Geloof je dat verhaal van zijn dochter?'

'Hij leek me echt geëmotioneerd, hij zat te huilen. Zoiets verzin je toch niet over je eigen kind.'

'Tenzij hij helemaal geen kinderen heeft en een goede toneelspeler is.'

'Nee,' zegt Maya. 'Dat geloof ik niet, het is echt gebeurd denk ik. En dat kan ons alleen maar voordeel opleveren. Hij heeft er nu een probleem bij.'

'Misschien. Ik ben blij dat je zo sterk bent, Maya. Je doet het heel goed. Ik ben trots op je. Hopelijk komt de politie ons snel op het spoor.'

Dat laatste zegt Ben eigenlijk alleen maar om Maya hoop te geven.

'Daar is onze ontvoerder niet van overtuigd,' zegt Maya na enkele ogenblikken. 'Hij heeft geen hoge pet op van de politie en uit wat hij zei in zijn auto kreeg ik de indruk dat hij het allemaal helemaal alleen doet. Dat hij dus geen handlanger heeft.'

Ben bromt iets. Ook hij is er absoluut niet gerust op dat de politie hen snel zal vinden. Dan moet hun ontvoerder echt fouten hebben gemaakt. Tenzij die gestoorde buurman van hem er toch iets mee te maken heeft... Misschien weet diens vrouw iets, of iemand anders in hun omgeving.

Het was allemaal razendsnel gegaan. Ineens had Bram voor zijn neus gestaan, met zijn handschoenen aan, en voor hij het zich goed en wel realiseerde zat hij geboeid met Maya in een wankel bootje op de plassen.

Die Bram leek inderdaad erg zeker van zijn zaak. En hij was totaal niet onder de indruk van de dood van zijn buurman. Bovendien zitten ze in een verlaten schuur, in the middle of nowhere. Geen mens die hen kan horen waarschijnlijk...

En dat die Bram milder zou worden, geloofde hij ook niet. Na verdriet kwam vaak boosheid, wist hij, en dat kon wel eens op hem of Maya afgereageerd gaan worden. Maar dat zei hij niet tegen Maya...

'Je meende wel alles wat je zei, hè pap,' zegt Maya. 'Je werd behoorlijk fanatiek over dat socialisme.'

'Je kent me, Maya. Het socialisme, de maakbare rechtvaardige samenleving is mooi op papier, in theorie. Het is bedacht voor een soort supermensen met een goede, rechtvaardige inborst. Maar als die zouden bestaan, dan hadden we het hele socialisme niet nodig. Dan verdeelden de mensen alles op deze wereld wel uit eigen beweging op een rechtvaardige manier met elkaar. Dat doen ze dus niet, weten we, want de mens is een zelfzuchtig, baatzuchtig wezen. En dat geldt ook voor al die mensen die het socialisme lopen te verkondigen. Dus moet een rechtvaardige overheid het maar doen. En waar halen we die vandaan? Van een andere planeet? Nee schat, de overheid, dat zijn we zélf. Wij egoïstische mensen dus. En de praktijk heeft geleerd dat overheden ook totaal niet te vertrouwen zijn. Vandaar dat het socialistische systeem, waar het al is ingevoerd, totaal mislukt is.'

'Toch is de gedachte, de druk op de wereld om tenminste te proberen om aan zo'n systeem te werken niet verkeerd, pap. Je hebt die baatzucht in gradaties. De een heeft het minder dan de ander; het socialistische denken drukt wel de excessen terug, denk ik.'

'Mee eens, Maya. Maar veel socialisten slaan door. Kijk, als je twee dezelfde mensen allebei een lap grond geeft om groente en aardappels te verbouwen, zal de een het altijd beter doen dan de ander. Vervolgens gaat degene die een slechtere oogst heeft zeuren dat die ander veel meer heeft, en hij er niets aan kan doen dat hij minder heeft. Hij zal de schuld aan de grond geven, zeggen dat hij vaak rugpijn had of dat zijn gereedschap niet deugde. Kortom, hij wijt het aan alles wat je maar kunt bedenken, en uiteindelijk zal hij een deel van de oogst van de ander willen. En degene die veel heeft geoogst, zal zeggen dat die ander lui is geweest, zijn best niet heeft gedaan, de plantjes te weinig water heeft gegeven, en ga zo maar door. Het is de mensheid in een notendop.'

'Dus het wordt nooit wat? Is dat wat je zegt?'

'Het blijft een eeuwige strijd. Zodra je een kapitalist de macht geeft slaat hij door, en zodra je een socialist of communist de macht geeft slaat hij ook door. De geschiedenis is vol wrede bewijzen. En hetzelfde geldt voor religieuze fanatici.'

'Geef een mens macht en je leert hem kennen,' zegt Maya.

'Precies! En daarom mogen mensen die macht nooit onbeperkt krijgen.'

'Eigenlijk zeg je dus ook dat een socialist per definitie geen beter mens is dan een kapitalist, zoals de socialist zelf graag beweert.'

'Zo zou je het ook kunnen zeggen, Maya. Ze zijn allemaal met zichzelf bezig. Het is één pot nat. Het veelpartijensysteem dat we in Nederland hebben is naar mijn mening nog het minst slecht. Ze moeten altijd allemaal met elkaar samenwerken, ze houden elkaar continu in de gaten. En daarboven zweven de media die er als een bok op de haverkist op zitten. Daarom ben ik ook geen voorstander van een hoge kiesdrempel, zoals je die hebt in Duitsland of Frankrijk. Dan krijg je veel te weinig partijen, en die kunnen weer veel te veel macht naar zich toe trekken. Frankrijk heeft nu bijvoorbeeld dat probleem. Dat land zit vijf jaar lang met een uitermate zwakke socialistische president opgezadeld die de ene rampmaatregel na de andere afkondigt zonder dat hij enige weerstand ontmoet. Dat kan gelukkig in Nederland niet. Kijk, iedereen weet dat de democratie haar langste tijd heeft gehad doordat er te veel mensen zijn bij gekomen die naar de waan van de dag stemmen. Die er niet veel van begrijpen. Dan is een veelpartijenstelsel met een lage kiesdrempel, zoals het onze, nog de enige garantie dat we niet vier jaar zitten opgescheept met een idioot aan de knoppen. Er gaat hier al veel fout, maar in een land als Frankrijk is het nog veel erger.'

'We komen in dit hol nog eens tot diepzinnige gesprekken, pap. Wie had dat verwacht?'

Ben glimlacht. 'Ik niet in ieder geval. Ik weet ook niet waar ik de energie vandaan haal. Ik ben stijf en heb het steenkoud.'

'En er zitten hier ook allemaal enge beesten,' zegt Maya. 'Ik voel af en toe iets bij mijn voeten, hu!' Ze trekt haar knieën omhoog.

'Misschien zou je de politiek in moeten gaan, pap. Kun jij heel ver komen, net als die Berlusconi in Italië.'

'Godbewaarme, dáár vergelijk je me toch niet mee, hè? Trouwens, daar leent mijn karakter zich niet voor.'

'Ik heb honger,' zegt Maya.

'Ik ook, schat, maar we moeten nog even wachten. Hij zal zo wel terugkomen, we redden het wel. En misschien kunnen we dan eindelijk spijkers met koppen slaan.'

'Ik mag het hopen. Denk je dat we hier lang moeten blijven?'

'Het zal zeker wel een paar dagen gaan duren, ben ik bang. Of hij nou geld wil of iets anders. Dat neemt altijd tijd in beslag. Geld zou het makkelijkst zijn. Dat heb ik en dat moet ergens aan iemand overgedragen worden. Dat biedt mogelijkheden voor de politie en dus voor ons. Ze kunnen het geld volgen.'

'Maar daar lijkt het niet op,' zegt Maya. 'Hij heeft jouw geld en creditcard thuis ook niet meegenomen.'

'Dat is waar, en hij heeft het er ook totaal niet over.'

Het blijft weer even stil in de kelder en ze gaan wat verliggen met hun verkleumde botten.

'Waarom bied je hem gewoon niet 10 miljoen of zo,' vraagt Maya. 'Onder voorwaarde dat hij ons vrijlaat, uit Nederland verdwijnt en we hem nooit meer zien?'

'Dat is misschien een idee. Je kunt wel zien dat je een Jodin en een dochter van mij bent. Gewoon het initiatief nemen, onderhandelen. Geld doet soms wonderen. Maar ja, hij wil iets anders, en dat biedt misschien wel veel méér mogelijkheden voor ons om hier heelhuids uit te komen.'

'Ben jij eigenlijk verzekerd tegen dit? Tegen een ontvoering?' vraagt Maya.

'Ik denk het niet. Eigenlijk weet ik het wel zeker. Maar misschien is losgeld aftrekbaar van de belasting.'

Ze schieten allebei weer in de lach.

Het is nog steeds aardedonker in het keldertje. Maya en Ben rillen voortdurend en liggen zeer oncomfortabel op Maya's jack op de koude cementvloer. De kou trekt in hun botten, maar ze houden de moed erin.

'Zullen we gaan roepen, gaan gillen om hulp?' vraagt Maya.

Ze gaan half staan en duwen al schreeuwend met hun handen tegen de onderkant van het ijzeren luik, dat nauwelijks een centimeter meegeeft. Ze roepen en gillen allebei zeker tien minuten, tot ze bijna schor zijn.

Ben probeert zittend op de trap met gebogen rug tegen het luik aan te duwen, maar het zware hangslot waarmee het is afgesloten geeft niet mee.

Er gebeurt niets, er komt niemand. Uitgeput gaan ze tegenover elkaar zitten op de koude keldervloer. De moed zakt Maya in de schoenen en ook Ben is niet echt opgeknapt van deze exercitie.

Hij heeft Maya nog steeds niet verteld dat zijn moeder overleden is. Het lijkt hem ook nu nog steeds niet het juiste moment om dat te doen. Hij weet hoezeer Maya op haar oma gesteld was.

33

Om half drie 's middags wordt Bram weer wakker gebeld. Als hij op-
neemt hoort hij een vrouwenstem die hij niet kent.

'Spreek ik met de heer Rietveld?'

'Ja,' zegt Bram.

'U spreekt met mevrouw Vervoord van de afdeling intensive care van
het Onze Lieve Vrouwe Gasthuis. U bent de vader van Sacha Rietveld,
die bij ons hier op de afdeling ligt?'

'Ja,' zegt Bram weer. De stem van de vrouw heeft iets van medeleven
in zich. Iets begrijpends.

Bij Bram gaan alle alarmbellen rinkelen. Hij krijgt een angstig voor-
gevoel en hij zit onmiddellijk rechtop in bed.

'Is er iets gebeurd?' vraagt hij.

'Kunt u snel naar het ziekenhuis komen, meneer Rietveld.'

'Wat is er dan?' vraagt Bram met onzekere stem. 'Wat is er gebeurd?'

'Ik vertel het u liever als u hier bent, meneer Rietveld. In een persoonlijk gesprek.'

'Vertel het me verdomme nú! Is ze overleden? Is ze dood?'

'Meneer Rietveld, alstublieft, komt u hiernaartoe.'

'Ze is dood, hè. Waarom vertel je me dat niet gewoon? Is – ze – dood?
Geef verdomme antwoord!' Brams stem slaat over van emotie.

'Uw dochter heeft een hartstilstand gehad, meneer Rietveld. We hebben er alles aan gedaan om haar hart weer aan de gang te krijgen, maar
dat is helaas niet gelukt. Uiteindelijk zijn we gestopt met reanimeren.
De hersenen waren te lang zonder zuurstof. Uw dochter is zojuist overleden. Het spijt me ontzettend.'

Het blijft stil, angstaanjagend stil.

'Meneer Rietveld?'

Bram moet zich goed houden. Hij schraapt zijn keel en zegt:

'Maar die arts die ik vanmorgen gesproken heb zei dat ze niet in
levensgevaar was. Die dokter, hoe heet hij ook alweer, die haar geopereerd heeft. Hoe kan ze dan ineens een hartstilstand krijgen?'

'U bedoelt dokter Sanders?'

'Ja, die ja.'

'Er is wellicht een complicatie opgetreden, maar we weten nog niet precies welke, meneer Rietveld. Misschien iets met het functioneren van haar ademhaling, ofschoon dat eerder voorkomt bij een hoge dwarslaesie. In de helft van de gevallen van een hartstilstand weten we helemaal niet wat de oorzaak is. Dokter Sanders heeft dit ook niet kunnen voorzien. We staan wat betreft het functioneren van het menselijk lichaam nog regelmatig voor raadsels.'

'Is ze nog bij kennis geweest?' vraagt Bram op zachte toon.

'Ja, ik heb haar een halfuur geleden nog gesproken. Ze was zwak, maar redelijk helder. Ze vroeg nog naar u, wilde weten of u al op de hoogte was.'

'Wist ze... Heeft u haar verteld dat ze nooit meer zou kunnen lopen?'

'Nee, dat hadden we haar nog niet verteld. Dat zou dokter Sanders doen, die is er vanavond weer.'

Het blijft stil aan de telefoon en mevrouw Vervoord hoort het zachte gesnik van Bram.

'Meneer Rietveld,' zegt ze na verloop van een halve minuut. 'Meneer Rietveld, denkt u dat u in staat bent naar ons toe te komen?'

Het blijft weer even stil, totdat Bram met een gebroken stemt zegt:

'Ja, ik wil haar zien. Ik kom eraan.'

'Waar bent u nu?'

'Thuis, hier in Amsterdam.'

'Komt u zo snel mogelijk, meneer Rietveld. Ze zal niet lang meer op deze afdeling blijven.'

'Ja, ja, ik kom,' fluistert hij bijna, en hij verbreekt de verbinding.

Verdwaasd staat Bram op van zijn bed. Hij voelt zich als door een mangel gehaald. Hij wordt overmand door gevoelens van verdriet. Hij was dol op zijn dochter. Hij laat zijn tranen nu de vrije loop en staart wezenloos voor zich uit.

Waarom is die klootzak van een Patrick verdomme in vredesnaam naar die club gegaan met die etterbak van een vriend van hem, denkt hij. Wat is dat toch voor tuig tegenwoordig om iedereen maar neer te schieten. En allemaal zijn ze aan die klotedrugs.

'Lieve, lieve Sacha, lieve meid van me,' stamelt hij door zijn tranen heen. 'Lieve schat van me, waarom nou jij... Ze hadden verdomme beter mij kunnen doodschieten... Hé, hoor je me!' schreeuwt hij nu, en hij kijkt naar het plafond. 'Je had míj dood moet schieten! Waarom heb je míj niet gepakt?'

34

Als Michiel om twaalf uur 's morgens in Reeuwijk bij het huis van Ben arriveert, heeft hij op de nieuwsuitzending op de radio al gehoord dat de dood van de buurman van zijn broer nu ook wereldkundig is gemaakt. En verder dat er nog geen enkele duidelijkheid is over de verblijfplaats van Ben Zandstra en zijn dochter.

Het is voor het eerst dat hij het landhuis van zijn broer met eigen ogen ziet, en dat is een speciale ervaring voor Michiel. Hij had het huis wel eens in een tijdschrift zien staan, maar dit is toch anders. Ruim dertig jaar heeft hij nauwelijks contact met zijn broer gehad.

Het is grijs weer en dat geeft tezamen met de aanblik van de plassen in de verte een beetje een triest plaatje. Het heeft iets melancholieks.

Voor het rietgedekte huis staan bij de gesloten toegangshekken twee politieauto's en twee agenten. De weg is gedeeltelijk afgezet met rood-witte linten. Op het grind en voor de garages achter het toegangshek staan diverse andere auto's. Het landhuis ligt dichter op de weg dan Michiel had verwacht.

En er staat pers.

Er komt een agent naar de auto toe gelopen met in zijn kielzog een aantal fotografen, cameralieden en journalisten. Zijn chauffeur Jacques doet het raampje half open en zegt:

'Meneer Zandstra heeft hier een afspraak met de heer Veldkamp.'

De agent kijkt schuin naar binnen en gebaart vervolgens naar een collega dat de auto door de ingang naar binnen kan rijden.

Maar dat is nog niet zo eenvoudig. Er staan inmiddels wel tien tot vijftien mannen en vrouwen van de pers rond de auto en er worden foto's genomen en opnames gemaakt.

'Bent u de broer van Ben Zandstra?' wordt er gevraagd.

'Weet u al waar uw broer is?' roept een ander.

'Wat komt u hier eigenlijk doen, u bent toch gebrouilleerd met uw broer?' vraagt een blonde jonge meid brutaal.

'Denkt u dat uw broer zijn buurman vermoord heeft?'

'Hoe lang heeft u uw broer al niet gesproken?'

'Is er al om losgeld gevraagd?'

Ze roepen allemaal door elkaar heen, terwijl de politieagent hen gebiedt ruimte te maken, zodat de auto naar binnen kan rijden. Jacques heeft het raampje weer dichtgedaan en Michiel heeft in dit stadium nog geen enkele behoefte de pers te woord te staan. De hekken zwaaien inmiddels open en de auto rijdt langzaam het terrein van Ben op.

Eenmaal veilig op het terrein stapt Michiel uit en wordt hij begroet door Bert Veldkamp van de AIVD. Het is een middellange, enigszins gezette man met een hoog voorhoofd en dun, kortgeknipt grijs haar waaraan je nog kan zien dat het ooit heel dik is geweest. Hij heeft bruine, priemende ogen en een enorme neus. Hij draagt een saai blauw pak en zwartleren schoenen met rubberzolen. Michiel schat hem rond de vijftig.

'Welkom, meneer Zandstra, als u mij wilt volgen. De anderen zijn al binnen.'

Maar Michiel neemt eerst de tijd om alles goed in zich op te nemen.

Hij is nonchalant gekleed vandaag. Een wit overhemd, blauwe trui, een gebroken wit katoenen chino en bruine instappers. Zoals zijn vader ook vaak droeg in zijn vrije tijd.

Met zijn handen in zijn zakken bestudeert hij het huis nauwkeurig en kijkt goed om zich heen. Hij ziet Bens Bentley voor de garage staan. Een rode Nieuwe Kever. En hij ziet een zwarte labrador bij de deur zitten.

In de deuropening staat een jonge man. Even denkt hij dat het Ben is, maar dat moet natuurlijk zijn zoon Paul zijn. Het voelt vreemd voor hem om in het leven van zijn broer te stappen. Hij heeft hem al zo lang niet gesproken of ontmoet. En nu staat hij hier voor zijn huis, zijn wereld. En zo meteen gaat hij dat huis binnen...

Hij weet hoe Ben eruitziet van foto's in kranten en tijdschriften, maar hij herinnert zich een heel andere Ben. Een niets en niemand ontziende, ambitieuze jonge en knappe kerel die zijn jongere broer op diens drieentwintigste kwam vertellen dat hij zijn aandelen in het bedrijf van zijn vader wilde overnemen en dat hij, Michiel, eigenlijk geen keus had.

Even voelt hij de boosheid over het onrecht dat hem is aangedaan weer bij zich naar boven komen. Heel even maar.

Bert Veldkamp wacht ondertussen geduldig, alsof hij begrijpt wat er door Michiel heen gaat.

Heel kort staat de wereld voor Michiel stil en denkt hij aan zijn moeder, die gisteren overleden is, en aan het moment, lang geleden, dat hij van haar hoorde dat zijn vader overleden was.

Hij denkt eraan hoe onbeschrijfelijk verdrietig hij toen was.

En aan Ben, die er redelijk onverschillig onder bleef.

'Oom Michiel! Ik ben Paul Zandstra.' Paul is met uitgestrekte hand naar Michiel toe gelopen. Michiel schrikt wakker, ofschoon niemand dat merkt, en schudt Paul de hand. 'Noem me maar gewoon Michiel, Paul.'

'Ja, ik wist het ook niet,' zegt Paul. '"Meneer" leek me te afstandelijk en Michiel te onnatuurlijk, dus dacht ik: dan maar "oom Michiel". U bent tenslotte mijn oom.'

'Dat klopt. Jammer dat we elkaar zo onder deze omstandigheden voor het eerst moeten leren kennen, Paul.'

'Laat mij mijn oom maar even rondleiden,' zegt Paul tegen Bert Veldkamp. 'Ik ken het huis beter dan jullie allemaal.'

Veldkamp knikt.

Ze lopen samen het huis in, Paul voorop. Hij laat Michiel de marmeren hal zien, waar nog duidelijk te zien is waar het lijk van Bens buurman gelegen heeft, en vertelt hem wat hij gisteren heeft meegemaakt. Michiel kijkt naar de beschadigingen in het tapijt van de trap, daar waar de bijl ingeslagen moet zijn.

Ze lopen de werkkamer van Ben in en Michiel ziet de zilveren asbak waar de gedoofde Cubaanse sigaar van Ben in ligt. De overvolle boekenkasten en de stapels boeken op het bureau en de houten vloer. De ingeslagen tuindeuren, althans wat daar nog van over is, liggen buiten. Er zijn inmiddels nieuwe, dichte lichtbruine houten nooddeuren geplaatst.

'Hebben we gisteravond nog kunnen regelen,' zegt Paul. 'Ik ben hier vannacht ook maar blijven slapen, samen met Gerard, de chauffeur van mijn vader. Die ziet u straks wel. We hebben samen de jaarwisseling gevierd, nou ja, gevierd... eh... U begrijpt het wel.'

Michiel knikt glimlachend en kijkt nieuwsgierig verder rond in de studeerkamer van zijn broer. De enorme hoeveelheid boeken, de nog nagenoeg volle fles margaux, de leren fauteuils. Het is wel ongeveer zoals hij had verwacht.

Hij wijst naar de beeldschermen en vraagt: 'Zijn er geen opnames gemaakt?'

'Stonden uit,' zegt Paul 'En opnames werden er nooit gemaakt. Daar houdt mijn vader niet van.'

'Kunnen die deuren open?' vraagt Michiel.

'Ben bang van niet. We lopen straks wel even om, kunt u daar ook rondkijken. Zal ik u de rest van het huis binnen laten zien?'

'Misschien later, en zeg maar gewoon jij tegen me. Waar zijn de anderen?'

'In de eetkamer. Zullen we daar maar eerst naartoe gaan dan?'

'Prima,' zegt Michiel. 'Maar ik wil eerst naar buiten.'

'Oké, dan gaan we via de bijkeuken.'

Nadat Michiel buiten de situatie goed in zich heeft opgenomen en aandachtig heeft geluisterd naar het verhaal van Paul, komen ze eenmaal weer binnen de anderen allemaal tegen in de hal.

Daar wordt hij voorgesteld aan Rob Korteland en Victor Stikker van de Regionale Eenheid Den Haag. En hij schudt de hand van de weer onberispelijk in maatkostuum geklede Tom Akkerman.

'Koffie?' vraagt Tom.

'Met een glas water graag.'

'Gerard, wil jij nog een keer koffie inschenken in de eetkamer?' vraagt Tom. 'En een paar glazen water graag.'

Michiel draait zich om en ziet de man die met Gerard werd aangesproken staan. Deze komt naar hem toe en stelt zich voor.

'Gerard Westerman. Ik ben de chauffeur van uw broer.'

'Ik ben Michiel Zandstra.' Ze schudden elkaar de hand.

'En dit is Sam, de hond van mijn vader,' zegt Paul.

Michiel glimlacht en geeft het beest een aai over zijn kop.

'Zullen we de eetkamer in gaan?' vraagt Tom.

Zodra iedereen zit neemt Bert Veldkamp als eerste het woord.

'Het is duidelijk waarom we hier vandaag zijn. Dit is de eerste officiële bijeenkomst met alle direct betrokkenen in het kader van de vermissing van Ben Zandstra en zijn dochter. Ik zeg met opzet "vermissing", omdat we alle opties moeten openhouden. De minister van Binnenlandse Zaken heeft mij verzocht de leiding te nemen in het onderzoek, uiteraard in nauwe samenwerking met de recherche van de Regionale Eenheid Den Haag, hier vertegenwoordigd door hoofdrechercheur

Victor Stikker aan mijn linkerzijde. Dat de minister mij dat heeft gevraagd, betekent dat de zaak de hoogste prioriteit heeft, ook van onze centrale overheid. Door Victor is een team van twintig rechercheurs samengesteld die sinds eind gistermiddag aan de zaak werken. Victor, misschien kun jij ons vertellen wat tot op heden de resultaten van het onderzoek zijn?'

Victor Stikker is een lange, slungelachtige man van rond de vijftig jaar. Hij heeft met grijs doorschoten zwart haar dat door de war zit, een kromme neus en scherpe gelaatstrekken. Zijn huid is tanig en zijn bruine ogen liggen diep in hun kassen. Je ziet dat dit iemand is wie niets ontgaat. Het vak van rechercheur is hem op het lijf geschreven, hij doet het al twintig jaar en heeft al heel wat zaken opgelost.

Hij schraapt zijn keel, ordent met zijn lange vingers wat papieren, zucht en zegt:

'Ik zal maar gelijk met de deur in huis vallen. Het onderzoek heeft tot op heden nog niets concreets opgeleverd. We hebben geen enkel houvast. We hebben inmiddels een heleboel mensen ondervraagd, buurtonderzoek gedaan, het huis, de tuin, het kantoor en de garages en auto's van de overleden buurman uitgekamd, zijn vrouw uitgebreid ondervraagd, niets. Het stel had geen kinderen.'

Hij praat kalm en articuleert duidelijk.

'We hebben dit huis van boven naar beneden onderzocht – de tuin, garages, het botenhuis, de oranjerie, de Bentley, de auto van mevrouw Zandstra: ook niks. Er lijkt ook niets gestolen te zijn. Gerard hebben we ondervraagd, en ook de werkster van meneer Zandstra. Hun getuigenissen zijn voorlopig allemaal geloofwaardig en verifieerbaar. Dit geldt ook voor de verklaringen van Paul Zandstra en zijn broer Sander, die hier vandaag niet aanwezig is. Ook de heren Akkerman en Korteland, beiden hier aanwezig, hebben een geloofwaardig verhaal en een alibi.

Het sporenonderzoek van onze forensische specialisten heeft helaas ook niets opgeleverd. Er zijn bijvoorbeeld geen verse onbekende vingerafdrukken aangetroffen. Er zijn ook geen bruikbare voorwerpen gevonden, ook niet in het bootje dat we verderop hebben gevonden en waarmee drie personen van hier zijn vertrokken. Het bootje is niet geregistreerd, dus we hebben ook geen idee wie de eigenaar is. Niemand in de buurt heeft iets opmerkelijks of een vreemde persoon gezien. We staan voor een compleet raadsel. We nemen aan dat verder vervoer heeft plaatsgevonden per auto. We onderzoeken de diverse bandensporen die vlak bij het bootje zijn aangetroffen.

"As we speak" ondervragen we de secretaresse en directe medewerkers van de overleden buurman, die overigens Habbe Landman heet. Er zijn twee man afgereisd naar het tweede huis van de heer Zandstra, in de Zwitserse Alpen.

Ook ondervragen we de secretaresse en diverse directe medewerkers van de heer Zandstra. In het dorp Reeuwijk gaan we de middenstand af, voor zover traceerbaar met deze feestdagen, en we ondervragen de crew van het privévliegtuig van de heer Zandstra.

Uit de reconstructie die we gemaakt hebben over wat zich hier heeft afgespeeld, leiden we af dat Landman de tuindeuren van de heer Zandstra met een hakbijl kapot heeft geslagen en hij de heer Zandstra met diezelfde bijl achtervolgd heeft tot op de trap naar boven. Op die trap moet de heer Zandstra hem een schop onder zijn kaak hebben gegeven waardoor Landman achterovergevallen is. Daarbij heeft hij zo goed als zeker zijn nek gebroken. We krijgen nog het officiële autopsierapport, maar zoveel is wel duidelijk.

Bij het incident op de trap was de dochter van de heer Zandstra, Maya, overigens nog niet aanwezig. Die is later gekomen en, als ik het zo mag uitdrukken, met haar neus in de boter gevallen. Ofschoon er camera's rond het pand hangen, is er geen beeldregistratie. Het alarm was niet ingeschakeld.

Voetsporen wijzen verder uit dat er een derde figuur aanwezig is geweest tijdens of net na die confrontatie. Die sporen komen vanaf de plas en gaan weer terug naar de plas. De voetafdrukken zijn van Timberland-schoenen. In hoeverre dat een ontvoerder of een bekende van de heer Zandstra is geweest, is niet duidelijk. We vermoeden een ontvoerder, wellicht een handlanger van Landman, vanwege de sporen die vanuit de plassen komen en de persoonlijke bezittingen die de heer Zandstra en zijn dochter op de vloer van de hal hebben achtergelaten.

Van eventuele ontvoerders hebben we overigens ook nog niets vernomen. We tasten echt in het duister.'

De laatste zin spreekt hij gedragen uit en hij kijkt vervolgens alle aanwezigen stuk voor stuk kort aan.

'Wat kunnen die bandensporen bij dat bootje nog voor het onderzoek betekenen?' vraagt Michiel.

'Wellicht kunnen we aan de hand daarvan het type auto identificeren, waarmee wij dan weer concreet vragen in de buurt kunnen stellen. Maar ik verwacht er niet veel van.'

'Waarom houden jullie de optie open van een bekende van mijn vader?' vraagt Paul. 'Denk je nou echt dat mijn vader met een of ander gammel bootje 's avonds de plas op gaat?'

'Nee, dat denken we niet,' zegt Victor 'Maar we kunnen het ook niet uitsluiten.'

'Hoezo?'

'Omdat sommige mensen hun eigen ontvoering of verdwijning ensceneren. Om redenen die later pas duidelijk worden.'

'En nu?' vraagt Rob Korteland.

'Nu gaan we de resultaten van het verdere lopende onderzoek afwachten. Ik hoop dat er nuttige tips binnenkomen op basis van de enorme publiciteit die deze zaak inmiddels getrokken heeft. Verder wil ik de heer Michiel Zandstra graag onder vier ogen spreken. Ik heb inmiddels begrepen dat u en uw broer elkaar al ruim dertig jaar niet gesproken of gezien hebben en dat u een van de grootste aandeelhouders van het concern van uw broer bent.'

'Niet ik, maar de beleggingspoot van het bedrijf waar ik bestuursvoorzitter van ben,' zegt Michiel glimlachend. 'U insinueert nu dat ik verdacht ben vanwege die redenen?'

'Ik insinueer helemaal niets, maar ik vind het opmerkelijk dat u hier ineens aan tafel zit terwijl u geen enkel contact meer had met uw broer,' zegt Victor.

'Ik zit hier op verzoek van de heer Akkerman en de zoons van mijn broer, en voorts als zijn jongere broer en indirect belanghebbende in zijn concern.'

Michiel blijft kalm. Hij begrijpt de rechercheur wel; eigenlijk vindt hij het zelf ook een lastig verhaal.

'Begrijpt u mij goed, meneer Zandstra, ik wil u niet in diskrediet brengen. Ik doe mijn werk en dat probeer ik zo goed mogelijk te doen. Ik wil ook de minst voor de hand liggende mogelijkheden uitsluiten.'

'Prima,' zegt Michiel. 'Misschien mag ik nog een vraag stellen?'

Victor knikt.

'Stel dat we op een of andere manier contact krijgen met de ontvoerders, hoe gaat u dat dan aanpakken? Ik bedoel, heeft u daar ervaring mee of gaat u specialisten inschakelen?'

'Ik moet eerlijk zijn,' zegt Victor. 'Daar hebben we zeker op dit niveau in Nederland weinig ervaring mee.' Victor kijkt Bert Veldkamp aan.

Bert Veldkamp knikt. 'Dat is juist, en dan kom ik met name in beeld. Niet dat wij bij de AIVD daar zoveel ervaring mee hebben, maar wij weten wel waar ze dat wél hebben in de wereld, en leggen daar ook snel contact mee. Dan moet u bijvoorbeeld denken aan landen in Zuid-Amerika waar kidnap regelmatig voorkomt. Sterker nog, daar zijn we al mee bezig.'

'Ik ben blij dat te horen,' zegt Michiel. 'Er zijn overigens ook privé-organisaties in Engeland en de Verenigde Staten die hierin gespecialiseerd zijn. Ik heb er binnen onze verzekeringsorganisatie al eens mee te maken gehad.'

'Ik hoor het graag van u,' zegt Bert. 'Ik sta open voor elke suggestie.'

'Oké,' zegt Michiel.

'Ik heb ook nog een vraag,' zegt Paul. 'Is die Landman, die buurman, volgens jullie nou wel of niet betrokken bij de verdwijning van mijn vader?'

'Zijn vrouw is er in ieder geval niet bij betrokken,' zegt Victor. 'Daar durf ik bijna mijn hand voor in het vuur te steken. We houden de mogelijkheid nadrukkelijk open, maar niets wijst er vooralsnog op. Het lijkt meer op een bizar toeval, een totaal uit de hand gelopen burenconflict. Maar om mezelf tegen te spreken: ik geloof niet in toeval.'

'Zijn er nog helemaal geen waardevolle tips binnengekomen?' vraagt Tom Akkerman.

'Afgezien van de bekende goedbedoelde onzin die we altijd binnenkrijgen eigenlijk helemaal niet. Dat bevreemdt mij ook zeer. Meestal zijn er wel verdachte auto's of onbekende types gesignaleerd in de weken voorafgaand aan een inbraak of ontvoering. Inbrekers en kidnappers gaan in dit soort zaken namelijk zelden over één nacht ijs. Ze leggen de zaak meestal uitvoerig af. Probleem is hier dat het een stille buurt is. Er staan maar weinig huizen en de mensen leven naar binnen gekeerd, op eigen terrein.'

'Dus we kunnen eigenlijk wel stoppen met die publiciteit via onze media?' vraagt Tom.

'Tja, u bent er toch al mee begonnen, dus kwaad kan het niet. Ik zou zeggen: houdt u het nog een etmaal vol. Daarna weet iedereen het wel. Het is overal op het nieuws geweest en u ziet hoeveel pers er hier buiten staat.'

'En uit Duitsland en België? Ook niks?' vraagt Michiel.

'Ook niks. Niets bruikbaars althans,' zegt Victor.

'Hoe weet u eigenlijk dat mijn zus er niet bij was toen die Landman achter mijn vader aan ging?' vraagt Paul.

'Uit het sporenonderzoek,' zegt Victor. 'Uw vader heeft de deur voor haar opengedaan nadat hij Landman van de trap af heeft geschopt, zal ik maar zeggen. Als het om een ontvoering gaat, dan is uw zus zogezegd bijvangst. Spijtig, maar waar.'

Paul staat het huilen nader dan het lachen.

Het blijft even stil in de eetkamer van Ben.

'Heeft u verder nog vragen?' Victor kijkt de tafel rond.

Niemand zegt iets.

'Dank je voor je uitleg, Victor,' zegt Bert Veldkamp. 'Heeft iemand nog opmerkingen of suggesties?'

'Het is waarschijnlijk een open deur, maar het lijkt me niet verstandig dat iemand van ons voorlopig met de pers praat,' zegt Michiel.

'Helemaal mee eens,' zeggen Bert en Victor bijna unisono.

'Laten we afspreken dat de pers uitsluitend van ons informatie krijgt,' zegt Bert.

Iedereen gaat akkoord.

'Dan is het denk ik verstandig dat er een bericht uitgaat naar al het personeel van ZMG,' zegt Michiel. 'De mensen willen natuurlijk ook van ons horen wat er aan de hand is; er is ongetwijfeld grote onrust en dat is niet goed voor het bedrijf.'

'Dat ga ik wel doen,' zegt Tom Akkerman 'Akkoord?'

'Laat het ons wel eerst lezen,' zegt Bert. 'Het komt sowieso toch bij de pers terecht. Houd het algemeen. Zeg dat we al het mogelijke in het werk stellen enzovoort en dat er zeer nauw op topniveau met de politie samengewerkt wordt. Zoiets, maar noem geen namen.'

'Komt in orde,' zegt Tom. 'Ik maak een concept en laat het jullie allemaal eerst lezen.'

'Dan schors ik hierbij de vergadering,' zegt Bert. 'Alles wat hier gezegd is, hoe onbetekenend ook, is strikt vertrouwelijk. Als iemand van jullie benaderd wordt door de eventuele ontvoerders of op een andere manier iets hoort van of over Ben Zandstra of Maya, dan verwacht ik onmiddellijk een telefoontje aan mij of Victor. Zijn er nieuwe ontwikkelingen, dan breng ik jullie ook onmiddellijk op de hoogte.'

'En wij doen hetzelfde,' zegt Michiel; hij staat als eerste op.

'Zullen wij even samen praten?' vraagt hij aan Victor.

'Graag,' zegt Victor. 'Misschien is het een plan om even door de tuin te wandelen?'

'Goed idee. Hoe lang denk je nodig te hebben?'

'Kwartiertje, misschien iets langer.'

'Oké, als jullie nog even kunnen wachten?' En Michiel kijkt in de richting van Paul en Tom.

Die knikken instemmend.

Eenmaal wandelend in de tuin zegt Michiel tegen Victor:

'Was het wel zo verstandig mij openlijk aan te vallen? Ik bedoel, ik begrijp dat iedereen verdacht is tot het tegendeel vaststaat. Maar deze mensen hebben mij er nu juist bij gehaald omdat ze verwachten dat ik een positieve bijdrage kan leveren bij de dingen die komen gaan. Als het hier werkelijk om een kidnap gaat en er gaan stevige bedragen gevraagd worden, of er komt geweld bij kijken, dan kan het nog heel spannend en emotioneel worden. Dat hoef ik u toch niet uit te leggen?'

'Zeker, maar dat vind ik nu juist zo merkwaardig. Ik vind het vreemd dat ze u gevraagd hebben en ik vind het vreemd dat u erin toegestemd heeft. U kent eigenlijk alleen Tom Akkerman en u heeft via een zijdeur aandelen in zijn bedrijf. U heeft al sinds mensenheugenis geen contact meer met uw broer, u kent zijn zoons niet. Dan gaat er bij mij een belletje rinkelen. Ik bedoel, het is niet echt normaal als broers zo lang geen contact meer met elkaar hebben. Dan is er iets gebeurd in het verleden.'

'Dat klopt. Wij hebben elkaar uit het oog verloren, maar dat wil niet zeggen dat we ruzie hebben.'

Victor kijkt Michiel scherp aan.

'Waarom heeft u met LifeRisc een aandelenbelang opgebouwd in ZMG?'

'Het is een goed bedrijf, we hebben wel meer belangen in bedrijven. En ik ken mijn broer, hij is een succesvol ondernemer.'

'Maar zo'n groot belang, 11 procent naar ik meen. Volgens mij is het

226

veruit het grootste belang dat LifeRisc Investments heeft in een ander bedrijf. En dan is er nog iets anders. Uw moeder, en die van uw broer uiteraard, is gisteren overleden. Mijn condoleances overigens. Het is bekend dat zij een groot belang heeft in ZMG. Daar gaat u vast een deel van erven. Bent u bezig met een soort vijandige overname? En waarom vliegt u letterlijk een paar uur na haar overlijden naar Nederland?'

Ze zijn inmiddels bij de plassen beland, precies op het punt waar de voetsporen van Bram, Ben en Maya ophouden en als het ware in het water verdwijnen.

Michiel steekt een sigaret op en biedt Victor er een aan, maar die maakt een afwijzend gebaar.

Ze blijven even staan en keren dan weer om, richting Bens huis.

'Wel, wel,' zegt Michiel. 'U bent een echte speurneus. Is uw volgende conclusie dat ik mijn broer heb laten ontvoeren, losgeld ga vragen, hem vervolgens laat vermoorden en dan de hele aandelenerfenis van mijn moeder opstrijk? Om dan de controle te hebben over zijn bedrijf?'

'Dat zijn uw woorden,' zegt Victor.

'Maak jezelf niet belachelijk, man.' Michiel wordt kwaad en is blijven staan. 'Natuurlijk is er wat voorgevallen tussen Ben en mij in het verleden, en wat dat is gaat u niets aan. En ja, er is rivaliteit tussen ons. Daaruit kun je voor een deel het aandelenbelang van LifeRisc in ZMG verklaren. Maar ook uit het feit dat het een prachtig winstgevend bedrijf is waarvan de koers de laatste jaren enorm is gestegen. En mijn moeder is dood. Die koopt er niet veel voor als ik aan haar sterfbed blijf plakken, en ik ook niet. Zo'n goede band had ik niet met haar. Ik ben naar Nederland gekomen omdat ik hier woon, omdat mijn vrouw hier woont en ik de jaarwisseling graag met haar door wilde brengen. En met de ontvoering of dood van mijn broer schiet ik niets op. Dan gaat zijn aandelenbelang of dat van mijn moeder naar zijn kinderen, neem ik aan. Beantwoordt dat je vragen, Victor? Trek je niet een beetje te grote broek aan voor een eenvoudige Haagse rechercheur?'

'Dus u bent niet uit op een vorm van controle van ZMG? Ook als grootste aandeelhouder zonder dat u de meerderheid heeft, kunt u veel macht uitoefenen.'

'Hou nou toch eens op, man. Ook al zou ik dat zijn, wat ik níét ben, voor alle duidelijkheid, dan gaat het je nog geen moer aan. En wat heeft dat met zijn ontvoering te maken? Je loopt veel te hard van stapel. Dit gaat jou boven je pet.'

'Het zou een motief kunnen zijn, meneer Zandstra. Bijvoorbeeld om uw broer te dwingen zijn aandelen of het stemrecht erop aan u of derden over te dragen. U kunt mij de huid vol schelden, maar ik ben het aan het onderzoek verplicht om alle mogelijke scenario's door te lichten. Er wordt tot op het hoogste niveau in dit land over mijn schouder meegekeken. Ik ben niet de enige die op dit idee is gekomen.'

'Dat zou toch altijd uitkomen,' antwoordt Michiel scherp.

'Er zijn vele constructies mogelijk,' zegt Victor droogjes.

'Ik heb mijn broer niet ontvoerd. En ik heb ook niemand daartoe opdracht gegeven. Is dat wat je wilt horen? Denk je nou werkelijk dat ik... Wacht eens even – is dat de reden dat Akkerman mij gevraagd heeft om hierbij te zijn? Is dit een soort set-up?'

'Eerlijk gezegd heb ik de heer Akkerman nog niet gevraagd waarom hij u heeft benaderd, dus van een set-up waarbij ik betrokken zou zijn, is geen sprake. Dat kan ik u verzekeren. Maar weest u ervan overtuigd dat u op mijn bijzondere aandacht kunt rekenen. Ik wil graag van u weten wat uw agenda de laatste weken geweest is en ik zou ook graag uw secretaresse en uw vrouw ondervragen.'

Victor kijkt Michiel terwijl ze het huis van Ben weer bijna genaderd zijn onbewogen aan.

'U heeft niets te verbergen, neem ik aan, dus dat is geen probleem?'

'U heeft mij diep beledigd, rechercheur. Eerlijk gezegd voel ik daar helemaal niets voor. Wat een vooringenomenheid, ik word er bijna onpasselijk van.'

'Zo u wilt, waarbij ik aanteken dat ik uw toestemming in het geheel niet nodig heb. U hoort vandaag nader van ons. Dank voor het gesprek.'

Victor versnelt zijn pas en beent naar de ingang van de bijkeuken, een verbouwereerde en woedende Michiel achterlatend.

35

Nadat Bram eerst de trap af is gelopen naar de keuken en een fles wodka uit de ijskast heeft gepakt, is hij de trap weer op gelopen naar de tweede verdieping. Hij heeft onderweg een paar stevige slokken genomen en staat nu in de deuropening van Sacha's kamer. Een kamer waar hij in geen maanden meer is geweest.

Door zijn tranen heen kijkt hij naar het bed van zijn dochter. Het dekbed ligt weggetrapt op de grond, het onderlaken is verkreukeld en de twee kussens liggen in elkaar gefrommeld tegen de muur van de kamer aan. Er liggen ook een donkerrode lipstick, een zwart onderbroekje, een haarspeld en een gebruikte witte badhanddoek op de boxspring. Rondom het bed liggen diverse kledingstukken, een paar blauwe Nikes en zeker drie paar hoge hakken.

Op het toilettafeltje tegen de muur is het een chaos van make-upspullen, wattenstaafjes en tissues. De spiegel is beplakt met foto's van Sacha en mensen die Bram niet kent. Ze lijken allemaal genomen te zijn in de club waar ze werkte. Op het tafeltje staat ook nog een foto in een goedkoop zilverkleurig lijstje. Het is een oude, beetje fletse kleurenfoto van het hele gezin in betere tijden, op vakantie in Frankrijk toen Sacha en Patrick rond de acht en dertien jaar oud waren.

Aan de muur boven het bed hangt een grote, met roze verf ingekleurde Warhol-fotoprint van Marilyn Monroe. De deur naar de kleine witte badkamer staat open, evenals die van een voor de ruimte veel te grote bruine kledingkast. De kleine kamer ligt precies boven de slaapkamer van Bram aan de achterkant van het grachtenpand, met uitzicht op de kleine tuin.

Zeker vijftien minuten staat hij daar, leunend tegen de deurpost. Voor zich uit starend, overspoeld door herinneringen en schuldgevoelens. Om de paar minuten een bijna terloopse slok wodka nemend.

Hij laat zijn tranen de vrije loop, kan die ook niet tegenhouden en vervloekt zichzelf, zijn zoon en de wereld om hem heen.

Uiteindelijk gaat hij in elkaar gezakt op het bed zitten en huilt, met zijn ellebogen op zijn knieën en zijn handen voor zijn gezicht, zo hard dat hij snikkend en hikkend naar adem moet happen. De inmiddels bijna lege fles wodka staat naast hem op de grond.

Bram voelt zich volledig uitgeput, verdoofd, alsof iemand hem een enorme oplazer heeft gegeven. Zijn benen zijn loodzwaar en hij is niet meer in staat om helder te denken.

Hij laat zich op zijn zij op het bed van zijn dochter vallen; na enkele minuten valt hij als een blok in slaap.

Toen hij weer wakker werd, was het donker. Hij had barstende hoofdpijn en er irriteerde iets mateloos in zijn ogen. Het waren zijn zachte lenzen, die ergens scheef in de hoeken van zijn oogkassen zaten. Hij wreef in zijn ogen en realiseerde zich wat het probleem was. Verdwaasd keek hij om zich heen en richtte zich moeizaam op.

Hij rook zichzelf, hij stonk naar zweet.

Langzaam ging alles weer dagen en nam dat doffe gevoel weer bezit van hem.

Onzeker stond hij op en liep wankel, alsof het voor het eerst was, de trap af naar zijn eigen slaapkamer.

Hij deed het licht aan, trok zijn kleren uit, peuterde voor de spiegel de lenzen uit zijn ogen, wat wel een uur leek te duren, trok zijn haar los en stapte onder de douche.

Gedurende zeker tien minuten liet hij het warme douchewater over zijn hoofd en lichaam stromen en probeerde hij aan helemaal niets te denken.

Niet aan Sacha, niet aan Marianne, niet aan Patrick, niet aan Ben en Maya, aan helemaal niets. Het lukte bar slecht.

Hij pakte een stuk zeep en smeerde zich helemaal in, inclusief zijn haar. Daarna spoelde hij zich af en liet hij het water afwisselend warm en koud over zijn hoofd stromen. Maar het doffe, inmiddels kloppende gevoel in zijn hoofd verdween niet. Dit was geen kater die hij maar even kon wegspoelen.

Terwijl hij zich weer aankleedde voelde hij zich een ander mens worden. Een mens zo koud als ijs, met zijn emoties begraven, leeggehuild, uitgeperst als een sinaasappel, het laatste restje levensvreugde weggespoeld.

Een mens met een versteend hart.

Dit was niet zijn schuld, of die van Marianne. De verpersoonlijking van het kwaad, van die kuis verrotte maatschappij waarin hij leefde, zat in de schuilkelder van zijn schuur in de Betuwe, samen met zijn waarschijnlijk al even verdorven dochter.

Eigenlijk moest hij ze daar gewoon laten creperen, langzaam van honger en dorst laten sterven, laten wegrotten in hun eigen uitwerpselen. Geen mens zou het weten behalve hij, en hij zou er de wereld een grote dienst mee bewijzen.

Of misschien was het beter ze te verbranden. Gewoon wat benzine in de kelder laten lopen en aansteken. Een hellevuur!

Of onder water laten lopen en verzuipen!

Weg met die mindfucker. Geen woord meer aan verspillen!

Misschien was dat wel de manier, was het beter dan die spotjes op de tv.

En dan over een paar weken weer zo'n mindfucker oppakken en laten verdwijnen.

Na een jaar zou de wereld het wel begrijpen en zou niemand meer bij een mediaconcern willen werken. Gewoon opruimen.

Bram Rietveld als een soort hedendaagse versie van Robin Hood. Hij knapte behoorlijk op van deze opwekkende gedachtespinsels. Hij moest er zelfs om glimlachen.

Hij deed nieuwe lenzen in, wat weer een uur leek te duren, deed zijn haar in een staart en liep naar boven, naar zijn atelier op zolder.

Het is half tien 's avonds als hij de parkeerplaats voor zijn deur uit draait. Hij heeft zijn geladen Beretta bij zich, zijn Sony Digital Videoplayer en diverse cassettes. Zijn stemming is ijzig.

Godzijdank had Connie zich nog niet bij zijn huis gemeld. Hij was in een bui om haar ter plekke dood te schieten met haar vacuüm getrokken arrogante kop en altijd bijdehante teksten. Hoe had hij het ooit met dat kutwijf aan kunnen leggen. Alles was nep aan haar. Alleen maar bezig met zichzelf en met zijn poen...

Als hij eenmaal op de A2 richting Utrecht rijdt, twijfelt hij even. Had hij niet toch eerst naar het OLVG moeten rijden om zijn overleden Sacha nog een keer te zien? Zijn kleine meisje? Maar de twijfel verdwijnt weer op hetzelfde moment als die de kop opstak. Hij zou zichzelf en zijn dochter er geen dienst mee bewijzen. Ze was er niet meer, ze was allang weg uit haar lichaam.

'Het is tijd voor vergelding!' schreeuwt hij, nog steeds halfdronken. 'Ik kom eraan, Ben!' De Landrover scheert angstig dicht langs de vangrail.

Zijn rooie vader zei het al: 'Zachte heelmeesters maken stinkende wonden.'

De rotte plekken moesten maar eens permanent uit deze samenleving verwijderd worden.

36

'Pap?'
'Ja?'
'Hoe laat zou het zijn?'
'Geen idee, ik heb denk ik weer even geslapen.'
'Ik ook, en ik moet heel nodig naar de wc.'
Er komen een paar flauwe strepen daglicht door de luchtroosters in het luik van de kelder, ondanks dat er een stuk zeil over het ijzeren luik ligt.
'Moet je plassen?'
'Nee.'
'Probeer het op te houden, Maya. Hij zal zo wel weer komen en dan kun je boven naar het toilet.'
'Ik houd het al een halfuur op, ik red het bijna niet.'
'Ik begrijp het, schat, maar toch, probeer het. Anders wordt het hier nog onaangenamer dan het al is.'
'Dacht je dat ik het leuk vind?'
'Nee, nee, dat bedoel ik niet, maar...'
'Pap, ik houd het niet meer tegen. Ik ga het daar wel in de verste hoek achterin doen en dan gooi ik mijn broek erover tegen de stank. Die is toch nog steeds zeiknat en koud. Sorry, pap.'
'Oké schat, als het niet gaat dan gaat het niet.'

'Pap?'
'Ja?'
'Wat stinkt het hier naar poep!' Maya is met haar armen om haar opgetrokken benen tegenover haar vader gaan zitten tegen de muur van de bedompte ruimte. Ze heeft haar trui zoveel mogelijk over haar blote benen gesjord.
'Dat kun je wel zeggen, ja!' En ze schieten allebei in de lach.
'Jezus, wat stink jij,' zegt Ben.
'Nee, jíj ruikt naar rozen.' Weer moeten ze allebei lachen.
'Ik kan er ook niks aan doen. Wat blijft die vent lang weg, hè? Volgens

mij zitten we hier alweer uren in die vieze kelder. Brr.'

'Ik begrijp er ook niets van, Maya. Het duurt mij allemaal ook veel te lang. En ik krijg nu echt honger.'

'Ik ook.'

Ze zien vaag elkaars contouren door het heel weinige daglicht dat weet door te dringen in hun benauwde kleine gevangenis. Ben ligt nog steeds op de grond op het jack van Maya.

'Waarom noemde je me net een Jodin? Dat heb je nog nooit gedaan.'

'Wanneer?'

'Toen we het over losgeld hadden.'

'Zei ik dat?'

'Ja.'

'O, sorry. Alhoewel, dat was eigenlijk een compliment. Joden zijn vaak slimme en heel lieve mensen.'

Ben is inmiddels recht tegenover Maya gaan zitten, met zijn rug tegen de andere lange muur.

'Vind je mij slim?'

'Ik vond je teksten over dat losgeld wel slim, en het bewees dat je nadenkt. Heb je het trouwens niet koud zonder jack?'

'Ik ben eigenlijk helemaal niet zo blij met het feit dat ik een Jodin ben.'

'Hoezo?'

'Nou ja, ik vertel het aan niemand. Het zijn er de tijden niet echt naar om er te koop mee te lopen, hoor pap. Bovendien hebben jullie me niet Joods opgevoed.'

'Er is in Nederland toch niet echt sprake van antisemitisme? Ik bedoel, ik heb wel gehoord dat sommige Joodse mensen ongerust zijn over de ontwikkelingen in de wereld en ik hoor geen goede berichten uit Frankrijk. Maar valt dat niet allemaal nog wel mee?'

'Nee pap, dat valt niet mee. Daar vergis je je in. Bij mij op de universiteit lopen nogal wat mensen met een islamitische achtergrond en die zijn behoorlijk anti-Joods.'

'Hoe merk je dat?'

'Omdat ze daar openlijk over praten, waar ik bij ben. Ze vermoeden niet dat ik Joods ben en hebben het er regelmatig over. Vooral over Israël en de harde manier waarop dat land in hun ogen optreedt tegen de Palestijnen. Een land als Iran is trouwens openlijk zwaar anti-Joods.'

'En jij zegt ook nooit dat je Joods bent?' vraagt Ben.

'Ik kijk wel uit, dan ben ik de zondebok.'

'Hmmm... Dat is wel heel kwalijk.'

'Dat land ligt daar gewoon verkeerd,' zegt Maya.

'Je bedoelt Israël?'

'Ja. Hoe hebben de Verenigde Naties dat na de Tweede Wereldoorlog in godsnaam kunnen doen? De Joden een eigen staat geven midden tussen de moslims? Dan begrijp je het toch niet?'

'Historie, Maya. Jeruzalem, om maar wat te noemen. Trouwens, waar hadden ze die Joodse staat anders moeten stichten?'

'Jeruzalem is tot ver in de vorige eeuw islamitisch geweest,' zegt Maya. 'En al eeuwenlang, trouwens. Voor veel moslims is die stad belangrijker dan Mekka. Bovendien zitten alle invloedrijke en gefortuneerde Joden in Europa of Amerika en hebben ze hooguit een appartementje in Tel Aviv.'

'Zo zo, je hebt je er aardig in verdiept,' zegt Ben.

'Ik hoor niets ander om me heen, je hebt geen idee.'

'Dus Israël dan maar opheffen?'

'Dat willen ze het liefst, ja. Maar ik heb daar eens over nagedacht.'

'O ja... En jij gaat op je vierentwintigste een van de grootste problemen in de wereld oplossen?'

'Waarom zeg je dat zo laatdunkend?'

'Omdat het niet oplosbaar is. Je moet dit in historisch perspectief zien. Hoe lang bestaat Israël nu helemaal, ruim zestig jaar? Hoe lang hebben andere landen er niet over gedaan voordat ze geaccepteerd werden en de conflicten ophielden? Het gaat gewoon heel veel tijd kosten.'

'En veel mensenlevens,' zegt Maya. 'Heel veel mensenlevens.'

'*What else is new?*' vraagt Ben. 'Maar goed, vertel wat je bedacht hebt.'

'Heb je *De islamisering van onze samenleving* van Pim Fortuyn gelezen?' vraagt Maya.

'Er ligt een ander boek van hem in mijn studeerkamer, *De verweesde samenleving*, dacht ik. Dus nee.'

'Moet je doen, dat is een eyeopener. Die man is trouwens sowieso te gek, een drama dat die ooit vermoord is. Die begreep precies wat er aan de hand is in Nederland en in Europa. In ieder geval, de titel van het boek dekt aardig de lading. De Islam verspreidt zich verder over Europa en de VS, met grote gevolgen voor onze christelijk-Joodse cultuur. Een van die gevolgen is een verder oplaaiend antisemitisme.'

'Misschien,' zegt Ben. 'Dat ligt eraan hoe wij en onze politici daarmee omgaan.'

'Pap, denk na. Natúúrlijk is dat zo. Ik merk dat al behoorlijk, hoor. Trouwens, sinds wanneer heb jij vertrouwen in de politiek?'

'Oké, ga door.'

'Het is dus niet alleen een regionaal conflict dat, zoals jij dat zegt, "veel tijd gaat kosten". Dat Israël daar ligt en sinds 1948 alleen maar oorlogen voert tegen al die landen eromheen, wordt ook een groot internationaal probleem. Het voedt en versterkt de anti-Joodse gevoelens in de wereld, zeker bij de steeds groter worden groep moslims.'

'Hmm... Ik begrijp wat je zegt. Maar wat is je oplossing, Maya?'

'Israël verplaatsen naar Amerika, over een periode van bijvoorbeeld vijfentwintig jaar. Geef de Joden een eigen staat ergens in Amerika. Daar zitten sowieso de meeste rijke Joden al. Verkoop al het land, het onroerend goed en andere bezittingen die zich nu in Israël bevinden aan de Palestijnen tegen prijzen die marktconform zijn of vastgesteld door een VN-commissie. De olielanden die met de Palestijnen sympathiseren hebben genoeg geld om dat te betalen. En daarmee kan Israël een nieuwe staat opbouwen in de Verenigde Staten. Daar maken ze ongetwijfeld een succes van. En geef ze verder het recht te allen tijde ongehinderd Jeruzalem te blijven bezoeken. Zo was het onder het vorige islamitische regime daar ook geregeld. En doe het in een overzienbare periode. Bijvoorbeeld die vijfentwintig jaar waar ik het net over had. Daar kan iedereen wat mee. Dat biedt toekomst en hoop.'

'En jij denkt dat die Amerikanen daarop zitten te wachten?' vraagt Ben.

'De Joodse lobby in Amerika is enorm invloedrijk,' zegt Maya. 'Heel veel hoge posities in de financiële wereld, bij grote bedrijven en in Hollywood zijn in handen van Joden. Ze zijn beleid- en beeldbepalend. Er gaan elk jaar miljarden naar Israël vanuit de VS, allemaal georganiseerd door de Joodse gemeenschap.'

Ben denkt even na.

'Ik vind het in theorie geen slecht idee, ik heb zoiets volgens mij al eens eerder gehoord. Was het niet die oude dictator van Portugal, hoe heet hij ook alweer, Salazar, die eens zoiets heeft geopperd? Maar goed, ik denk dat Israël er nooit voor zal gaan en dat Amerika geen grondgebied zal afstaan aan een nieuw soeverein Israël met een eigen leger.

Hooguit als een staat binnen de staat, dus als een soort Californië. Vergeet niet dat die mensen na de Holocaust eindelijk een eigen land, een eigen identiteit hebben gekregen. Daar zit bloed, zweet en tranen in. Dat geven ze nooit meer op, en dat begrijp ik ook nog wel.'

'Misschien moet Israël geen andere keus krijgen,' zegt Maya. 'Zoals het nu is geregeld, wordt het nooit wat. Het is altijd oorlog daar.'

'Zo zo, dat zijn duidelijke teksten,' zegt Ben.

'Sorry pap, maar zo is het wél volgens mij. En als die islamisering verdergaat, breidt zich een nieuw antisemitisme uit als een olievlek over de aardbol. Daar zit helemaal niemand op te wachten. Zeker de Joden zelf niet. Hoeveel onrust en slachtoffers gaat dat weer niet geven. Zo krijgen die mensen nooit rust.'

'Dus je bent bang voor de islam, Maya?'

'Bang is een groot woord, maar wel bezorgd. De meeste moslims die ik ken zijn gematigd. Maar ik ken er niet één die de Joden een warm hart toedraagt. Ze steken elkaar aan, vooral de fundamentalistische moslims. En ik hoor dat veel gematigde moslims daar toch sympathie voor hebben. Het is een gevaarlijk virus.'

'Het is niet alleen een geloofsprobleem, Maya. Dus islam tegenover het Joodse geloof. Joden zijn in het algemeen slimme mensen en weten veel te bereiken in het leven. Ze hebben inderdaad veel invloed en macht. Maar ze spelen elkaar ook steeds de bal toe, vooral in Amerika. Dat gaat vaak heel ver en dat roept veel jaloezie en weerstand op. Eigenlijk overal in de wereld. En ze zijn ook meesters in het uitventen van hun eigen problemen. Weet je nog wat ik zei over de baatzucht van de mens?'

'Ja, ja,' zegt Maya.

'Het zal altijd een probleem blijven en steeds weer de kop opsteken. Gisteren waren het de nazi's, vandaag is het de islam, morgen is het weer een andere club. Je lost het niet op door Israël te verplaatsen, denk ik. Nog afgezien van het feit dat ze er niet over zullen piekeren. Ze zouden zich als minder hechte gemeenschap moeten profileren, makkelijker toegankelijk moeten worden voor niet-Joden en bijvoorbeeld meer aan hulpverlening moeten doen voor niet-Joodse mensen in de wereld. Dat soort zaken.'

'Wijze woorden, pap, en daar ben ik het ook mee eens, maar dat doen ze toch niet – en nu herinner ik jóú maar even aan "de baatzucht van de mens". Ik blijf zeggen dat door Israël te verplaatsen naar Amerika er enorm veel druk van de ketel wordt gehaald. Misschien wel voor altijd.'

'Die Amerikanen vinden het volgens mij ook wel prettig dat Israël in het Midden-Oosten ligt en er tenminste een beetje tegenwicht wordt gegeven aan de islam,' zegt Ben. 'Ik denk dat je het kunt vergeten.'

'Waarschijnlijk,' zegt Maya. 'Maar het wordt wel tijd dat er eens openlijk over gediscussieerd gaat worden.'

Beiden zwijgen ze een aantal minuten en gaan maar weer eens voor de zoveelste keer verliggen.

'Het is inderdaad ongelooflijk dat wij hier in dit benauwde keldertje tot dit soort gesprekken komen,' zegt Ben ineens. 'Ik wist niet dat jij hier zo mee bezig was. Het doet me bijna vergeten waar ik ben.'

'Jij leeft ook behoorlijk in een afgeschermde wereld, pap,' zegt Maya kalm. 'Ik bedoel, wanneer spreek jij nog de gewone man in de straat? Die heeft hiermee te maken, en met nog veel meer problemen. Dat gaat allemaal langs jou heen. Jij zit bovendien meestal in New York. En daar vlieg je ook nog eens met je eigen vliegtuig naartoe.'

Ben valt van de ene verbazing in de andere. Zo kende hij zijn vierentwintigjarige dochter totaal niet. Dit gaf hem een veel genuanceerder beeld van Maya.

'Ben je op andere gebieden ook zo maatschappelijk geëngageerd, of komt dit alleen omdat je je aangesproken voelt als Jodin?'

'Ik voel me helemaal geen Jodin, maar ik ben het wel. Dat ga je je realiseren als anderen het steeds over "de Joden" hebben. Dan ga je erover nadenken. Maar ik heb over veel andere problemen in de maatschappij ook een mening, hoor pap!'

'Zoals?' vraagt Ben. 'Vertel. We hebben hier toch niets anders te doen en het leidt af.'

'Pf... Ik ben ook wel moe, hoor. Zullen we het over een iets lichter onderwerp hebben?' vraagt Maya. 'Hoe laat zou het trouwens zijn?'

'Geen flauw idee,' zegt Ben.

'Als ik een schatting zou moeten maken, denk ik een uur of elf of twaalf 's ochtends. We hebben denk ik een paar uur geslapen of zo, en die Bram ging ongeveer tegen het eind van de nacht hier weer weg. Dus zoiets.'

'Dan moet hij toch elk ogenblik weer hier zijn, zou je zeggen. Ik houd het hier nauwelijks meer uit in dit stinkende donkere hol. Ik ben benieuwd hoe dit verdergaat,' zegt Maya.

'Anders ik wel. Maar laten we daar maar niet te veel over speculeren, schat. Dat heeft geen enkele zin. Het zal toch allemaal wel anders lopen dan wij ooit kunnen bedenken. Laten we maar weer tegen elkaar aan gaan liggen, je zit te rillen van de kou. Heb je nog steeds hoofdpijn?'

'Een beetje,' zegt Maya, en ze gaat samen met Ben weer op haar jack liggen.

'Denk jij nooit dat hij ons gaat vermoorden?' vraagt Maya.

'Daar denk ik liever niet aan.'

Het blijft even stil.

'Natuurlijk heb ik daaraan gedacht, Maya. Maar het heeft niet zoveel zin om onszelf gek te maken. Wij samen hebben het over losgeld gehad, hij nog helemaal niet. Hij wil "dat ik iets anders uit ga zenden". Hij lijkt me echt een linkse idealist die het spoor bijster is. Ik hoop dat ik hem om kan praten en een deal met hem kan maken of zo.'

'Dan moet je geen ruzie meer met hem zoeken,' zegt Maya.

'Maar ik moet me ook niet te onderdanig opstellen. Daar trapt hij ook niet in,' zegt Ben.

Het blijft een halve minuut stil in de kelder.

'Maar goed, je hebt gelijk, ik was vanmorgen misschien wel iets te heftig. Ik moet hem meer voor me in zien te nemen. En jij kan daar ook een rol in spelen, Maya. Als het waar is dat zijn dochter in het ziekenhuis ligt, dan is dat nu zijn zwakke plek.'

'Hoe dan?' vraagt Maya.

'Hallo, jij studeert psychologie, niet ik.'

'Ja, ja, ik begrijp je. Ik zal mijn best doen. Maar ik ben niet zo optimistisch als jij, pap. Wat hij ook van je wil, ik blijf zeggen dat wij weten hoe hij eruitziet, en dan zou hij wel gek zijn om ons in leven te laten.'

'En nu onderschat jij je vader, lieverd. Als ik iets kan, is het onderhandelen. Nogmaals, dit is denk ik geen eenvoudige losgeldontvoering. En daar ligt misschien onze kans. Ook als hij uiteindelijk wél losgeld wil, trouwens. Dan moeten we hem ervan zien te overtuigen dat we nooit achter hem aan zullen gaan. Maar laten we het hier niet eindeloos over hebben. Een mens lijdt het meest door de dingen die hij vreest.

Wat niet wil zeggen dat we niet ook moeten kijken of we hem niet gewoon fysiek onschadelijk kunnen maken op enig moment. Ik heb in de hoek tegenover ons in die schuur een ijzeren pijp in een bankschroef zien zitten en allerlei gereedschap zien hangen. Als we daar iets van te pakken kunnen krijgen, of iets anders, en hem daarmee een mep kunnen verkopen, dan vind ik dat ook een uitstekend plan.'

'Dat zou ik zelfs een veel beter plan vinden, pap. Of misschien moet je hem net zo'n kopstoot verkopen als hij jou gegeven heeft als je daar de kans voor krijgt. Dan pak ik snel zijn pistool af en zijn we ook klaar.'

'Hij zal mij meer in de gaten houden dan jou, Maya. Maar ik zal het zeker overwegen als ik de kans krijg. Als jij hem dan ook nog een trap in zijn kruis geeft, dan is-ie wel even out.'

'Ik word er helemaal gewelddadig van, pap. Ik kan niet wachten om die eikel eens flink aan te pakken. Ik ben helemaal klaar met dit hol en met zijn grote mond.'

Ze moeten allebei grinniken.

'Weet je wat misschien een idee is?' zeg Ben. 'Als hij dat metalen luik opengooit, storm ik onverwacht naar buiten en duik ik boven op hem. Een verrassingsaanval. Jij komt onmiddellijk achter me aan. Ik probeer hem te overmeesteren en zijn pistool te pakken, maar als mij dat niet lukt, moet jij het doen.'

'Zou kunnen werken,' zegt Maya. 'Het is in ieder geval een plan en beter dan maar af te wachten.' En ze kruipt nog dichter met haar lichaam tegen haar vader aan.

37

'Met Sander.'

Sander zit achter zijn witte bureau in het gebouw van ZMG Internet Distributie in Utrecht en neemt zijn telefoon op. Er is verder niemand in het pand op deze eerste januari van het nieuwe jaar. Het is rond half drie in de middag.

'Hé Sander, met Paul. Hoe is het, ben jij aan het werk vandaag?'

'Gaat wel, naar omstandigheden dan, hè. Ja, ik kan maar beter werken, heb ik afleiding. Hoe was die vergadering?'

'Daarom bel ik je, om verslag te doen. Ze weten nog niks, Sander. De politie heeft op basis van sporenonderzoek, ondervragingen, buurtonderzoek, nou ja bedenk het, nog geen idee waar papa en Maya zijn. We hebben ook nog niets van eventuele ontvoerders gehoord en er is geen enkele bruikbare tip binnengekomen.'

'Eventuele ontvoerders?' vraagt Sander.

'Nou ja, ik praat die rechercheur na. Ze houden ook nog rekening met de mogelijkheid dat papa er zelf vandoor is gegaan of zijn eigen ontvoering heeft geënsceneerd.'

'Wat een onzin,' zegt Sander. 'Alsof papa zoiets zou doen.'

'Heb ik ook gezegd. Maar goed, we weten dus nog niets.'

'En die dooie buurman die onder aan de trap lag?'

'Kan er iets mee te maken hebben, kan ook een bizar toeval zijn. De politie lijkt te opteren voor het laatste. Papa stond op slechte voet met hem vanwege zijn blaffende honden. Het zou kunnen zijn dat hij verhaal kwam halen en er verder niets mee te maken heeft. Ze hadden net een paar dagen geleden hevige ruzie gehad en papa had gedreigd die beesten te laten afschieten met hem en zijn vrouw erbij!'

'Dat klinkt inderdaad als papa. Heeft de vrouw van die buurman dat verteld?'

'Ja.'

'Blijft een raar toeval.'

'Heeft mama jou ook al gebeld?' vraagt Sander.

'Ja, ik had haar net aan de lijn. Ik heb Karin, de moeder van Maya, ook al gesproken.'

'Wat zei die?'

'Niet veel, beetje verslagen. Ze is zich doodgeschrokken, zoals wij allemaal, en hoopt op een goede afloop. Ze vroeg nog of ze iets kon betekenen voor ons. Ik heb het afgewimpeld.'

'Was Michiel er ook bij?'

'Ja,' zegt Paul.

'Wat vond je van hem? Vertrouw je hem?'

'Tja, ik weet het niet. Hij kwam heel relaxed binnen, maar hij heeft ook iets verkrampts, iets onbestemds. Ik heb uitgebreid met hem gesproken voor en na de vergadering en hem een beetje het huis van papa laten zien. Waar het gebeurd is en zo. Je kunt trouwens goed zien dat het zijn broer is. Dezelfde ogen en vooral dezelfde manier van praten.'

'Oké, maar dat weet ik al.'

'Hij was goed pissed op die rechercheur van de Haagse politie. Die heeft zoals afgesproken tijdens de vergadering al gezegd dat hij het maar merkwaardig vond dat hij erbij was en hem dat later onder vier ogen nog eens ingepeperd. Hij heeft hem op het verdachtenlijstje geplaatst.'

'En dat trok hij niet?'

'Niet echt, nee.'

'Hebben jullie hem gevraagd waarom hij zo'n groot belang in ons bedrijf heeft opgebouwd?'

'Niet tijdens de vergadering, maar die rechercheur wel daarna. Hij antwoordde dat het wel iets met rivaliteit tussen hem en papa te maken had, maar vooral omdat het een goed bedrijf was waarvan de koers hard was gestegen. En dat hij niets maar dan ook niets met de ontvoering te maken heeft. Hij was zwaar beledigd.'

'Geloof jij het? De koers is eigenlijk toch nog steeds veel te laag?' zegt Sander

'Ik weet het niet. Het zou kunnen. Ik weet dat jij iets sceptischer bent, maar het zou wel heel dom van hem zijn als hij er iets mee te maken heeft.'

'Je moet je vijanden dicht tegen de borst houden, Paul. Dat zegt papa altijd.'

'Ik heb zo mijn twijfels, maar ik durf hem ook niet te beschuldigen,' zegt Sander. 'Het is in ieder geval goed dat hij er nu door ons bij betrokken is. Het wordt vanzelf duidelijk uit welke hoek de wind waait. Ik weet wel dat als hij de helft van het belang van 25 procent van oma zou erven, hij na papa de grootste aandeelhouder in ons bedrijf is. En dat vind ik toch opmerkelijk voor een gebrouilleerde broer.'

'Dan heeft hij nog maar 12,5 procent direct en 11 procent indirect,' zegt Paul.

'Dat LifeRisc Investments is megarijk en werkt samen met grote Amerikaanse hedgefondsen, Paul. Als die een bod doen op de rest van de aandelen die aan de beurs genoteerd zijn, dan heeft hij met het belang van oma erbij de meerderheid in handen. Of hij is gewoon een klootzak die er wel iets mee te maken heeft en papa op de een of andere manier onder druk zet. Of misschien is het inderdaad rivaliteit tussen hem en papa en heeft hij niets te maken met die ontvoering. Dan kunnen we hem maar beter te vriend houden. Hij kan dan nog van grote waarde blijken te zijn.'

'Gedeeltelijk mee eens. Je vijanden tegen de borst houden is één, er zaken mee doen is weer iets anders,' zegt Paul.

'Paul, nogmaals: als de beurzen opengaan en papa is nog steeds niet gevonden, dan krijgt de koers van het aandeel zmg een enorme klap. Dan gaan er misschien wel honderden miljoenen aan beurswaarde in rook op. Dit is een business die sterk aan personen hangt. Papa heeft het bedrijf van scratch af aan opgebouwd. We gaan alle steun die we kunnen mobiliseren nodig hebben, en Michiel wekt vertrouwen. Hij is zijn broer en de grote baas van LifeRisc.'

'Die moet dan eventueel een persconferentie beleggen,' merkt Sander op. 'Is dat al doorgesproken?'

'Nog niet,' zegt Paul. 'We maken eerst een bericht voor het personeel. Tom Akkerman geeft een voorzet.'

'Oké,' zegt Sander. Maar nog even over die hedgefondsen. Je weet dat die achter ons aandeel aan zitten. Als wij niet met een goed verhaal komen, dan zien die hun kans schoon het aandeel voor een lage koers op te kopen.'

'Ja, en diezelfde Michiel werkt samen met die hedgefondsen,' zegt Paul.

'Klopt, maar doordat hij er nu bij betrokken is, kan hij het tegenover de buitenwereld niet maken om juist nu, terwijl zijn broer is ontvoerd, toe te slaan. Dat brengt zijn eigen positie in gevaar. De pers zal hem afbranden en wij zullen dat vuurtje wel opstoken. Hij is de enige die die aasgieren op afstand kan houden.'

'Weet ik, ik volg je redenering ook wel, anders had ik er niet in toegestemd hem erbij te betrekken. Maar ik denk dat als papa weer boven water komt en hij hoort het, hij het zacht uitgedrukt niet leuk zal vinden.'

'In eerste instantie niet, nee. Tot hij ons verhaal hoort. Bovendien, misschien – en dat hoop ik – is die Michiel toch redelijker dan wij denken. Hij kan daadwerkelijk het bedrijf van papa opkopen hè, zeker met de aandelen van oma erbij, en dan kan hij het zo opknippen en in stukken doorverkopen. Wordt bijvoorbeeld jouw muziekdivisie doorverkocht aan Warner Bros en sta je binnen de kortste keren op straat. Maar het belangrijkste: papa zijn levenswerk is dan kapotgemaakt.'

'Als Michiel dat allemaal zou doen, ja.'

'Nou, die geruchten horen we al langer uit de financiële wereld, hè. Ik kom met dit verhaal niet uit de lucht vallen,' zegt Sander.

'Weet je Paul, ik zit hier de hele dag al over na te denken. Die ontvoering is natuurlijk een drama, maar als die goed afloopt en Michiel blijkt er niets mee te maken te hebben en we weten het voor elkaar te krijgen dat papa en Michiel het weer met elkaar kunnen vinden...'

'Je neemt nu wel hele grote stappen,' zegt Paul.

'Laat me nou even uitpraten. Je weet dat papa graag een grote filmstudio in Hollywood zou overnemen. Alléén krijgt hij de financiering niet rond. Maar met een bedrijf als LifeRisc erachter... En dan is er natuurlijk nog de reden waarom ik er niet bij was en die ik eigenlijk graag samen met Michiel wil bespreken.'

'Ja, dat wilde ik je ook vragen. Dat wil je nog steeds?'

'Denk het wel, met jou erbij graag.'

'Oké, maar nu even serieus, Sander...'

'Ik ben bloedserieus, Paul. En ik weet zeker dat papa van ons ook verwacht dat we hier heel goed over nadenken en actie ondernemen, ook ten behoeve van ZMG. Dat is zijn leven.'

'Oké, oké, maar ik begin mij toch wel grote zorgen te maken over papa en Maya. Het is over een paar uur al vierentwintig uur geleden en we weten nog niks. Helemaal niks.'

'Wat kunnen we doen?' vraagt Sander. 'Het is inmiddels bekend in het hele land en ver daarbuiten. De politie zit erbovenop. Er zal toch wel op een gegeven moment een bruikbare tip binnenkomen waarmee we wat kunnen? Of een bericht van de ontvoerders.'

'Dat zou je denken. Ik hoop het van ganser harte.'

'Als ze maar niet mishandeld worden of in een of ander donker hok gestopt zijn.'

'Dat hoop ik ook niet,' zegt Sander. 'Dat zijn traumatische ervaringen.'

'Wat heb je trouwens tegen Michiel gezegd over mijn afwezigheid?'

'Niets, hij vroeg er niet naar. Hij was heel kwaad over de aantijgingen van die Haagse rechercheur, bijna van zijn stuk gebracht.'

'Dat kun je op twee manieren uitleggen,' zegt Sander. 'Goed dat ik er niet bij was, maar ik wil hem nu wel ontmoeten.'

'Je weet het zeker, hè?' vraagt Paul

'Ja, het moet er toch een keer van komen. Zullen we hem uitnodigen voor een etentje vanavond? Mits er niets tussen komt natuurlijk.'

'Lijkt me een goed plan. Ik bel hem en dan bel ik je zo terug,' zegt Paul.

'Oké, tot straks.'

38

'Jezus christus, ik word gek in dit hol,' roept Ben.

'Anders ik wel,' zegt Maya.

Ze zijn met hun verkleumde lijven al een ontelbaar aantal keren gaan verliggen en beginnen langzaam maar zeker de moed te verliezen dat Bram ooit nog terugkomt.

Maya heeft twee keer spontaan een huilbui gehad en Ben heeft de grootste moeite de stemming een beetje positief te houden. Ze zijn totaal verstijfd, hebben dorst en honger, zijn leeggeplast en -gepoept en het stinkt een uur in de wind in de benauwde, ondergrondse ruimte. Het schaarse beetje daglicht dat nog was doorgedrongen in de kelder is inmiddels verdwenen. Ze rillen en bibberen voortdurend van de kou en Maya begint een hoestje te ontwikkelen.

Ze proberen af en toe iets van oefeningen te doen om het een beetje warm te krijgen en de kou uit hun botten te verjagen, maar er is nauwelijks ruimte. Vaak vallen ze even in slaap, maar nooit langer dan een uur. Boven op het luik horen ze af en toe het gescharrel van muizen of ratten.

Ze zien er slecht uit, hebben inmiddels wallen onder hun ogen, stinken naar zweet en zijn doodop. Ze zitten inmiddels ruim vierentwintig uur in de kelder.

'Hoe is het in godsnaam mogelijk dat wij hier nog van die diepgaande gesprekken hebben gevoerd,' zegt Ben om maar iets te proberen.

'Inderdaad,' zegt Maya. 'En in die kou.'

'Misschien juist wel daarom.'

'Weet je waar jij eigenlijk nooit over praat, pap?'

'Nou?'

'Je broer Michiel met wie je geen contact meer hebt.'

'Er is ook niet veel over te zeggen,' zegt Ben. 'Hij is mijn twee jaar jongere broer die het uitstekend doet in het bedrijfsleven. Hij is voorzitter van de Raad van Bestuur van een grote verzekeringsmaatschappij en via die club ook nog eens aandeelhouder in mijn bedrijf. Hij is getrouwd, woont in Wassenaar, heeft volgens mij geen kinderen. En daarmee houdt het eigenlijk wel een beetje op.'

'Kom op pap, niet zo zakelijk. Je bent samen met hem opgegroeid in Rotterdam. Jullie hebben je jeugd, je puberjaren samen gedeeld. Heb je nooit de behoefte om hem eens op te bellen of met hem af te spreken?'

'Het komt niet eens in me op hem te bellen of te bezoeken,' zegt Ben. 'Ik denk simpelweg nooit aan hem. Dat wil zeggen, bijna nooit.'

'Je hebt me vroeger wel eens verteld dat jullie ruzie hebben gehad over de verdeling van de aandelen in het bedrijf van je vader?'

'Nou ja, hij maakte ruzie. Voelde zich benadeeld. Het bedrijf van mijn vader was eigenlijk failliet en ik heb het met bankleningen weten voort te zetten, terwijl hij nog de student uithing. De banken eisten ook dat ik de ruime meerderheid van de aandelen zou bezitten en in onderpand zou geven om de leningen te krijgen.'

'Dus eigenlijk ging het over geld?'

'Hm... Voor hem was het denk ik meer dan dat. Hij heeft er toen trouwens nog een mooi bedrag voor gekregen van me. Maar buiten dat gingen we ook als kinderen nauwelijks met elkaar om. Het klikte gewoon niet tussen hem en mij. We hadden ieder onze eigen vriendjes, we zaten ook op verschillende scholen. Er is niet zo vreselijk veel meer over te zeggen. Hij heeft op een gegeven ogenblik het contact verbroken.'

'Toch heeft hij nu een groot belang in zmg opgebouwd. Dat zegt iets, pap.'

'Ben ik met je eens. Ik vermoed dat hij me wil laten zien hoe machtig hij wel niet is, zo van: ik heb nu 11 procent, maar ik kan die hele tent van je opkopen als ik dat zou willen.'

'Hoezo, jij hebt samen met oma toch de meerderheid van de aandelen?'

'Ja, maar 48 procent is aan de beurs genoteerd. Als hij daarop een bod zou doen, zou hem dat heel machtig maken en de grootste aandeelhouder. En mijn moeder is zoals je weet al oud en ernstig ziek.' Bijna had Ben zich versproken en gezegd dat ze is overleden. 'Als hij bijvoorbeeld de helft van haar aandelen zou erven, dan zou hij op die manier de meerderheid in handen kunnen krijgen. Weliswaar samen met LifeRisc, maar hij is daar wel de ongekroonde koning.'

'Kun je daar niks tegen doen?' vraagt Maya.

'Jawel, maar dat is niet eenvoudig. Ik ben sinds kort in alle stilte begonnen met een aandeleninkoopprogramma. Dat houdt in dat zmg langzaam zijn eigen beursgenoteerde aandelen terugkoopt. Maar ja, op een gegeven ogenblik moet ik dat als bedrijf melden. Het is de kat op het spek binden.'

'Waarom neem je dan geen contact met hem op?'

'Tja, Maya... Waarom zitten we hier? Op sommige vragen heb ik ook het antwoord niet. Trots, denk ik.'

'Hoe zou het met oma zijn?' vraagt Maya.

'Niet goed,' zegt Ben voorzichtig. Hij wil Maya voorlopig sparen. 'Ik heb gisteren nog contact gehad.'

'O...' zegt Maya zacht.

'Ik krijg een beetje een droge mond.'

'Ik ook,' zegt Ben terwijl hij voor de zoveelste keer gaat verliggen.

'Ik hou van je, Maya.' Ben drukt zijn dochter stevig tegen zich aan. 'We komen hier wel uit.'

'Ik hou ook van jou, pap,' zegt ze zwakjes. Dan valt ze weer in slaap.

39

Halverwege de rit naar zijn boerderij in de Betuwe gaat er een lichtje branden op het stoffige dashboard van Brams oude Landrover.

Hij moet tanken.

Een mooi moment om een jerrycan met benzine te kopen, in die kelder te laten lopen en die mindfucker met zijn dochter in brand te steken, denkt Bram kwaadaardig.

Twintig kilometer verderop is er een tankstation en Bram gaat noodgedwongen van de snelweg af.

Terwijl hij staat te tanken onder de felverlichte overkapping merkt hij voor het eerst dat het buiten koud is. Het moet ergens tegen het vriespunt zijn. Hij rilt en ritst zijn jack dicht. Hij voelt zich bepaald niet top, heeft bonzende hoofdpijn en dorst, enorme dorst. En honger. Hij heeft thuis niets gegeten.

Het is een groot tankstation met zeker twaalf pompen. Binnen in het gebouw is het warm. Verspreid staan een paar chauffeurs ongeïnteresseerd iets te eten. Er is een rij van zo'n vijf mensen bij de kassa, waarvan er maar één open is. Niemand besteedt aandacht aan hem.

Achter in het gebouw bevindt zich een bord met FOOD COUNTER. Bram loopt ernaartoe. Er liggen achter glas allerlei soorten belegde broodjes en ook warme happen, zoals kroketten, knakworsten, kaassoufflés en hamburgers.

Bram bestelt een broodje kroket en een klein pakje melk en rekent af. Hij drinkt de melk in één teug op en werkt het broodje met grote happen naar binnen.

'Zo, dat gaat er wel in hè,' zegt de vrouw achter de counter glimlachend.

'Jezus wat is dat lekker, dat had ik effe nodig,' zegt Bram. 'Doe me nog maar een keer hetzelfde.'

Hij begint letterlijk en figuurlijk te ontdooien en denkt ongewild aan de situatie waarin Ben en Maya zich moeten bevinden. Hij loopt wat rond en kijkt wat er zo allemaal te koop is. Hij pakt drie grote pakken melk, twee gezinszakken paprikachips, vier gevulde koeken en gaat in de rij staan bij de kassa om af te rekenen.

Eenmaal terug in zijn auto zet hij de radio aan en hoort vrijwel onmiddellijk op het nieuws van tien uur die avond dat er nog geen nieuwe ontwikkelingen zijn rond de ontvoering van Ben Zandstra en zijn dochter.

Maar die gaan er wel komen, denkt Bram. 'En je gaat die eikel en zijn dochter niet eerst vermoorden,' mompelt hij nu tegen zichzelf. 'Dat kun je altijd nog doen. Je gaat nu eerst je meesterplan ten uitvoer brengen, Bram Rietveld. Je gaat zorgen dat die spotjes waar je al die tijd aan gewerkt hebt ook daadwerkelijk uitgezonden worden. Anders word je de grootste loser die er op twee benen rondloopt.'

Hij voelt zich iets beter en begint te ontnuchteren. De melk en de kroketten doen hun werk. Hij probeert niet aan Sacha en Patrick te denken, maar zich te concentreren op de dingen die komen gaan.

Voor hij het weet rijdt hij de dijk bij zijn boerderij af en staat hij voor de schuur. Het is nevelig rondom de nauwelijks verlichte gebouwen.

Hij doet de hoge deuren open, knipt het licht aan, loopt naar binnen en zet de pakken melk, de gevulde koeken en de chips op een van de stoeltjes bij de kelder. Het is rond half elf en het is binnen in de schuur net zo koud en naargeestig als daarbuiten.

Eén moment staat hij stil en luistert aandachtig. Hij hoort geen enkel teken van leven onder het zeil vandaan komen dat over het luik ligt.

Vreemd, denkt Bram. Vervolgens loopt hij weer terug naar zijn Landrover om het koffertje met zijn videocamera en cassettes op te halen. Onderweg bedenkt hij zich en loopt eerst naar de boerderij, die maar met één buitenlamp verlicht is.

Hij opent de voordeur, loopt door de hal naar een van de kamers, doet het licht aan en ziet daar liggen waar hij voor kwam. Een stapel verhuisdekens. Hij pakt er drie, doet het licht weer uit, loopt snel terug en doet de deur van de boerderij weer op slot.

Zodra hij buiten is realiseert hij zich dat het in de boerderij ook wel erg koud is. Blijkbaar is de cv-ketel uitgevallen...

Eenmaal bij zijn Landrover pakt hij met zijn vrije hand het koffertje, duwt met een van zijn voeten de deur van de auto dicht en loopt de schuur weer binnen. Vlak bij de kelder laat hij de dekens op de grond vallen en zet het koffertje naast een van de stoelen. Hij sluit de deuren van de schuur en loopt weer naar de schuilkelder.

Er komt nog steeds geen enkel geluid uit de kleine kelder. Bram begint zich ongewild toch een beetje zorgen te maken.

Ze zullen toch niet... denkt hij, en in één ruk trekt hij het zeil van het luik af. Hij ruikt onmiddellijk de penetrante geur van urine en poep die door de luchtroosters eindelijk zijn weg naar buiten vindt.

'Jezus christus,' mompelt Bram. 'En ik ben nog geen dag weg geweest.'

Hij pakt zijn sleutels om het luik open te doen, maar pakt eerst zijn fotocamera die hij altijd bij zich heeft en zet hem aan. Hij opent het slot, trekt het ijzeren luik omhoog en schrikt toch wel een beetje van wat hij ziet. Bram deinst met zijn bovenlichaam half naar achteren vanwege de stank die hem tegemoetkomt en moet bijna kokhalzen.

Hij doet een kleine stap terug.

Onder aan de trap liggen Ben en Maya dicht tegen elkaar aan in de lepeltjeshouding, met hun bovenlichamen op Maya's grijze Donna Karen New York-jack. Vooral de blote vuile benen van Maya vallen hem op; ze heeft de sokken van haar vader aan.

In een van de hoeken aan het einde van de kelder ligt Maya's spijkerbroek opgefrommeld in een plas urine.

Ben en Maya zijn inmiddels wakker geworden, volkomen verstijfd van de kou, en kijken met samengeknepen ogen naar boven, naar Bram die hen staat te fotograferen.

Dit is precies het plaatje dat ik nodig heb, denkt Bram.

'Leven jullie daar nog in je eigen pis en stront?' roept hij nu luid.

Maya moet hoesten en zegt met niet al te vaste stem: 'Ben je daar eindelijk?'

'Je hebt toch geen kritiek op het feit dat ik een beetje laat ben?' vraagt Bram.

'Je zou hier zelf eens een dagje moeten gaan liggen. Ik denk dat je dan wel anders piept,' zegt Maya.

Houterig en verkleumd krabbelen Maya en Ben overeind terwijl Bram boven aan de trap staat toe te kijken. Van hun plan om de kelder uit te stormen en Bram bij verrassing te overvallen komt niets terecht.

'Wat stinken jullie!' roept hij weer luid, om dan op een wat begripvollere toon te zeggen: 'Kom er maar even uit. Ik heb hier wat te eten en een paar dekens.'

'*Thank God*,' zegt Maya.

'De foto's die ik net van jullie genomen heb staan morgen waarschijnlijk op de voorpagina's van alle kranten. Vinden de mensen leuk, volgens jullie eigen normen. Fijn om 's morgens de ellende van een ander te zien bij een warme kop koffie in een warm huis. Zijn jullie deze keer zelf het onderwerp van dat gezellige leedvermaak. Er zullen vast meer kranten door verkocht worden. Worden jullie nog echt Bekende Nederlanders en word je nog vaker uitgenodigd voor feestjes!'

'Niks zeggen, pap,' fluistert Maya. 'Eerst wat eten en drinken.'

'Ja, ja,' verzucht Ben. Achter elkaar gaan ze het gammele trappetje op, Ben voorop.

'Heel goed Maya, ik hoor het wel. Houd je vader maar een beetje in toom, anders verkoop ik hem weer een kopstoot.'

'Hoe laat is het eigenlijk?' vraagt Maya, nog steeds hoestend, terwijl ze nog onder aan de trap staand haar jack weer aandoet.

'Elf uur. Valt allemaal reuze mee. Ik was eigenlijk van plan morgenochtend pas te komen, maar ik heb foto's nodig en die moet ik ook nog ontwikkelen. Dus in mijn onbegrensde goedheid ben ik nu maar gekomen.'

Maya en Ben antwoorden niet.

Bram maakt nog meer foto's van de twee terwijl ze de trap op klimmen. Daarbij waakt hij er zorgvuldig voor dat er nauwelijks achtergrond in beeld komt.

Zodra ze boven zijn doet hij een aantal stappen terug en gebaart naar de stoelen met de pakken melk, koeken en chips.

'Val maar aan,' zegt hij. Ineens klinkt hij weer vriendelijk.

Maar Maya heeft de verhuisdekens gezien en loopt eerst daarop af.

Ze pakt er twee en geeft die aan haar vader, die ze onmiddellijk om zich heen wikkelt. Ben staat voor zijn gevoel te bevriezen. Dan pakt ze er een voor zichzelf, die ze om haar benen probeert te wikkelen en dicht te knopen als een badhanddoek. Met de dekens om zich heen gewikkeld lopen ze voorzichtig naar de stoeltjes.

Ze zijn allebei blij dat ze de kelder uit zijn en rechtop kunnen staan.

Ben pakt eerst een pak melk, opent dat met onvaste handen en geeft het aan Maya, die gulzig begint te drinken. Ze drinkt zeker meer dan een kwart liter achter elkaar op en geeft het pak dan terug aan haar vader, die hetzelfde doet.

Ze voelen de energie weer in hun lijven terugvloeien en eten gretig van de gevulde koeken. Ze rillen nog steeds van de kou, maar de dekens voelen weldadig aan. Ze drinken nog meer melk; het pak is snel leeg.

Bram staat het tafereeltje zwijgend en met een geamuseerde glimlach op zijn bestoppelde gezicht aan te kijken. Niemand zegt iets.

'Mijn dochter is vandaag overleden in het ziekenhuis. Hartstilstand,' zegt Bram ineens plompverloren. Zijn stem klinkt normaal.

Ben en Maya kijken elkaar fronsend aan en kijken dan naar Bram.

'Sta je ons nou in de maling te nemen of is het echt gebeurd?' vraagt Maya.

'Denk je dat ik daar grapjes over zou maken?'

'Ik weet niet wat ik moet denken, ik vind het allemaal te bizar voor woorden,' zegt Maya.

'Dat is inderdaad misschien wel het juiste woord,' zegt Bram. 'Bizar. En mijn zoon zit in hechtenis op het politiebureau.'

'En wij liggen in een onmenselijk vochtig koud stinkhol in een verlaten schuur. Je hebt het goed voor elkaar. Maar ik vind het wel heel triest voor je dochter. Dat verdient niemand,' zegt Maya. Ze neemt weer een hap uit een van de koeken.

'En jij Ben, wat vind jij ervan? Je bent niet erg spraakzaam vanavond. Is de moed je nu al in de schoenen gezonken?' vraagt Bram. Uitdagend kijkt hij Ben aan terwijl hij zijn pistool uit zijn jack haalt.

'Als het waar is wat je zegt, dan is het een ondraaglijk drama voor je. Dat meen ik oprecht. Het is de verkeerde volgorde.'

'Hoe bedoel je, de verkeerde volgorde?'

'Ik bedoel dat een kind na zijn ouders behoort te sterven, niet andersom. Ik moet er niet aan denken dat een van mijn kinderen eerder gaat dan ik,' zegt Ben kalm.

'Maar je twijfelt of ik de waarheid spreek? Je denkt dat ik zoiets dramatisch zou verzinnen?'

'Ik weet eerlijk gezegd niet wat ik van je moet vinden en wat ik kan geloven. Je hebt ons ontvoerd om een reden die mij nog steeds volstrekt onduidelijk is. Dat vind ik al heel heftig. En vervolgens laat je ons bijna creperen in een vochtig, stinkend keldertje bij een temperatuur die tegen het vriespunt aan zit zonder iets te eten of te drinken. Dat doet bij mij de vraag rijzen of je wel weet waar je mee bezig bent en wij niet aan de goden zijn overgeleverd.'

'Met andere woorden: wie is die krankzinnige vent met die dooie dochter?' vraagt Bram, ook kalm maar op een niet mis te verstane toon.

'Probeer je even te verplaatsen in mijn positie en vergeet even onze meningsverschillen. Jij ligt bijna half dood te gaan in een vochtige, smerige schuilkelder zonder daglicht, ijskoud en geen drinken of toilet. En je ontvoerder komt niet meer opdagen. Wat zou jij dan denken, Bram? Zou je ook niet aan alles gaan twijfelen?'

'Misschien wel,' zegt Bram. 'Je hebt een punt. Dat was ook niet mijn bedoeling. Het overlijden van mijn dochter is erdoorheen gekomen. Daarom ben ik hier niet eerder naartoe gereden,' verzucht Bram.

Zijn emoties gaan op en neer; dat valt ook Ben en Maya op.

Ineens begrijpt hij zelf niet waarom hij hun eigenlijk verteld heeft dat Sacha is overleden. Het gaat ze zelfs geen reet aan. Het is zijn zorg, zijn verdriet, en Ben is op z'n minst medeschuldig.

'Je reageert beter dan gisteren, Ben, maar laat ik je gelijk uit de droom helpen. Het helpt je geen moer en het doet niets af aan de reden waarom ik jullie opgepakt heb.'

'Mogen we die dan nu eindelijk weten?' vraagt Maya.

'Zie je dat zwarte koffertje daar staan? Daar zit de reden in waarom ik, en ik alleen, jullie ontvoerd heb. Ik heb een aantal spotjes van diverse lengtes en inhoud gemaakt, waarvan ik wil dat die elk uur op jouw tv-stations worden uitgezonden. Te beginnen morgenavond.

Het gaat me dus niet om geld. Ik wil geen geld. Zo ordinair ben ik niet. Ik wil eigenlijk alleen jouw televisiestations gebruiken. Je drugsstations, zou je kunnen zeggen. Dat wil ik om de wereld iets anders te laten zien dan het leedvermaak, de drek en de pulp die jij uitzendt. Ik vind dat jij met je ongecontroleerde en machtige media schuldig bent aan het verval van normen en waarden en de zeer onveilige samenleving waarin we leven. In de eerste spot gaan we dat de kijkers mededelen, daarna volgen er andere, over allerlei onderwerpen.'

Ben en Maya hebben met stijgende verbazing geluisterd.

'En als ik daar niet aan meewerk?' vraagt Ben.

'Hoe stel je je dat voor?' vraagt Bram scherp. Hij pakt het koffertje en gebiedt Ben en Maya een paar stappen naar achteren te doen.

'Goed, ik laat je de eerste spot zien die ik wil uitzenden.'

Hij opent het koffertje, pakt de 8mm videoplayer, klapt het kleine scherm uit aan de zijkant, draait het iets schuin omhoog en zet het apparaat op de zitting van een van de stoelen.

'Wat ouderwets,' zegt Maya. 'Waarom heb je niet gewoon een laptop meegenomen?'

'Daar heb ik zo mijn redenen voor. Als jullie nou ook gaan zitten op twee van die stoelen en een beetje naar voren schuiven, dan druk ik op "play" en kunnen jullie zien wat ik bedoel.'

Ben en Maya kijken elkaar veelbetekenend aan, maar ze hebben niet veel keus en doen wat hun gevraagd wordt.

Bram speelt achteloos met zijn pistool in zijn rechterhand. Zodra de twee zitten drukt hij op 'play' en doet een stap terug.

Het schermpje licht op en ze horen de zware muziek van Mahler die Ben onmiddellijk herkent als de muziek waar zijn moeder altijd naar luisterde in zijn jeugd in Rotterdam.

Tegen een zwarte achtergrond verschijnen zinnen, regels in beeld, zoals bij de aftiteling van een film.

De tekst leest als volgt:

U kijkt naar een uitzending van uw televisiezender.

Alles wat wij uitzenden doen wij om er geld mee te verdienen.
Dus uit eigenbelang. Uw belang interesseert ons niet.
Wij weten uit ervaring dat onze kijkcijfers omhoogschieten als wij veel geweld, seks, leedvermaak en verdriet uitzenden.
Of programma's met een hoog zieligheidsgehalte. Pulp dus.
Daarom ziet u veel van dat soort programma's.
Zodat u zich eraan kunt verlekkeren
En wij er geld aan kunnen verdienen door middel van reclame-inkomsten.

Wij zijn ons er zeer van bewust dat onze programma's bijdragen aan het verval van de normen en waarden in onze samenleving.
Dat onze programma's bijdragen aan een onveilige samenleving.
Dat ze beïnvloeden hoe we met elkaar omgaan.
Televisie gaat immers recht uw hoofd in, en dat van uw kinderen.
Televisie is een zeer indringend en verslavend medium.
Geweld zien op tv zorgt voor meer geweld op straat of thuis.
En wij weten precies hoe we die programma's moeten maken.

En welke Hollywoodfilms wij moeten kiezen.
Dat vinden wij prachtig, want net als bij alcohol en sigaretten wilt u het
steeds... weer en steeds... meer.
Meer verdriet, meer geweld, meer ellende. En dat is meer geld voor ons.

Wij vinden het ook mooi als er ergens oorlog uitbreekt.
Hoeven wij het leedvermaak in het nieuws zelf niet op te zoeken.
Nieuws is voor ons immers gewoon handel.
Hoe langer een oorlog duurt, hoe beter voor onze kijkcijfers.

En er is niemand die ons controleert. Wij bepalen wat u ziet.
Zo manipuleren wij elke dag weer uw hersens.
Zodat u vol met onze programma's in uw hoofd blijft rondlopen.
En 's avonds na een lange dag weer snel gaat kijken.
U moet vooral niet zelf gaan nadenken.
Anders kijkt u minder en verdienen wij minder geld.

Wij schamen ons niet voor onze programma's.
Want als wij het niet doen, dan doet een ander het toch?
Wij wensen u nog heel veel kijkplezier.

Dit was een uitzending van uw televisiezender.

Ben en Maya kijken elkaar met opgetrokken wenkbrauwen aan. Vervolgens kijken ze Bram aan. Maar ze zeggen niets.

Ze zijn er zeker wel van geschrokken, maar wenden met hun gelaatsuitdrukking onbegrip voor. Maya heeft moeite om onmiddellijk een weerwoord te bedenken. Het is voor een groot deel gewoon waar, gaat het door haar hoofd.

Overdreven, aangedikt, opgeblazen is het, maar zeker voor een bepaalde grote groep mensen is het waar.

Bram bestudeert hun gezichten, wachtend op een reactie, maar die komt niet.

Ben staart uitdrukkingsloos voor zich uit.

Uiteindelijk verbreekt Bram de stilte.
'Willen jullie het nog een keer zien?'

'Wat moeten we hiermee? Ik bedoel, denk je hier werkelijk iets mee te bereiken?' vraagt Ben. 'En voor alle duidelijkheid: heb je dit helemaal alleen bedacht of werkte je samen met mijn buurman?'

'Je buurman?' vraagt Bram.

'Ja, die kerel die je bij mij onder aan de trap hebt zien liggen. Werkte je met hem samen? Daar hebben we het nog helemaal niet over gehad.'

'O, die idioot. Ik vroeg me ook al af wie dat was. Wees gerust, hij heeft me een handje geholpen zonder het zelf te weten. Ik ken die hele man niet. Dus ik werk alleen, zoals ik al zei, en om op je eerste vraag te antwoorden: ik wil dat er een brede maatschappelijk discussie ontstaat over de ongecontroleerde macht van de media.

Jullie misbruiken je macht uit winstbejag, en daar moet een einde aan komen. Mijn dochter is overleden door een schot uit het pistool van iemand die op televisie gezien heeft hoe gemakkelijk er met wapens en dood en verderf wordt omgegaan.'

'Ik begreep van je dat die jongen behoorlijk onder invloed was van drugs,' zegt Ben.

'En jij denkt dat het door jouw tv-spotje gaat veranderen?' vraagt Maya.

'Ja, want het wordt nieuws. Vanwege jullie ontvoering zullen alle media er als aasgieren op duiken en het breed uitmeten. In hun gretigheid naar kijkcijfers gaat dit de hele wereld over. Zonder het zich te realiseren, vallen ze in hun zucht naar kijkcijfers als jakhalzen zichzelf aan. Vervolgens gaat iedereen er toch over nadenken en gaat de politiek zich ermee bemoeien. Ik denk dat dit een olievlek wordt. Dat het iets op gaat leveren. Dat is mijn doel.'

'Ik geloof er niets van,' zegt Ben, maar Bram praat onverstoorbaar door.

'Ik heb trouwens versies in verschillende talen. Dit gaan we niet alleen in Nederland uitzenden. En dan heb ik ook een versie die gelijk is aan de tekst die je net gezien hebt, maar dan tegen een achtergrond met originele beelden. De tekst staat dan onderin, als een soort ondertiteling. Willen jullie die ook zien?'

'Bespaar je de moeite,' zegt Ben.

'Veel heftiger dus,' gaat Bram verder. 'Dan zie je de verkrachting van een minderjarig meisje of een jongen die door een paar andere jongens wordt doodgeschopt op straat. Een man van 400 kilo die zich doodeet, een paar kotsende anorexiapatiënten, oorlogsbeelden uit Syrië, buren die elkaar aanvliegen, een onthoofding door IS-strijders, snotapen die een politieagent uitschelden en comazuipende, op straat neukende en vechtende pubers. Kortom, alles wat jullie graag uitzenden om te appelleren aan de donkerste gevoelens van een mens.'

Bram kijkt Maya en Ben met niet-verhulde trots aan.

'Geweldig, hè?' zegt hij.

'Vreselijk,' zegt Ben.

'Dacht het niet,' zegt Bram.

'Als deze frustraties van jou al uitgezonden worden, dan komt er misschien aandacht, ja. En andere media zullen dit oppikken. En ja, wellicht gaat de politiek zich er ook wel mee bemoeien,' zegt Ben. 'Maar na een paar weken ebt het weg, gaan we weer over tot de orde van de dag en zijn we weer terug bij af. De baatzucht van de mens, weet je nog Bram? Je lijkt op de man die het oudste beroep van de wereld wil verbieden. Dat is al zo vaak geprobeerd, wordt ook nooit wat.'

'Ik wil dat er een soort televisiecodecommissie komt die het nieuws, programma's en films gaat toetsen aan bepaalde normen en waarden. Denk maar aan de reclamecodecommissie,' zegt Bram.

'En dan gaan bekrompen, enge politici de moraalridder spelen en ons vertellen wat we wel en niet mogen zien? Ik moet er niet aan denken,' zegt Ben.

'En ik wil de normen en waarden, onze cultuurregels zeg maar, veel meer inprogrammeren in de televisie-uitzendingen. In die dagelijkse soaps bijvoorbeeld. Dus hoe we met elkaar behoren om te gaan, wat je wel en niet doet. Er wordt niet meer opgevoed.'

'Ik wens je veel succes,' zegt Ben. 'Ga je ook zelf voor de klas staan?' vraagt hij sarcastisch.

'Het nieuws is tegenwoordig hetzelfde als alle ellende van de afgelopen dag,' gaat Bram verder. 'Dat moet ook veranderen. De mensen worden er naar van en het haalt ze steeds uit zichzelf. Zijn ze lekker bezig, komt er weer meer ellende langs. De een wordt er chagrijnig van, de ander agressief of depressief en de volgende bang. Sterker nog, het is verwoestend voor je geestelijke gezondheid en dus ook je lichaam. Geest en lichaam werken namelijk nauw samen,' zegt Bram. Nog steeds klinkt hij vrij kalm.

Hij is echt trots op wat hij heeft laten zien. Hij ziet dat het impact heeft op Ben en Maya. Dit hadden ze nooit verwacht.

Maya heeft inmiddels een nieuw pak melk geopend en eet van de paprikachips.

'Ik ben het met mijn vader eens,' zegt Maya. 'Dit soort kritiek is er in Amerika ook al zo vaak geweest op het geweld in Hollywoodfilms, en het heeft nog nooit ergens toe geleid. Wat je zegt is gedeeltelijk waar, er wordt door alle tv-zenders vaak rotzooi uitgezonden, maar jij gaat de wereld niet veranderen. Het is de tijdgeest en daar kun je niet tegenin gaan. Bovendien is er de overvloed aan informatie en entertainment op internet. Dat is helemaal oncontroleerbaar. Nee, er komt vanzelf weer een kantelpunt. Dan ontstaan er weer tegenkrachten, zoals de sociale media nu al behoorlijk de macht van de oude gevestigde media aan het inperken zijn. Zo is het altijd gegaan in de wereld. Maar ik begrijp wel wat je bedoelt.'

'Mooi gezegd, Maya,' zegt Ben. Hij kijkt met bewondering naar zijn dochter, die dit toch maar even goed onder woorden weet te brengen, ondanks alle ontberingen.

En een sterke meid, denkt hij. Die kan ik zo de leiding over mijn bedrijf geven over een paar jaar. Ze begrijpt het leven.

'Misschien word ik wel dat kantelpunt,' zegt Bram, niet in het minst uit het veld geslagen. 'Op de sociale media wordt alleen maar onzin gekletst en internet is iets heel anders dan televisie. Daar moet je moeite voor doen. Televisie is het consumeren van indoctrinatie. Ik heb trouwens nog veel meer tv-spots gemaakt. Over allerlei misstanden in de wereld. Ik wil dat die allemaal uitgezonden worden.'

'Nou, als die net zo heftig zijn als waar je het net over had, dan doe je precies hetzelfde als degenen die je beschuldigt,' zegt Maya. 'En mag ik misschien even naar het toilet? Ik voel me vies en daar is tenminste nog een klein rolletje toiletpapier.'

'Ga je gang maar, je weet de weg,' zegt Bram. Hij kijkt naar de blote benen van Maya. Ze zijn vuil van het liggen op de vieze cementvloer, maar welgevormd.

Die meid is niet gek, denkt Bram. Ze is misschien wel slimmer dan haar vader.

Ben lijkt de gedachten van zijn ontvoerder te kunnen lezen.

'Je hebt wel respect voor mijn dochter, hè,' zegt hij.

'In ieder geval meer dan voor jou. En om terug te komen op ons gesprek van gisteren: het gaat mij niet om de persvrijheid. Het gaat mij om de negatieve sfeer die jullie elke dag opnieuw weer creëren.'

Ben begrijpt dat hij er beter niet op door kan gaan. De man luistert toch niet. En eigenlijk heeft hij er ook nauwelijks meer de energie voor. Hij voelt zich uitgeput.

Gedurende de periode dat hij uit de kelder is, heeft hij zijn ogen goed de kost gegeven. Er hangt en ligt allerlei gereedschap aan de andere kant van de schuur dat hij graag in handen zou krijgen. Maar daar kan hij niet bij komen. Bram zou hem zo neer kunnen schieten.

Het enige wapen dat hij voorhanden heeft, is een van de stoelen. Als hij daar iets mee zou kunnen doen... Maar Bram houdt steeds voldoende afstand.

Ben voelt door de melk zijn krachten terugkomen en heeft geen zin om weer met Maya in die stinkende kelder terecht te komen.

En hij moet er niet aan denken dat die in elkaar geknutselde rommel van Bram op een van zijn zenders wordt uitgezonden. Het zou zijn bedrijf enorme reputatieschade berokkenen.

'Kunnen we hier niet op een normale manier uitkomen?' vraagt Ben.

'En wat versta jij onder een normale manier? Toch geen plat geld, mag ik hopen?'

'Nee, ik zeg je toe, en ben ook bereid dat op te schrijven, dat ik mij sterk wil maken voor het oprichten van zo'n codecommissie waar jij het over hebt. Met mijn netwerk en invloed krijg ik dat wel voor elkaar. Ik kan ook zorgen dat politiek Den Haag meewerkt. En we gaan, dat kan ik nu al toezeggen, bepaalde normen en waarden inprogrammeren in door ons gemaakte soaps, drama en films. Dat vind ik sowieso geen slecht idee. En we gaan er documentaires aan wijden. Heb je daar niet veel meer aan? Met jouw aanpak moet nog maar blijken of dat gebeurt.'

'Dat vind ik eigenlijk wel een goed plan, Ben, maar dat ga je doen nadat ik jullie op een moment dat ík bepaal heb vrijgelaten. Eerst gaan die spots de buis op.'

'Waarom zou ik dat dan nog doen?' vraagt Ben. Hij gaat staan en probeert zijn ledematen te strekken.

'Als je na dit avontuur niet aan mijn eisen voldoet, pak ik je in de toekomst weer op. En stop ik je in een ander hol. Je zult je nooit meer veilig voelen. Al ga je je met twintig bodyguards omgeven, ik zal je altijd weten te pakken. Ook al stoppen ze mij in de gevangenis, het zal nooit voor lang zijn.'

Bram spreekt zijn woorden dreigend, bijna boosaardig uit. Indringend kijkt hij Ben aan.

'Ik ben niet zomaar een of andere sukkel die niet weet waar hij mee bezig is. Je hebt mijn leefomgeving en die van mijn kinderen naar de kloten geholpen, Ben, en dat zal je je leven lang berouwen. Mijn dochter is dood, mede door jouw toedoen. Vergis je niet, vriend: jij bent van nu af aan van mij. En je dochter en je zoons zijn ook van mij. Maar vooral jij, zolang ik leef.'

De kilte waarmee Bram zijn woorden uitspreekt en de vastberadenheid die in zijn stem doorklinkt doen Ben een heel ander soort rillingen over zijn lijf lopen.

Voor het eerst is hij echt bang van Bram.

Inmiddels komt Maya weer teruglopen van het toilet. Ze heeft nauwelijks iets van hun gesprek opgevangen, maar ze voelt onmiddellijk de ijzige sfeer tussen de twee mannen.

'Moet jij ook niet even naar het toilet, pap?'

'Ga maar,' zegt Bram, en hij doet twee stappen naar voren om zijn videoplayer op te pakken en weer in het koffertje te doen.

Terwijl Bram zich naar voren bukt en even zijn ogen niet op Ben en Maya heeft gericht, grijpt Ben zijn kans. Bliksemsnel pakt hij de stoel waarop hij heeft gezeten. Hij heft hem boven zijn hoofd, doet zo snel zijn koude botten dat toelaten twee stappen naar voren en laat de stoel met alle kracht die hij in zich heeft neerdalen op het hoofd van Bram. Die kan de klap met een in een reflex opgeheven arm maar half ontwijken.

Bram wankelt en behoudt maar net zijn evenwicht; zijn opgeheven linkerarm redt hem. Tegelijkertijd komt er zo'n boosheid, zoveel agitatie in hem naar boven dat zijn andere arm met het pistool uit een soort oerinstinct vanzelf en in een soort slow motion omhoogkomt en vuurt op Ben.

De knal is oorverdovend in de schuur.

Maya gilt en springt met gestrekte armen naar de hand van Bram, waardoor het schot enigszins van richting verandert. De kogel komt in de buik van Ben terecht, die gilt van de pijn.

Zijn beide handen grijpen naar de plek waar de kogel naar binnen is gedrongen. Al snel komt het warme bloed door zijn vingers naar buiten sijpelen.

Hij kijkt er met ongeloof naar.

Bram is door de aanval van Maya alsnog gevallen, samen met haar. Ruw duwt hij Maya van zich af en krabbelt snel weer overeind.

'Klootzak, hoe krijg je het met je eigenwijze kop voor elkaar om dit soort domme acties te ondernemen!' schreeuwt Bram.

Bram staat weer rechtop en schudt met zijn linkerarm.

Maya kruipt in paniek naar haar vader, die inmiddels door zijn knieen is gezakt van de pijn. Ze probeert hem op een stoel te zetten. Het bloed komt nog steeds tussen zijn vingers door zijn buik uit terwijl Ben probeert het gat in zijn lichaam dicht te houden.

Tevergeefs.

'Heb je hier een eerstehulpkit? Verband, pleisters, heb je dat hier?' schreeuwt ze naar Bram.

'Hij had niet moeten proberen me met die stoel op mijn kop te slaan, dan was er niks aan de hand geweest.'

'Zie je niet dat mijn vader doodbloedt als we niets doen? Heb je verband? Heb je niet iets om het bloeden te stelpen? Hij moet naar het ziekenhuis, nu!' schreeuwt Maya in paniek.

Bram zegt niets.

Maya heeft haar verhuisdeken afgedaan en probeert daarmee samen met haar vader het bloeden tegen te gaan.

'Doe verdomme iets!' schreeuwt ze weer. 'Zo gaat er niets van je plannetjes terechtkomen hoor, als mijn vader dood is. De tranen springen in haar ogen.

'O pap, alsjeblieft, je laat me niet in de steek hè? Je laat me hier niet alleen met die idioot. Je gaat niet dood.'

Ze ziet hoe haar vader worstelt met de pijn, hoe zijn gezicht wit wegtrekt.

Zijn krachtige uitstraling begint te verzwakken.

Dan staat ze ineens op, draait zich om en loopt naar Bram.

Ze wil hem met haar vuisten te lijf gaan, maar Bram grijpt haar stevig bij een arm en houdt haar op afstand.

'Doe iets! Mijn vader is heel erg gewond! Doe in vredesnaam iets, alsjeblieft. Laat hem hier niet doodbloeden. Alsjeblieft Bram, ik smeek het je.'

Ze kijkt hem recht in zijn ogen.

'Laten we hem in je auto tillen en naar het ziekenhuis brengen. Je krijgt 10 miljoen van ons en we zullen alle spots uitzenden en we zullen je nooit aangeven als je dat doet. Alsjeblieft, red mijn vader!'

Maya kijkt Bram smekend aan en probeert haar arm los te rukken. De tranen lopen over haar wangen.

'Hou je kop. Je vader gaat niet zo snel dood, en als het wel zo is, dan heeft hij dat aan zichzelf te danken. Wen er maar alvast aan, meisje: het leven is hard.'

'Nee, nee, nee!' roept Maya door haar tranen heen. 'Hij hoeft niet dood. We doen alles wat je vraagt. Breng ons naar een ziekenhuis. Alsjeblieft, Bram. Doe dit niet als vergelding voor Sacha. Dat zou ze nooit gewild hebben, dat weet je ook wel.'

'Jij weet niets over mijn dochter of over mijn leven. Niets, hoor je. Jij hebt alleen maar in weelde geleefd en geen enkele tegenslag gehad. Nou, hier is de eerste. We gaan allemaal een keer.'

Bram duwt Maya ruw van zich af richting haar vader.

'En blijf bij je vader, anders krijg jij ook een kogel. Ik ben dit gezeik spuugzat.'

'Alsjeblieft,' smeekt Maya, nu op haar knieën op twee meter afstand van Bram met haar handen gevouwen terwijl ze hem aankijkt. 'Alsjeblieft. Laat mij dan hier, maar breng hem naar een ziekenhuis!'

'Maya, kom maar bij me. Stop er maar mee,' zegt Ben zachtjes. 'Het heeft geen nut. Kom maar bij me, schat.'

'Alsjeblieft Bram?'

Maar Bram geeft geen krimp.

Uiteindelijk draait ze zich om en kruipt ze naar haar vader.

De verhuisdeken die Ben tegen zijn buik aan houdt is inmiddels behoorlijk doordrenkt met bloed. Hij zit naar voren gebogen op een stoel, ineengekrompen van de pijn. Het bloed sijpelt aan één kant van de verhuisdoek ook een beetje op de grond en er zitten bloedvlekken op zijn voorhoofd en het boord van zijn overhemd.

Maya staat inmiddels gebogen over hem en snikt onophoudelijk. Ben probeert haar een beetje gerust te stellen.

'Ik bloed niet zomaar dood, schat,' fluistert hij. 'Het ligt er maar helemaal aan welke organen de kogel gepakt heeft. Misschien valt het mee.'

Bram staat er wat besluiteloos bij en houdt de twee nauwlettend in de gaten.

Ik kan niet naar een ziekenhuis, denkt Bram. Ze pakken me onmiddellijk op en dan is alles voor niets geweest...

'Luister,' roept Bram na een paar minuten. 'Dit kan nog heel lang duren. Ik heb een vriend en die is arts. Jullie gaan de kelder weer in en dan ga ik hem halen.'

Maya kijkt om naar Bram. 'Ik ga met mijn vader in deze conditie absoluut die kelder niet meer in. Dan kun je vergeten. Heb je in die boerderij van je geen bed waarin we mijn vader kunnen leggen? Hij kan toch nergens naartoe, dus je hoeft niet bang te zijn dat we dan ontsnappen.'

Bram begint hard te lachen.

'Een bed voor die mindfucker van een vader van jou? En dan jij zeker de dijk op lopen en hulp halen? Wat denk je nou, kreng? Jij gaat die kelder in, en vlot een beetje.' Bram schiet met zijn pistool in de lucht; de oorverdovende knal doet Maya en Ben ineenkrimpen.

'Moven,' roept Bram. 'Moven!'

'Laten we maar gaan, Maya,' fluistert Ben. 'Misschien doet hij deze keer wat hij zegt.'

Maar alles in Maya vertelt haar dat Bram absoluut niet van plan is een bevriende arts te halen en dat ze nooit, maar dan ook nooit meer die kelder in wil. Als ze daar eenmaal weer in terechtkomt kunnen ze haar net zo goed begraven. Er groeit een enorm verzet in haar en een kracht die ze zichzelf niet had toegedicht.

Opeens grijpt ze met een arm de leuning van een van de stoelen die naast haar staan en slingert die stoel vervolgens met een bijna bovenmenselijk kracht naar de plek waar Bram staat.

Bram ziet de stoel in een rechte lijn als een projectiel op zich af komen, maar te laat. Hij had het totaal niet verwacht en zijn duikreflex kan hem niet redden. Een van de stoelpoten raakt hem vol, net boven zijn linkeroog, en dusdanig hard dat Bram dizzy achteruitdeinst en op de grond tuimelt.

'Geweldig, Maya!' roept Ben. 'Pak zijn pistool.'

Maya aarzelt geen moment. Ze doet een paar snelle stappen, springt boven op Bram en probeert hem zijn pistool afhandig te maken. Maar Bram heeft het ding stevig in zijn rechterhand en laat niet los. Hij probeert Maya van zich af te duwen, maar is nog te duizelig om dat voor elkaar te krijgen.

Plotseling staat Maya op en rent zo vlug ze maar kan naar de andere kant van de schuur, naar de kleine werkbank. Ze pakt een hamer.

'Snel, Maya!' roept Ben.

Ze rent terug naar Bram, maar die is inmiddels enigszins van de klap bekomen en draait zich half om, richting Maya, liggend op zijn zij, met zijn hoofd en rechterarm opgeheven. Hij ziet haar aankomen met de hamer stevig in haar hand en richt zijn pistool op haar.

Maya blijft abrupt staan, twee meter voor hem.

'Leg die hamer neer, Maya. Loop naar je vader en ga die kelder met hem in,' zegt hij ijzig. 'Nu! Ik heb jullie eigenlijk niet meer nodig, dus tel je knopen.'

Maya aarzelt.

'Anders schiet ik je echt in je knieën, dat zweer ik je. Kun je nooit meer lopen en gooi ik je zelf in die kelder. Dus zeg het maar.'

'Doe wat hij zegt, Maya,' roept Ben met verzwakte stem.

Maya gooit onwillig de hamer op de grond en loopt tergend langzaam langs Bram, die haar strak onder schot houdt, naar haar vader.

'Als we die kelder weer in moeten, wil ik meer dekens voor mijn vader. En ik wil drinken en dat die poep en plas weggehaald worden,' zegt Maya. 'En je komt terug met een arts.' Haar tranen zijn inmiddels opgedroogd.

'Meer dekens heb ik niet en je ruimt je eigen rotzooi daarbeneden maar op. En vlot een beetje, ik heb het helemaal gehad met jullie.'

Bram staat inmiddels weer op zijn beide benen en voelt aan de pijnlijke plek boven zijn linkeroog, die begint te zwellen.

'Hoe moet ik dat schoonmaken?' vraagt Maya.

'Wat dacht je van met je handen?'

'Gadverdamme. Heb je geen schep of zo?'

'Nee, misschien een paar ouwe kranten die je eroverheen kunt gooien. En nou opschieten!' Bram maakt een dreigend gebaar met zijn pistool.

Maya gaat de kelder in en pakt haar spijkerbroek op met daarin hun ontlasting. Als ze het trapje weer op loopt vraagt ze met een vies gezicht:

'Waar moet ik dat laten?'

'Flikker daar maar achter het luik in die hoek,' zegt Bram. 'Naast de plee is een kast. Daar liggen denk ik wel wat oude kranten in.'

Als Maya bij de kast is en die opendoet vallen de kranten er bijna uit, zoveel liggen er opgestapeld. Ze pakt een enorm pak en gaat terug naar de kelder, waar ze de kranten over de vloer verspreidt. De meeste kranten legt ze op de urineplek.

'Mag ik er nog een paar pakken?' vraagt ze.

Bram kijkt haar aan en zucht. 'Oké, maar dan is het klaar.'

Ben kijkt een en ander met een van pijn vertrokken gezicht aan, maar doet er wijselijk het zwijgen toe. Hij heeft groot respect voor zijn dochter.

'Ik breng ook de overgebleven melk en zo naar beneden,' zegt ze als ze klaar is met de kranten.

'Snel, mijn geduld raakt op!' zegt Bram geïrriteerd. Zijn hoofd bonkt en boven zijn oog vormt zich een enorme pijnlijke bult.

'Houd vol hè pap,' zegt Maya terwijl ze op haar vaders sokken heen en weer loopt met de etenswaren. Ben glimlacht zo goed en zo kwaad dat kan. Hij verrekt van de pijn. Maya helpt haar vader voorzichtig op te staan van zijn stoel. Kermend van de pijn en zwaar leunend op zijn dochter schuifelt hij naar de ingang van de kelder. Hij houdt een deken tegen zijn buik; de andere twee hangen om zijn schouders. Gelukkig is het bloeden minder geworden.

Als ze na veel pijn en moeite eindelijk beneden aan het trappetje zijn gekomen in de met oude kranten bezaaide kelder, gooit Bram met een handbeweging het ijzeren luik kletterend dicht en doet het hangslot erop.

'Vergeet niet terug te komen met een arts en medicijnen!' roept Maya nog.

Hij gooit het zeil niet meer over het luik maar over Maya's spijkerbroek, pakt zijn koffertje, doet het licht uit en de deuren op slot en vertrekt met zijn Landrover in de donkere, mistige nacht.

Het is inmiddels half twaalf.

40

De auto's van Michiel en Paul komen nagenoeg tegelijkertijd bij het restaurant aan dat Paul om half acht 's avonds heeft gereserveerd – Michiel in zijn Audi met chauffeur en Paul samen met zijn broer Sander in zijn Porsche 911. Michiel had zonder aarzeling ingestemd met het verzoek van Paul om met zijn drieën te gaan dineren.

Het sfeervolle Italiaanse restaurant aan het water in Loosdrecht heeft parkeerplaatsen vrijgehouden op verzoek van Paul. Hij komt er regelmatig, zowel met zakenrelaties als met vrienden en soms ook met Maya. Hij heeft er zijn vaste tafel waar ze rustig met elkaar kunnen praten en zonder dat er eventueel iemand mee kan luisteren.

Michiel stapt als eerste uit en loopt naar de auto van Paul. Hij heeft hem al gezien. Zodra ook Paul en Sander zijn uitgestapt, schudden ze elkaar op de karig verlichte parkeerplaats de hand en stelt Paul zijn broer aan Michiel voor.

'Dag Michiel, ik ben Sander.'

'Michiel.' En ze schudden elkaar de hand.

Ofschoon het redelijk donker is, is er voldoende licht voor Michiel om te zien dat Sander lijkt op zijn net overleden moeder en op hemzelf. Hij schrikt er bijna van, maar laat dat niet blijken.

'Zullen we naar binnen gaan?' vraagt Paul. 'Ik vind het koud hier.'

Michiel knikt en ze lopen naar de ingang. Paul voorop, dan Michiel en daarachter Sander.

Zodra ze binnen zijn komt de eigenaar hoogstpersoonlijk naar Paul om hem welkom te heten en schudt ook de handen van Michiel en Sander.

'Mag ik u voorgaan, heren?' Hij loopt zoals alleen een restauranteigenaar dat kan, trots maar ook net een tikje onderdanig, naar de vaste tafel van Paul. Hij trekt de stoelen onder de tafel vandaan, zodat zijn gasten vooral zonder enige moeite kunnen gaan zitten en zich welkom voelen.

'Wat kan ik voor de heren inschenken?' vraagt hij.

'Doe mij maar een glas droge witte wijn,' zegt Michiel.

'Ik ook graag,' zegt Paul.

'Voor mij een glas water,' zegt Sander. 'Plat.'

'Komt eraan,' zegt de eigenaar, en hij verdwijnt.

Het restaurant is nagenoeg vol en er heerst een gezellige maar toch rustige sfeer. Overal branden kaarsen en rood pluche overheerst als stoelbekleding. De donkere robuuste houten vloer is nagenoeg geheel bedekt met overwegend rode, een beetje versleten Perzische tapijten. Aan de wanden hangen diverse geschilderde kunstwerken van voornamelijk onbekende Nederlandse kunstenaars, en verder staan er op diverse plekken op halfhoge donkerbruine tafels enorme bossen bloemen. Ook daarin overheerst de kleur rood. In het midden van de grotendeels rechthoekige ruimte bevindt zich een forse mahoniehouten tafel met roze marmeren blad waarop een enorme ronde zilveren schaal staat met ijs en allerlei geopende, kleurrijke flessen champagne, witte wijn en rosé.

Aan diverse tafels vloeit de champagne rijkelijk; het is tenslotte nieuwjaarsdag. Er wordt gelachen en het is Italiaans luidruchtig, maar niet overdadig.

De vaste tafel van Paul ligt duidelijk rustiger, meer privé en richting de keuken. De heren hebben een voortreffelijk uitzicht over het hele etablissement.

Michiel zit tegenover Paul en Sander en kijkt uitgebreid rond.

'Mijn complimenten voor je keuze, Paul. Als de keuken net zo goed is als de sfeer, dan belooft dat wat. Wel goed dat we even in een andere omgeving zijn, ook al staan onze hoofden er misschien niet naar.'

'Daar heb ik ook aan gedacht,' zegt Paul. 'Maar hier zitten we rustig en worden we niet gestoord. De keuken is trouwens top. Je moet de saltimbocca hier eens proberen. Daar kom je voor terug.'

'Ik geloof je graag. Is dat niet iets met kalfsvlees en parmaham?'

'Klopt,' zegt Paul.

'Lijkt me lekker, ga ik zeker proberen.'

De drankjes zijn gearriveerd en ze heffen het glas.

'Op de goede afloop,' zegt Michiel.

'Op de goede afloop,' zeggen ook Paul en Sander.

Michiel heeft Sander nog steeds niet recht in de ogen gekeken sinds ze binnen zijn en doet dat als hij zijn glas weer heeft neergezet voor het eerst. Weer schrikt hij van de gelijkenis met zichzelf. Van die blauwe ogen. De ogen van Ben en van hemzelf.

'Jezus, wat lijk jij op mijn moeder,' zegt Michiel terwijl hij Sander aankijkt.

Sander kijkt Michiel recht in de ogen. 'En op jou,' zegt hij glimlachend.

De eigenaar van het restaurant staat weer bij hun tafel met een zilveren schaaltje met hors-d'oeuvres.

'Om alvast de eerste trek te stillen,' zegt hij. 'Van het huis.' Hij serveert een aantal fijne crostini met tonijntartaar, bijna zoete gegrilde tomaatjes, gebakken champignons met knoflook en gegrilde courgettereepjes met Parmezaanse kaas.

'Dank je,' zegt Paul.

'Hij rept met geen woord over de ontvoering van je vader en zus,' zegt Michiel als de eigenaar weer verdwenen is.

'Ik heb hem van tevoren gevraagd dat niet te doen. Bovendien kan ik er toch niets over zeggen.'

'Hoe is het met jou, Sander? Hoe is het jou vergaan de afgelopen vierentwintig uur?'

'Net als jullie,' zegt Sander. 'Ik ben me het lazarus geschrokken en maak me grote zorgen om mijn vader en mijn zus. Ik heb geen idee welke randdebielen dit geflikt hebben, maar ik hoop dat de politie ze snel te pakken krijgt. En dan mogen ze van mij aan de hoogste boom opknoopt worden. Zo voel ik dat, Michiel.'

'Dat kan ik me voorstellen, maar voorlopig tasten we nog volledig in het duister. Ik heb op de weg hiernaartoe nog even contact gehad met Bert Veldkamp van de AIVD, en volgens hem is er nog geen tip, geen eis van de ontvoerders, niets maar dan ook niets bruikbaars binnengekomen. Dat is toch wel heel vreemd, vinden jullie ook niet?'

'Ik weet het niet,' zegt Sander. 'Misschien hebben de ontvoerders tijd nodig om hun eisen te formuleren. Misschien zijn ze eerst gevlucht naar het buitenland en doen ze daar een brief op de post, die dan over een of twee dagen pas aankomt. Weet ik veel.'

'Zou kunnen,' zegt Paul. 'Maar met al die publiciteit verwacht je toch tenminste dat iemand iets gezien heeft en dat meldt bij de politie.'

'Misschien moeten we een beloning uitloven,' zegt Michiel.

'Dat vind ik geen slecht idee,' zegt Sander. 'Een miljoen voor de gouden tip.'

'Ik heb het al voorgesteld aan Veldkamp,' zegt Michiel.

'En?' vraagt Paul.

'Die vond het na overleg met die Victor Stikker geen goed plan. De ervaring leert blijkbaar dat uitgeloofde beloningen leiden tot een hausse aan valse en onbruikbare tips die meer tijd kosten dan het aan sporen oplevert.'

'En toch zou ik het doen,' zegt Sander. 'Dan moeten ze maar een beetje harder werken bij de politie. Nu komen we geen stap verder.'

'Ben ik het eigenlijk wel mee eens,' zegt nu ook Paul.

'Dan gaan we dat doen,' zegt Michiel. 'In de VS levert het vaak wat op.'

'Die hors-d'oeuvres zijn trouwens heerlijk,' zegt Sander 'Ofschoon ik me schuldig voel tegenover mijn vader en mijn zus dat wij ons hier nu te goed doen aan al die lekkere dingen. Ik hoop dat ze ook iets behoorlijks te eten krijgen vandaag.'

'Ik ook,' zeggen Michiel en Paul tegelijkertijd.

De discrete, maar steeds nadrukkelijk aanwezige eigenaar staat weer voor hun neus. 'Hebben de heren al een keuze kunnen maken van de kaart? Misschien mag ik ook even onze specials van de dag onder de aandacht brengen.' De man wacht niet op antwoord maar praat onverstoorbaar verder.

'Buiten de kaart om hebben we als extra voorgerecht licht gefrituurde groene olijven met daarin een zelfgemaakte kippenragout met daaromheen een knapperige korstje. Als extra hoofdgerechten hebben we vanavond vers gegrilde yellowfin-tonijn en pizza met Schotse kreeft, en we hebben ook een mooi stukje zwaardvisfilet liggen voor de liefhebber. Mocht u van de kaart voor de zeebaars in zout uit de oven kiezen, dan moet ik u verzoeken dit snel door te geven. Daar zijn we helaas bijna doorheen.'

'Oké Eric, dank je wel. We bestuderen even de kaart en dan laten we je het weten,' zegt Paul.

'Tot uw dienst, meneer Zandstra. O ja, ik zou het bijna vergeten: als extra dessert hebben we vandaag een warm chocoladetaartje met karamel, basilicum en passievrucht.'

'Oké,' zegt Paul.

'Kan ik nog wat te drinken inschenken en wilt u nog in de wijnkaart kijken of gaat u voor uw gebruikelijke rode wijn?'

'Laat ik je ook zo weten.'

'Dank u.' De eigenaar vertrekt.

'Wat drink jij meestal voor rode wijn?' vraagt Michiel.

'Een valpolicella; hij heeft heerlijke flessen liggen. Maar ik denk dat ik vanavond de voorkeur geeft aan de witte huiswijn met een stukje vis. Ik denk dat ik voor de zwaardvis ga.'

'Drink jij wijn, Sander?' vraagt Michiel geïnteresseerd.

'Zeker,' zegt Sander. 'Maar niet veel. Ik denk dat ik het ook bij een glas witte huiswijn houd en verder de yellowfin-tonijn. En jij, Michiel?

'Ik ga voor de saltimbocca. Met een glas rode wijn.'

'Nemen we geen voorgerecht? We kunnen misschien wat van die gefrituurde olijven nemen?' vraagt Michiel.

Paul en Sander knikken instemmend.

'Ik heb begrepen dat je niet bepaald te spreken was over die Victor Stikker?' vraagt Sander aan Michiel.

'Wat een pedante eikel,' zegt Michiel. 'Maar goed, laat ik er niet te veel woorden aan vuilmaken. De man heeft me op het verdachtenlijstje geplaatst en heeft inmiddels getelefoneerd met mijn secretaresse in de VS en met mijn vrouw. Met haar heeft hij morgenochtend een afspraak.'

'En dat allemaal omdat jij een belang hebt in het bedrijf van mijn vader?' vraagt Sander.

'Ja, en omdat ik op die vergadering verscheen vanmorgen. Dat vond hij maar raar voor een broer van je vader die al ruim dertig jaar bijna geen contact meer met hem heeft gehad.'

'Dat is het ook wel een beetje,' zegt Sander. 'Zonder dat ik daar overigens een waardeoordeel mee wil geven hoor.'

'Nee, je hebt gelijk,' zegt Michiel. 'Het is ook best eigenaardig dat ik ineens kom opdagen. Wel op jullie verzoek overigens. Maar om me dan meteen te verdenken van betrokkenheid bij die ontvoering gaat me wel even een brug te ver, zeg.'

'Mag ik je wat persoonlijks vragen?' vraagt Sander.

'Ik had niet anders verwacht,' zegt Michiel.

'Waarom heb je eigenlijk zoveel aandelen in ZMG? Wil je het bedrijf

271

overnemen?'

'Eerlijk antwoord?'

'Ja.'

'Misschien wil ik het bedrijf tezamen met een aantal partners ooit overnemen, ja. Het is een strategisch belang dat LifeRisc genomen heeft.'

'Weet mijn vader dat?'

'Hij is niet gek.'

'Weet Akkerman het?'

'Die is ook niet gek.'

'Waarom?' vraagt Paul.

'Waarom niet. Het is een prachtig bedrijf en ik heb er een band mee. Het is het oude bedrijf van mijn vader, jullie grootvader die je nooit gekend hebt.'

'En heren, heeft u een keuze kunnen maken?'

Sander kijkt geïrriteerd naar de eigenaar van het restaurant. 'Komt het nooit in je op als je je gasten met elkaar ziet praten om te vragen of je even kunt storen? Je komt er dwars doorheen, man. Dat vind ik zo'n slechte gewoonte.'

'Rustig, rustig,' zegt Paul.

De eigenaar krijgt een rood hoofd, maar houdt wijselijk zijn mond.

'Laten we nou maar wat bestellen, dan hebben we dat gehad. Vooraf allemaal de gefrituurde olijven graag, Eric. Dan voor mij een stukje gegrilde zwaardvis met wat lekkere gegrilde groente, voor mijn broer hier de yellowfin-tonijn en voor meneer de saltimbocca.'

'Zeker, meneer Zandstra. Heeft u nog over de wijn nagedacht?'

'Ja, ik blijf bij de witte huiswijn, mijn broer ook en meneer wil graag een glas rode wijn. Wat heb je openstaan?'

'Waar houdt u van?' De eigenaar richt zich tot Michiel.

'Iets wat niet al te zwaar is,' zegt Michiel.

'Mag ik u wat laten proeven?'

'Graag,' zegt Michiel.

De eigenaar verdwijnt weer.

'Of wil je ZMG kopen om het op te knippen en in stukken voor veel meer door te verkopen?' vraagt Sander.

'Dat is een optie, daar zijn met name mijn eventuele partners in geïnteresseerd. De onderdelen zijn op dit moment meer waard dan het totaal. Het bedrijf is ondergewaardeerd op de beurs.'

'Waarom wil je het kapotmaken? Ben je uit op wraak jegens mijn vader?'

'Weet je, Sander, toen ik nog studeerde deed ik dat maar met één doel: om daarna als journalist in het bedrijf van mijn vader te gaan werken en om het krantenvak te leren, want toen waren het alleen nog maar kranten. Ik droomde erover om samen met mijn vader het bedrijf groter en belangrijker te maken, om de mooiste en de beste kranten van Nederland uit te geven. Met overwegend nieuws waar de mensen vrolijk van zouden worden. Bovendien was ik, in tegenstelling tot jullie vader, enorm op mijn vader gesteld. Ik hield zielsveel van die man.

Jullie vader was totaal niet geïnteresseerd in het bedrijf. Hij werkte er op de commerciële afdeling omdat hij niet wist was hij anders moest doen. Hij was net klaar met zijn studie economie.'

Michiel pauzeert even en doet zijn gouden brilletje af om de glazen met een servet schoon te maken.

Als hij verder wil praten staat de restauranteigenaar naast hem met een groot glas waarin zich niet meer dan een bodempje rode wijn bevindt.

'Zou u deze even willen proeven?'

Michiel neemt een slokje en zuigt er in zijn mond door een klein gaatje te vormen tussen zijn lippen zuurstof doorheen. Hierdoor krijgt de wijn nog meer smaak.

'Beetje zwaar, maar wel verrukkelijk. En dit heeft u gewoon openstaan?' vraagt hij.

'Nee, dit is een brunello die ik speciaal voor u heb opengemaakt. Die komt wel op vanavond, maakt u zich geen zorgen.'

'Doet u mij maar een glas,' zegt Michiel.

'Komt voor elkaar. En de witte wijn komt er ook aan,' zegt de eigenaar, en hij verdwijnt weer even snel en geruisloos als hij gekomen was.

'Waar was ik gebleven? O ja, ik weet het weer.

Plotseling overlijdt mijn vader en mijn broer Ben duwt me een paar weken daarna een notariële akte onder mijn neus met een afkoopsom. Als ik niet teken gaat het bedrijf failliet. Mijn moeder steunt hem. Daar kwam het ongeveer op neer. Ik was drieëntwintig en nog overmand en verdwaasd door het verdriet van het overlijden van mijn vader. Ik tekende en ben die avond heel erg dronken geworden. Zo erg dat ik bijna ben verzopen in de gracht waarin ik met mijn fiets terecht was gekomen. Ik ben toen echt door het oog van de naald gekropen. Geloof het of niet, maar ik was er zo kapot van dat ik op die avond ook afscheid heb genomen van mijn broer en moeder. Mijn wereld was ingestort. Na mijn afstuderen heb ik uitgezocht of het verhaal van mijn broer klopte, en de waarheid bleek toch iets anders in elkaar te zitten. Maar ik kon het moeilijk hardmaken.'

'Dus toch wraak,' zegt Sander.

'Ja en nee,' zegt Michiel. 'Ja omdat ik je vader graag een koekje van eigen deeg zou geven. Hij heeft me ooit een kunstje geflikt en dat doe je niet binnen je familie. Nee omdat het te lang geleden is en omdat mijn moeder, jullie oma, gisteren is overleden. Met name het laatste heeft iets met me gedaan wat ik niet verwacht had. Er is een soort last van me afgevallen sinds zij dood is. Ik had geen goede verstandhouding met haar. Het was naar mijn beleving een kille en harde vrouw. Vaak was ze depressief en onhandelbaar. Mijn vader heeft daar zeer onder geleden en Ben en ik hebben er ook geen prettige jeugd door gehad. Ik adem vrijer sinds zij er niet meer is. En het feit dat Ben ontvoerd is, draagt er ook toe bij dat ik er anders tegenaan kijk. Dit gun ik hem nu ook weer niet. Waar hij ook is nu, dat gaat hem niet in z'n koude kleren zitten.'

'Hoe kijk je er nu dan precies tegenaan?' vraagt Sander. Het gesprek krijgt een geheel andere lading dan hij verwacht had.

'Ik denk dat we nu als familie samen op moeten trekken en alles in het werk moeten stellen om Ben en Maya terug te krijgen. *Whatever it takes.* En daarmee ook opkomen voor de belangen van al die mensen die bij het zmg-concern werken.'

'En als mijn vader terugkomt en jullie komen elkaar tegen?'

'Dan zal ik het hem proberen uit te leggen.'

De eigenaar staat er weer met drie glazen wijn. Hij zegt deze keer niets en zet zwijgend de glazen op tafel terwijl hij de lege glazen meeneemt.

'Dus je gaat zmg niet opkopen?' vraagt Paul.

'Je vader heeft samen met mijn gisteren overleden moeder nog steeds de meerderheid in handen. Haar testament zal daar nieuw licht op doen schijnen.'

'Daarmee beantwoord je mijn vraag niet. Als jij de helft van de aandelen van oma erft, dan kun je als je een openbaar bod doet op de vrij verhandelbare aandelen de meerderheid in handen krijgen.'

'Dat is een mogelijkheid,' zegt Michiel. 'Maar dan moet dit eerst allemaal voorbij zijn. Bovendien is de situatie veranderd. Je vader is ontvoerd en ik heb jullie leren kennen. Jullie zijn belangrijk voor de toekomst van ZMG. Ik zou jullie dus als management in zoiets willen betrekken.

Waar we wel voor moeten waken, zijn aasgieren. Ik ken ze maar al te goed. Als de koers van ZMG morgen een klap krijgt, dan zijn er altijd partijen die daarvan willen profiteren. Het ligt een beetje aan de hoeveelheid stukken die er aangeboden wordt. Als het er weinig zijn en de koers zakt, dan is dat niet zo erg. Zijn het er veel, dan moeten we oppassen dat ze niet in de verkeerde handen komen.'

'Dat hadden wij ook al bedacht,' zegt Sander.

'En wat is jullie plan?' vraagt Michiel.

'De stukken zelf inkopen, als bedrijf,' zegt Paul.

'ZMG koopt al eigen aandelen op,' zegt Michiel. 'Wisten jullie dat niet?'

Paul en Sander kijken elkaar aan.

'Hoe weet jij dat?' vraagt Paul.

'Weinig mensen weten het. Ik denk dat Ben het doet omdat hij bang is van mij. Dat heeft me ook al veel genoegdoening gegeven. Dat hij mijn hete adem in zijn nek gevoeld heeft. Begrijpen jullie dat? Begrijpen jullie überhaupt mijn beweegredenen of ben ik een beetje al te eerlijk?'

'Zoals jij het allemaal vertelt en als dat allemaal waar is, begrijp ik het vanuit jouw standpunt wel, ja,' zegt Paul. 'Ik vind het een beetje moeilijk om te geloven dat mijn vader je belazerd zou hebben toen hij het bedrijf overnam van zijn vader.'

'Dat begrijp ik, en ik realiseer me dat dit niet leuk in jullie oren klinkt, maar dit is iets van lang geleden tussen twee broers waar jullie eigenlijk helemaal buiten staan,' glimlacht Michiel.

'Wel jammer,' zegt Sander.

'Ja,' zegt Michiel. 'Maar ik kan de klok niet terugdraaien. Overigens moeten jullie van dat opkopen van aandelen op de beurs niet te veel verwachten. Als er grote plukken aangeboden worden, gaat dat meestal buiten de beurs om en dan ben ik een van de weinige partijen die daarvoor in de markt en als zodanig bekend zijn. ZMG zelf staat niet op het lijstje van de grote jongens, voor zover ik weet.'

'Dat gaat natuurlijk om enorme bedragen,' zegt Sander.

'Ja,' zegt Michiel. 'En ZMG heeft op dit moment niet voldoende cash om dat spel mee te spelen. Jullie hebben vorig jaar nog een grote muziekcatalogus gekocht. Dat heeft veel cash opgesnoept.'

'Dus u bent enerzijds onze vriend en anderzijds de vijand,' zegt Sander.

'Minder vijand op dit moment,' lacht Michiel. 'Als ik en mijn partners het bedrijf ooit kunnen opkopen, dan zou ik overigens onmiddellijk de kranten- en tijdschriftendivisie verkopen nu het nog geld oplevert. Die krijgen een steeds groter probleem met internet en de sociale media. En de muziekdivisie ook. Het spijt me Paul, daar ben jij de directeur van, maar ook daar heeft internet hard toegeslagen. Het hele distributie- en verdienmodel van de muziekindustrie is in tien jaar tijd veranderd. Verslechterd moet ik zeggen. Die hebben zich de kaas van het brood laten eten door Apple.'

'Dat vind ik nou ook,' zegt Sander. 'Daarom heb ik voor de muziekindustrie zelf als alternatief MuzicSpinner opgezet.'

'Dat is een goed initiatief,' zegt Michiel. 'Maar dan moet de hele muziekindustrie er wel eensgezind achter gaan staan. Dan kunnen ze zelf de prijs weer bepalen voor hun muziek in plaats van dat bedrijven als Apple en Spotify het doen. Muziek is veel te goedkoop. De prijs voor een hittrack ligt nog op het niveau van de jaren tachtig. Maar daarvoor moet je niet in Utrecht zitten, Sander, maar in de VS. Daar gebeurt het.'

'Mee eens,' zegt Sander.

'Daar moet ZMG Music eigenlijk ook zitten,' zegt Paul. 'Of in Londen. Maar leg dat mijn vader maar eens uit.'

'Maar goed,' zegt Michiel, 'de vraag is of het ooit zover komt. Ondertussen adviseer ik jullie dat als bedrijf eventueel zelf te doen. Ik zou daarbij kunnen helpen.'

'En tv-producties?' vraagt Paul.

'Van groot belang voor de tv-zenders en internet. Daar heeft ZMG nog wel wat te winnen. Uitbreiden en eventueel andere producenten opkopen. De televisiestations zou ik dus ook zeker houden. Dat blijft altijd goed. Radio trouwens ook.'

'Dat gaat internet niet onderuithalen?'

'Internet komt erbij, net als de sociale media, dus naast televisie, radio en de bioscoop. Televisie verdwijnt niet, alleen zal het met minder marktaandeel genoegen moeten nemen. Print, dus kranten en tijdschriften, krijgt het het zwaarst te verduren.'

'Je hebt het al helemaal uitgedokterd hè,' zegt Paul. 'Ik heb er trouwens moeite mee om zo over het bedrijf van mijn vader te praten terwijl hij er niet bij is. Het is net alsof hij al dood en begraven is.'

'Dat ben ik helemaal met je eens, Paul. Maar jullie vroegen er zelf naar. En als je vader erbij zat zou ik precies hetzelfde zeggen.'

Het blijft even stil aan tafel. Michiel neemt een slok van zijn rode wijn en laat die weer over zijn tong rollen. Sander en Paul pakken ook hun glas.

'Jongens, jullie vader is niet echt strategisch meer bezig met het bedrijf. Dat is niet alleen mijn mening, maar ook die van veel analisten,' zegt Michiel. 'Daarom blijft de koers van het aandeel ook achter. Hij laat veel te veel over aan Tom Akkerman. Dat is weliswaar een goede financiële man, maar geen visionair. De tijden veranderen snel. Als ZMG zo doorgaat zal de winstgevendheid snel afnemen de komende jaren, dat kan ik je garanderen. Het bedrijf moet desinvesteren, zoals ik aangaf, en investeren in nieuwe veelbelovende mediabedrijven, vooral internet. Er zijn genoeg opportunities. Jullie staan echt op een heel belangrijk kruispunt. LifeRisc Investments zit er met ruim 11 procent om wat voor reden dan ook in, maar daar zit ook een directie. Ik doe dit niet alleen. Die zien ook wat er gebeurt in de wereld om ons heen. De opkomst van internet is net zo heftig als de industriële revolutie aan het begin van de vorige eeuw. Vergis je daar niet in.'

Michiel zit duidelijk op zijn praatstoel en Sander en Paul zijn onder de indruk.

'De wereld verandert in razend tempo en de bedrijven die daar snel op inhaken zullen er als winnaars uit komen. Ik voorspel het je.'

'Wil jij de persconferentie morgen voorzitten als mijn vader dan nog steeds niet terug is?' vraagt Paul. 'Om de rust te bewaren.'

'Natuurlijk Paul, geen probleem.'

De restauranteigenaar is weer op komen duiken. Dit keer met het voorgerecht.

'Heren, uw voorgerecht. De huisgemaakte gefrituurde olijven met kippenragout. Eet u smakelijk.'

'Heb je misschien wat bruinbrood met olijfolie?' vraagt Sander.

'O sorry, dat ben ik door de drukte helemaal vergeten. Komt er onmiddellijk aan.' En weg is hij.

'Ik vind het heel boeiend wat je ons allemaal vertelt, maar ik weet niet of ik het er allemaal mee eens ben,' zegt Sander. 'Wat betreft kranten en tijdschriften denk ik wel, en misschien ook wel voor onze muziekdivisie. In ieder geval zet je ons aan het denken, en dat vind ik wel verfrissend. En stel dat je gelijk hebt, dan kunnen we die divisies natuurlijk ook zelf verkopen.'

'Helemaal waar,' zegt Michiel.

'Maar goed, laten we erover ophouden. We houden morgen de vinger aan de pols op de beurs en we moeten over die persconferentie praten. Bert Veldkamp stelde voor morgenvroeg ergens weer bij elkaar te komen en dan alles door te nemen.'

'Lijkt me prima,' zegt Paul.

Sander knikt.

'Ben jij er dan ook bij, Sander?' vraagt Michiel.

'Ja,' zegt Sander terwijl hij weer een gefrituurde olijf verorbert.

'Hebben jullie echt geen idee wie jullie vader en Maya ontvoerd kan hebben?' vraagt Michiel. 'Ik bedoel, werd hij wel eens bedreigd, werd hij gestalkt, had hij veel vijanden, heeft je vader recentelijk harde noten gekraakt in interviews? Hebben jullie enig idee uit welke hoek dit kan komen?'

'Dat heeft die Stikker ook allemaal al gevraagd,' zegt Paul. 'We hebben ons suf gepiekerd, maar we hebben eerlijk geen idee. Mijn vader had niet echt vijanden, volgens ons.'

'Hebben jullie ooit ook maar in de verte gedacht dat ik iets met die ontvoering te maken zou kunnen hebben?'

Paul en Sander kijken elkaar aan.

'Eerlijk antwoord?' vraagt Paul.

'Ja,' zegt Michiel.

'Wij hadden geen idee wat we over jou moesten denken en we hadden jou ook nog nooit ontmoet. Je moet je voorstellen dat het als een donderslag bij heldere hemel kwam dat papa en Maya werden ontvoerd. Je houdt overal rekening mee.'

278

'Mooi geantwoord,' zegt Michiel. 'Heb ik die twijfel nu weggenomen?'

Paul en Sander kijken elkaar weer aan, en dan Michiel.

'Ik denk het wel,' zegt Sander.

'Geldt ook voor mij,' zegt Paul.

Het is even stil aan de tafel en ze nemen allemaal een slok van hun wijn.

'Ik heb nog een brandende vraag,' zegt Sander.

'En die is?' vraagt Michiel.

'Weet je dat je mijn vader zou kunnen zijn?'

'Hoe bedoel je? Omdat we op elkaar lijken? Dat is mij inderdaad ook opgevallen.'

'Nee. Omdat je het ooit, vijfendertig jaar geleden, met mijn moeder gedaan hebt.'

'Heeft Eva je dat verteld?' zegt Michiel lichtelijk van zijn stuk gebracht.

'Zij heeft me verteld dat ik net zo goed een kind van jou als van mijn vader zou kunnen zijn. Dat vond ik nogal heftig. Blijkbaar is er iets gebeurd tussen jullie?'

'Wat heeft ze je nog meer verteld?' Michiel neemt nog een flinke slok van zijn rode wijn.

'Niets. Ze zei dat ik het jou maar moest vragen. We lijken wel erg op elkaar, vind je niet?'

'Heb je het ooit aan je vader gevraagd?'

'Nee, ik weet het pas sinds kort. En ik vraag het jou.'

Michiel slaakt een lange zucht. 'Pff... Wat een dag,' zegt hij. 'Jouw moeder hield er in die tijd nogal vrije seksuele opvattingen op na. Dat weet je vader ook. Het waren de jaren zeventig. Het is meer dan eens gebeurd dat je vader er niet was en Eva zich voor mijn neus uitkleedde. We waren jong en roekeloos. Eén keer kon ik de verleiding niet weerstaan en is het gebeurd. Ik was twintig of eenentwintig jaar. We hadden een joint gerookt en een fles rode wijn achter onze kiezen. Achteraf had ik er natuurlijk spijt van, en ze heeft me plechtig doen beloven het nooit maar dan ook nooit aan je vader, aan Ben, te vertellen. Ze gebruikte de anticonceptiepil, zei ze, dus ik heb er verder nooit bij stilgestaan. Ik ben ook zeer verbaasd dat ze jou dit verteld heeft. Wat waren haar beweegredenen?'

'Ze zei het toen we een keer ruzie hadden,' zegt Sander. 'Ze had er ook

279

onmiddellijk spijt van. Maar sindsdien zit ik er toch wel mee. Wil jij het niet weten, nu?'

'Wil jíj het echt weten?' vraagt Michiel.

'Ik weet het niet. Zoals ik al zei, ik weet het pas sinds kort.'

'Ik denk dat het niet verstandig is het te willen weten. Ben en je moeder hebben je grootgebracht. Dat zijn je echte ouders. Ben is je vader, ook al zou ik de biologische vader zijn.'

'En als ik het toch wil weten, wil je dan meewerken aan een DNA-test?'

'Jezus, Sander. Je hebt het me net verteld! Ik heb altijd in de veronderstelling geleefd dat ik geen kinderen heb en nu kom jij met dit verhaal. Mag ik hier even over nadenken? Waarom zou je het je vader trouwens willen aandoen, stel dat het al zo is? Je haalt zoveel overhoop.'

'Ik zou het hem niet vertellen,' zegt Sander.

'Zoiets komt altijd een keer naar buiten,' zegt Michiel. 'Getuige je moeder.'

Hij zucht weer diep en neemt nog een slok van zijn wijn.

Sander gaat onderuit zitten en zucht ook.

'Wat vind jij hiervan, Paul?' vraagt Michiel.

'Ik vind het ook nogal heftig. Het zet alles op zijn kop. Ik weet het ook sinds Sander het weet. Eigenlijk vind ik dat je het niet moet uitzoeken. Het zou voor papa een enorme klap zijn, denk ik, als het zo is. En het verandert niets aan wie Sander voor mij of Maya is. Maar voor mijn vader zou dat wel eens anders kunnen zijn – of misschien ook wel niet. Ik weet het niet. Ik zou het vooral laten rusten.'

'Dat denk ik ook,' zegt Michiel. 'Laten we ons vooralsnog maar eerst concentreren op je vader en Maya en wat voor actie we maandag aanstaande moeten ondernemen als ze dan nog steeds niet terug zijn.'

'Oké,' zegt Sander. 'Jullie hebben waarschijnlijk gelijk.'

'En heren, heeft het gesmaakt?' De restauranteigenaar staat er weer.

41

Als Bram een kwartier in zijn auto zit op de snelweg terug naar Amsterdam begint hij zich steeds meer te realiseren dat hij Ben daar niet aan zijn lot kan overlaten. Maar hij moet eerst slapen, en Ben naar een ziekenhuis brengen met zijn eigen Landrover is bepaald niet zonder risico's. Overal staan camera's langs de weg, en bij ziekenhuizen natuurlijk ook. *Big Brother is all over the place.*

Zijn ogen branden, hij is doodop en hij heeft barstende hoofdpijn.

Die klotewodka ook die ik gedronken heb, denkt hij. Eigenlijk ben ik geen haar beter dan de jongen die mijn dochter heeft neergeschoten. Dat had ik dus nooit moeten doen.

Hij denkt aan wat Ben gezegd heeft over drugs. En aan wat Maya gezegd heeft: 'Het is de tijdgeest, die kun je niet veranderen.' Het zinnetje blijft maar in zijn hoofd rondzingen.

Zijn emoties gaan op en neer. Hij baalt ontzettend van zichzelf.

Morgen moet hij de foto's ontwikkelen en versturen. En regelen dat de tv-spots bij zMG terechtkomen. Hij moet naar Sacha, die waarschijnlijk al in het mortuarium van het OLVG ligt, en hij heeft beloofd Patrick op te zoeken op het politiebureau. Tegen de tijd dat hij ergens morgenavond terug kan zijn bij Ben en Maya is die idioot natuurlijk allang doodgebloed en zit Maya daar met een lijk.

Dit is allemaal niet zoals hij het voor ogen had. Hij moet de held worden die de wereld duidelijk maakt dat de media hun macht misbruiken. Dat het anders kan. Niet de moordenaar die de grote Ben Zandstra gewoon laat doodbloeden in de liefhebbende armen van zijn dochter. Omdat hij, Bram Rietveld, te veel gezopen had.

Ben moet blijven leven en alle vernederingen ondergaan die straks over hem neer gaan dalen. Na de uitzending van zijn tv-spotjes.

Hij heeft ook veel te veel gezeik aan zijn kop. En straks staat dat roofdier van een Connie natuurlijk ook nog voor zijn deur te blèren. Daar moet hij al helemaal niet aan denken.

Hij neemt de eerste de beste afslag en rijdt geagiteerd terug.

Eenmaal van de snelweg af pakt hij een andere route naar zijn boerderij. Ze moeten hem niet te vaak langs zien komen op de dijk. Er zitten ogen achter alle gordijnen op het platteland en ze weten allemaal dat het zijn Landrover is. Straks komt er eentje buurten, en dat moet hij niet hebben.

Ondertussen bedenkt hij hoe hij dit gaat oplossen. Ben moet naar een ziekenhuis. Maar welk ziekenhuis? En hoe?

Hij is snel weer bij de schuur, gaat naar binnen, doet het licht weer aan en opent het luik van de kelder.

Maya en Ben hebben hem al aan horen komen en kijken hoopvol naar boven.

Ben zit direct onder aan de trap tegen de muur van de kelder met een verhuisdeken tegen zijn buik gedrukt en een om zijn schouders. Zijn gelaat is grauw, uitgeput en verwrongen van de pijn. Hij voelt hoezeer zijn lichaam worstelt met de verwoestingen die de kogel uit Brams pistool heeft aangericht. Hij bloedt nog steeds en is bang dat hij de strijd niet lang vol gaat houden.

Maya zit met een verhuisdeken om haar benen gewikkeld met opgetrokken knieën dicht tegen hem aan. De verspreide kranten doen de kelder lichter lijken.

'Heb je een arts en medicijnen meegebracht?' vraagt Maya.

'Ik kom je eigenwijze vader halen; ik breng hem naar het ziekenhuis. Jij blijft hier,' zegt Bram boven aan de trap. Hij heeft zijn pistool uit zijn zak gehaald.

'Nee, nee,' zegt Ben zwakjes. 'Als ik ga, dan gaat mijn dochter ook mee. Ik geef je mijn woord dat we je niet zullen aangeven en je spots zullen uitzenden.'

'Dat zeg je nu, maar als je eenmaal vrij bent, dan ga je anders lullen,' zegt Bram. 'Jij gaat mee en je dochter blijft hier. Of jullie blijven allebei hier. Moet ik het luik weer dichtdoen? Ik ben morgenavond pas weer terug.'

'Ga jij maar, pap. Ik red het hier nog wel een nachtje met die melk en die chips,' zegt Maya. Ze strijkt door de haren van haar vader.

'Jij wil niet dat ik hier doodga, hè,' zegt Ben tegen Bram. 'Dat past natuurlijk niet in je plannen. Dan ben je niet meer de grote man die de wereld wil verbeteren maar een ordinaire moordenaar. Mijn dochter gaat mee, anders verzet ik geen poot.'

'Zoals je wilt.' Bram smijt het ijzeren luik met veel kabaal weer dicht.

'Nee, nee, nee!' gilt Maya. 'Luister niet naar mijn vader. Hij gaat mee, ik blijf wel hier. Alsjeblieft Bram, alsjeblieft.'

Bram doet alsof hij het niet hoort, rommelt wat met het slot en loopt weg.

'Néééééé!' gilt Maya met alle kracht die ze in zich heeft. 'Kom terúúúúúg.'

Bram blijft staan en wacht even.

'Alsjebliééééft,' gilt Maya weer.

Bram loopt terug naar het luik, opent het en zegt: 'Laatste kans, Ben. En dat heb je aan je dochter te danken, die meer hersens in haar linkerduim heeft dan jij in je kop.'

'Kom op, pap.' Maya staat op, doet haar beide onderarmen onder de schouders van haar vader en tilt hem op. 'Kom op, werk een beetje mee. Je gaat naar het ziekenhuis. Doe het voor mij.'

'Maya, ik wil je niet alleen laten.'

'Dat maak ik wel uit,' zegt Maya. 'Kom op, de trap op. Ik wil niet dat je doodbloedt. Dan maar zo.'

Ze duwt haar vader bijna de trap op. Met grote moeite en veel pijnscheuten lukt het Ben boven te komen. Daar pakt Bram hem bij zijn arm en begeleidt hem een paar stappen verder. Hij verliest het trapgat ondertussen niet uit het oog.

'Hier blijven, eikel.'

Bram stapt weer naar de schuilkelder waarin Maya nog onder aan de trap staat. Ze kijkt naar boven. 'Dank je wel, Bram.'

'Wacht even,' zegt Ben. 'Hier, geef Maya mijn deken.' Zwakjes gooit hij de verhuisdeken die om zijn schouders hangt op de vloer. Bram schopt hem in het trapgat.

'Ik zie jou morgen weer,' zegt Bram tegen Maya. Hij gooit het luik dicht en doet het op slot.

'Dag pap,' schreeuwt Maya.

'Dag Maya, hou je sterk, meisje van me. Ik hou van je!' roept Ben zo luid mogelijk en krimpt onmiddellijk ineen van de pijn.

'Ik hou van jou, pap!'

De tranen springen Ben in de ogen.

'Hoe kun je dit doen, man? Laat mijn dochter meegaan. Je laat toch geen meisje van vierentwintig alleen in een kelder achter? Wat ben jij voor een onmens.'

'Kom mee.' Bram pakt Ben ruw bij zijn arm en begeleidt hem naar zijn Landrover. 'Je gaat achterin, zoals je gewend bent,' zegt hij terwijl ze stapje voor stapje naar buiten lopen.

'Laat dat kind nou meegaan, ik geef je mijn woord. Alsjeblieft, man.'

'Hou je kop. Luister, over een halfuur zijn we bij een ziekenhuis waar ik je een eind voor de ingang zal afzetten. Ik geef je een paar 8mm cassettes in verschillende talen mee met de tv-spot die ik je net heb laten zien. Jij zorgt dat die vanaf morgenavond 18.00 uur in alle landen waar je tv-zenders hebt elk uur wordt uitgezonden. Alle landen, Ben. Overal, niet één uitgezonderd. En zonder teksten van jullie zelf ervoor of erna, zo van: dit is niet van ons. Heb je goed begrepen wat ik zeg?'

Ben knikt.

'Als dat niet gebeurt stuur ik foto's van jou en je dooie buurman en van jou en Maya in die kelder naar alle media en zie je je dochter nooit meer terug. Nooit meer. Ik laat haar gewoon langzaam creperen. Kun je je voorstellen hoe dat is, langzaam verhongeren en uitdrogen in die kelder? Dat ze langzaam hysterisch en gek wordt?'

'Klootzak,' zegt Ben.

Bram verstevigt zijn greep rond Bens bovenarm.

'Begrijp jij héél goed wat ik zeg?'

Ben knikt nogmaals en onwillig. Hij schuifelt gebogen met de deken tegen zijn buik en de stevige hand van Bram rond zijn bovenarm naar de uitgang.

Als ze daar aankomen schudt Bram hem ruw door elkaar en kijkt hem recht aan. Ben kreunt van de pijn.

'Laat haar meegaan, Bram,' zegt Ben. 'Ze is nog zo jong. Ik doe alles wat je vraagt, maar laat haar alsjeblieft meegaan.'

'De politie zal je ondervragen en alles willen weten. Ze zullen je vertellen dat ze Maya wel vrij kunnen krijgen. Zo overmoedig en dom zijn ze. Misschien halen ze er wel ontvoeringsspecialisten bij uit het buitenland. Die willen het liefst contact met me en hopen dat ik fouten ga maken. Jij gaat ze vertellen dat ze elke zoekactie naar mij of je dochter moeten staken. Je gaat niets over mij vertellen, niet hoe ik eruitzie, hoe ik heet, waar je geweest bent, waar je denkt dat mijn boerderij ligt, wat voor auto ik rijd of het kenteken dat je waarschijnlijk wel gezien zult hebben. Helemaal niets. Is dat weer heel erg duidelijk?'

Ben knikt weer flauwtjes en kijkt de andere kant op.

'Als ik er ook maar de lucht van krijg dat ze mij zoeken, zie je Maya nooit meer terug. Ik laat benzine in de kelder lopen en steek haar in brand. Is dat duidelijk?'

Ben kijkt Bram vernietigend aan.

'Is dat duidelijk?'

Ben knikt.

'Als je toch zo dom bent om te gaan lullen, en stel dat ik word gepakt: ook dan zal ik ook nooit zeggen waar Maya is, Ben. Nooit.'

'Dag pááááp,' roept Maya weer. Het klinkt vanuit de verte.

'Dag Maya.' Maar Ben kan nauwelijks nog volume ontwikkelen.

Bram doet het licht uit en sluit de schuur af. Ze lopen naar de achterkant van zijn Landrover. Het is behoorlijk donker, maar hun ogen wennen snel bij het schijnsel van de enige buitenlamp aan zijn boerderij.

'Was ik daarnet weer duidelijk, grote mediatycoon?'

'Waar eindigt dit als ik aan je eisen voldoe? Wanneer laat je mijn dochter vrij?' vraagt Ben.

'Ik wil dat je die spotjes drie dagen lang uitzendt. Dag en nacht, elk uur een keer. En nogmaals: in alle landen waar je tv-zenders hebt en zonder begeleidende teksten. Gewoon voor of na een programma en ook altijd rondom het nieuws. Daarna beslis ik of ik andere spotjes wil uitzenden of dat het genoeg is geweest. Dat hangt af van alle commotie die er zal ontstaan en waaraan jij met jouw media een grote bijdrage kunt leveren. Je heb het dus zelf in de hand. Hoe meer publiciteit, hoe eerder ze vrij is. En dan zal de wereld ook weten wie ik ben. Ik ben geen lafaard en ook geen moordenaar. Daarom ben ik teruggekomen. Nogmaals, dit gaat me niet om geld. Het gaat me erom dat de media zich gaan realiseren dat ze het leven van veel mensen elke dag weer naar de kloten helpen.

Maar goed, tot die tijd: geen contact met mij proberen te zoeken. Geen oproepen doen. Probeer me niet te naaien, want dan verander ik wél in een rücksichtslose moordenaar. Dan zal ik jou en je kinderen altijd weten te vinden. Ook je zoons. Mijn dochter is dood, mijn vrouw is dood, mijn moeder is dood en mijn zoon zit vast. Ik heb niet veel meer om voor te leven. Ik duik nu voorlopig onder en deze auto verdwijnt. Maak je geen illusies.'

Ze zijn bij de Landrover aangekomen en Bram opent de achterdeur. Hij duwt Ben voorzichtig aan zijn arm de auto in en gooit de deur dicht. Daarna loopt hij naar voren, opent het zijportier en grijpt zijn koffertje.

Hij pakt er drie cassettes uit. Hij haalt de cassette die hij heeft afgespeeld voor Ben en Maya uit de videoplayer, pakt een oude doek en veegt ze zorgvuldig schoon, zodat overal zijn vingerafdrukken van af zijn.

Hij houdt het stapeltje vast in de doek, loopt terug naar Ben en overhandigt hem de cassettes.

'Doe die maar in je broekzak. Het is voor jou en je dochter te hopen dat je blijft leven en dat die spots worden uitgezonden.'

Ben pakt ze aan en manoeuvreert ze met moeite in de zakken van zijn pantalon. Het zijn maar kleine cassettes. Elke beweging doet hem pijn en hij is wat duizelig. Hij is als de dood zijn bewustzijn te verliezen.

Pas als het hem gelukt is, gooit Bram de achterdeur weer dicht. Daarna pakt hij een schroevendraaier en een paar gestolen kentekenplaten onder zijn voorstoel vandaan en verwisselt die met zijn eigen platen. Het is tegen half een 's nachts als hij wegrijdt.

Hij trekt zijn capuchon over zijn hoofd en doet de zonneklep naar beneden zodat zijn gezicht volledig is afgeschermd voor camera's die boven de weg hangen.

Na ongeveer vijftig minuten rijden nadert Bram het ziekenhuis Tergooi bij Blaricum, direct aan de A1 richting Amsterdam. Het is rustig op de weg.

Hij is een paar jaar geleden ooit een keer op bezoek geweest in Tergooi en heeft bewust gekozen voor dit ziekenhuis. Het is een klein streekziekenhuis in een bosgebied en Bram hoopt dat het er betrekkelijk stil zal zijn rond deze tijd in de nacht. Bovendien is het totaal niet in de buurt van zijn boerderij.

Hij herinnert zich dat de eerste hulp vrijwel direct aan de afslag van de snelweg ligt en behoorlijk in het zicht. Maar de hoofdingang ligt aan de andere kant en daar is het waarschijnlijk veel rustiger. Daar zijn in het groen, tussen de bomen, struiken en hagen verschillende parkeerplekken voor het personeel en bezoekers. Een geschikte locatie voor Bram om redelijk ongezien Ben te dumpen. Of er camera's staan weet hij niet meer, maar herkennen zullen ze hem toch niet met zijn capuchon en bivakmuts op.

Hij wil absoluut niet gezien worden.

Beneden aan de afslag vanaf de A1 gaat Bram eerst rechtsaf, richting Laren. Zodra hij een stille zijweg ziet neemt hij die en parkeert zijn donkergroene Landrover ergens rustig langs de kant uit het zicht. Het is een villabuurt waar de huizen ver uit elkaar liggen. Het is er rustig en de weg is schaars verlicht.

Hij pakt een schroevendraaier uit de middenconsole en haalt weer een paar gestolen kentekenplaten onder zijn stoel vandaan. Hij doet zijn bivakmuts op maar houdt zijn gezicht voorlopig vrij, capuchon erover, stapt uit en haalt weer de kentekenplaten van zijn auto om die te verwisselen.

Het kost hem hooguit twee minuten.

Geen mens die hem heeft gezien.

Hij keert zijn auto en rijdt weer terug richting het ziekenhuis. Hij heeft definitief besloten voor de hoofdingang te kiezen. Zodra hij bordjes HOOFDINGANG ziet staan volgt hij de wegwijzers.

Bram trekt de bivakmuts geheel over zijn gezicht en dooft zijn lichten. Hij nadert slagbomen en moet een parkeerticket uit het apparaat langs de kant van de weg nemen. Er staat een camera, maar hij heeft geen keus. Hij pakt een parkeerkaartje bij de slagbomen en volgt de rondweg in het bos tot ongeveer vijfenzeventig meter voor de ingang. Het is stil. Wel staan er bij de ingang een paar taxi's. Er rijdt niemand achter hem en hij ziet verder geen camera's.

Hij parkeert zijn donkere auto op een van de plaatsen die net uit het zicht zijn, schuin tegenover de hoofdingang tussen de bomen, heggetjes en wat andere auto's.

Snel stapt hij uit.

Hij kijkt om zich heen. Niemand. Ook vanuit de ziekenhuisgebouwen wordt het zicht op de plek waar hij heeft geparkeerd geblokkeerd door een hoge, dichte, blijvend groene bomenrij. Het is koud en er hangt een lichte nevel die hem extra aan het zicht onttrekt.

Dat is mazzel.

Bram opent de achterdeur en trekt Ben, die op zijn zij met ingetrokken knieën ligt, voorzichtig maar behendig en snel uit de Landrover. Het pakt hem onder zijn knieën en schouders met twee armen vast en doet met een voet het achterportier dicht. Hij loopt een stukje terug en legt Ben in het zicht tegen een boom aan op de doorgaande rondweg van het ziekenhuiscomplex. Dus buiten de parkeerplaatsen en in het zicht van de hoofdingang.

Schichtig kijkt hij van onder zijn capuchon om zich heen. Nog steeds niemand.

'Daar vijfenzeventig meter verderop is de hoofdingang,' zegt Bram. 'En geen woord, Ben. Anders zie je Maya nooit meer.'

Ben reageert niet en ligt ineengekrompen op zijn zij aan de voet van de nog betrekkelijk jonge boom in wat graspollen. Wel houdt hij de verhuisdoek strak tegen zijn buikwond. Bram voelt even aan zijn pols. Hij leeft nog.

Hij laat Ben los, spiedt de omgeving af, loopt naar zijn Landrover en stapt snel weer in. Hij start de motor, kijkt in zijn spiegels, draait zijn auto de parkeerplaats af en rijdt langzaam, met gedoofde lichten weg.

Als het hem niet lukt op eigen kracht naar de hoofdingang te lopen, dan zal een bezoeker of taxichauffeur hem wel snel vinden, denkt Bram. Meer kan ik niet doen. Het is ook zijn eigen domme schuld...

Pas als hij op een stille plek net buiten het ziekenhuis, onder de snelweg door, zijn kentekenplaten nogmaals verwisselt voor het eerst gestolen paar, ziet hij in het schijnsel van een lantaarnpaal dat zijn jack onder het bloed zit. Er is ook bloed onder de achterdeur van de Landrover uit gesijpeld. Snel verwijdert hij het met een oude doek.

Hij rijdt Bussum in en neemt dan de provinciale weg langs 's-Graveland naar zijn opslagloods op het industrieterrein van Diemen.

42

Om twee uur 's nachts gaat de mobiele telefoon van Michiel af. Hij is nog wakker en ligt in bed wat na te praten met Ellen over wat hij die avond besproken heeft met Sander en Paul.

'Ja,' zegt Michiel.

'Met Bert Veldkamp. Je broer is gevonden.'

'Wat?! Waar?'

'Ik kreeg net een telefoontje. Een taxichauffeur trof hem meer dood dan levend aan bij de hoofdingang van ziekenhuis Tergooi in Blaricum. Sorry, maar het is niet anders. Hij wordt op dit moment geopereerd. Naar verluidt heeft hij een schotwond in zijn buik. Ik heb geen idee hoe hij eraan toe is.'

'Jezus,' zegt Michiel. 'En zijn dochter?'

'Geen spoor, en Ben was buiten bewustzijn. We kammen het hele gebied uit. Vermoedelijk is Ben daar achtergelaten door zijn ontvoerders omdat hij zo zwaargewond was. Bij een buikschot bloed je vaak dood als je niet behandeld wordt. Ben benieuwd wat hij ons kan vertellen als hij weer bijkomt. Dat zal wel pas tegen de ochtend zijn, denk ik.'

'Zijn er eisen gesteld? Is er een boodschap? Een bericht?'

'Ik weet verder eigenlijk nog niks. Victor is onderweg met een paar man en de lokale politie is er. Het nieuws ligt al op straat.'

'Hoezo?'

'De taxichauffeur heeft een vriendje bij *Het Parool* gebeld. Hij herkende Ben onmiddellijk van jullie uitzendingen op televisie. Dat krijg je, hè.'

'Stel jij ook de anderen op de hoogte?' vraagt Michiel.

'Ja. Ik bel Paul en die belt Sander. Akkerman is al op de hoogte gesteld door Victor Stikker. Met hem kun jij het niet erg goed vinden, begrijp ik?'

'Met Stikker? Nee, ik vind de man veel te ver gaan met zijn aantijgingen. Ik ben zeer benieuwd hoe hij deze ontwikkeling aan gaat pakken.'

'Hij is wel een hele goede rechercheur, een van de beste van Nederland.'

'We gaan het snel meemaken. Wat spreken we af?' vraagt Michiel.

'Ik houd je op de hoogte. Het heeft voor jou denk ik weinig zin nu af te reizen naar Blaricum. Je broer wordt nu geopereerd en zal daarna wel naar de intensive care verhuizen. Als ze die daar hebben; het is een streekziekenhuis. Hij was er slecht aan toe. Ik neem aan dat Paul of Sander er wel naartoe willen. Ik nu ga nu eerst Paul bellen.'

'Oké, tot snel. Bel me zodra je meer weet, maakt niet uit hoe laat het is.'

'Doe ik.'

Michiel legt zijn mobiel weer op het nachtkastje en neemt een slok van zijn glas witte wijn.

'Begrijp ik het goed dat Ben boven water is?' vraagt Ellen nieuwsgierig.

'Ja, hij wordt nu geopereerd in het ziekenhuis in Blaricum. Hij is blijkbaar in zijn buik geschoten. Van Maya ontbreekt nog elk spoor.'

'Nou, dat betekent in ieder geval dat ze niet in het buitenland zitten. Er is natuurlijk iets misgegaan. Een buikschotwond is niet niks. Hij zal vast veel pijn gehad hebben. En Maya hebben ze natuurlijk vastgehouden, zodat Ben zijn mond dichthoudt.'

'Zoiets denk ik ook,' zegt Michiel. 'Er is verder nog niets bekend over eisen of zo. Die Victor Stikker met wie jij morgenochtend een afspraak hebt, is ernaartoe met zijn mensen. Die afspraak zal nu wel niet doorgaan.'

'Ga jij er ook naartoe?' vraagt Ellen.

'Niet nu. Hij is pas tegen de ochtend weer aanspreekbaar, verwachten ze. Ik denk dat Paul en Sander wel zullen gaan.'

'Lijkt me ook niet zo'n goed plan, om je broer weer voor het eerst te zien na zoveel jaar als hij net wakker is na een zware operatie,' zegt Ellen.

Ze is kruipt dicht tegen Michiel aan.

'Wat een dag,' verzucht ze. 'De eerste dag van het nieuwe jaar begint goed voor jou. Je hebt er misschien een zoon bij en je broer is weer terug. Eigenlijk vrij snel, als je erover nadenkt. Hij is gisteravond pas ontvoerd.'

'Ik heb er héél misschien een zoon bij, schat. En dat Ben zo ongeveer voor dood is achtergelaten bij de ingang van een ziekenhuis en er niets bekend is over het lot van Maya stelt me bepaald niet gerust. Dit zijn dus gewelddadige types, en ze hebben dat arme meisje nog.'

'Ja,' zucht Ellen. 'Ik ben bang dat je gelijk hebt. Dit voelt helemaal niet goed.'

Ze zijn even stil.

'Je zit na vandaag wel ineens helemaal in het leven van je broer hè. Hoe voelt dat?' vraagt Ellen.

'Bizar en bijzonder tegelijk. Alsof ik helemaal geen ruzie met hem heb gehad, maar hem gewoon al jaren niet gezien heb. Het is verwarrend.'

'Je hebt de afgelopen achtenveertig uur ook veel meegemaakt, schat. Je moeder is overleden, je broer is ontvoerd, je hebt zijn zoons ontmoet en je hebt gehoord dat Sander misschien wel jouw kind is. Dat is nogal niet wat. Dat laat geen mens koud.'

'En morgen zie en spreek ik Ben waarschijnlijk weer. Vind je me anders?' vraagt Michiel.

'Ja, wat ik je al zei. Je haar zit anders, je loopt minder gebogen en ik vind je veel milder ineens.'

'Ik voel me ook beter, hoe gek dat ook moge klinken. Zekerder, op de een of andere manier. Alsof ik ergens bij hoor. Het heeft iets vertrouwds. Ik kan het eigenlijk niet goed plaatsen.'

'Misschien heb je je broer wel gemist. Het is je oudere broer hè, en sinds je moeder overleden is, is hij de enige van het gezin die nog over is.'

'Ik weet niet wat er met me aan de hand is, maar ik voel minder rancune.'

'Daar ben ik blij om,' zegt Ellen. 'Rancune is helemaal niet goed voor een mens.'

Hij geeft Ellen een kus op haar mond.

'En wat ben ik toch blij met jou. Ik had je veel eerder moeten ontmoeten. Ik hou van je, Ellen. Je betekent heel veel voor me. Bij jou kom ik echt thuis en voel ik me veilig, niet bedreigd. Met jou kan ik ook alles delen.'

'Ik hou ook van jou, lieverd. Misschien nog wel meer nu,' zegt Ellen.

43

Maya ligt met twee verhuisdoeken om haar benen en middel gewikkeld op een soort dik bed van kranten dat ze gemaakt heeft. Daarboven
heeft ze haar jack stevig dicht geritst. Ze heeft de zijden sokken van
haar vader hoog opgetrokken, bijna tot onder haar knieën en ligt in de
foetushouding.

Gelukkig heeft ze het wat minder koud. Vooral de kranten helpen
tegen het optrekken van de kou uit de vloer.

Ze hoort elke geluidje in de schuur ineens veel beter dan toen haar
vader er nog bij was. Of ze let er beter op. Met name het gescharrel van
de pootjes van de muizen of ratten op het ijzeren luik boven haar hoort
ze erg duidelijk. Ineens vindt ze het eng.

Ze moet regelmatig hoesten en dat klinkt wel minder hol merkt ze.
Komt natuurlijk door al die kranten. Ze heeft een koud gezicht en met
name een koude neus, die ze steeds met de palm van haar hand probeert
te warmen.

Zeker een uur heeft ze stilletjes liggen huilen na het vertrek van haar
vader. Ze voelt zich moederziel alleen en ze heeft een heel zenuwachtig
gevoel in haar buik. Ze is bang. Bang van het donker, van Bram en van
de dingen die komen gaan. Maar vooral is ze bang dat haar vader het
ziekenhuis niet levend bereikt. Voortdurend moet ze denken aan de rit
die hij moet meemaken in de stug geveerde Landrover van Bram. Dat
moet een martelgang zijn voor haar vader.

Ze haalt zich in haar hoofd dat Bram haar nooit meer op komt zoeken en dat ze langzaam doodgaat in dit hol. Wegrot. Dat ze haar moeder nooit meer zal zien. Die staat natuurlijk ook doodsangsten uit. Die
slaapt niet.

Dat soort gedachten benauwt haar enorm.

En Paul en Sander. Die zullen ook wel ongerust zijn.

Af en toe valt ze in slaap, om dan hevig verontrust en doodsbang weer
wakker te worden. Nu eens heeft ze gedroomd dat Bram door de politie is gepakt en is doodgeschoten in een vuurgevecht. En dat ze haar

niet weten te vinden. Dat ze vlakbij zijn, dat ze de longen uit haar lijf schreeuwt maar dat ze haar niet horen! Dan weer heeft ze gedroomd dat haar vader hevig bloedend, haar naam schreeuwend, is overleden op de operatietafel. Dan moet ze zichzelf heftig tot kalmte manen als ze wakker schiet. Ze is soms ronduit in paniek en weet zich geen raad.

Ze droomt over haar jeugd en de ruzies die haar ouders maakten aan de deur als haar vader haar kwam ophalen.

Ze wil geen ruzie. 'Hou op!' schreeuwt ze dan. 'Hou verdomme op!'

Ze heeft het tweede pak melk al bijna op en is ook aan de tweede zak chips begonnen. Ze moet vaak plassen, wat ze in de verste hoek doet en snel bedekt met kranten.

Soms roept ze keihard 'papa' of 'mama' en hoort ze de muizen en de ratten boven haar verschrikt wegrennen.

Ze mist haar vader. Ze mist zijn warmte en zijn stem. Ze mist zijn vertrouwde aanwezigheid en de lange, mooie gesprekken die ze met hem voerde in dit benauwde hol. Doordat hij er was en ze tegen hem aan kon kruipen was ze helemaal niet bang. Had ze geen tijd om bang te zijn. Dat beseft ze nu.

Had ze maar een horloge, dan wist ze tenminste hoe laat het was. Ze heeft het idee dat de tijd voorbij kruipt. Het is nog steeds aardedonker. Nooit in haar hele leven heeft ze zich zo eenzaam gevoeld, zo verlaten en ellendig.

44

Paul arriveert als eerste bij het ziekenhuis, drie minuten later gevolgd door Sander. Het is rond half drie 's nachts en ze zien diverse politie-auto's staan met zwaailicht.

Ze worden opgevangen door een agent van de Regionale Eenheid Midden-Nederland. Alle toegangswegen tot het ziekenhuis zijn afgesloten.

Nadat ze hun ID hebben laten zien, mogen ze hun autosleutels inleveren en via de ingang van Spoedeisende Hulp naar binnen, waar ze door een receptioniste begeleid worden naar een kleine kamer in het souterrain van het ziekenhuis.

Er zitten maar een paar mensen in de ontvangstruimte van de eerste hulp, voornamelijk jongeren. Het ziekenhuis ziet er aan de buitenkant uit als zoveel nieuw gebouwde ziekenhuizen in Nederland. Goedkoop en saai. Het zou net zo goed een kantoorgebouw kunnen zijn op een industrieterrein waar geen cent te veel aan is uitgegeven. Het pand heeft geen enkele allure of warmte. Alleen de bosomgeving is fraai.

Paul en Sander wordt gevraagd even te wachten. Er zal zo iemand komen. Na tien minuten is er nog steeds niemand en Paul loopt ongeduldig de gang op.

Verderop ziet hij Victor Stikker staan praten met drie kerels, van wie er één een politie-uniform draagt. Hij besluit ernaartoe te lopen.

'Meneer Stikker...'

'Dag, meneer Zandstra,' zegt Victor vormelijk. 'Ik ben zojuist gearriveerd en word nu op de hoogte gebracht door mijn collega's van de Regionale Eenheid Midden-Nederland. Dit zijn de heren Van Essen en Fransma, recherche, en dit is de agent Coenradi, die het eerste ter plekke was toen je vader gevonden werd.'

Paul schudt hun allemaal de hand. Inmiddels heeft ook Sander zich gemeld.

'Kan iemand ons misschien vertellen hoe het met mijn vader is en waar hij is?' zegt Sander.

'Goed u weer te zien, meneer Zandstra,' zegt Victor tegen Sander, en ze schudden elkaar de hand. Victor had Sander al eerder ondervraagd.

'Uw vader wordt op dit moment geopereerd,' zegt agent Coenradi. 'Dat is alles wat ik u kan vertellen.'

'U heeft mijn vader nog gesproken toen hij gevonden was?' vraagt Paul.

'Ik heb uw vader nog gezien op een brancard. Ik reed met een collega in de buurt toen we de melding kregen uit het ziekenhuis, dus we waren zeer snel ter plaatse. Hij is gevonden door een taxichauffeur langs de rondweg van het ziekenhuis bij de hoofdingang.'

'Hoe was hij eraan toe?'

'Dat durf ik niet te zeggen, ik ben geen arts.'

'Hij had een buikwond?' vraagt Sander.

'Dat heb ik ook gehoord van een van de verpleegkundigen die hem van de weg hebben opgetild en op een brancard hebben meegenomen. Vermoedelijk een schot- of een steekwond, volgens hen.'

'Hoe lang wordt hij al geopereerd en door wie?' vraagt Paul.

'Ze hebben hem om kwart voor twee vannacht gevonden en het is nu vijf over half drie. Ik schat dat ze ruim een kwartier met hem bezig zijn,' zegt de agent.

'Is er niemand van de medische staf die ons meer kan vertellen?' vraagt Sander.

Victor heeft inmiddels een paar passen opzij gedaan met zijn collega-rechercheurs en praat met hen op gedempte toon verder.

'Ik zal proberen iemand voor u te vinden. Dat kan even duren, want het is drukker dan normaal.'

Vijf minuten later keert de agent terug met een jonge vrouw in een witte jas.

'Dag,' zegt ze. 'Ik ben Leonie, coassistent. Ik heb vannacht dienst op de eerste hulp en heb uw vader zien binnenkomen. Hij wordt op dit moment geopereerd onder leiding van dokter Rozendoorn, dat is een van de traumachirurgen die vannacht dienst hebben. Hij is een heel ervaren chirurg en een ontzettend aardige man. Uw vader is vijftien minuten geleden de operatiekamer in gegaan. Ik heb begrepen dat er al twee bloedtransfusies zijn toegediend, dat hij antibiotica heeft gekregen tegen infecties en dat er röntgenfoto's zijn gemaakt. Verder kan ik u helaas niet meer vertellen dan dat ze druk bezig zijn. Ik ben bang dat u zult moeten wachten totdat dokter Rozendoorn klaar is met uw vader.'

'Was hij bij kennis toen u hem zag? Heeft u hem gesproken?' vraagt Sander.

'Niemand heeft hem gesproken. Hij was buiten bewustzijn en waarschijnlijk in shock.'

'Hoe lang gaat die operatie duren, dokter?' vraagt Victor, die heeft meegeluisterd.

'Dat hangt af van de beschadiging van de organen in de buik,' zegt Leonie. 'En dat zijn er nogal wat. Darmen, blaas, lever, nieren, pancreas...'

'Zijn die allemaal beschadigd?' vraagt Paul verontrust.

'Nee, nee, ik noem er alleen maar een aantal op. Ik weet het niet. U moet zich voorstellen dat een schot in de buik als het ware een explosie veroorzaakt tussen al die organen die zich daar bevinden.'

'Dus het is een schotwond,' zegt Sander.

'Ja, ik ben bang van wel,' verzucht Leonie. 'Het spijt me dat ik jullie niet meer kan vertellen.'

Ze heeft donker, lang krullend haar, is ongeveer een meter vijfenzeventig lang en heeft kleine, donkerbruine, ondeugende ogen. Ze heeft kleine borsten. Ze staat rechtop met haar handen in de grote zijzakken van haar witte jas. Om haar nek hangt een stethoscoop. Sander vindt haar uitgesproken sexy.

'Ik heb zelf nog nooit zo'n operatie mogen verrichten, ik ben nog geen gespecialiseerd arts, maar ik weet wel dat het uren kan duren.'

'Dank u,' zegt Victor. Daarna richt hij het woord tot Sander en Paul: 'Kan ik jullie even spreken?'

'Dank je, Leonie,' zegt Sander.

'Ja, dank je,' zegt ook Paul.

'Zodra er nieuws is horen jullie het,' zegt Leonie met een glimlach. 'Sterkte.'

Ze draait zich om en loopt weg.

'Zullen we even die kamer in gaan?' Victor loopt naar de ruimte waar Paul en Sander in eerste instantie ook naartoe waren gebracht.

Als de deur dicht is, zegt Victor: 'De kleren en schoenen van jullie vader zijn weggebracht naar een laboratorium om uitgebreid onderzocht te worden. Maar er is wel iets opmerkelijks gevonden in zijn broekzakken. Vier 8mm videocassettes, elk afzonderlijk getiteld met Nederlands,

Frans, Duits, Engels. Met een zwarte viltstift op een sticker die bij de cassette hoort. Mijn collega's laten nu een 8mm videoplayer komen zodat we kunnen zien wat erop staat. Dat wil ik eerst zien voordat ook die naar het lab gaan. Verder is er niets op hem gevonden, behalve een verhuisdeken die door hem is gebruikt om het bloeden uit zijn wond te stelpen.'

'8mm videocassettes?' vraagt Paul. 'Dat is ouderwets, maar goed, het kan. Dat zal wel een bericht van de ontvoerders zijn. Ik ben heel benieuwd.'

'Waarschijnlijk, laten we niet op de zaken vooruitlopen,' zegt Victor.

Er wordt op de deur geklopt.

Victor doet open en Tom Akkerman en Michiel komen binnen.

Ze schudden elkaar de hand en Victor brengt hen snel op de hoogte.

'Er staan al tientallen journalisten buiten,' zegt Akkerman. 'Daar zitten we nou net op te wachten.'

'Daar zullen er ook wel een paar van ons bij zijn,' zegt Paul.

'Ik ben bang van wel,' zegt Akkerman. 'Ik herkende er al een.'

'Voorlopig doen we in het belang van het onderzoek geen mededelingen,' zegt Victor.

'Kun je ons iets meer vertellen over het sporenonderzoek, ik bedoel: zijn er al resultaten?' vraagt Akkerman.

'Mits het niet verder komt dan deze kamer.'

'Wat denk je,' zegt Michiel geïrriteerd. 'Dat we dan onmiddellijk naar de pers lopen? Of dat ik het misschien gebruik, Victor?'

Victor ontgaat het sarcasme van Michiel geenszins, maar hij vertrekt geen spier.

'We zoeken op dit moment naar alle mogelijke sporen op het terrein van het ziekenhuis en checken alle auto's op de parkeerplaats en in de directe omgeving,' zegt Victor. 'We hebben beelden van de ontvoerder. Er staan camera's bij de slagbomen op het terrein Het was vermoedelijk een donkere Landrover met gedoofde lichten die de heer Zandstra hier gebracht heeft. De bestuurder heeft een capuchon op en een bivakmuts en ook nog eens zijn zonneklep naar beneden. Niet te herkennen dus, en de kentekenplaten blijken gestolen van eenzelfde type auto. Het is vochtig weer, dat is gunstig. Niet ver van de plek waar de heer Zandstra gevonden is hebben we sporen aangetroffen van de banden van vermoedelijk de Landrover. We checken nu de camerabeelden van de

A1 en aansluitende snelwegen. We hebben ook sporen van schoenen gevonden. Weer Timberlands, we gaan ze vergelijken met de schoenen die we in Reeuwijk gevonden hebben. Ik heb zo'n vermoeden dat het dezelfde zijn. En we hebben bloedsporen gevonden, waarschijnlijk ook van de heer Zandstra, maar dat weten we snel genoeg. En misschien heeft iemand van het verplegend personeel of een patiënt uit een van de vleugelgebouwen van het ziekenhuis iets gezien. Dat is voorlopig de stand van zaken.'

'Dus jullie zoeken nu een Landrover?' vraagt Sander.

'Ja, hier in de omgeving en op de snelwegen. We schatten op basis van de verklaringen van een paar taxichauffeurs en bezoekers dat de heer Zandstra rond half twee hier gebracht moet zijn, en rond kwart voor twee is hij gevonden. Het is nu al bijna kwart voor drie.'

Het blijft even stil.

'Goed, heren, ik ga naar mijn collega's en weer verder met het onderzoek. Zodra de videoplayer er is meld ik mij weer en kunnen we gezamenlijk kijken wat er op de cassettes staat. Tot straks.'

'Komt die man van de AIVD niet?' vraagt Sander. 'En waar is Rob Korteland?'

'Geen idee,' zegt Michiel. 'Ik was eerst ook van plan later te komen omdat Veldkamp zei dat het voorlopig geen nut zou hebben gezien de situatie. Maar ik was te onrustig en ben toch maar gekomen. Je weet maar nooit, en nu ben ik toch blij dat ik er ben. Nu zien we ook de politie concreet in actie en krijgen we meer een beeld van hoe ze werken. En ik ben heel benieuwd naar wat er op die videocassettes staat.'

Ze zijn inmiddels allemaal gaan zitten aan twee tegen elkaar geschoven eenvoudige tafels. Typische saaie kantoormeubels en dito stoelen. De kleine rechthoekige kamer is sober ingericht en ongezellig. De twee niet al te grote kunstwerken in de door twee staande lampen in de verste hoeken verlichte ruimte slagen er niet in het geheel op te fleuren. De kunstwerken zijn te koop; op een kaartje staat de prijs: tweeduizend euro per stuk. Geen van de aanwezigen heeft er belangstelling voor.

'Is dit eigenlijk een goed ziekenhuis? Ik ken het niet,' zegt Michiel.

'Het heet in de volksmond Gooi Moord, ik heb kennissen die hier in het Gooi wonen,' zegt Akkerman.

'Top,' zegt Sander.

'Het is in ieder geval geen academisch ziekenhuis,' zegt Akkerman. 'Maar dat zegt volgens mij niet zoveel. Je bent om deze tijd van de nacht in elk ziekenhuis, waar je ook komt, altijd afhankelijk van de artsen die toevallig dienst hebben.'

'Wat is dan het grote verschil met een academisch ziekenhuis?' vraagt Sander.

'Dan zijn er meer disciplines, meer en vaak betere artsen en specialisten, die het bovendien in de groep bespreken. Dus meer expertise. Dat is wat ik ervan weet.'

'Dus mijn vader zou beter af geweest zijn in het AMC?' vraagt Paul.

'Misschien wel en misschien maakt het weinig verschil. Het ligt er maar helemaal aan welk team hem nu opereert en wie de leiding heeft,' zegt Akkerman.

'Had hij niet onmiddellijk naar het AMC gebracht moeten worden toen hij gevonden werd?' vraagt Paul.

'Was daar tijd voor?' vraagt Michiel. 'Die inschatting zullen ze hier wel gemaakt hebben, hoop ik.'

'Die arme zus van me,' zegt Paul. 'Waar zouden ze haar in godsnaam vasthouden en hoe zou het met haar gaan? Ik moet de hele tijd aan haar denken.'

Er springen tranen in zijn ogen als hij het zegt, maar hij weet ze te bedwingen.

Michiel, die naast hem zit, pakt hem met zijn hand bij zijn onderarm.

'Hopelijk komt de zaak nu in een stroomversnelling en komt ze snel vrij, Paul.'

'Wat denken jullie, komen de ontvoerders hier uit de buurt?' vraagt Akkerman.

'Geen idee,' zegt Michiel. 'Maar het lijkt me veilig te veronderstellen dat ze in Nederland zijn, en Maya dus ook. Je rijdt niet vanuit Duitsland of België helemaal naar Blaricum om een ziekenhuis te vinden voor iemand met een buikschotwond.'

'Misschien hier dus wel ergens in het Gooi,' zegt Sander. 'Alhoewel, als ze slim zijn niet natuurlijk. Dan hebben ze vast juist een eindje gereden.'

'Ik ga kijken of ik ergens een kop koffie kan scoren,' zegt Paul. 'Gaat er iemand met me mee?'

'Ik loop wel even me je mee,' zegt Tom Akkerman.

Onderweg in de gang gaat Pauls mobiel over.

'Met Paul.'

'Met Karin. Is Maya ook al terecht?'

'Nee, Karin. Alleen mijn vader is bij het ziekenhuis achtergelaten. Over Maya hebben we helaas nog niets gehoord.'

'Hoe kan dat nou? Ben is toch ook terug?'

'Die is zwaargewond. We vermoeden dat ze hem niet wilden laten doodbloeden.'

'Wie zijn "ze"? Weten jullie wie het zijn?'

'Nee, nee, we nemen aan dat de kidnappers hem naar het ziekenhuis hebben gebracht.'

'O god, als ze Maya nu ook maar niet iets aandoen. Ik sta doodsangsten uit.'

'Dat begrijp ik, wij allemaal ook.'

'Hoe is het met Ben?' vraagt ze.

'Hij wordt nu geopereerd, ik heb nog geen idee. Maar hoe weet je eigenlijk dat mijn vader gevonden is? Ben je door de politie gebeld?'

'Nee, ik lag al in bed. Ik werd gebeld door een vriendin, die hoorde het op de radio. Hij zou een schotwond in zijn buik hebben, klopt dat?'

'Ja, dat klopt.'

'Dat is niet mis.'

'Nee, zeker niet. Hij heeft veel bloed verloren.'

'Als er maar niet te veel beschadigd is daarbinnen,' zegt Karin.

'Dat hoop ik ook,' zegt Paul.

'Nou, sterkte met je vader, Paul.'

'Oké. Eh... dank je. Als ik iets hoor dan laat ik je het zo snel mogelijk weten. Sorry dat ik geen beter nieuws heb.'

'Dank je,' zegt Karin

Paul verbreekt de verbinding.

'Dus dat was Karin?' vraagt Akkerman.

'Ja, die had het nieuws van een vriendin die het gehoord had op de radio.'

'Jezus, wat gaat dat snel,' zegt Akkerman. 'Kijk, daar is een koffieautomaat. En daar staat ook Rob Korteland.'

45

Op de terugweg naar Amsterdam zit Bram hardop tegen zichzelf te foeteren. Hij heeft zijn bivakmuts weer afgedaan, maar houdt wel zijn capuchon op, waarin zijn hoofd diep verscholen zit. Er staan camera's op de A1 en op de A10, de ringweg rond Amsterdam, dus Bram heeft de provinciale weg vanaf Bussum richting Weesp en Diemen genomen.

'Dit was dus allemaal nooit gebeurd als je die wodka niet gedronken had, Bram Rietveld. Wat ben jij een klootzak. Daar gaat je "perfect crime" waar je zo lang aan gewerkt hebt. Wat ben jij een lul! Schiet je die Zandstra neer omdat hij een stoel naar je gooit! Fantastisch gedaan, man. Wat had je dan verwacht? Dat die mensen zich als schapen zouden laten slachten door jou met je dronken kop? Je had eerst wat moeten eten toen je van huis ging, eikel. En je had pillen moeten nemen om te ontnuchteren in plaats van als een soort overspannen randdebiel naar de Betuwe te rijden. Nu heb je dus een groot probleem met je duffe kop. Nu zit je auto onder het bloed, ben je Zandstra kwijt en ligt dat arme kind daar alleen in plaats van die mindfucker.'

Dat Maya daar alleen zit knaagt aan Bram. Ondanks dat ze ook een stoel naar zijn hoofd heeft gegooid – de bult boven zijn oog op zijn voorhoofd heeft inmiddels behoorlijke proporties aangenomen, maar het deert hem weinig – vindt hij haar best oké. Ze doet ze hem voortdurend denken aan zijn eigen Sacha.

Ik moet uitkijken met die meid, denkt hij. Ze is slim en heeft steekhoudende argumenten...

Ongewild moet hij steeds aan haar woorden denken: 'Het is de tijdgeest, Bram. Die kun je niet veranderen. Er komen wel weer tegenkrachten, de sociale media beperken de macht van de oude media al behoorlijk.'

Zou ze gelijk hebben? Zo had hij er nog nooit over nagedacht. Hij had niet eens een mobiele telefoon en ook geen Facebookaccount.

Was Sacha er nog maar, dan zou hij het ook eens aan haar kunnen vragen. Misschien zien jonge mensen het wel allemaal heel anders en is hij gewoon een ouwe conservatieve zak aan het worden die niet met zijn tijd meegaat.

Voortdurend kijkt hij in zijn spiegels of er geen politie achter hem aan komt. Hij voelt zich opgejaagd. Hij is klaarwakker en alert, terwijl hij toch doodmoe is.

Ik moet van die auto af, denkt hij. Dat bloed van Ben krijg ik er hopelijk wel uit, maar ik ben door die camera's bij het ziekenhuis gezien. Ze zoeken nu natuurlijk een Landrover. Eigenlijk moet de brand erin, maar waar? Een verlaten industrieterrein of ergens in de haven zou mooi zijn. Maar hoe kom ik dan zelf weg om half drie 's nachts?

Hij maant zichzelf tot kalmte. Hij moet nu vooral niet in paniek raken.

Zijn lenzen irriteren hem, hij knijpt steeds met zijn ogen en hij geeuwt doorlopend. Hij moet zichzelf wel wakker houden; hij heeft al een raam opengedaan om de koude lucht langs zijn gezicht te voelen.

Uiteindelijk besluit hij af te stappen van het hele idee om zijn Landrover in brand te steken.

Maya houdt het voorlopig wel vol op die melk en dekens, denkt hij. Ik ga even laagvliegen.

Het is stil en naargeestig op het industrieterrein van Diemen waar Brams loods zich bevindt. Het is ook slecht verlicht en niet bewaakt. Op zaterdagavond houden jongeren er wel eens illegale straatraces met motoren.

Hij stapt uit en kijkt om zich heen. Geen levende ziel te bekennen. Hij opent het roestige rolluik en rijdt zijn Landrover naar binnen. Daarna sluit hij af, gaat op een stapel isolatiewol liggen en valt vrijwel onmiddellijk in slaap.

46

Het is stil in de kleine kamer in het souterrain van ziekenhuis Tergooi. De gezichten van de aanwezigen staan stuk voor stuk somber.

Rob Korteland heeft zich inmiddels ook bij de reeds aanwezigen gevoegd en Bert Veldkamp heeft zich na een telefoontje van Victor Stikker eveneens gemeld. Het gezelschap zoals dat al die ochtend bijeenkwam in het landhuis van Ben is compleet, maar nu ook met Sander erbij.

Zojuist hebben ze alle vier de 8mm videocassettes bekeken die in de broekzakken van Ben werden aangetroffen en de stemming is er niet beter op geworden.

Het is inmiddels half vier in de ochtend en Ben wordt nog steeds geopereerd. Die heeft zijn derde bloedtransfusie gekregen en het enige nieuws dat uit de operatiekamer is gekomen, is dat zijn toestand licht kritiek maar onder controle lijkt.

Voor zover je daar iets mee kunt, had Paul gedacht toen die het hoorde.

Victor Stikker neemt het woord.

'Het lijkt me voor de hand te liggen wat de bedoeling van de ontvoerders is, heren. Dit zal wel moeten worden uitgezonden op jullie televisiezenders. Daar er geen notitie of brief bij is aangetroffen, neem ik aan dat de heer Zandstra de boodschapper is en we van hem zullen moeten vernemen wat exact de bedoeling is. Ik heb geen idee waar dit vandaan komt en wat de eventueel aanvullende eisen zijn.'

'Wat bedoel je met "aanvullende eisen"?' vraag Paul.

'Wanneer moet het uitgezonden worden; moet de heer Zandstra het bijvoorbeeld oplezen, en op wat voor tijdstip; moet er ook nog geld op tafel komen... Dat soort zaken. En natuurlijk, en heel belangrijk: laten ze Maya vrij als aan hun eisen voldaan wordt?'

'Jezus christus, wat een drama,' zegt Paul.

'Denk je dat ze mijn vader met opzet hebben neergeschoten en Maya vasthouden als garantie dat hun eisen worden ingewilligd?' vraagt Sander.

'Dat zou heel goed kunnen, ofschoon ze met een buikschot dan wel een erg groot risico hebben genomen. Dat loopt nogal eens fataal af. En de heer Zandstra had ook veel later gevonden kunnen worden, bij wijze van spreken op een moment dat hij al overleden was. Ik denk eerder aan een samenloop van omstandigheden. Het was ook nogal riskant om hem hier te brengen. Ik vermoed wel dat ze op de hoogte waren van de situatie hier, bijvoorbeeld omdat er alleen bij de toegangspoorten camera's hangen.'

'Heeft jullie onderzoek hier nog wat opgeleverd? Ik bedoel: heeft iemand nog iets gezien?' vraagt Rob Korteland.

'Ja, een verpleegkundige in een van de gebouwen meent een donkere terreinwagen van het merk Landrover te hebben zien rijden op de rondweg van het ziekenhuis omstreeks de tijd dat de heer Zandstra waarschijnlijk gebracht is. Het viel haar op omdat de auto met gedoofde lichten reed. Maar zij heeft geen personen gezien, en ook niet dat de heer Zandstra aan de kant van de weg werd gelegd.'

'Dus daar hebben we niet veel aan,' zegt Sander.

'Nee, en aan de beelden die we van de A1 hebben ook niet. Wel weer andere kentekenplaten en ook weer gestolen. We zijn alle eigenaren van zo'n auto in de regio Amsterdam, Utrecht en hier in het Gooi in kaart aan het brengen. Het is een donkere Landrover 90, dus het kleinere model, en daar rijden er nogal wat van rond.'

'Dus jullie denken dat de dader of daders uit de regio Amsterdam/'t Gooi/Utrecht moeten komen?' vraagt Michiel.

'Dat is het enige houvast dat we vooralsnog hebben,' zegt Victor. 'Ik hoop dat de heer Zandstra zodra hij aanspreekbaar is ons meer kan vertellen.'

'Aan wat voor type ontvoerders denk je?' vraagt Michiel.

'Mijn inschatting is waarschijnlijk net zo goed als die van jullie,' zegt Victor. 'Ik heb geen idee. Het gaat naar het zich laat aanzien niet om geld, of niet alleen om geld. Dit moeten we waarschijnlijk meer in kringen van activistische wereldverbeteraars zoeken. Die hebben we in allerlei soorten in Nederland, maar dit kan ik niet onmiddellijk plaatsen.'

'Of het is een morbide grap, een afleidingsmanoeuvre,' zegt Bert Veldkamp.

'Dan zou ik persoonlijk niet zover zijn gegaan om het ook in perfect Frans, Duits en Engels te vertalen,' zegt Victor. 'Overigens: de bloedsporen die we op het terrein gevonden hebben zijn inderdaad van de heer Zandstra, en de voetsporen zijn identiek aan die uit Reeuwijk. We hebben het gebied hier weer vrijgegeven. Ik neem de cassettes weer mee voor verder onderzoek. Dan ga ik u nu weer even verlaten heren; ik verzoek u tegen de verzamelde pers buiten nog geen enkele mededeling te doen.'

'Waarom zouden we eigenlijk niet zeggen dat we een donkere Landrover zoeken?' vraagt Paul.

'Omdat de ontvoerders wellicht denken dat ze de auto kunnen blijven gebruiken. Anders laten ze de auto verdwijnen en loopt ons enige spoor dood,' zegt Victor.

'Een capuchon op, een bivakmuts, valse kentekenplaten: die hielden er rekening mee dat ze door camera's gezien zouden worden. Die auto verdwijnt sowieso, denk ik,' zegt Paul. 'Kunnen we dan maar gewoon niet beter bekend maken dat we hem zoeken? Wie weet krijgen we dan een tip binnen.'

'Dat is een inschatting en een afweging,' zegt Victor.

'Ja! Neem me niet kwalijk, maar ik vind het altijd zulke onzin dat in het kader van het onderzoek geen mededelingen worden gedaan. Ik vind juist dat je zo snel mogelijk het publiek erbij moet betrekken. Zeker met de sociale media. Die hebben meer ogen en oren dan de politie,' zegt Paul. 'Ik bedoel, hoeveel misdaden lossen jullie nou eigenlijk op met dat beleid?'

'Toch behoorlijk wat,' zegt Victor. 'En vergeet niet, meneer Zandstra: een kat in het nauw maakt rare sprongen. Wilt u het risico lopen dat de druk op de ontvoerders te groot wordt en we uw zuster nooit meer terugzien? Ik zou zeggen: laten we hen vooral in de waan laten dat ze slim bezig zijn. De tips die we binnenkrijgen zijn zelden waardevol en uw tv-campagne, als ik het zo mag noemen, heeft tot op heden ook nog niets opgeleverd. Laten we eerst wachten tot uw vader ons meer kan vertellen.'

'Akkoord,' zegt Paul met enige tegenzin.

'Oké,' zegt Bert Veldkamp.

'Wil ik het zo nog wel even over hebben,' zegt Michiel.

'Dan zie ik u straks weer, heren,' zegt Victor en hij verlaat de kamer.

'Hij lijkt me goed, die Victor,' zegt Rob Korteland.

'Misschien,' zegt Michiel. 'Al vind ik wel dat Paul een punt heeft met

het inschakelen van de media. Maar inderdaad: laten we eerst maar afwachten wat mijn broer gaat vertellen. Dat wil zeggen, als hij bij kennis
is. Wat nog wel even zal duren.'

47

Ben wordt op 2 januari om kwart voor elf wakker op de afdeling Intensive Care van ziekenhuis Tergooi in Blaricum. Iets eerder dan zijn artsen gewild hadden. Op aandrang van Victor Stikker hielden zij hem niet langer in slaap.

Hij ligt alleen op een middelgrote kamer en voelt zich alsof hij uit een peilloos diepe slaap komt. Hij kijkt om zich heen en vraagt zich af waar hij is. Diverse infusen voor de toediening van infuusvloeistof en medicijnen verdwijnen in zijn lichaam. Hij heeft een beademingsbuis in zijn mond, een katheter en er zitten allerlei stickers op zijn borst om zijn hartritme en ademhaling te monitoren. Er zit een soort knijpertje om zijn wijsvinger.

Ben heeft het gevoel alsof hij zweeft. Hij wil iets zeggen, maar dat lukt niet door de beademingsbuis in zijn keel. Plotseling verschijnt er iemand aan zijn bed.

'Goedemorgen, meneer Zandstra. Ik ben Marloes, verpleegkundige van de afdeling Intensive Care waar u ligt. Ik zag dat u wakker werd. U ligt aan de beademing, dus u kunt nog niet praten. Heeft u pijn? Knikt u maar of schud uw hoofd.'

Ben schudt zijn hoofd slapjes heen en weer: nee.

'Bent u nog slaperig?'

Ben knikt ja.

'U bent nog heel zwak, meneer Zandstra, en u krijgt via het infuus medicijnen. U mag niet te veel bewegen.'

Ben knikt dat hij het heeft begrepen.

'De politie wil u graag een paar dringende vragen stellen. Denkt u dat u daartoe in staat bent?'

Plotseling begint het weer tot Ben door te dringen. De rit achter in de Landrover en de helse pijnen die hij moest verduren. De ontvoering, die koude vieze kelder en natuurlijk Maya!

Hij wil iets zeggen, maar er komt niet veel meer dan een soort gegorgel uit zijn keel.

'Rustig, meneer Zandstra. U bent net geopereerd en u bent nog heel kwetsbaar.'

Ben wil de beademingsbuis met zijn vrije linkerarm uit zijn mond halen, maar Marloes houdt hem tegen. Ze ziet op de monitoren dat zijn ademhaling en hartritme versnellen.

'Wilt u iets zeggen?'

Ja, knikt Ben gedecideerd. Zijn ogen staan wijd open en zijn gelaatstrekken zijn gealarmeerd.

De deur gaat open en er komt een arts-assistent binnenlopen. Ben kijkt hem met grote, vragende ogen aan.

'Wat vind jij Jan, mag hij even van de beademing af?'

Jan kijkt naar de monitoren, die duidelijk aangeven dat Ben zich opwindt, iets wat zeer ongewenst is in zijn conditie.

'Dag meneer Zandstra. U mag zich absoluut niet opwinden en niet te veel bewegen. Als u belooft kalm te blijven haal ik u van de beademing en kunt u spreken. Belooft u kalm te blijven?

Ja, knikt Ben langzaam.

'Oké Marloes, laten we het maar doen. Ik denk wel dat het kan. Bovendien wil de politie dringend met hem spreken en die staan buiten te wachten.'

Zodra Ben van de beademing is vraagt hij om water. Hij krijgt een heel klein beetje.

'Laat u de politie maar binnenkomen,' zegt hij daarna. Hij praat langzaam, alsof hij elk woord uit zijn mond moet duwen.

'Oké,' zegt Jan. 'Ik heb mij nog niet voorgesteld, meneer Zandstra. Ik ben Jan Wagenman, arts-assistent. U heeft vannacht een zware buikoperatie gehad. Nogmaals: blijft u alstublieft kalm. U bent nog heel ziek.'

Ben knikt.

Marloes loopt naar buiten. Nog geen minuut later komt ze weer binnen, gevolgd door Victor Stikker. Hij moet van Marloes op ongeveer anderhalve meter afstand van Ben blijven staan.

'Ik ben bang dat ik u niet alleen laat met de heer Zandstra,' zegt Jan. 'Hij is nog veel te zwak.'

'Ik begrijp het,' zegt Victor. 'Mits ú goed begrijpt dat alles wat u zo meteen hoort tussen deze vier muren blijft. U mag het met niemand bespreken, ook niet met uw partner en al helemaal niet met de pers. Heb ik uw woord?'

Jan knikt. 'Geen probleem.'

'Marloes, als jij ons even alleen laat?' zegt Jan.

Marloes knikt en zegt: 'Tot straks, meneer Zandstra.'

Victor wendt zich tot Ben. Jan staat naast hem en houdt de monitoren en zijn patiënt goed in de gaten.

'Goedemorgen, meneer Zandstra, mijn naam is Victor Stikker. Ik ben hoofdrechercheur bij de Regionale Eenheid Den Haag. Ik ben belast met het onderzoek naar uw verdwijning en die van uw dochter. Voelt u zich voldoende sterk en helder om met mij te praten?'

Ben knikt.

'Hoe laat is het?' vraagt Ben. 'Mijn dochter is daar nog.'

'Het is bijna elf uur 's morgens. U bent vannacht rond kwart voor twee hier bij het ziekenhuis gebracht. Kunt u mij precies vertellen wat...'

Ben onderbreekt Victor.

'Heeft u de videocassettes gevonden?'

'Ja, die hebben wij gevonden.'

'Die moeten vanaf zes uur vanavond elk uur worden uitgezonden op mijn tv-kanalen in Nederland en in het buitenland.'

Ben zwijgt even.

'Gedurende drie dagen.'

Weer pauzeert Ben. Hij merkt dat hij nog geen energie heeft. De woorden komen tergend langzaam uit zijn mond.

'Als dat niet gebeurt zie ik mijn dochter nooit meer terug. Zorgt u alstublieft dat dat gebeurt. Of liever, laat een van mijn zoons of Tom Akkerman komen, mijn financiële man.'

'Meneer Zandstra, kunt u mij in het kort precies vertellen wat er vrijdagavond en daarna gebeurd is?'

Ben zakt weg.

'Gaat het?' vraagt Jan Wagenman. Hij vindt dat Bens bloeddruk te veel oploopt.

Ben doet zijn ogen weer open en zegt tergend langzaam:

'Mijn dochter en ik zijn vrijdagavond ontvoerd en ergens in een kelder geduwd, zonder eten of drinken. Maya zit daar nog.'

Ben stopt en haalt een paar keer achter elkaar adem.

'Ze heeft het steenkoud en wordt vermoord als we die tv-spots niet uitzenden.'

'Wie heeft u en uw dochter ontvoerd? Kunt u mij dat vertellen?'

'Dat kan ik niet zeggen. Als ik dat doe, vermoordt hij haar ook. Die vent is een levensgevaarlijke gek.'

'Dus u bent door één persoon ontvoerd? Een Nederlander?'

Ben knikt.

'En uw buurman, die hebben wij levenloos in uw huis aangetroffen. Werkte de ontvoerder met hem samen?'

'Nee,' zegt Ben. 'Die heeft er niets mee te maken. Die viel mij aan met een bijl. Vlak daarna kwam die vent binnen. Puur toeval.'

'Weet u zijn naam, en waar hij vandaan komt? Kunt u hem omschrijven? Hoe oud is hij?'

Ben haalt weer een paar keer adem. Soms sluit hij zijn ogen.

'Ja, maar dat mag ik niet. Als jullie hem gaan zoeken, vermoordt hij Maya.'

'Heeft u enig idee van de locatie waar Maya zich bevindt?'

'Nee. Ergens in een schuur bij een boerderij in Nederland. Ik lag achter in een geblindeerde Landrover, het was donker.'

'Was dat een donkere Landrover? Die hebben wij hier gezien, namelijk.'

'Geen idee.'

'Is Maya daar alleen of verblijft hij daar ook?'

'Ze is daar alleen. Hij komt soms. Gisteren kregen we voor het eerst iets te drinken en te eten.'

'Wat wil hij precies van u?'

Ben neemt weer even rust en vraagt om nog een slok water. Het vergt enorm veel van zijn krachten, maar hij realiseert zich dat hij dit moet doen, voor Maya.

'Dat we iets anders uit gaan zenden. Hij vindt alles wat wij uitzenden rotzooi. Ik heb hele gesprekken gehad met die man. Hij is volslagen de weg kwijt.'

'En als u die tv-spots uitzendt laat hij Maya vrij?'

'Dat vermoed ik wel. Hij is er zo een die de wereld wil laten weten dat hij erachter zit, denk ik.'

'Heeft hij dat niet beloofd?'

Ben neemt weer zeker een minuut rust. Victor wacht geduldig terwijl Jan zorgelijk de monitoren volgt.

'Min of meer. Misschien wil hij nog meer, andere tv-spots uitzenden.'

'Waarom heeft hij u in uw buik geschoten?'

'Ik gooide in die schuur een stoel naar zijn hoofd en toen schoot hij op me.'

'Dus het was helemaal niet zijn bedoeling u vrij te laten?'

'Nee.'

'Heeft hij u ook op uw gezicht geslagen?'

'Hij gaf me een kopstoot.'

'Een gewelddadige man dus?'

'Ja, hij is gevaarlijk.'

'Gelooft u werkelijk dat hij uw dochter ooit vrijlaat als die tv-spots worden uitgezonden?'

'Ja, en ik heb geen keus.'

Ben raakt te vermoeid, zakt steeds weg en zijn ogen vallen dicht. Hij heeft te veel van zijn krachten gevergd.

'Ik denk dat we meneer Zandstra nu weer met rust moeten laten,' zegt Jan Wagenman.

'Wil hij geen losgeld?' vraagt Victor.

'Nee. Niet voor rede vatbaar. Ik heb hem geld geboden.'

'Mag ik u nu verzoeken te gaan?' zegt Jan redelijk dwingend.

'Ik wil graag nog één laatste vraag stellen, het is van het grootste belang,' zegt Victor. 'Meneer Zandstra, vertelt u mij alstublieft de naam van de man die u ontvoerd heeft of waar wij hem kunnen vinden. Ik denk namelijk niet dat hij uw dochter zomaar vrijlaat. Kunnen wij op de een of andere manier contact met hem zoeken?'

'Laat mijn zoons komen, of Akkerman. En waagt u het niet het leven van mijn dochter op het spel te zetten.' Ben zegt het zwakjes maar gedecideerd.

'Ik moet u verzoeken de kamer te verlaten,' zegt Jan.

Victor zucht. 'Akkoord, ik ga al.'

Zodra Victor de afdeling Intensive Care verlaat loopt hij naar Paul en Sander, die ook nog steeds in het ziekenhuis zijn. Ze hebben een paar uur geslapen in een zogenaamde familiekamer. De anderen zijn nadat ze dokter Rozendoorn om vijf uur in de ochtend gesproken hadden naar huis gegaan om ook wat te slapen.

'En, hoe was het met mijn vader?' vraagt Sander.

'Zwak. Hij krijgt medicijnen tegen de pijn. Hij praat heel langzaam en neemt regelmatig rustpauzes. Soms zakt hij weg, maar hij weet goed wat hij zegt. Hij is heel snel moe. Hij slaapt nu weer, denk ik, of ze hebben hem weer iets gegeven. Ik moest ook weer weg.'

'Wat zei hij precies allemaal?' vraagt Paul.

'Hij was vrij duidelijk. Ze zijn ontvoerd door een man. Gewelddadig en een Nederlander...' Victor doet vrijwel letterlijk verslag van het gesprek met Ben.

'Leek hij bang van die vent?' vraagt Paul.

'Ja, dat denk ik wel, maar hij is vooral bezorgd om Maya. Hij wil haar absoluut niet in gevaar brengen.'

'Mijn vader is anders niet zo snel bang. Dan moet die vent wel indruk gemaakt hebben,' zegt Sander.

'Wat dacht je, met een kopstoot en een kogel in je buik,' zegt Paul.

'Het lijkt me dat we snel bij elkaar moeten komen,' zegt Victor. 'We zullen een besluit moeten nemen over de uitzending van die tv-spots en het lopende onderzoek verder bespreken.'

'Is daar resultaat in geboekt?' vraagt Paul.

'Niet echt, eerlijk gezegd. Het onderzoek van zijn kleding en de videocassettes heeft niets concreets opgeleverd, zelfs geen vingerafdruk. We zijn druk bezig met al die Landrovers. Dat zijn er vele honderden, dus dat schiet ook nog niet op. Als jullie vader, als hij straks weer aanspreekbaar is, niets vertelt over zijn ontvoerder, dan ben ik bang dat we niet veel verder komen. Een boerderij ergens in Nederland waar Maya wordt vastgehouden hebben we ook niet zomaar gevonden.'

'Wat is het nu... kwart over elf. Zullen we zeggen om één uur hier?' stelt Paul voor.

'Akkoord,' zegt Victor, die de hele nacht ook nog geen oog heeft dichtgedaan. 'Probeer ik ook even een uurtje slaap te pakken. Bellen jullie de anderen op?'

'Yes,' zegt Paul.

48

Bram wordt rond negen uur 's morgens wakker. Hij is een beetje stijf van de kou, heeft een droge mond en lichte hoofdpijn. Hij draait zich om op de stapel steenwol maar staat nog niet op. Het is donker in zijn loods. Via de kieren van het rolluik komt wat spaarzaam licht binnen. Zijn ogen zijn er snel aan gewend.

Hij ruikt een vreemde geur. Al snel merkt hij dat het zijn jack is. Hij doet het licht aan en ziet het opgedroogde bloed van Ben. Het is een behoorlijk plek. Godzijdank zit het niet op zijn broek. Er zit ook bloed op de plastic verpakking van de isolatiewol waarop hij gelegen heeft, en een beetje op zijn handen. Hij wast ze snel, drinkt zeker een halve liter water met zijn mond aan de kraan, haalt zijn spullen uit zijn jack en pakt een oud zwart vuil corduroy jasje dat aan een spijker hangt.

Beetje dun voor de winter, maar het moet maar, denkt hij.

Het bebloede jack doet hij in een plastic zak.

Hij vraagt zich af wat hij eerst zal gaan doen vandaag. Hij is eigenlijk wel benieuwd of Ben het er levend van af heeft gebracht. Hij besluit om in ieder geval met het openbaar vervoer naar zijn huis te gaan aan de Prinsengracht en zijn Landrover voorlopig achter te laten in zijn loods.

Zodra hij zich thuis opgefrist heeft en wat gegeten, wil hij naar het mortuarium van het OLVG gaan en vervolgens naar Patrick op het politiebureau.

Het is voorlopig nog geen zes uur, het moment waarop zijn eerste tv-spot op televisie komt. Hij verheugt zich er ineens enorm op.

Als die Ben nou maar was blijven leven; hij moest zo snel mogelijk het nieuws horen.

Hij stapt in zijn Landrover, zet het contact aan maar start de auto niet. De radio komt tot leven. Precies op tijd. Sky Radio met het nieuws van negen uur. Ze openen met de ontvoering van Ben:

'Mediatycoon Ben Zandstra is vannacht door zijn ontvoerders achtergelaten bij de hoofdingang van het ziekenhuis Tergooi in Blaricum. Hij zou in zijn buik zijn geschoten en zwaargewond zijn. Naar verluidt is hij na een enkele uren durende operatie inmiddels buiten levensgevaar.

Van zijn dochter ontbreekt vooralsnog elk spoor. Ook is niet duidelijk door wie en met welke motieven Zandstra en zijn dochter zijn ontvoerd. De politie doet in het kader van het onderzoek nog geen mededelingen.'

Bram glimlacht en maakt in zijn hoofd een vreugdesprongetje.

Hij haalt zijn sleutel weer uit het contactslot en pakt zijn koffertje met de videocassettes en nog wat spullen die hij in een plastic tasje doet.

Hij kijkt achter in de auto en ziet de opgedroogde plas bloed van Ben op de aluminium vloer. Hij aarzelt. Als ze die auto zo vinden ben ik vies de lul, denkt hij. Maar Ben leeft, ik heb hem niet vermoord. En niemand weet dat die auto hier staat.

Eigenlijk wilde hij de auto de volgende dag pas schoonmaken, maar hij twijfelt. Wel zet hij zijn eigen kentekenplaten er weer op en doet hij de gestolen platen in het plastic tasje. Terwijl hij dat doet besluit hij de auto nu ook maar gelijk schoon te maken. Het risico is te groot.

Hij doet zijn rolluik open en speurt de omgeving af. Er is nauwelijks nog iemand te zien op straat. De meeste ondernemers hebben een paar dagen rond oud en nieuw vrij genomen. Het is halfbewolkt en niet echt koud.

Hij rijdt de Landrover met de achterkant net buiten de loods, pakt een tuinslang, een borstel en een pot groene zeep, en begint de auto van binnen uit te spoelen en schoon te boenen. Af en toe steekt hij zijn hoofd buiten de auto en kijkt hij om zich heen. Hij voelt zich helemaal niet op zijn gemak. Het water met het bloed van Ben stroomt vanzelf uit de Landrover omdat de auto iets naar achteren geheld staat. Het straat-niveau waar de achterwielen op staan is iets lager dan de vloer van zijn loods.

Na zo'n twintig minuten boenen en spoelen krijgt hij de indruk dat de vloer schoon is. In ieder geval is er geen bloed meer te zien.

Hij veegt het laatste water met zeep eruit, spuit de auto aan de bui-tenkant schoon en rijdt hem weer naar binnen. Hij veegt de bloedvlek van de plastic verpakking van de isolatiewol en stopt schoonmaakdoe-ken waar bloed aan zit bij zijn jack in het plastic tasje. Dan sluit hij de Landrover zorgvuldig af, spuit de vloer nog even schoon en bezemt het water naar buiten. Zorgvuldig kijkt hij alles na. Geen bloedsporen meer te zien.

Hij stapt met zijn koffertje en twee plastic tassen naar buiten en doet het rolluik dicht en op slot. Het is nog steeds bewolkt buiten, fris maar droog. Er is nagenoeg niemand te zien op het verlaten industrieterrein op deze ochtend.

Na een kwartier lopen bereikt hij de rand van het industrieterrein en een doorgaande weg waar in ieder geval een bus rijdt.

Het is inmiddels over tienen en de eerste bus komt pas weer om elf uur.

Er zit niets anders op voor Bram dan te wachten.

Om kwart over twaalf stapt hij, na één keer overgestapt te zijn, uit op het Centraal Station van Amsterdam. Vandaar loopt hij naar huis. Zodra hij in de buurt van zijn grachtenpand komt scant hij zorgvuldig de omgeving. Hij ziet niets verdachts, geen mannen in geparkeerde auto's. Daar is ook niet echt reden toe, volgens hem.

Ze hebben natuurlijk zijn Landrover gezien op die camera's bij de toegangspoorten van het ziekenhuis, maar wel met de verkeerde kentekenplaten. En die heeft hij net gedumpt in een overvolle container op het Centraal Station.

Dan zouden ze alle Landrovers in Nederland moeten gaan controleren.

Veel plezier, denkt hij.

49

'Dus nog een keer, voor alle duidelijkheid. Als we die tv-spot niet uitzenden dan vermoordt hij Maya, volgens mijn vader?' vraagt Paul.

'Ja. En als de ontvoerder de indruk krijgt dat we hem zoeken ook,' zegt Victor.

'En als we die tekst uitzenden, dan is het nog niet zeker dat Maya wordt vrijgelaten?' vraagt Sander.

'Nee, dan kan hij nog met andere tv-spots komen,' zegt Victor.

'Dan is het eind zoek,' constateert Akkerman.

'En je vaders laatste woorden waren: "Waag het niet het leven van mijn dochter op het spel te zetten." Hij was volgens mij behoorlijk onder de indruk van zijn ontvoerder. Het woord "getraumatiseerd" zou ik niet willen of durven gebruiken. Hij was zeer gedecideerd. Maar hij moet natuurlijk wel bang zijn gemaakt.'

Victor kijkt naar Michiel, die het uitzenden van de tv-spot net als hijzelf helemaal geen goed plan vindt.

De heren zijn al een halfuur aan het overleggen in de kleine, wat benauwde kamer in het ziekenhuis. Ze vinden het heel frustrerend dat ze totaal geen grip op de situatie hebben. Alleen Bert Veldkamp van de AIVD houdt zich vooralsnog buiten de discussie en luistert alleen aandachtig.

Ze hebben geen enkele mogelijkheid tot communicatie met de ontvoerder en zijn dus min of meer gedwongen te doen wat hij via Ben geëist heeft. Althans, als ze zich aan zijn spelregels houden...

Iedereen in de kamer realiseert zich ook de ophef die de tv-spots kunnen gaan veroorzaken. Geen van allen onderschatten ze de eventuele impact. Gedwongen uitgezonden of niet, het kan natuurlijk wél de geloofwaardigheid van de tv-zenders aantasten. Het zal ook ongetwijfeld een hot item in diverse talkshows worden en tot heftige discussies leiden. Drie dagen lang elk uur uitzenden is ook niet niks.

De mensen zouden het nog kunnen gaan geloven ook.

Er zullen natuurlijk ook allerlei figuren opstaan die zich openlijk zullen gaan afvragen of de ontvoerders geen gelijk hebben.

En het schept precedenten.

'Probeer je even in de schoenen te verplaatsen van die ontvoerder. Stel dat die tv-spots niet worden uitgezonden,' zegt Michiel. 'Dan ga je toch niet onmiddellijk je gijzelaar vermoorden? Dan is je hele plan mislukt, is al je werk voor niks geweest. Ik geloof daar helemaal niets van, en de schade die die tv-spots kunnen berokkenen is enorm. Het zijn nogal geen teksten, zeg. Onderschat dat niet. Er werken bijna vijftienduizend mensen bij ZMG wereldwijd. Dit kan consequenties hebben die niet te overzien zijn. Het moet verdomme gebeuren in alle landen waar vestigingen zijn.'

'Dus?' vraagt Sander.

'Ik filosofeer openlijk, ik heb geen "dus",' zegt Michiel. 'Ik zou het vreselijk vinden als er iets met Maya zou gebeuren. Maar om dit drie dagen lang elk uur te gaan uitzenden en dan nog niks te weten...' Ik zou met de ontvoerder willen communiceren, onderhandelen. Kunnen we op televisie geen oproep doen dat we willen praten? Net doen alsof we niet begrijpen wat de bedoeling is? Dat we zeker willen weten dat Maya vrijkomt? Dat we een teken van leven van haar willen zien?

Hij vermoordt haar niet zomaar, daar geloof ik niets van. Bovendien weet Ben hoe hij eruitziet. Waarschijnlijk kent hij zijn naam en misschien weet hij wel waar hij woont. De ontvoerder weet dat als hij Maya vermoordt, de jacht op hem geopend wordt.'

Het blijft even stil in de kamer. Ieder is in gedachten verzonken.

'Hij opereert alleen, voor zover we weten,' zegt Rob Korteland na verloop van tijd. 'Het is een Nederlander, een doorgedraaide idealist en hij is gewelddadig. 'Het gaat hem niet om geld. Hij wil aandacht. Hij heeft Ben al bijna doodgeschoten en hem daarvóór ook al een kopstoot gegeven. Arme Maya zit alleen in een koude kelder ergens in the middle of nowhere.

Ik zou zeggen dat dit alle kanten op kan gaan. Idealisten en wereldverbeteraars zijn rare types. Ik heb het niet zo op van die fanatieke figuren die denken dat ze de wereld naar hun hand kunnen zetten. Die staan buiten de samenleving. Ze zijn volstrekt onvoorspelbaar.'

'Maar heren, ik denk dat dit helemaal niet aan ons is,' zegt Tom Akkerman ineens. 'Hier kunnen we lang en breed over praten, maar Ben is naar ik begrepen heb volledig bij zijn verstand, en hij is de baas. Hij heeft zijn wil duidelijk, meer dan duidelijk te kennen gegeven.'

'Hij heeft net een traumatisch ervaring gehad, Tom,' zegt Michiel.

'Misschien, maar ik weet hoe gek hij op Maya is. En die twee is dit samen overkomen. Ik begrijp wat je zegt, Michiel, en je inbreng is meer dan welkom, maar ik zou niet tegen Ben in gaan als ik jou was.'

'Ik ga nergens tegenin en het is zijn bedrijf, maar ik vind wel dat we alle opties doorgenomen moeten hebben. En die tv-spot gaat heel ver, Tom. De geloofwaardigheid van heel ZMG loopt grote risico's naar mijn mening. En morgen heb je de volgende idioot met de een of andere geschifte boodschap voor de deur staan.'

'Zware woorden,' zegt Tom Akkerman.

'Nee, helemaal mee eens,' vindt Sander. 'Mijn vader is ongetwijfeld toch getraumatiseerd, en hij is zeker erg emotioneel. Niettemin, of misschien wel juist daarom, is het aan ons om wel heel goed na te blijven denken. Dat zou hij ook gedaan hebben, dat weet ik zeker.'

Terwijl hij het zegt vraagt Sander zich af waarom hij het zozeer eens is met Michiel en niet onmiddellijk kiest voor de wil van zijn vader.

Dat wil zeggen, als zijn vader wel zijn vader is...

'Ik stel het volgende voor,' zegt Victor. 'Het is nu half twee. Ik hoop dat we de heer Zandstra tegen vier uur vanmiddag nog een keer kunnen spreken. Het liefst wil hij een van zijn zoons bij zijn bed, of de heer Akkerman. Er wordt in verband met zijn gezondheidssituatie maar één bezoeker tegelijk toegestaan. Ik hoop dat de heer Akkerman, of jij Paul, dan in staat zal zijn hem ervan te overtuigen dat we niet lijdzaam willen en kunnen toekijken. Dat de kidnapper hem bedreigd heeft en ongetwijfeld heeft gechanteerd met zijn dochter en dat zijn beeldvorming van de situatie daardoor niet meer objectief is. Dat we heel graag de identiteit van de ontvoerder willen weten en dat hij vertrouwen moet hebben in de politie. Laten we na dat gesprek weer bij elkaar komen en dan definitief besluiten wat voor actie we ondernemen.'

'En als mijn vader bij zijn besluit blijft en niets zegt? Of als hij überhaupt niet meer aanspreekbaar is voor zes uur?' vraagt Paul. 'In dat geval zullen Paul, Sander en de heer Akkerman, die allen in de Raad van

Bestuur van ZMG zitten, een besluit moeten nemen over de uitzending. Maar aan het exploiteren van een tv-zender zit naar mijn mening ook een ethische kant. Ik weet niet of jullie zomaar kunnen besluiten zo'n tv-spot wel of niet uit te zenden. Jullie zouden de Raad van Commissarissen nog kunnen raadplegen.'

'Wat zou jij doen, Victor, als jij het moest beslissen?' vraagt Michiel.

'Ik vond uw suggestie wel zinvol, meneer Zandstra,' zegt Victor. 'Het liefst zou ik via het nieuws een oproep doen aan de ontvoerder om met ons te communiceren. Ik zou laten weten dat de heer Zandstra in coma is en wij graag willen horen wat de eisen zijn. Ik zou hem proberen uit zijn tent te lokken en proberen te onderhandelen over de vrijlating van Maya. Maya is zijn enige troef. Die zal hij denk ik niet snel uitschakelen.'

'En als hij daar niet op ingaat?' zegt Sander.

'Hij zal wel moeten, anders wordt er niets uitgezonden. Dat geeft ons meer tijd om zijn Landrover op te sporen, een concreet contact en een onderhandelingspositie.'

'Hij kan haar ook vermoorden, zoals mijn vader zegt,' zegt Paul.

'Dan staat hij met lege handen en dan hangt hij,' zegt Victor. 'Bedenk ook dat als jullie die tv-spot wel uitzenden, hij euforisch zal zijn. Waarom zou hij Maya dan vrijlaten? Ben weet wie hij is. Maya ook. In mijn optiek laat hij haar voorlopig niet vrij. Zeker niet voordat hij zichzelf in veiligheid heeft gebracht.

Volgens de heer Zandstra is het een verknipte idealist die de wereld wil laten weten dat hij erachter zit. Maar dat betekent ook dat hij dan gearresteerd en opgeborgen wordt. Dat kan hij voor lief nemen, maar hij zal ook zoeken naar mogelijkheden zijn straf te ontlopen. En daar zal Maya een sleutelrol in spelen.'

'Een lange gijzeling en steeds meer eisen, is dat wat je bedoelt te zeggen?' vraagt Michiel.

'Ik wil u niet ongeruster maken dan noodzakelijk is. Daarom is het belangrijk dat de heer Zandstra alle informatie die hij heeft met ons deelt. De heer Zandstra moet ervan overtuigd worden dat de ontvoerder Maya niet zomaar vrij zal laten. Ik heb hem dat ook al gezegd, maar hij wil er niet naar luisteren.'

'Het is jouw dochter ook niet,' zegt Paul.

'Dat klopt,' zegt Victor. 'Ik sta er emotioneel verder van af. En dat is precies de reden waarom u dit aan de politie moet overlaten en niet zelf moet proberen op te lossen.'

'Stel dat hij Maya op een gegeven moment vrijlaat, de verantwoordelijkheid opeist en zichzelf aangeeft. Hoe lang gaat hij dan de gevangenis in?' vraagt Sander.

'In Nederland?' zegt Michiel schamper.

'Kidnapping, poging tot moord, afpersing: die gaat wel even, hoor,' zegt Victor.

'Hou toch op, Victor,' zegt Rob Korteland. 'Die loopt na een paar jaar weer op straat. Een goeie advocaat maakt van die poging tot moord al snel zelfverdediging en hij krijgt automatisch een derde strafvermindering bij goed gedrag. Welke goedgelovige ziel dát ooit bedacht heeft... Geloof me, ze gedragen zich allemaal voorbeeldig. Dat houden de grootste criminelen jaren vol.'

'Dus een paar jaar de bak in en dan weer vrij man. Dat heeft hij er misschien wel voor over. Het barst van de fanatieke idioten,' zegt Sander.

Victor zwijgt en kijkt naar Bert Veldkamp van de AIVD, die nog steeds geen woord gezegd heeft.

Hier heeft Veldkamp op gewacht.

'Ik ben het met Michiel en vooral met Victor eens. We moeten proberen een onderhandelingspositie te krijgen met de ontvoerder. Ik denk ook dat hij Maya niet snel iets zal aandoen en ik zou absolute zekerheid willen over haar vrijlating. Daarnaast vind ik die tv-spot veel te heftig; dat zijn gewoon misdadige teksten. "Onze programma's dragen bij aan een onveilige samenleving en het verval van normen en waarden", of: "Wij vinden het prachtig als er oorlog uitbreekt." Ik denk dat we de consequenties bij uitzending nauwelijks kunnen overzien. Ik ga dit met de minister van Binnenlandse Zaken overleggen, want hier komt naar mijn gevoel het algemeen belang in het geding. Dit gaat veel verder dan een ontvoering en een leven dat in gevaar is. Ik kan me voorstellen dat de minister dit ten sterkste gaat ontraden en indien mogelijk verbieden.'

Hij pauzeert even om zijn woorden te laten inzinken. Tom Akkerman kijkt hem met ongeloof aan.

'De heer Zandstra en zijn dochter zijn naar mijn mening het slachtoffer van een maniakale gek,' vervolgt Veldkamp. 'Hoe erg en triest dat ook is, we kunnen hem niet zomaar zijn gang laten gaan op televisie.

Als we daaraan toegeven is het hek van de dam. Dan hebben we morgen de ene na de andere activist aan onze broek. Ik ben mordicus tegen uitzending en ik zal dat de minister ook adviseren. Trouwens, als jullie dat zonder overleg met de overheid in het buitenland uitzenden kan je dat misschien wel je licentie kosten. Dit moeten jullie naar mijn gevoel helemaal niet zelf beslissen.'

'Ik ben blij dat je dit zegt, Bert en dat je de verantwoordelijkheid naar je toe trekt,' zegt Michiel. 'Hoe dramatisch het allemaal ook is, dit gaat veel te ver. Ik ben behoorlijk geschrokken van die tv-spot, als ik heel eerlijk ben. Dat is door een gestoorde idioot gemaakt die geen idee heeft waar hij mee bezig is.

Ik denk ook echt dat de oplossing moet zijn dat we contact met hem zoeken en duidelijk maken dat we zekerheid willen hebben over Maya. Ik vind de suggestie van Victor om bekend te maken dat Ben nog steeds in coma is uitstekend. Dan getuigen we niet van onwil maar van onwetendheid en dwingen we hem contact met ons op te nemen.'

Sander en Rob Korteland knikken instemmend.

Tom Akkerman begint zich te ergeren. 'Ik vraag me af of de minister dat zomaar kan verbieden in het kader van zoiets vaags als het algemeen belang,' zegt hij. 'Hij heeft helemaal niets te zeggen over wat wij wel of niet uitzenden. Artikel 7 van de Grondwet. Bovendien kunnen we voor en na de tv-spot duidelijk laten weten dat dit een boodschap van de kidnapper is, dat wij ons er uitdrukkelijk van distantiëren en de inhoud de grootst mogelijke onzin vinden. Jullie onderschatten de kijker, die is niet gek. Die weet het onderscheid heus wel te maken. Ik zal hierover met onze juristen praten.'

'Ik wil eerst met mijn vader praten,' zegt Paul.

50

Het is half vijf in de middag. Bram staat met een medewerker van het mortuarium van het OLVG wezenloos te kijken naar het zielloze lichaam van zijn dochter. Er ligt een wit laken over Sacha dat de medewerker half heeft omgeslagen.

Het mortuarium ligt op de begane grond, maar Bram heeft het idee dat hij in de krochten van het ziekenhuis terecht is gekomen.

Smalle witte gangen met gladde linoleum vloeren hadden hem uiteindelijk naar de sober ingerichte ruimte geleid waar de overleden patiënten van het ziekenhuis in hoge metalen koelkasten met uittrekladen terechtkwamen.

Hij had geen afspraak gemaakt en daarom hadden de medewerkers van het lijkenhuis geen tijd gehad Sacha naar de opbaarkamer te brengen, zoals te doen gebruikelijk was. In plaats daarvan was ze snel uit een van de koelkasten gehaald en op een brancard gelegd.

Bram heeft thuis nog geen twee uur geslapen, slaande ruzie met Connie gehad en is zojuist kort bij zijn zoon op het politiebureau geweest. Ook al geen prettige ervaring. Ze hielden Patrick voorlopig nog wel even vast.

De jongen had staan snikken in zijn armen, maar dat had hem niet echt van zijn stuk gebracht. Hij begon wel weer een beetje te geloven in zijn onschuld wat betreft die groepsverkrachting, maar had hem ook ondubbelzinnig verweten dat hij wél degene was geweest die zijn vriend had meegenomen naar de seksclub van Sacha. Uiteindelijk waren ze toch niet echt lekker uit elkaar gegaan.

Zijn dochter is koud van de koeling, naakt, bleek en voelt ook hard aan als Bram voorzichtig haar hand pakt.

Hij laat de hand snel weer los. Dit is Sacha niet meer, gaat het door hem heen. Zijn ogen zijn vochtig. Hij voelt zich onzeker, terneergeslagen, machteloos. Haar blonde haren liggen om haar hoofd gedrapeerd, haar ogen zijn gesloten.

Ze ligt op een metalen brancard met dunne poten en zwarte wieltjes en er hangt een kaartje aan een van haar tenen.

'Wilt u nog sectie laten verrichten op uw dochter?' vraagt de mortuariummedewerker, een man met kort grijs haar en blauwe ogen, gekleed in een witte, openhangende jas tot op kniehoogte.

'Waarom?' vraagt Bram.

'Het is mijn taak om het u te vragen,' zegt de medewerker. 'Uw dochter is volgens de verklaring van de arts overleden aan een hartstilstand. Daar bent u toch van de op de hoogte, neem ik aan?'

'Ja,' zegt Bram. 'Wat heb ik aan een sectie?'

'Het zou nieuw licht kunnen werpen op de doodsoorzaak. Uw dochter was kort daarvoor geopereerd aan haar onderrug.'

'U twijfelt aan de opgegeven doodsoorzaak?' vraagt Bram.

'Ik zou als vader willen weten of er wellicht een andere reden is waarom haar hart ermee gestopt is. Ik vind haar persoonlijk erg jong voor een hartstilstand, maar het komt voor.'

'U bedoelt dat er bij de operatie fouten zijn gemaakt?'

'Dat zeg ik niet. Ik zou gewoon willen weten of er een andere oorzaak aan ten grondslag kan liggen. Een hart stopt er meestal niet zomaar mee.'

'En dan?' vraagt Bram. 'Stel dat een sectie uitwijst dat de doodsoorzaak een andere is dan daar op uw formulier staat vermeld? Krijg ik daarmee mijn dochter terug?'

'De keuze is aan u,' zegt de medewerker met een uitgestreken gezicht. Hij heeft een onregelmatig, groot gebit, valt Bram op, te groot voor zijn smalle kaken. 'De politie zou het eventueel ook nog kunnen eisen.'

'De politie?'

'Ja, ze is neergeschoten. Er is een misdaad gepleegd waarnaar de politie onderzoek verricht. Soms doen die het verzoek tot sectie.'

'Om erachter te komen of ze wellicht is overleden aan de gevolgen van het schot in haar rug in plaats van die hartstilstand?'

'Bijvoorbeeld,' zegt de medewerker.

'Voor mij is het niet nodig,' zegt Bram. 'De klootzak die haar neergeschoten heeft is ook dood en ik krijg er mijn dochter niet mee terug.'

'Ik begrijp het. Heeft u al contact opgenomen met een uitvaartondernemer? Ik bedoel, wanneer kunnen we verwachten dat uw dochter wordt opgehaald?'

'Dat doe ik morgen.'

De medewerker knikt instemmend. 'Dank u, dan houden we daar rekening mee.'

Bram kijkt hem een ogenblik nietszeggend aan.

'U hoort van mij of van de uitvaartondernemer,' zegt hij en hij geeft de medewerker een hand.

Vervolgens draait hij zich abrupt om en loopt zonder nog maar één keer om te kijken weg van de brancard en de kille metalen lijkenkasten.

Zodra hij eenmaal buiten is, loopt hij naar het witte aftandse werkbusje dat hij geleend heeft van een al wat oudere elektricien met wie hij wel eens een klus doet en stapt snel in. Er staan tranen in zijn ogen. In de auto stinkt het naar de hond die de eigenaar altijd bij zich heeft.

Alle drie de vrouwen in zijn leven zijn dood. Eerst om nog steeds onverklaarbare redenen zijn vrouw, toen door medisch falen zijn moeder en nu door een pistoolschot zijn dochter. Alle drie zijn ze een niet-natuurlijke dood gestorven. Alle drie uit het leven gerukt. Uit zíjn leven gerukt. Weg van hem.

De enige vrouw voor wie hij nu nog iets van een gevoel heeft, zit in een schuilkelder in de schuur van zijn boerderij. Tegen zijn zin in heeft hij de hele dag aan haar moeten denken. Hij heeft zich er tegen verzet en geprobeerd haar uit zijn hoofd te bannen. Maar steeds weer ziet hij haar gezicht, haar ogen, haar mond, haar figuur, hoort hij haar stem.

Maya heeft veel meer indruk op hem gemaakt dan hem lief is en hij voor mogelijk had gehouden. Ze is de dochter en de vrouw ineen die hij had willen hebben. Ze is slim, gevoelig, denkt na voor ze iets zegt en ze is mooi.

En ze haat hem.

Hij overpeinst de opties die hij nu heeft.

Over ruim een uur zal duidelijk worden of de tv-spot met zijn tekst uitgezonden wordt. Ondanks zijn waarschuwingen aan het adres van Ben zal de politie ongetwijfeld alles in het werk stellen om hem of Maya te vinden.

Ze zullen de gestolen bmw inmiddels wel in verband gebracht hebben met de ontvoering. Ze hebben zijn Landrover gezien; die kan hij voorlopig niet meer gebruiken. Ze controleren waarschijnlijk elke donkere Landrover in het land.

Maar ze kunnen er geen idee van hebben wie hij is. Niemand wist van zijn plannen. Hij heeft ze met niemand besproken.

Ze zullen elk extremistisch clubje in het land tegen het licht houden. Ook het clubje dierenactivisten waar hij al jaren komt. Maar die weten ook niet dat hij in een Landrover rijdt. Daar gaat hij altijd op de fiets naartoe en hij doet nooit mee aan acties.

De enige zwakke schakel is Ben. Als die gaat praten heeft hij toch een groot probleem, want hij wil en kan Maya absoluut niet iets aandoen.

En Ben weet dat, die is niet gek.

Wat zei hij ook alweer? 'Je bent onder de indruk van haar, hè', of zoiets.

Hij kan dus geen risico nemen en mag niet meer naar zijn huis gaan. Hij heeft veel te veel verteld over Sacha en Patrick en hij heeft zijn naam gezegd.

En hij had nooit rekening gehouden met het scenario dat Ben naar het ziekenhuis moest.

Als ze zijn naam weten, vinden ze zijn huis, zijn loods en ook zijn boerderij in de Betuwe. Daar zijn ze misschien al. Wellicht wachten ze hem misschien al op.

Tenzij die spot van hem wordt uitgezonden. Dan is Ben bang voor het leven van zijn dochter en heeft hij niets gezegd. Anders hadden ze hem al opgewacht in het OLVG of op het politiebureau. Of ze hadden hem thuis al opgepakt.

Of Ben is nog in coma of zo en heeft nog niets kunnen zeggen. Dan wordt er ook niks uitgezonden.

Hij wordt gek van alle mogelijkheden.

Hij start het sjofele busje en besluit 'm terug te brengen naar de elektricien en dan maar ergens in een kroeg naar het nieuws van zes uur te kijken.

51

'U bent door het oog van de naald gekropen, meneer Zandstra. U heeft heel veel geluk gehad.'

De drieënzestigjarige Max Rozendoorn staat aan het bed van zijn patiënt die hij met het zweet op zijn rug die nacht heeft geopereerd om de schade die de kogel had aangericht aan de organen van Ben zo goed en zo kwaad mogelijk te beperken.

Het is half vijf in de middag.

Max is klein van stuk, Joods van uiterlijk, met nog wat verdwaalde zwarte krulharen op zijn kalende hoofd en een geel maar goed onderhouden gebit. Hij heeft bijna zwarte ogen die fonkelen en diep in hun kassen liggen. Het is goed te zien dat hij als puber behoorlijk last gehad moet hebben van acne. Hij heeft nog altijd een vettige huid.

'Als ze u een halfuurtje later hadden gevonden, dan had u het waarschijnlijk niet gered, zoveel bloed had u verloren.'

Ben is net weer wakker. Hij voelt zich slap en luistert naar de woorden van dokter Rozendoorn.

'De kogel is door het vlies dat om uw ingewanden zit gegaan. Uw darmen dus. Dat vlies is doorweven met bloedvaten die rechtstreeks met uw aorta in verbinding staan. Vandaar dat u zo hevig bloedde. Om het niet al te ingewikkeld te maken: ik heb alles zo goed mogelijk gerepareerd maar de wond nog niet dichtgemaakt. Dat doe ik voorlopig ook niet, in verband met infecties. De darmen zelf waren natuurlijk ook doorboord en de inhoud is naar buiten gelopen. Houdt u er rekening mee dat u niet veel mag bewegen en hier nog wel een paar weken ligt. De schade aan uw lever viel mij op zich mee, ik heb het wel erger gezien. Verder zijn er gelukkig geen organen geraakt.'

'Dank u,' zegt Ben zwakjes. 'De kogel is er ook uit?'

Max Rozendoorn glimlacht. 'Ja meneer Zandstra, die is er ook uit. Ik heb hem voor u bewaard.'

'Ik mag dus ook voorlopig niets eten en drinken, denk ik?'

'Nee, soms een slokje water voor uw keel, maar alle voeding en drinken die u nodig hebt krijgt u via het infuus. Zo gaat het rechtstreeks uw bloed in. Uw darmen gaan we voorlopig ontzien, die moeten weer aan elkaar groeien en genezen.'

'Blijf ik hier de gevolgen van ondervinden de rest van mijn leven?'

'Dat is moeilijk te zeggen. Uw darmen zullen gevoelig blijven en daar zult u bij wat u eet en drinkt rekening mee moeten houden. Maar u bent nog een sterke jonge kerel, ik heb daar wel vertrouwen in!'

Beide mannen glimlachen.

Hij vertelt Ben er niet bij dat zijn darmen zwaar beschadigd waren en hij heel wat darm heeft moeten wegsnijden.

'En mijn lever?' vraagt Ben.

'Dat is een groot en sterk orgaan. Die herstelt wel, daar ben ik niet zo bang voor.'

De arts zwijgt even.

'Ik wil dat u veel slaapt, meneer Zandstra. En u mag zich niet opwinden.'

'Mijn dochter wordt nog gegijzeld,' zegt Ben. Er schieten tranen in zijn ogen.

'Ik heb het gehoord en ik vind het vreselijk voor u. En voor haar natuurlijk. Maar u moet uzelf ook niet uit het oog verliezen. Houdt u zich zoveel mogelijk kalm als u wakker bent. Zo niet, dan houd ik u de eerste dagen voorlopig in slaap.'

'Ik probeer het,' zegt Ben.

'U heeft geen pijn?'

'Nee.'

'Goed, dan geloof ik dat nu een van uw zoons u graag wil spreken. Zal ik hem laten komen?'

Ben knikt en sluit zijn ogen.

'Zuster, wilt u de zoon van meneer Zandstra waarschuwen? Hij zit op de gang.'

Max Rozendoorn zwijgt even en inspecteert de monitoren bij het bed.

'De politie wil u ook weer spreken. En een meneer Akkerman. Maar ik sta maar één bezoeker tegelijk toe, meneer Zandstra. En daar ga ik geen uitzonderingen op maken, wat er ook gaande is.'

Ben knikt en hoort de deur weer opengaan.

Paul komt binnen en loopt onmiddellijk op zijn vader af. Op ongeveer anderhalve meter afstand van het bed van Ben wordt hij door Max

Rozendoorn met zachte hand tegengehouden.

'Tot hier en niet verder graag. Uw vader is nog zeer zwak en heel kwetsbaar. Hij moet eigenlijk volstrekte rust houden en mag zich niet te veel bewegen.'

'Pa, hoe is het met je?' Hij schrikt behoorlijk als hij zijn vader ziet.

'Gaat wel Paul, gaat wel. Ik maak me grote zorgen om Maya.'

'Ik laat u alleen, heren,' zegt dokter Rozendoorn. 'De verpleegkundige blijft bij u.'

'Dank u, dokter,' zegt Ben. Paul knikt.

Zodra de arts weg is, vraagt Paul: 'Heb jij die spot gezien die we moeten uitzenden, pa?'

Ben knikt. 'We moeten hem uitzenden, Paul, anders vermoordt hij Maya. Die vent is heel onberekenbaar. En zonder begeleidende tekst of commentaar van ons erbij. Dat mag niet van hem.'

Ben heeft grote moeite met praten. Het gaat allemaal heel langzaam en Paul moet tegen zijn tranen vechten. Nooit heeft hij zijn vader zo bleek, breekbaar en verdrietig gezien.

'De politie en de AIVD zijn er geen voorstander van. Die willen een oproep doen en met hem onderhandelen over Maya.'

Ben zucht diep en sluit zijn ogen. Hij zwijgt zeker een halve minuut.

'Paul, dat begrijp ik. Maar ze weten niet wat ik weet, wat voor een onvoorspelbare en verknipte man het is. Ik wil Maya terug. Zend die spot uit, elk uur en in alle landen. Doe wat ik zeg. Geloof me.' Ben kijkt zijn zoon recht aan terwijl hij deze woorden uitspreekt.

Bij Paul lopen de tranen nu over zijn wangen. Hij wil de hand van zijn vader vasthouden, maar hij houdt zich noodgedwongen in.

'Hoe is het nu met Maya, pa?'

'Ze is zo sterk, Paul Zó sterk. Ik ben heel trots op haar.'

'Hij heeft haar toch niet mishandeld of zo?'

'Nee, nog niet,' zegt Ben. 'Maar die man heeft zichzelf niet onder controle. Daarom mogen we geen risico nemen.'

Paul knikt. 'Oké, ik ga het regelen.'

Ben sluit zijn ogen weer.

'Ik ben moe, Paul. Ik hou van je, jongen. Waar is Sander?'

'Buiten op de gang; er mag er maar één tegelijk bij jou zijn.'

Ben zucht en knikt.

'Misschien is het beter dat u nu weer wat gaat slapen, meneer Zand stra,' zegt de verpleegkundige.

'Nog heel even,' zegt Ben, en hij kijkt Paul weer aan. 'Zeg tegen hem dat ik van hem hou, maar nu te moe ben. Ik zie hem later wel.'

'Dat is goed, dat begrijpt hij wel.'

'En neem de regie, Paul, samen met Sander en Tom. Blijf zelf nadenken. Die tv-spot is gestoord, maar ik ben niet zo bang voor de gevolgen. De mensen begrijpen snel genoeg hoe het zit.'

'Maar waarom zeg je niet waar we hem kunnen vinden? Hij heeft niet eens beloofd om Maya vrij te laten na uitzending, heb ik begrepen?'

'Ik denk wel dat hij dat doet. Hij wil ook de verantwoordelijkheid opeisen voor zijn daad. Als ik zijn naam geef, dan ben ik bang dat het uit de hand loopt. Ik ben als de dood dat de politie fouten maakt en dan zijn we Maya kwijt. Het is een rare, maar geen domme man, hij reageert steeds anders. We hebben veel met hem gesproken. Hij zal Maya denk ik niet zo snel vermoorden, hij is onder de indruk van haar. Maar die kans is er wél als we hem in het nauw drijven of die spot niet uitzenden. Hij kan ineens razend worden of in zichzelf gekeerd en dan gekke dingen doen.'

Ben sluit zijn ogen weer en zucht diep. Dat het spreken hem vermoeit is hem duidelijk aan te zien. Hij is asgrauw.

'Wie heeft de AIVD erbij gehaald?' vraagt Ben.

'Die hebben zichzelf aangediend. Den Haag vindt je ontvoering heel wat. Het hele land trouwens.'

Ben knikt.

'Geloof mij maar, Paul. Ik heb het meegemaakt, zij niet.'

'Oké, als jij het zegt. Ik zou hem het liefst zo snel mogelijk oppakken en Maya bevrijden.'

'Ik ook, maar hij doet alles alleen en is slim. Hij is in staat om nooit te vertellen waar Maya is als hij gepakt wordt. En hij heeft ook al gedreigd achter jou en Sander aan te gaan als wij niet doen wat hij zegt. Hij is fanatiek en onberekenbaar Paul. Het is zo'n linkse naïeve idealist volgens mij. Geld wil hij niet.'

Paul schrikt hier zichtbaar van. Het komt ineens heel dicht bij hem en dat is exact de bedoeling van Ben.

Ben pauzeert weer even.

'Hij zei ook dat hij toch niet lang de gevangenis in gaat als hij gearresteerd wordt en dat hij daarna dan alsnog achter ons aan komt. Dat we levenslang achterom zullen kijken. Hij heeft erover nagedacht, Paul. Eigenlijk wilde ik je dit niet vertellen, maar je denkt al te veel als een rechercheur die vanavond gewoon weer naar huis gaat. Het is hun probleem niet, Paul. Ze voelen het niet zelf.'

Paul weet niet goed wat hij moet zeggen.

'Je weet hoe het gaat in Nederland. Ze lopen na een paar jaar weer op straat en dan kunnen we zelf voor de beveiliging zorgen. Ik heb geen zin om me als een soort Freddy Heineken mijn leven lang met bodyguards te omgeven.'

'Ik begrijp het, pa. Maak je geen zorgen, die spot gaat er om zes uur vanavond overal uit. Alleen breekt dan denk ik wel de pleuris uit.'

'Dat zal me een zorg zijn...' zucht Ben. 'Nogmaals, ik wil Maya terug. Maar het komt goed, denk ik. We moeten zijn spel even meespelen, daarna laat hij denk ik los.'

52

Als Paul zich met nog vochtige ogen weer bij de mannen voegt in de kleine kamer in het ziekenhuis, laat hij er meteen geen enkele twijfel over bestaan.

'Heren, ik heb met mijn vader gesproken. Die tv-spots gaan vanavond de buis op. Tom, regel jij dat het ook daadwerkelijk gebeurt? In alle landen waar we zenders hebben en zonder begeleidende tekst van ons. Elk uur de komende drie dagen.'

Akkerman knikt, pakt zijn mobiele telefoon en loopt de kamer uit. Hij had inmiddels juridisch advies ingewonnen en het was hem duidelijk geworden dat geen enkele overheid in Europa ZMG ook maar een strobreed in de weg kon leggen. De vrijheid van meningsuiting was in elk land waar ze zenders hadden heilig. Wilde een minister het al tegenhouden, dan zou hij eerst naar de rechter moeten en wel een heel sterk verhaal moeten hebben.

'Weet je het zeker, Paul?' vraagt Michiel. 'Heb je je vader proberen te overtuigen met de argumenten van Victor? Die vonden we toch allemaal wel heel steekhoudend.'

'Ja, maar mijn vader schat het anders in dan Victor. Hij wil op geen enkele manier het leven van Maya in gevaar brengen en verwacht dat de kidnapper haar uiteindelijk laat gaan. De man heeft mijn vader ook duidelijk gemaakt dat wij, dat wil zeggen mijn vader, Maya, Sander en ik, ons leven lang achterom kunnen blijven kijken als het niet gebeurt. Hij schermt met een korte gevangenisstraf voor hem, maar een levenslange bedreiging voor ons. Hij zal ons altijd weten te vinden.'

'Dus hij heeft gedreigd om na een gevangenisstraf ook jou en Sander te komen opzoeken?' zegt Michiel.

'Ja. Mijn vader had het me eigenlijk niet willen vertellen, maar hij vond dat ik te veel aandrong op meer informatie, zodat we achter hem aan kunnen. Hij zegt dat we geen idee hebben met wie we te maken hebben.'

'Een beproefde methode van ontvoerders,' zegt Victor. 'Alleen maken ze het nooit waar omdat wij ze, ook als ze eenmaal op vrije voeten zijn, wel degelijk in de gaten houden. Ze weten allemaal dat ze onmiddellijk opgepakt worden als ze ook maar in de buurt komen van hun slachtoffers. En vergeet niet dat ze er na een jaar of tien in de gevangenis als een ander mens uitkomen.'

'Daar geloof ik dus niets van, Victor,' zegt Paul. 'Jullie worden door de politiek en de werkdruk continu beperkt of een andere richting op gestuurd,' zegt Michiel. 'Bovendien is het uw leven niet, meneer Stikker.'

'Hoe oud is je zus? Vierentwintig jaar en bijna afgestudeerd psychologe? Dat is een jonge vrouw, geen kind meer. Die denkt er misschien wel heel anders over. Zou jij graag in haar schoenen staan?' zegt Victor.

'Het is geregeld,' zegt Tom Akkerman als hij de kamer weer binnenloopt. 'De tv-spots worden uitgezonden en ik neem als vicevoorzitter van de Raad van Bestuur de verantwoordelijkheid. De instructies van de heer Zandstra zijn duidelijk en ik heb vertrouwen in zijn beoordelingsvermogen.'

'Ik ben het er absoluut niet mee eens,' zegt Michiel. 'Het is pure intimidatie en daar moet je nooit voor bezwijken. Ik blijf zeggen dat hij Maya niet snel iets zal aandoen. Hij wil de verantwoordelijkheid opeisen. Dan ga je geen mensen vermoorden. Hij heeft Ben nota bene met grote risico's voor zichzelf naar het ziekenhuis gebracht. Dit is geen moordenaar, hoe onberekenbaar hij ook mag zijn. Ik vind dat we die spot niet moeten uitzenden. In plaats daarvan moeten we via een persbericht en in de nieuwsuitzending van zMG duidelijk maken dat Ben nog in coma ligt en dat we contact zoeken met de ontvoerders.'

'Ik sluit me daarbij aan,' zegt Victor. 'En nogmaals, we hebben het hier alleen maar over de mening van de heer Zandstra. Hij is achtenvijftig jaar oud en zijn beoordelingsvermogen is getroebleerd. Hij is neergeschoten en zwaar bedreigd door de ontvoerder. Die chanteert hem met zijn dochter. Dat móést de ontvoerder ook wel doen; hij had er immers niet op gerekend dat hij Ben, die veel te veel weet, vrij moest laten.'

'Daar heeft Victor wel gelijk in,' zeggen Bert Veldkamp en Rob Korteland bijna tegelijkertijd.

'Wat vind jij, Sander?' vraagt Paul.

'Ik zou waarschijnlijk hetzelfde reageren als jij, Paul, als ik met papa gesproken had. Maar ik ben toch bang dat ik meer voel voor de mening van Victor en Michiel. Op deze manier zijn we aan de goden overgeleverd. Ik denk dat de kidnapper mijn vader heel erg bang heeft gemaakt.'

'Ik wil er nog aan toevoegen dat ook de minister van Binnenlandse Zaken de mening is toegedaan dat we de tv-spot niet moeten uitzenden en alles in het werk moeten stellen om met de kidnapper in contact te komen. Hij begrijpt dat hij de uitzending niet kan verbieden, maar ontraadt het wel sterk.'

'De discussie is niet meer boeiend, heren,' zegt Tom Akkerman. 'En volgens mij heeft de minister geen enkele ervaring met ontvoeringen. Ik ben het geheel met Ben en Paul eens, en ík ben bij ontstentenis van Ben degene die de beslissingen neemt binnen zmg. De tv spot gaat cruit.'

53

Om even voor zes uur wordt de tv-spot van Bram met zijn tekst, op de zware muziek van Mahler, nagenoeg tegelijkertijd uitgezonden in alle Europese landen waar ZMG tv-zenders heeft. Dat zijn Nederland, Engeland, België, Duitsland, Frankrijk, Oostenrijk, Spanje en Italië. En zoals hij geëist heeft, gebeurt dat zonder ook maar enige uitleg. Geen aankondiging, geen afkondiging, geen verklaring, niets. Daarna gaat de programmering gewoon verder alsof er niets gebeurd is.

Direct na de uitzending breekt op Twitter, LinkedIn en Facebook de pleuris uit. Het is een lawine van verwarring, verbazing, verontwaardiging en, en dat is opmerkelijk, boosheid. Vooral de tekst 'Nieuws is voor ons immers gewoon handel' schiet in het verkeerde keelgat. Iedereen vraagt zich af wie dit geschreven heeft en waarom het uitgezonden wordt. Zijn ze bij ZMG gek geworden?

Sommige mensen betuigen hun instemming en laten in niet mis te verstane bewoordingen blijken dat ze het helemaal eens zijn met de aanklacht. Sommigen gaan helemaal los.

Journalisten leggen onmiddellijk het verband met de ontvoering van Ben en Maya en vragen zich vooral af uit welke kringen dit kan komen, zonder dat ze een oordeel geven over de tekst zelf. Het woord 'spectaculair' valt regelmatig in de commentaren. Al snel is iedereen het erover eens dat dit ZMG door de strot is geduwd.

Velen vinden de tekst bombastisch en een schromelijke overdrijving van de werkelijkheid. Anderen zeggen dat nieuws nu eenmaal niet vaak vrolijk is, maar dat de programma's van vooral de commerciële omroepen inderdaad van een dramatisch onderbuikniveau zijn.

De tv-spot vliegt in alle talen over het internet. Ook de traditionele media als kranten en radio pikken het over de gehele wereld razendsnel op, net als andere televisiestations.

De uitzending van liveprogramma's die op dat moment lopen, wordt ervoor onderbroken. Eindredacteuren van kranten herzien vrijwel onmiddellijk de indeling van de voorpagina van de volgende dag. Over de inhoud en de koppen boven de artikelen wordt heftig op de redacties gediscussieerd.

De redacteuren van talkshows voor die avond zijn bijna in paniek. Reeds uitgenodigde gasten worden afgezegd en vooral journalisten en parlementsleden worden uitgenodigd om commentaar te geven. Ook diverse grote programmamakers en hoofdredacteuren worden benaderd. De meesten onder hen zijn zeer huiverig om op de invitatie in te gaan.

Kortom, de tv-spot van Bram slaat in als een bom.

Na een halfuur al wordt de doorslaggevende stemming op internet duidelijk: eindelijk zegt iemand het een keer. Het wordt tijd dat de media eens ter verantwoording worden geroepen. Maar ook een andere teneur is heel opvallend: de vrijheid van meningsuiting mag nimmer in het geding komen.

Zodra die trends duidelijk worden, haasten sommige commentatoren en politici zich te voegen in de kritiek op de media. Programmamakers worden op de korrel genomen en hun wordt verweten dat ze uitsluitend met kijkcijfers bezig zijn en alleen maar negatieve ellende over de kijkers uitstorten.

Journalisten verdedigen zich door te stellen dat ze moeten voldoen aan de eisen van hun hoofdredactie en anders hun baan wel kunnen vergeten.

De programmamakers stellen op hun beurt dat ze alleen maar beantwoorden aan de vraag van de tv-zenders of hun directies.

Een enkel dagblad is gewoon eerlijk: als we alleen maar leuke verhalen met mooie plaatjes brengen verkopen we geen kranten...

Kortom, bijna iedereen wast zijn handen in onschuld. Bij dit alles raakt het feit dat dit allemaal gebeurt in het kader van een dramatische ontvoering geheel op de achtergrond.

Gedurende de hele avond vallen mensen op televisie en radio over elkaar heen met hun mening, en in sommige landen gaan ze zelfs op de vuist.

Elk uur wordt de tv-spot op de zenders van ZMG in Europa uitgezonden; ze worden herhaald in journaals, actualiteitenrubrieken en talkshows. De mensen raken er niet over uit gesproken en uit gediscussieerd. De sociale media ontploffen zo ongeveer, en ook in de VS is het hot news.

Bram krijgt dat allemaal niet mee. Hij ziet zijn tv-spot, zijn bezielende creatie, in een kroeg in de Jordaan in Amsterdam. De spot wordt eerder uitgezonden dan hij verwacht had en hij vraagt de hoogblonde, al wat oudere bardame onmiddellijk of ze het geluid wat harder wil zetten.

Het is een typisch Jordanese kroeg met tapijtkleedjes op de tafeltjes. De televisie hangt hoog achter de bar.

In eerste instantie besteedt niemand er veel aandacht aan, totdat de bezoekers elkaar aanstoten, roepen: 'Hé jongens, kijk nou eens', en uiteindelijk iedereen gebiologeerd naar het scherm kijkt. Het wordt stil in het café.

Bram kijkt al na vijftien seconden niet meer naar de beeldbuis maar naar de mensen om hem heen. Hij geniet van hun verbouwereerde gezichten. Hun monden vallen soms letterlijk open. Hij is trots.

Zodra de tv-spot is afgelopen, blijft het stil. Heel even maar. Dan begint iedereen in onvervalst Amsterdams door elkaar heen te praten. Er is bijval en kritiek, maar vooral toch bijval. Ruim de helft grijpt naar zijn mobiele telefoon.

'Het ís ook gewoon zo, het is allemaal ellende en troep.'

'Eindelijk zeggen ze gewoon dat ze alleen maar kutprogramma's uitzenden elke avond.'

'Jezus christus, je moet er toch niet aan denken dat ze nieuws als handel zien?'

'Welke klootzak heeft dat geschreven? Dit is één grote aanklacht tegen ZMG. Hoewel, het is wel waar.'

'Dit is waarschijnlijk weer een of andere grap. Nou, geef mij nog maar een borrel en zet dat kloteding uit.'

Bram wil het liefst van de daken schreeuwen dat híj die tv-spot gemaakt heeft. Dat het zijn woorden zijn. Hij ziet en hoort dat zijn teksten tot nadenken stemmen. Dat veel mensen de overload aan negatieve berichtgeving zat zijn.

Hij vindt de discussie die in de kroeg ontstaat geweldig. Dat heeft hij, Bram Rietveld, toch maar mooi geregeld en binnenkort zal de hele wereld het weten. Dat hij verantwoordelijk is.

Vreemd genoeg gaan de discussies nauwelijks over de ontvoering van Ben en Maya, ook al begrijpt iedereen dat de tv-spot van de kidnappers moet komen. Ze hebben het alleen maar over de aanklacht. Over hoe ZMG te grazen wordt genomen.

Maar wat zijn finest hour had moeten zijn, wordt overschaduwd door het verlies van zijn dochter. En ook nog steeds door de plotselinge dood van de liefde van zijn leven in 2005. Nog altijd voelt het alsof het vorige week is gebeurd. Hij heeft niemand om zijn succes mee te delen, geen mens die hem complimenteert.

Enerzijds is er de euforie, maar er overmannen hem ook peilloos diepe, sombere gevoelens.

Na een minuut of vijftien de discussies te hebben gevolgd en zonder daaraan deel te hebben genomen, rekent hij af en verlaat hij het café. Hij neemt zijn koffertje met videocassettes mee en voelt in zijn nieuwe zwarte jack zijn Beretta, het wapen waarvan een kogel in de buik van Ben is beland.

Het is kwart over zes en het is een graad of zes buiten. Eigenlijk best warm voor de tijd van het jaar. Hij loopt over de Lindengracht, in gedachten verzonken. Het is rustig op straat.

Bram weet genoeg. Ben ligt niet in coma en heeft gedaan waartoe hij hem gedwongen heeft. Wat natuurlijk niet wil zeggen dat de jacht niet op hem geopend is.

Hij vermoedt dat de politie op twee paarden tegelijk wedt. Enerzijds willen ze hem doen geloven dat Ben zijn woord heeft gehouden, en tegelijkertijd proberen ze hem in alle stilte zo snel mogelijk op te sporen. Dan zal alleen deze tv-spot hooguit een paar keer worden uitgezonden en zal zijn protest, zijn geniale bijdrage aan een vreedzame en leefbare samenleving, in de kiem gesmoord worden. Dan zal hij worden afgeschilderd als een ontspoorde idioot, een gewelddadige gek die bijna Ben Zandstra had vermoord en zijn dochter in een kelder laat creperen.

Hoe laat zou Ben wakker zijn geworden? Eind van de ochtend, begin van de middag? Dan hadden ze hem al bij zijn zoon op het politiebureau of in het OLVG kunnen arresteren. In die lijkenkamer waar Sacha lag. Of is de jacht op hem nu pas geopend?

Overal waar hij nu naartoe gaat kan hij in de val lopen. Zijn pand aan de Prinsengracht, zijn loods met zijn Landrover in Diemen, zijn boerderij in de Betuwe. Zelfs als hij naar zijn vader zou gaan, zou hij aangehouden kunnen worden. Zijn hoogbejaarde, rooie en inmiddels slecht ter been zijnde vader die hij al in geen jaren heeft bezocht.

Goedbeschouwd zou hij voorlopig onder moeten duiken, moeten verdwijnen, om pas na drie dagen weer tevoorschijn te komen. Maar waar? En hij kan Maya niet nog een aantal dagen aan haar lot overlaten. Die wordt nu al gek in die kelder.

Als Ben zijn naam heeft gezegd, of die van Sacha of zijn zoon, dan hebben ze via zijn paspoort al een foto van hem.

Als Ben gepraat heeft – en daar lijkt het niet echt op.

Bram twijfelt steeds minder terwijl hij zich afvraagt waar hij nu snel en redelijk ongemerkt een auto kan stelen.

54

'Waarom luister je niet naar mensen die er misschien iets meer verstand van hebben, Tom? Die kidnapper heeft Ben zelf naar het ziekenhuis gebracht en Maya is zijn enige troef. Natuurlijk heeft hij Ben bedreigd en gechanteerd met Maya. Maar dat wil toch niet zeggen dat hij die dreigementen ook ten uitvoer brengt? Dan staat hij met lege handen.'

Michiel zit in zijn auto op weg naar Wassenaar met Tom Akkerman aan de telefoon. Hij heeft een sigaret opgestoken en is mateloos geïrriteerd over het eigenzinnige gedrag van Akkerman, maar kan er weinig tegenin brengen. Tom is vicevoorzitter van ZMG en aan het eind van de rit degene die kan beslissen.

'Omdat ik al bijna dertig jaar met Ben samenwerk en hem van haver tot gort ken,' zegt Tom. 'Ik heb met hem voor hete vuren gestaan, Michiel, en hij is bepaald niet bang uitgevallen. Sterker nog, Ben is op zijn best *"when the shit hits the fan"*. Bovendien heeft denk ik niemand echt verstand van hoe je een ontvoering aan moet pakken. Natuurlijk heeft de politie een groot opsporingsapparaat en veel mogelijkheden, maar of die het weten? Dat zijn ook maar mensen, en zo vaak komt een ontvoering niet voor in Nederland. En dan kunnen er dingen fout gaan in de uitvoering. Je moet er toch niet aan denken dat een of andere vervanger die de instructies niet goed heeft gehoord in de fout gaat en Maya het niet overleeft? Bovendien, het is hun dochter niet.' Tom rijdt vanmiddag zelf in zijn Mercedes naar het hoofdkantoor in Rotterdam. Zijn chauffeur heeft een paar dagen vrijaf van hem gekregen.

'Ik zeg ook niet dat Ben bang is, maar hij is er wel zeer emotioneel bij betrokken. Dat beïnvloedt zijn oordeel, Tom, dat weet jij ook wel.'

'Dat meisje heb ik op zien groeien, ik heb gezien hoeveel moeite hij ervoor heeft moeten doen om gewoon een vader voor haar te mogen zijn, Michiel. Hij vergeeft het zichzelf nooit als er ook maar iets met haar gebeurt. Dan kun je Ben opbergen. Dat begrijpen jullie geen van allen. Kijk, ZMG kan het allemaal wel aan. De beurskoers heeft zich vanmiddag redelijk hersteld nadat duidelijk werd dat Ben buiten levensgevaar was en ook het personeel heeft er vertrouwen in dat het goed komt. We doen het zoals Ben het wil, Michiel.'

'Waarom heb je mij er dan eigenlijk bij gehaald, als je toch niet luistert?'

'Ik luister wel, Michiel. En ik stel je mening zeer op prijs. Maar ook ik kon niet vermoeden dat Ben zo snel alweer terug zou zijn. Ik ben heel blij dat jij er ook bij bent, en ik heb begrepen dat je een hele goede meeting met die jongens hebt gehad. Dat is allemaal zeer waardevol. Weet je, de Zandstra's zijn bijna familie voor me en ik heb nooit begrepen waarom twee zulke succesvolle mannen als jij en Ben niet samen optrekken. Misschien heb ik deze gebeurtenis ook wel een beetje aangegrepen om jullie weer bij elkaar te brengen. Dat het allemaal anders loopt, kon ik ook niet voorzien.'

'Je bent een goeie vent, Tom. Alleen...' zegt Michiel, maar voordat hij verder kan praten, zegt Tom:

'En hij heeft het me ook wel eens gezegd tijdens een van onze avonturen.'

'Wat heeft hij je wel eens gezegd?' vraagt Michiel.

'Dat hij je wel begrijpt.'

'Hoe bedoel je?'

'Dat je de pest aan hem hebt.'

Michiel krijgt een brok in zijn keel. Hij weet even niet wat hij moet zeggen. Plotseling wellen er emoties bij hem op die blijkbaar dichter aan het oppervlak liggen dan hij gedacht en voor mogelijk gehouden had.

'Hij heeft ook meerdere keren op het punt gestaan je te bellen.'

Michiel trekt nerveus aan zijn sigaret en krijgt het een beetje benauwd.

'En als ik hem dan vroeg waarom hij het niet gedaan had, zei hij dat het niet in hem zat. Dat hij het moeilijk vond. Dat hij dat van huis uit nooit meegekregen had.'

'Jezus christus,' zegt Michiel. De opmerkingen van Akkerman brengen hem in opperste verwarring.

'Zelf denk ik dat hij bang was voor jouw reactie.'

Michiel zucht en zegt vervolgens:

'Hoe reageerde hij op de dood van mijn... van zijn moeder?'

'Dat weet ik niet, daar was ik niet bij. Ik weet wel dat hij haar nooit opzocht in New York, terwijl hij daar toch half woont.'

'Het kan verkeren,' zegt Michiel vertwijfeld.

Er staan tranen in zijn ogen en hij zou het wel uit willen schreeuwen, zo emotioneert hem het feit dat zijn broer er dus ook mee zit, dat het hem al die jaren ook niet onverschillig heeft gelaten. Er gaat een gevoel van opluchting en iets van blijdschap door hem heen. Het is of er een last van zijn schouders is gevallen.

'Zeg dat wel,' zegt Tom.

Er valt een stilte in het telefoongesprek, waarbij Michiel zijn kalmte probeert te bewaren. Hij moet zich herpakken, zo grijpt het hem onverwacht aan.

'Ik maak me wel zorgen over de reactie op die tv-spot vanavond, Tom,' zegt Michiel. Zijn stem is een beetje onvast.

Akkerman ontgaat de emotie die hij in Michiels stem hoort niet, maar hij zegt er niets over.

'Je bedoelt op de beursvloer morgen?'

Michiel schraapt zijn keel.

'Ook, maar net zozeer in alle andere media.' Hij krijgt zichzelf weer onder controle. Uiterlijk althans.

'Het zal een hoop commotie geven. Al die lui die denken iets voor te stellen in medialand en de politiek rollen natuurlijk over elkaar heen, maar aan het eind van de dag valt het denkelijk allemaal wel mee. Het bedrijf zal er niet zoveel schade van ondervinden. Iedereen zal het begrijpen, en na een paar weken gaan we met z'n allen weer vrolijk verder. Het zal denk ik eerder veel extra kijkers opleveren. Zodra de mensen erover horen, willen ze het ook zien.'

'Daar kun je wel eens gelijk in hebben. Maar of we er Maya snel mee terugkrijgen? Ik blijf het me afvragen,' zegt Michiel.

'Daar kunnen we lang over speculeren, Michiel. Ik vertrouw erop dat Ben weet wat hij doet.'

'Oké Tom, steun jij morgen de beurskoers net als vandaag?'

'Ja, hoewel dat niet veel voorstelde. Er werden niet veel stukken aangeboden. Grote beleggers kijken er blijkbaar anders tegenaan. Dat geeft ook vertrouwen.'

'Mee eens. En dank je dat je zo openhartig tegen me bent geweest.'

'Oké, Michiel. Ik hoop dat jullie elkaar snel weer recht in de ogen kunnen kijken.'

'Dat hoop ik ook,' zegt Michiel.

Hij is verbaasd over zijn eigen reactie.

55

Bram heeft het risico genomen en de oude Peugeot die hij in Utrecht heeft gestolen geparkeerd in een woonwijk, achter de enige kroeg in het dorp. Het is rond negen uur in de avond, droog en een graad of zes.

Niets duidt erop dat er naar hem uitgekeken wordt. Het dorpje van maar een paar straten, met een enorme kerk en wat winkels, ligt er verlaten bij en hij ziet door het raam hooguit vier wat oudere mannen in het café. Twee van hen zijn aan het biljarten. Nergens is ook maar enige ongewone activiteit te bespeuren.

Brams redenering was simpel. Als er naar hem gezocht werd, dan zou dat in het dorp al snel te merken zijn, en in de kroeg zouden ze het sowieso weten. Dan had hij misschien nog een kans om te ontsnappen. Rechtstreeks naar zijn boerderij gaan zou kunnen betekenen dat hij in een fuik reed.

Hij kende de kroegbaas. Hij kwam er vroeger wel eens op een verloren avond. Hij was er zelfs wel eens met Marianne geweest.

'Hé, dat is lang geleden!' roept de zwaar besnorde, volledig kale man achter de bar als Bram naar binnen loopt. Hoe is het met jou?'

'Goed, Bert. Ik dacht, ik kom een balletje gehakt bij je eten. Hoe is het hier?'

'Best jongen, leuk je weer eens te zien. Je was hier gisteren ook al, hoorde ik van Anton. Weer aan het klussen aan je huis?'

'Ja. Af en toe krijg ik de geest hè, en soms ben ik Amsterdam helemaal zat. Dan wil ik effe rust. Ik heb gisteren wat spullen gebracht. Ik ben hier de komende tijd wel wat vaker denk ik.'

'Gezellig. Een bal gehakt, zei je? Met wit- of bruinbrood?'

'Doe maar met bruinbrood en veel jus erbij, Bert. En doe me ook maar een biertje. Nog wat bijzonders gebeurd hier, de laatste tijd?'

Bram kijkt de kroeg rond en knikt vriendelijk naar de andere aanwezige mannen.

'Wat zou hier nou moeten gebeuren, Bram? Alles gaat zo z'n gangetje, hè. We moeten fuseren met nog vier andere dorpen. Zo'n beetje alle inwoners zijn tegen, maar het gaat toch gebeuren. Het moet van Den

Haag.' De kroegbaas geeft Bram zijn biertje en loopt door een klapdeurtje naar de keuken om de bal gehakt op te warmen.

Met zijn biertje in zijn hand loopt Bram naar een kleine flatscreen die aan het einde van de bar hangt en pakt de afstandsbediening. Na een druk op de knop komt het scherm tot leven.

Hij valt midden in het journaal van de publieke omroep. Er worden passages uit zijn tv-spot vertoond en diverse Tweede Kamerleden wordt voor de camera om commentaar gevraagd. Allemaal spreken ze onmiddellijk hun medeleven uit met Ben en in het bijzonder Maya en zeggen ze te hopen dat de ontvoering snel opgelost wordt. Als hun gevraagd wordt wat ze van de inhoud van de tv-spot vinden, zijn ze allemaal terughoudend. Er zit volgens de meeste politici wel een kern van waarheid in, maar het is schromelijk overdreven. Allemaal veroordelen ze het feit dat de spot gedwongen is uitgezonden.

Als er reacties van mensen op straat getoond worden, is de teneur anders. De meeste geïnterviewde personen zijn het roerend met de tekst eens, ook al veroordelen ze de ontvoering.

'Is er nog wat op het nieuws?' vraagt Bert, die met een hete bal met bruinbrood komt binnenlopen vanuit zijn keukentje.

'Gezeur over de ontvoering van die mediamagnaat,' zegt Bram.

'Die ligt toch in het ziekenhuis?'

'Ja, maar ze hebben zijn dochter nog, en de ontvoerders hebben afgedwongen dat er een tv-spot wordt uitgezonden waarin gezegd wordt dat er op tv tegenwoordig alleen nog maar ellende en geweld wordt vertoond.'

'Dat is ook zo,' zegt Bert 'En waarom moet dat?'

'Om de aandacht erop te vestigen dat de televisie de mensen te veel negatief beïnvloedt en dat dat moet veranderen.'

'Nou, breek me de bek niet open,' zegt Bert. 'Moet je hier naar die jongens kijken op het dorp, die hebben door die televisie allemaal de gekte in hun kop. Ze denken dat ze tegenwoordig alles kunnen maken. Als er maar wat aan de hand is slaan ze erop. Ze hebben voor niemand respect meer. Laatst hebben ze twee politieagenten gewoon in elkaar geslagen. Dat is toch niet normaal meer. Wil je er mosterd bij?'

'Ja, graag,' zegt Bram. 'En doe me nog maar zo'n bal met brood om mee te nemen, heb ik straks ook nog wat. En doe er ook wat frietjes bij.'

'Komt voor de bakker. Nog een biertje?'

'Ja, is goed.'

Bram doet de tv weer uit en verorbert aan de bar zijn broodje bal.

Het is duidelijk, denkt hij. Ben heeft niet gepraat.

Zodra de café-eigenaar terugkomt met de tweede bal gehakt, brood en frites, netjes verpakt in aluminiumfolie, rekent Bram af en vertrekt.

'Tot ziens, Bert.'

'Tot ziens, Bram. En laat je nog eens zien, hè.'

Buiten is het nog steeds kalm. Bram stapt in zijn pas verworven Peugeot en rijdt naar zijn boerderij. Het is half tien en aardedonker als hij bij zijn schuur arriveert. De maan is achter de wolken verdwenen. De enige buitenlamp aan zijn boerderij die nog brandde heeft inmiddels ook de geest gegeven. Vreemd, denkt hij.

Bram is op zijn hoede en heeft zijn Beretta in de aanslag als hij uitstapt. Hij laat zijn lichten branden en spiedt de omgeving af. Hij ziet niets wat hem alarmeert. Ook op het terrein ziet hij geen vreemde banden- of voetsporen. Het lijkt of het allemaal in orde is.

Ergens verwacht hij dat er nu grote richtlampen aangaan en hij verblind door het licht te horen krijgt dat hij zich onmiddellijk moet overgeven.

'Politie, u bent omsingeld. Gooi uw wapen weg en ga op de grond liggen!'

Zoiets zou hij moeten horen, maar het enige geluid dat hem bereikt is het zachte gebrom van een vliegtuig dat hoog boven hem overvliegt.

Behoedzaam loopt hij naar de houten schuurdeuren en pakt zijn sleutels. Ze zijn gewoon op slot. Hij doet ze open en onmiddellijk wordt de ruimte verlicht door de koplampen van zijn auto. Hij loopt voorzichtig naar binnen.

Het is stil. Het ijzeren luik boven de schuilkelder ligt er gewoon op en het slot is niet geforceerd of zo.

'Hallo?' hoort hij ineens. 'Ben je daar eindelijk weer? Hallo?'

Het is de stem van Maya, en Bram is blij dat hij die hoort. Alles is normaal, hij heeft zich helemaal voor niks zorgen gemaakt.

'Ik ben er weer, schat,' roept Bram. 'Heb je me gemist?'

'Hoe is het met mijn vader?' roept Maya. 'Gaat het goed met hem? Leeft hij? Hoe laat is het?' Haar stem klinkt vermoeid en bezorgd. Ze is schor. Ze heeft het uitgeschreeuwd van frustratie en ellende.

'Wacht nog even, ik haal even wat te eten voor je uit mijn auto,' roept Bram.

'Nee, kom terug! Niet weggaan! Laat me er eerst uit, ik wil er verdomme uit!' schreeuwt Maya zo hard ze kan. 'Hallo?'

Bram zegt niets en doet het licht in de schuur aan. Hij loopt naar de Peugeot, doet de lichten uit, pakt zijn koffertje en de bal gehakt met frites en loopt weer terug de schuur in, de deuren achter zich sluitend.

Hij kijkt nog steeds wat schichtig om zich heen en is er nog niet helemaal gerust op. Maar er gebeurt niets onverwachts.

'Hallo, doe nou eindelijk eens dat luik open. Ik word gek hier. Hallo?'

Bram loopt naar het ijzeren luik, doet zijn Beretta in zijn jack, pakt zijn sleutels en doet het luik open.

Hij schrikt als hij Maya ziet. Haar gezicht is vuil, ze heeft wallen onder haar ogen en haar doorgelopen mascara geeft haar iets spookachtigs. Het is goed te zien dat ze veel gehuild heeft. Ze kijkt hem onzeker en met dichtgeknepen ogen aan als het licht de kelder in stroomt.

Gewikkeld in de verhuisdekens met het grijze vieze oversized jack erboven ziet ze er armoedig en zielig uit. Het stinkt naar urine in het keldertje. Ze is aan het derde pak melk begonnen en de zakken chips en de koeken zijn opgegeten. Haar zwarte haar is vettig en hangt als touw om haar hoofd. Ze zit met haar benen opgetrokken tegen de keldermuur aan. Ze heeft het zichtbaar nog steeds koud, al zal dat wel minder zijn nu ze kranten en dekens heeft .

'Hoe is het met mijn vader?' Ze kijkt op naar Bram.

'Je vader leeft en ligt in het ziekenhuis,' zegt Bram.

'Echt waar? Je liegt toch niet tegen me, hè?' zegt ze terwijl ze opstaat.

'Kom er maar uit. En nee, ik lieg niet. Het gaat goed met hem.'

Maya wikkelt de deken los die ze om haar benen had en klimt het vermolmde houten trappetje op. Ze houdt de deken om haar middel vast. Ze is stijf. Boven aan de trap geeft Bram haar een hand om haar te helpen, die ze aanneemt.

Ze staan opeens recht tegenover elkaar. Ze laat zijn hand los. Bram ruikt dat ze stinkt naar zweet en urine, maar het deert hem niet. Ze staan nog geen meter van elkaar verwijderd en kijken recht in elkaars ogen.

'Zeg me nog een keer dat je niet liegt, dat het goed met mijn vader gaat terwijl je in mijn ogen blijft kijken.'

'Hij ligt in het ziekenhuis en het gaat goed met hem.'

Ondanks dat er tranen in haar ogen springen, blijft ze Bram aankijken.

'In welk ziekenhuis ligt hij dan?'

'In Tergooi in Blaricum.'

'Heb je hem daar naar binnen gebracht?'

'Nee, ik heb hem vijftig meter voor de ingang gelegd en toen heb ik het ziekenhuis opgebeld.'

'Hoe dan? Je hebt toch geen mobiele telefoon?'

Bram aarzelt.

'In het dorp daar, in een kroeg. Het was niet eens nodig geweest, ze hadden hem al gevonden.'

'Je liegt,' zegt Maya. 'Je hebt niet gebeld.' Ze kijkt Bram nog steeds strak aan.

'Klopt,' zegt Bram. 'Dat bedenk ik erbij. Maar hij is wel gevonden. Het was op het nieuws. Hij is geopereerd en is buiten levensgevaar.'

Bram draait zich om en loopt naar een van de stoelen waarop hij de bal gehakt en frites heeft neergezet.

'Kom hier en ga zitten, Ik heb wat warms te eten voor je meegenomen.'

Maya loopt naar hem toe, verzet een stoel en gaat zitten.

'Ik werd krankzinnig in die kelder in mijn eentje,' zegt ze. 'Je hebt geen idee wat het is om ergens opgesloten en alleen te zitten. Dat je er niet uit kan. Dat er niemand is om iets tegen te zeggen. Ik begrijp nu wat eenzame opsluiting betekent, zoals je die wel eens in van die gevangenisfilms ziet. Het is barbaars.'

Maya doet het aluminiumfolie open en ziet de frites en de gehaktbal. Ze begint onmiddellijk aan de patat. Ze heeft de afgelopen achtenveertig uur geen behoorlijke maaltijd gehad. Dit lijkt er ook niet erg op, maar ze heeft honger als een paard. Ze schrokt de frites naar binnen en neemt ook een paar happen van de vette gehaktbal. Het smaakt haar fantastisch.

'Heb je geen mayo meegenomen?' vraagt ze met een volle mond.

'Neem er een boterham bij, dat zit in dat andere pakje,' zegt Bram.

Ze maakt het open en neemt een paar happen.

Bram is er ook bij gaan zitten en kijkt geboeid naar de manier waarop Maya als een hongerig wild dier het eten verorbert.

Ook als ze stinkt is ze aantrekkelijk, denkt Bram. Wat een mooie meid, zelfs in die verhuisdoek met de sokken van haar vader aan en dat vette haar.

Maya voelt dat Bram naar haar loert. Ze likt haar vingers af en kijkt hem plotseling brutaal aan.

'Wat gaat er nu gebeuren? Laat je me eindelijk vrij?'

'Mijn tv-spot is vanavond om zes uur voor het eerst uitgezonden.'

'Gefeliciteerd. Hoe laat is het nu eigenlijk?'

Bram kijkt op zijn horloge. 'Bijna tien uur.'

'Dus je hebt mijn vader zover gekregen? Hoe heb je dat gedaan?'

'Ik heb hem die cassettes meegegeven en hem te verstaan gegeven dat wilde hij jou ooit nog levend terugzien, ze vanaf zes uur vanavond uitgezonden moesten worden. Elk uur en in alle landen waar ZMG tv-zenders heeft.'

'Heb je gedreigd dat je mij zou vermoorden?'

'Ja, en als jij niet aardig voor me bent doe ik dat ook,' zegt Bram zacht-jes.

Hij slaat een andere toon aan en dat ontgaat Maya niet. Ze denkt razendsnel na.

'Je geeft me ook geen enkele kans,' zegt ze. 'Je laat me hier dag en nacht alleen in een stinkende benauwde kelder tot ik bijna zelfmoord pleeg. Hoeveel meer wil je nog dat ik je ga haten?'

Ze speelt het spel mee. Ze is helemaal klaar met die kelder en ze heeft er veel voor over als ze daar maar niet meer in terug hoeft.

Heel veel.

'Dat was ook niet helemaal mijn bedoeling,' zegt Bram. 'Het heeft een beetje tegengezeten.'

Hij pauzeert even.

'Wat zou je ervan zeggen als we deze schuur eens verlieten en jij een warme douche neemt in mijn boerderij? Daar knap je wel van op, denk ik zo.'

Maya denkt na. Ze begrijpt donders goed wat hij van plan is. Ze her-innert zich nog hoe hij in die Landrover op weg naar deze schuur al naar haar zat te loeren.

Op dezelfde manier als hij net deed.

Ze heeft het nog steeds koud en voelt zich heel vies.

'Hoe lang ben je nog van plan me hier vast te houden?' vraagt ze.

'Nog wel een paar dagen. Ik wil ook nog een andere spot van me op de buis hebben.'

'Een paar dagen?'

'Ja, Maya. En dat kan goedschiks en dat kan kwaadschiks.'

'Leg eens uit,' zegt Maya. 'Ik begrijp je niet helemaal.' Ze eet de gehaktbal, de twee bruine boterhammen en de frites helemaal op.

'We kunnen naar de boerderij gaan. Daar is het comfortabel en kun je in een bed slapen. Als je lief voor me bent en je weet je te gedragen. Dus geen stoel meer naar mijn hoofd gooien of zoiets.' Terwijl hij het zegt voelt Bram aan zijn voorhoofd. De bult is inmiddels verdwenen, maar hij voelt nog wel iets.

'En anders gooi je me weer in dit hol?' vraagt Maya.

'Met tegenzin, Maya, maar ja: anders ga je die kelder weer in.'

'Dus ik hoef me alleen maar te gedragen?'

'Ja. En een beetje aardig zijn.' Bram glimlacht vaag.

'En jij blijft hier al die dagen? Of ga je weer weg?'

'Waarschijnlijk moet ik weer weg, maar dan kun je in de boerderij blijven. Ik sluit je wel op, zodat je niet weg kunt, maar het is een stuk beter dan in die kelder.'

'Je hebt daar toch niet ook een kelder, mag ik hopen?'

'Ja, daar zit ook een voorraadkelder in, maar ik denk aan iets anders. Met een handboei aan het frame van het bed of zoiets, of aan de centrale verwarming. Moet ik nog even over nadenken. Het ligt aan jou.'

'Heb je ook nog iets lekkers te drinken voor me daar?'

'Er liggen flessen wijn; bedoel je dat?'

'Nou,' zegt Maya. 'Als je het niet erg vind, ik lust wel een glas. Maar ik moet nu eerst heel nodig naar het toilet.'

'Oké,' zegt Bram terwijl hij opstaat. 'Je weet waar het is. Dan lopen we daarna naar de overkant.'

Terwijl Maya op het toilet zit schopt Bram haar vieze spijkerbroek, die in een hoek ligt, in de kelder. Hij gooit het ijzeren luik er weer op, doet het hangslot eraan en pakt zijn koffertje. Hij neemt de lege plastic bakjes en de aluminiumfolie mee en loopt langzaam naar de deuren van de schuur als Maya van het toilet af komt.

'Hier, als jij dit vasthoudt.' Hij geeft haar de eetspullen. 'En neem je schoenen mee.'

Maya doet de verhuisdoek om haar middel in een stevige knoop, pakt de spullen aan en raapt haar schoenen op.

'Oké,' zegt ze. 'Ik ben klaar.'

Bram doet de schuurdeur open en dooft pas dan het licht. Het is donker buiten, er is alleen een klein beetje maanlicht. Hij pakt Maya bij haar arm en loopt met haar naar buiten.

'Geen onverwachte dingen doen, Maya. Gewoon rustig met me meelopen naar de boerderij. De buitenverlichting is stuk, dus dicht bij me blijven.'

Maya zegt niks maar geeft haar ogen goed de kost.

Hij laat haar los en sluit de schuur af. Daarna lopen ze rustig naar de ingang van zijn boerderij, die aan de zijkant is gesitueerd. Hij heeft zijn hand weer om haar bovenarm.

Zodra ze binnen zijn doet hij het licht aan en de voordeur aan de binnenkant weer op slot. Hij merkt dat het er koud is. Nu herinnert hij zich weer dat hij naar de verwarmingsketel moet kijken.

Waarschijnlijk is de waakvlam uitgegaan, denkt Bram.

'Het is hier ook niet echt warm,' zegt Maya.

'Klopt, ik moet de cv-ketel aanzetten.'

Ze staan in de hoge hal met kleurige Portugese tegels die Marianne nog heeft uitgezocht. Er loopt een witte houten trap naar de bovenverdieping, en aan het schuine plafond hangt een enorme ouderwetse kroonluchter aan een dikke metalen ketting. Het is een wereld van verschil met de depressief makende houten schuur.

Ze lopen naar rechts, naar de enorme hoge living van de boerderij. Bram doet daar ook het licht aan. Het is een vorm van indirecte verlichting die het enorme, schuine, lichte houten dak als het ware doet zweven boven de ruimte van zeker zo'n honderdtwintig vierkante meter. In het midden staat een grote gemetselde vierkante open haard en daarachter ligt in de linkerhoek een open zwarte keuken waar eveneens indirecte verlichting is gaan branden onder de kastjes. Waar ooit de deuren moeten hebben gezeten die toegang gaven tot de deel, bevindt zich nu een enorm, in ruitjes verdeeld raam met daarin twee deuren die toegang geven tot de tuin. Ze zijn zeker vier meter breed bij drie meter hoog.

Bram heeft Maya inmiddels losgelaten en doet hier en daar nog een lamp aan.

Bij de haard staat een grote, lange, donkerbruine leren bank in een soort U-vorm met een oude zwarte Indische salontafel en dezelfde soort bijzettafels met schemerlampen met zwarte kappen en gouden binnenkanten. De vloer van de ruimte bestaat uit brede, verweerde donkere houten delen, bezaaid met Perzische tapijten, groot en klein door elkaar. Rechts van Maya staat een grote, zwarte concertvleugel met de klep open.

'Speel jij piano?' vraagt Maya.

'Nee, mijn vrouw speelde piano en mijn dochter ook.'

Links van haar een gigantische boekenkast met daarboven een open ruimte. De vroegere hooizolder waarschijnlijk.

Maya staat er wat bedremmeld bij in haar verhuisdoek met het koffertje van Bram in haar ene hand en de eetverpakkingen en haar pumps in de andere. Ze is verbaasd over de goede sfeer die er in de verbouwde boerderij hangt en de keuze van materialen en meubels.

'Kwamen jullie hier vaak?'

'Totdat mijn vrouw overleed bijna ieder weekend. Het was eigenlijk pas net klaar toen ze verongelukte. Op de slaapkamers na, die zijn nog niet af.'

'Dus dit was jullie liefdesnestje, weg van Amsterdam?'

'Zo zou je het kunnen noemen, maar het was meer een familiehuis voor de weekeinden en de vakanties. Toen we het kochten was het een soort bouwval. Hoe vind je het?'

'Gezellig, sfeervol ingericht. Maar wel koud. Kun je de verwarming of de open haard niet aandoen?'

'Jij gaat eerst onder de douche; ik zal je naar de badkamer brengen. Ondertussen doe ik de verwarming en de open haard aan. Kom mee en geef mij je spullen maar.'

Ze lopen de hal weer in. In het verlengde daarvan ligt aan het einde de badkamer. Het is de meest bizarre badkamer die Maya ooit gezien heeft. Alle sanitair en tegels zijn glimmend paars en de muren zijn van cement met daarin verwerkt enorme witte kiezelstenen die eruit steken. Ze lijken er een voor een in gedrukt. Ook hier hangt weer een kroonluchter, die een heel speciale lichtval creëert op de kiezels en de paarse wastafels en het ronde bad. Er zijn vreemd genoeg alleen twee kleine ronde spiegeltjes boven de wastafels, met ronde verlichte lampjes eromheen. Een paar van die lampjes doen het niet.

Er is een paars ligbad, een paars toilet en de ronde douchemuur is geheel van hetzelfde cementwerk, behalve de douchebak en het gordijn. Die zijn weer paars.

Er is een klein raam. Geen raam waar je doorheen kunt.

Er ligt een groot zwart badkamerkleed op de vloer en Maya gaat er snel op staan. Ze heeft nog steeds koude voeten.

'Blijf hier, dan zet ik de cv-ketel aan. Zodra ik dat gedaan heb roep ik dat je kunt gaan douchen. En niet de deur op slot doen vanbinnen, ik heb hem toch zo open.'

'Oké,' zegt Maya. 'Heb je ook nog iets schoons voor me om aan te trekken? Van je dochter of je vrouw misschien?'

'Ik zal kijken,' zegt Bram, en hij laat Maya alleen.

'O ja,' roept hij terwijl hij de deur weer opendoet. 'Haal je niets in je hoofd. Door dat raam kun je niet naar buiten en de voordeur en alle andere deuren zitten op slot. Als je toch wat probeert loopt het slecht met je af, Maya. Ik heb het goed met je voor, maar probeer me niet te belazeren. Oké? Bram kijkt haar streng aan.

'Ja baas,' zegt Maya.

Zodra ze alleen is onderzoekt Maya de badkamerkastjes onder de wastafels. Ze vindt van alles. Mascara, wattenstaafjes, tandenborstels, kartonnen vijltjes, damesscheermesjes, make-up, deodorant, zonnebrandcrème, ronde watjes, shampoo, bodylotion, tandpasta, een nagelknippertje. Maar geen zakmes of zo. Niet iets waar ze wat mee kan. Zelfs geen schaartje.

Ze opent de laden, en na even zoeken vindt ze in het ene laatje tussen allerlei armbandjes, kettinkjes, haarborstels, tubetjes lijm en grove kammen een soort schroevendraaier. Althans, zo ziet het betrekkelijk kleine ding er voor haar op het eerste gezicht uit. Het heeft aan de ene kant een bol rond handvat en aan de andere een korte ronde metalen steel met een scherpe punt. Je kunt er geen schroeven mee vast- of losdraaien. Het is wel een stevig soort gereedschap. Iets om mee te prikken.

Ze vraagt zich af wat het is en waarom het daar ligt. Het doet haar nog het meest denken aan een soort icepick, maar die zijn meestal langer en slanker van vorm.

Niettemin stopt ze het ding in haar jack. Het kan zomaar van pas komen. Je kunt er iemand aardig mee verwonden.

'Je kunt douchen,' roept Bram in de hal.

'Oké,' zegt Maya. 'Heb je ook een handdoek voor me? Er is hier verder niets.'

Nog geen minuut later gaat de deur weer open en staat Bram met twee paar paarse handdoeken in de opening. 'Ik ga ook nog wat kleren voor je zoeken, die leg ik hier wel voor de deur. Geef maar een gil als je klaar bent, dan kom ik je ophalen. Ik ben altijd vlak bij je in de buurt.'

Bram doet de deur dicht en gaat naar de living om het open vuur aan te doen. Hij heeft het ook koud en het zal nog wel even duren voordat de ketel het hele huis verwarmd heeft.

Maya maakt eerst met de watjes en eye-make-upremover die ze gevonden heeft haar ogen schoon. Ze kijkt na ruim achtenveertig uur eindelijk weer eens in een spiegel en ze vindt dat ze er dramatisch uitziet. Ze kleedt zich snel uit en loopt naar de douche in de hoek van de badkamer met een flesje shampoo in haar handen.

Ze voelt zich heel vies en ze stinkt.

Ze draait de kraan open en onmiddellijk klettert het water uit de enorme douchekop in de paarse pvc douchebak.

Even wacht ze tot het water warm is; dan stapt ze eronder.

Het warme water voelt weldadig aan, maar ze gunt zichzelf de tijd nog niet om daarvan te genieten.

Ze pakt onmiddellijk een stuk zeep en wast zich fanatiek van top tot teen schoon. Ze wil het hele keldergevoel van zich af schrobben. Ze heeft het idee dat er zwart, smerig water van haar af komt. Daarna wast ze langdurig haar zwarte haren en spoelt die grondig uit.

Dan pas vindt ze de rust om het warme water over haar hoofd, haar gezicht en haar jonge strakke lijf te voelen stromen. Met het water spoelt er iets af van de spanningen die haar al die tijd al ontregelen. Zo staat ze zeker vijf minuten met haar ogen dicht in gedachten verzonken.

Maar echt ontspannen kan ze niet.

Bram zou zomaar elke moment kunnen binnenkomen en me verkrachten, gaat het door haar heen. Ze vraagt zich af hoe ze dat zou ondergaan, een verkrachting. Dat een man zich met geweld in je dringt.

Zou hij haar achterlangs nemen in de douche of van voren op een van de wastafels? Ze was al naakt. Hij hoefde haar alleen maar te grijpen. Hij was zo sterk, ze had geen schijn van kans. Zou hij haar slaan als ze zich zou verzetten? Haar in een soort wurggreep nemen? En als ze zich niet verzet? Is het dan nog wel een verkrachting? Ze heeft het al zo vaak gedaan zonder het eigenlijk te willen.

Voor haar hoefde het vaak niet.

Het lijkt haar allemaal heel vernederend en ze besluit ter plekke om dat straks niet af te wachten maar de zaak om te draaien. Ze wil onder geen voorwaarde die kelder meer in, daar gaat ze langzaam dood. Dan maar de liefde bedrijven met haar ontvoerder en tenminste in een warm bed slapen vannacht.

'Hij is trouwens niet lelijk,' zegt ze zachtjes tegen zichzelf. 'Je kunt proberen hem dronken te voeren en als hij slaapt ervandoor te gaan. Of hem dan met een keukenmes doodsteken.' Ze weet niet of ze dat laatste wel durft.

'Hij is volledig gefrustreerd en onberekenbaar,' vervolgt ze haar alleenspraak. 'Maar ik ben nog erger, Bram Rietveld. *I am stronger than you are. You want to fuck me?*' Ze dacht of sprak vaak in het Engels als haar iets dwarszat of als ze boos werd.

Langzaam begint een plan te groeien in haar hoofd.

Als er al stress uit haar lichaam door het afvoerputje was verdwenen, dan was die nu weer volledig terug. Haar ogen branden. Ze heeft zin in een glas wijn om zich iets relaxter te voelen.

Ze doet de kraan dicht en stapt uit de douche. Ze droogt zich af en doet de deur van de badkamer op een kiertje. Op de grond ligt opgevouwen een dikke paarse badjas. Verder niks.

Hij laat er geen gras over groeien, denkt ze. Het is duidelijk wat hij wil van me. Vanuit de living hoort ze het hout van de open haard knetteren.

Maya pakt de jas en doet hem direct aan. Hij is warm en de badstof voelt comfortabel aan. Het is wel ongeveer haar maat. De jas komt tot over haar knieën en ze kan zichzelf er helemaal in verpakken. Ze knoopt de ceintuur strak dicht.

Ze bekijkt zichzelf voor zover mogelijk in een van de kleine wastafelspiegeltjes. Ze moet iets aan haar haar en haar wallen doen. Ze vindt een föhn, mascara en make-upspullen en gaat aan de gang. Ze wil er goed uitzien.

Vanavond is het erop of eronder. Wat haar betreft gaat ze nooit, maar dan ook nooit meer die kelder in.

56

Michiel zit met Ellen een glas wijn te drinken bij de open haard als zijn vaste telefoon gaat. Het is bijna half elf 's avonds en ze kijken naar het late nieuws. Dat toont de reacties op de tv-spot van Bram.

De hele avond hebben ze de diverse zenders af gezapt en steeds vaker vallen de woorden 'smaad' en 'laster'. Het komt erop neer dan men vindt dat de uitzending van de tv-spot van Bram niets met het recht van vrije meningsuiting te maken heeft maar alles met een afgedwongen lastercampagne tegen ZMG, en dat hij dus verboden kan en moet worden. De premier van Nederland heeft de spot als 'walgelijk' betiteld en vindt dat hij zo snel mogelijk van de buis moet worden gehaald.

Ook uit het buitenland komen van overheidswege gelijksoortige reacties, met name uit Duitsland. In Frankrijk zijn de commentaren iets milder. Daar vindt men de tekst ook niet kunnen, maar is men wel van mening dat de inhoud tot nadenken stemt. De Universele Verklaring van de Rechten van de Mens wordt erbij gehaald.

In alle talkshows in heel Europa is de tv-spot het onderwerp van gesprek. Het valt daarbij op dat slechts weinig journalisten of politici een duidelijke mening durven te geven. De angst voor het oordeel van diezelfde media die in de tv-spot aangevallen worden, lijkt te overheersen. Men uit zich in bedekte termen en spreekt van belediging en laster. De meesten zeggen ronduit dat de beschuldigingen nergens op gebaseerd zijn en dat er voldoende zelfcensuur plaatsvindt. Slechts een enkeling durft de handschoen op te pakken.

De reacties van de mensen op straat liegen er niet om. Daar is toch wel het overwegende commentaar dat het tijd wordt dat de media zelf ook eens aangepakt worden en dat ze moeten stoppen met het brengen van zoveel narigheid.

'Eén keer oorlog in Syrië of Irak per week is wel voldoende,' is een veelgehoord antwoord, of: 'Ik ben nu wel klaar met al die programma's over zielige mensen.'

Michiel neemt zijn telefoon op.

'Ja,' zegt hij.

'Met Victor Stikker.'

'Victor, wat een verrassing. Kom je me zo laat nog vertellen dat het verhoor dat een van je collega's mijn vrouw vanmorgen heeft afgenomen niets opgeleverd heeft?'

'Ik kon geen enkele mogelijkheid uitsluiten, meneer Zandstra...'

'Zeg maar Michiel.'

'Ik hoop dat je mij het niet euvel duidt. Ik bel je om iets anders. We hebben misschien de Landrover van de ontvoerder gevonden.'

'Waar?'

'In een loods op een industrieterrein in Diemen. We weten het nog niet zeker. Het is een donkere Landrover van het type dat we zoeken, en onze forensische specialisten zijn nu onderweg. In ieder geval zijn we er via het kenteken achter gekomen op wiens naam hij staat. Het is ene Bram Rietveld. Hij woont aan de Prinsengracht en is niet bekend bij ons. Hij heeft een bouwbedrijf en staat ingeschreven bij de Kamer van Koophandel.'

'Hoe heb je die auto gevonden dan?'

'Stom toeval, maar dat hoort bij het vak. Surveillerende agenten in Diemen hebben hem gevonden. De loods was opengebroken en de inbrekers hadden het rolluik met een krik ongeveer een meter omhoog gekregen. Toen de agenten poolshoogte gingen nemen zagen ze de Landrover staan. In het kader van de landelijke zoekactie hebben ze toen meteen contact opgenomen.'

'Heeft hij ook een boerderij ergens in het midden van het land?'

'Daar zijn we uiteraard mee bezig. Dat weet ik elk moment. Althans, als het hem is en als hij een boerderij heeft die op zijn naam staat.'

'Als ik het goed begrijp weet je eigenlijk nog niks,' zegt Michiel. 'Het barst van de mensen met een donkere Landrover.'

'Dat is op zich juist, maar ik heb een sterk vermoeden dat deze het is. Je zet je auto niet in een afgesloten loods op een onbewaakt industrieterrein. Niet als je hem voor je werk gebruikt. Daarbij komt dat we een zwerver in de buurt hebben gesproken die de auto de afgelopen nacht rond half drie de loods heeft zien binnenrijden.'

'Dat is wel relevante informatie,' zegt Michiel.

'Dat dacht ik nou ook,' zegt Victor.

'Stel dat het onze kidnapper is en stel dat hij een boerderij ergens midden in het land heeft, dan gaan we erachteraan, toch?' zegt Victor.

'Je weet hoe Ben ertegenaan kijkt, en Akkerman,' zegt Michiel. 'Weet Tom het trouwens al?'

'Jij bent de eerste die ik bel. Misschien moet jij Akkerman maar eens bellen.'

'Wat een dilemma wordt dat,' zegt Michiel. 'Bel me terug zodra je zeker weet dat dit onze man is.'

'Dat wordt een dilemma voor júllie,' zegt Victor. 'Niet voor ons. Trouwens, ook als we weten waar die boerderij is kan de vogel allang gevlogen zijn.'

Victor verbreekt de verbinding.

'Ze weten waarschijnlijk wie het is. Zodra ze concrete informatie krijgen over de locatie waar Maya wordt vastgehouden, gaan ze eropaf, denk ik,' zegt Michiel.

'Dus zonder jullie instemming?' vraagt Ellen.

'Daar liet hij niet veel misverstand over bestaan.'

'Weten de anderen het al?' vraagt Ellen.

'Ik was de eerste die hij belde, zei hij.'

'Kunnen jullie de politie eigenlijk tegenhouden als ze het toch willen doen?' vraagt Ellen.

'Goeie vraag. Ik denk het niet. Ook al is Ben niet de eerste de beste. Maar op basis van wat ik vandaag gehoord heb, denk ik dat ze het niet gaan afwachten.'

Ellen kijkt haar man vorsend aan. Ze zit naast hem op de bank en Michiel voelt haar blik op zich rusten.

'Wat is er?' vraagt hij terwijl hij haar recht in haar ogen aankijkt.

'Ik ben zo blij dat die Akkerman je verteld heeft dat Ben er ook mee zit dat jullie al jaren geen normaal contact hebben. En ik ben nog blijer met wat het met jou doet.' Met haar linkerhand strijkt ze door zijn haren.

Michiel glimlacht wat ongemakkelijk.

'Dat en het overlijden van je moeder, schat.'

Ze kruipt dichter naar hem toe en legt haar arm over zijn schouder en een been over het zijne. Ze wil dicht bij hem zijn.

'Er is volgens mij een last van je schouders gevallen. Je bent veel milder geworden. Veel liever.'

'Dus ik ben nooit lief tegen je geweest?' grapt Michiel.

'Tegen mij wel, maar niet tegen jezelf. Het lijkt wel of je eindelijk vrij bent.'

'Zo voelt het ook wel,' zegt Michiel. 'Het liefst zou ik naar hem toe gaan en hem in zijn ogen kijken.'

'Waarom doe je dat dan niet? Misschien is hij wel wakker.'

'Dat heb ik ook al overwogen. Maar hij heeft net een zware operatie ondergaan, schat. Hij moet rust houden en een weerzien met mij zal hem zeker emotioneren. Ik denk dat ik nog even geduld moet hebben.'

Ellen geeft hem een kus op zijn mond en zegt: 'Hou me vast, dit voelt zo warm!'

'Ik hou van je, schat,' zegt Michiel. Ze omhelzen elkaar innig.

Zijn telefoon gaat weer.

'Hij heeft geen boerderij in Nederland. Althans geen boerderij die op zijn naam staat,' zegt Victor.

'Ben je verder nog meer over hem te weten gekomen?'

'Ja. Het blijkt dat zijn zoon vastzit op een politiebureau in Amsterdam op verdenking van medeplichtigheid aan moord en een groepsverkrachting. Zijn dochter is gisteren overleden in het ziekenhuis aan een hartstilstand, maar ze lag daar vanwege een schietincident in een seksclub waar ze werkte. Ze had een verdwaalde kogel in haar rug gekregen.'

'En zijn vrouw? Gescheiden?'

'Nee, acht jaar geleden omgekomen bij een auto-ongeval. Ze schoof met haar auto onder een stilstaande vrachtwagen en is onthoofd.'

'Jezus, bepaald geen stabiele gezinssituatie, om het zacht uit te drukken. Die man maakt drama's mee. Die moet helemaal de weg kwijt zijn of is levensgevaarlijk. Ik begin iets meer van het hele verhaal te begrijpen, en ook wat Ben bedoelde.'

'Labiel is een beter woord,' zegt Victor redelijk bot. 'We gaan nu met zijn zoon praten in Amsterdam. Eens kijken of die ons verder kan helpen. Bert Veldkamp is aan het rondbellen om de anderen op de hoogte te stellen.'

'Victor, als jij een inschattingsfout maakt in deze zaak en Maya wordt vermoord door de kidnapper als jullie in actie komen, dan kun je je carrière verder wel vergeten, hè. Mijn broer zal je kielhalen en aan de publieke muur spijkeren.'

'Ik ben zo vrij geweest het gesprek tussen Paul en zijn vader op te laten nemen, Michiel. Daar blijkt mij toch wel uit dat hij zwaar bedreigd is door de ontvoerder. Jouw broer is als de dood van die man en ik denk dat die vent blufpoker speelt. Maar in ieder geval houd ik hem voor zeer onberekenbaar en onbetrouwbaar. En bovendien: als ik weet waar ze zitten denk je toch niet dat ik daar ga aanbellen?'

Victor verbreekt de verbinding.

57

Als Maya na ruim een halfuur de badkamer uit komt ruikt ze fris. Je zou niet zeggen dat ze nog geen uur geleden twee dagen en nachten in die smerige, stinkende kelder heeft doorgebracht.

Ze heeft de paarse badjas aan met niets daaronder en loopt op haar blote voeten met haar handen in de voorzakken snel door de nog koude hal naar de living. Met haar rechterhand omklemt ze de priem.

Bram zit op de leren bank bij de brandende open haard met een glas whisky in zijn hand.

Hij ziet hoe ze komt aanlopen en staat op. Zijn zwarte jack heeft hij uitgedaan. Hij draagt een zwarte trui met daaronder een donkerblauw overhemd op zijn versleten donkerblauwe spijkerbroek. Zijn zwart geverfde haar zit nog steeds in een staart. Hij heeft zich twee dagen niet geschoren.

'En, voel je je beter nu?' vraagt hij.

'Ja, ik ben ervan opgeknapt. Heb je voor mij ook wat te drinken?'

'Ook een whisky, of iets anders?'

'Whisky is mij te heftig. Heb je geen witte of rode wijn?'

'Ik heb rode wijn in de keuken liggen. Ik zal een glas voor je halen. Ga jij maar hier bij de haard zitten, dan kun je een beetje opwarmen. Het duurt wel even voordat de centrale verwarming het hele huis heeft verwarmd.'

Maya gaat dicht bij de open haard zitten. Er liggen grote stukken fruitbomenhout in die al behoorlijk goed branden. Ze vindt de warmte die de haard afgeeft heerlijk.

'Past die badjas een beetje?' vraagt Bram vanuit de keuken.

'Ja hoor, en dat ondergoedje zit ook prima,' zegt Maya sarcastisch. 'Van je vrouw geweest, of van je dochter?'

Bram komt met een vol glas rode wijn aanlopen en grinnikt.

'Je hebt in ieder geval gevoel voor humor,' zegt hij. 'Die badjas is van mijn vrouw geweest.'

Maya neemt een slok van de rode wijn. 'Lekker,' zegt ze. 'Dat kan ik wel gebruiken na al die ellende.'

Bram gaat naast haar zitten op de bank.

'Wat doe jij eigenlijk in het dagelijks leven, behalve onschuldige mensen ontvoeren en opsluiten?' vraagt Maya.

'Ik maak al mijn leven lang kunst en ik heb een bouwbedrijf,' zegt Bram.

'Dus die objecten die ik in die schuur zag staan zijn door jou gemaakt?'

'Ze zijn nog niet af, maar ja: daar was ik dit najaar mee bezig. Ik heb ook een atelier in Amsterdam, daar maak ik vooral schilderijen.'

'Verkoopt het een beetje?'

'Ik heb in het voorjaar nog een solo-expositie met mijn schilderijen gehad en dat liep redelijk tot goed. Van de twintig werken zijn er toen toch zeker zo'n vijftien verkocht,' zegt hij niet geheel zonder trots.

Hij bestudeert Maya van top tot teen. Ze ruikt lekker; ze heeft de bodylotion van zijn dochter gebruikt, Bram herkent de geur. Ze heeft een mooie huid en, schat hij in, niet al te grote borsten. Ze zit in een hoek van de bank met haar benen schuin opgetrokken onder de badjas. Hij heeft nu al zin om aan haar te zitten, maar hij beheerst zich.

Hij begrijpt ook niet waarom hij zo geil is of waarom zijn hoofd er überhaupt naar staat. Het is lang geleden dat hij een vrouw heeft bemind, te lang wellicht, en Maya straalt seks uit. Dat voelde hij in de auto vanaf Reeuwijk al. Of misschien moet gewoon alle stress van de afgelopen dagen eruit.

'Zo,' zegt Maya. 'Dat is niet verkeerd. En over wat voor prijzen praat je dan?'

'Wat ben jij nieuwsgierig. Kan het je iets schelen?'

'Het geeft een beeld van de kwaliteit kunst die je maakt, toch?'

'Kleine schilderijen achtduizend euro en grote werken rond de zestienduizend.'

'Nou, dat is niet slecht. En dat bouwbedrijf van je, is dat groot? Loopt dat?'

Bram is iets opgeschoven richting Maya en ze begint zich enigszins ongemakkelijk te voelen. Dit gaat wel heel snel.

'Mijn bouwbedrijf is maar klein en liep best aardig totdat de financiële crisis uitbrak en de wijze heren in Den Haag op het hoogtepunt van die crisis de hypotheekrenteaftrek afschaffen.'

'Die is toch niet in z'n geheel afgeschaft?'

Bram schenkt zichzelf nog een glas whisky in.

'Nee, schat, maar het wordt wel elk jaar minder. En een volgend kabinet haalt er weer meer van af. Dus geeft geen bank meer een hypotheek en ligt de hele woningmarkt op zijn kont. Krediet verstrekken, dat deden die kutbanken toch al bijna niet meer, maar dit was de doodklap. Wat een briljante timing. Weet je wat er allemaal aan handel in de woningmarkt omging?'

Mooi, denkt Maya, ze heeft een onderwerp dat hem boeit. Hij windt zich op en dat leidt de aandacht af van haar.

'Nou?' vraagt ze onschuldig.

Bram neemt een slok van zijn whisky.

'Ongeveer de halve Nederlandse economie. Als mensen een nieuw huis kopen of ze gaan verbouwen, dan kopen ze ook meestal nieuwe spullen voor in huis. Van een schemerlamp tot een flatscreen. Van een nieuw tapijtje tot een nieuwe keuken of nieuwe terrastegels in de tuin. Van een nieuw of verbouwd huis word je vrolijk. Daar ga je van besteden, tot nieuwe kleren aan toe. Nu houden ze allemaal de hand op de knip en geven ze hooguit geld uit als het dak lekt. Iedereen is chagrijnig en daardoor zakken de prijzen nog verder en wordt het drama steeds groter. Ze zijn echt gestoord in Den Haag.'

'Ik dacht dat een type als jij wel voor het afschaffen van die belastingvoordeeltjes voor de rijken was,' zegt Maya. Ze neemt weer een slok van haar rode wijn. Het vuur brandt zo hard dat ze het warm krijgt; ze zit er veel te dicht op.

'De rijken? De meeste mensen met een eigen huis zijn niet rijk, hoor. Die moeten gewoon hard werken om de hypotheek te kunnen betalen. Dat is allemaal dom populistisch gelul van die socialisten in Den Haag. Ik heb het tegen je vader ook al gezegd: ik ben niet links.'

'Wat ben je dan? Rechts?'

'Weet je wat het is? Links of rechts, dat bestaat helemaal niet meer. Je hebt slimme mensen en je hebt minder slimme mensen. Van die laatste soort hebben we er helaas een beetje te veel en die krijgen een steeds grotere mond, vooral in Den Haag. Dat is niet goed voor het land. Daar gaan we van naar de kloten.'

'Pff...' zegt Maya. 'Ik krijg het trouwens bloedheet bij die open haard. Kun je niet iets opschuiven naar de andere kant?'

Bram glimlacht. 'Je kunt ook je badjas ietsje losser doen, je zit er wel heel strak ingepakt bij.'

'O, je wilt zien of de bh van je dochter me wel past?' zegt Maya spottend.

'Bijvoorbeeld,' zegt Bram. 'Ik heb hem met zorg uitgekozen.'

'Wat denk je nou zelf, Bram. Dat je me eerst achtenveertig uur in een stinkend hol kunt gooien en dat ik vervolgens sta te trappelen om met je naar bed te gaan?'

'Ik snap je. Maar dat is een samenloop van omstandigheden geweest. Ik heb je vader ook niet bewust neergeschoten. Hij gooide een stoel naar mijn hoofd en in een reflex vuurde ik. Ik had hem ook gewoon dood kunnen laten bloeden, Maya. Dat heb ik óók niet gedaan. Ik heb hem naar het ziekenhuis gebracht met het risico dat ik zelf gepakt zou worden.'

'Waarom ben je eigenlijk zo fanatiek over wat de media allemaal fout doen in jouw ogen? Je bent slim, je weet toch ook wel hoe het werkt? Na een weekje alleen maar vrolijk nieuws kijkt geen mens meer naar het journaal en leest niemand meer een krant.'

'Wel eens van doseren gehoord, Maya?'

Bram streelt met de rug van zijn linkerhand de wang van Maya en glimlacht. Hij heeft duidelijk geen zin meer om over de media te praten.

'Je bent een hele mooie aantrekkelijke vrouw, Maya. Heb je een vriendje?'

'Ja,' zegt ze. 'Hoezo?'

'Ga je vaak met hem naar bed?'

'Dat gaat je niks aan.'

De middelvinger van Bram glijdt nu van haar kin over haar hals langzaam naar beneden en hij probeert haar badjas iets uit elkaar te doen.

'Hou je van seks?' vraagt hij.

'Met de juiste vent wel,' zegt Maya. Ze gedoogt zijn hand, zich zeer bewust van de situatie. Ze kan hem niet blijven afwijzen, hij kan haar ook gewoon zijn wil opleggen. Dit spel moet ze onwillig, maar niet té onwillig meespelen. Van haar weerzin laat ze niets blijken.

'Ben ik de juiste vent?' vraagt Bram aan Maya. Hij zet zijn lege glas whisky op de Indische salontafel.

'Je hebt mijn vader bijna vermoord,' zegt Maya.

Brams vingers betasten nu haar linkerborst en spelen met haar tepel. Zijn hand is bijna helemaal onder haar badjas verdwenen. Hij kijkt haar ondertussen strak in de ogen. Ze gedoogt het nog steeds.

'Ik ben geen moordenaar, Maya.'

'En ik ben geen hoer,' zegt Maya. Ze kijkt terug, even strak en even recht in de ogen.

'Dat hoor je mij niet zeggen. Ik vind je een verdomd lekker wijf en ik kan mijn handen niet meer van je afhouden. Vind je dat erg?'

'Ik heb je nog geen klap in je gezicht gegeven toch?'

Bram beschouwt het als een uitnodiging om verder te gaan. Hij buigt zich voorover en wil haar een kus op haar mond geven, maar Maya wendt haar hoofd af.

'Ben jij wel een goeie minnaar?' vraagt ze. Met neergeslagen oogleden kijkt ze naar haar linkerhand met het glas wijn. Zachtjes laat ze de wijn walsen in het glas.

'Wat versta je daaronder?' Bram pakt haar gezicht in zijn rechterhand en draait het naar zich toe.

'Een vent die van een beetje voorspel houdt. Die een vrouw verwent voordat hij aan zichzelf denkt. Je bent hoop ik toch niet zo'n type dat alleen maar recht op en neer wil?'

'Waar wil je dat ik je verwen?' vraagt Bram glimlachend.

Maya duwt zijn hand weg en doet, terwijl ze blijft zitten, haar benen van de bank en zet haar glas wijn op de salontafel.

Dan doet ze tergend langzaam haar badjas open. Brams ogen puilen bijna uit zijn hoofd van verwachting en geilheid. Ze heeft een prachtig lichaam met jonge volle borsten met kleine tepels. Een blanke mooie huid, een strakke buik, nauwelijks haartjes op haar vagina en schitterende slanke benen. Hij wil haar buik strelen, maar Maya houdt zijn hand tegen. Ze ziet de bobbel in zijn spijkerbroek en ze weet dat ze hem nu in haar macht heeft.

Nu moet ze slim zijn.

Ze laat zichzelf op de bank onderuitglijden en doet haar benen uit elkaar. Sensueel streelt ze met de vingers van haar rechterhand over de binnenkant van haar rechterdij en over haar vagina, tussen haar schaamlippen door. Dan beweegt ze haar hand tergend langzaam naar boven en houdt ze haar rood gelakte vingers onder de neus van Bram.

Die wordt gek. 'Wat ben jij een geil wijf,' zegt hij.

'Op je knieën,' zegt Maya terwijl ze ondeugend naar beneden wijst. 'Daar!'

Bram doet zonder nadenken wat Maya van hem vraagt en gaat op zijn knieën voor haar zitten. Hij duwt met zijn handen haar benen nog verder uit elkaar en bewondert haar vrouwelijkheid.

Dan kan hij zich niet langer beheersen en valt hij als het ware aan. Hij neemt haar schaamlippen vol in zijn mond en duwt zijn tong bij haar naar binnen.

Terwijl hij in zijn blinde geilheid haar vocht opzuigt, klemt Maya haar dijen om zijn hoofd met haar onderbenen kruiselings over zijn rug. Ze doet alsof ze kreunt van genot.

Ondertussen pakt ze de vlijmscherpe priem uit de rechterzak van haar badjas. Er komt walging in haar naar boven als ze ziet en in haar lichaam voelt hoe hij zich schaamteloos aan haar verlustigt.

Even aarzelt ze, maar dan heft ze haar rechterarm omhoog en in een flits ramt ze met al haar kracht het scherpe metalen wapen in de schedel van Bram. Het bloed spat eruit en Bram uit een kreet van pijn. Zijn bloed spettert op haar buik en haar dijen.

'*You want to fuck me, asshole?*' roept ze.

Hij wil zijn hoofd optillen, maar ze houdt hem stevig geklemd tussen haar dijen en weer ramt ze zo hard ze maar kan de scherpe punt in zijn hoofd.

'*You think you can suck me just like that?*' Ze schreeuwt het nu uit.

Dan weet Bram zich los te rukken en probeert op te staan. De priem steekt nog in zijn schedel. Het bloed loopt langs zijn hoofd, over zijn gezicht en in zijn ogen. Uiteindelijk lukt het hem zwaar leunend op de bank en de salontafel op te staan, maar hij staat te wankelen op zijn benen.

Boosaardig staart hij naar Maya.

Die is met de soepelheid van een zwarte panter achter de bank gesprongen en verliest hem geen seconde uit het oog. Ze is bang, maar ook strijdbaar. Haar ogen fonkelen.

'*Nobody fucks with me! Do you hear me? Nobody!*' schreeuwt ze naar hem. Haar badjas hangt nog open.

Bram maakt met zijn arm een zwaaiende beweging in haar richting. Hij wil zijn rechterbeen op de bank zetten en achter haar aan gaan. Hij gorgelt onverstaanbaar en er komt bloed uit zijn mond dat op zijn trui sijpelt.

Maya deinst achteruit, richting de vleugel. Ze overweegt het op een rennen te zetten.

Maar Brams benen hebben de coördinatie en de kracht niet meer. Ineens zakt hij in elkaar en valt met een doffe klap op de vloer, tussen de Indische salontafel en de leren bank.

Maya's hart zit in haar keel. Ze weet niet zo goed wat ze moet doen en is op alles voorbereid. Ze is als de dood dat Bram ineens van achter de bank opstaat. Ze knoopt haar badjas dicht en wacht minutenlang.

Maar er gebeurt niets. Het blijft angstig stil in de grote ruimte, ze hoort alleen het knapperende hout van de open haard.

Dan verzamelt ze al haar moed en loopt ze trillend op haar benen langzaam terug naar de leren bank bij de open haard.

Brams levenloze lichaam ligt op de grond. Hij ligt nagenoeg uitgestrekt op zijn rug, met één arm half op de lage salontafel. Het nog bijna volle glas wijn van Maya is omgevallen en de rode wijn druppelt langs de rand van de salontafel op de spijkerbroek van Bram. Er sijpelt ook nog steeds bloed uit zijn hoofd. Zijn bloeddoorlopen ogen staan wijd open en staren verdwaasd naar boven, in het niets.

Van de priem steekt alleen het rode bolle handvat boven zijn hoofd uit.

Bram Rietveld is dood.

Vermoord tussen de dijen van Maya Zandstra.

'*Nobody fucks with me,*' zegt ze met een zachte, schorre stem. '*Nobody.*'

EPILOOG. ELF MAANDEN LATER

ROTTERDAM

Het is ongewoon druk op het hoofdkantoor van ZMG in Rotterdam. Alle directeuren en hoofdredacteuren die ZMG in dienst heeft in Europa, Amerika en Azië zijn opgeroepen om naar Rotterdam te komen.

Maya Zandstra is de dag ervoor tijdens een buitengewone algemene vergadering van aandeelhouders op vijfentwintigjarige leeftijd benoemd tot CEO en lid van de Raad van Bestuur van ZMG wereldwijd. CEO staat voor Chief Executive Officer, hetgeen inhoudt dat ze de dagelijkse leiding krijgt van het concern. Haar vader Ben Zandstra blijft de bestuursvoorzitter, maar gaat het om gezondheidsredenen rustiger aan doen.

Sinds het bijna fatale schot in zijn buik, nu bijna een jaar geleden, tobt hij met zijn gezondheid. Hij staat op een streng dieet en is sindsdien zeker vijftien kilo afgevallen.

Hij heeft de energie en de drive niet meer om zijn concern nog dagelijks te leiden en heeft zijn dochter Maya voorgedragen om zijn taken over te nemen, waarbij hij haar natuurlijk zal blijven coachen. Het feit dat zij alle aandelen van haar grootmoeder heeft geërfd speelde bij haar benoeming natuurlijk ook een zeer belangrijke rol.

Zijn broer Michiel, met wie hij inmiddels tot zijn vreugde op goede voet verkeert na een zeer emotionele hereniging aan zijn ziekbed, heeft de benoeming als grootaandeelhouder namens LifeRisc Investments ondersteund, maar duidelijk onder de voorwaarde dat Ben voorlopig over haar schouder blijft meekijken. Michiel wordt bovendien voorzitter van de Raad van Commissarissen van ZMG, met een riante aandelenoptieregeling. Ben wil wat goedmaken.

Michiel heeft Samuel Douglas nooit meer opgebeld, maar via beursaankopen heeft hij het belang van LifeRisc Investments inmiddels uitgebreid tot zo'n 20 procent.

Ook Sander kan zich er inmiddels in vinden, ofschoon hij in eerste instantie wel zijn twijfels had en Ben al zijn overredingskracht moest aanwenden.

Bij Paul werkte dat niet. Voor hem is het ronduit onacceptabel. Hij vindt zijn zus veel te jong voor zo'n grote verantwoordelijkheid en voelt zich bovendien gepasseerd. De relatie tussen hem, zijn vader en Maya is ernstig bekoeld, ondanks alle pogingen van Ben en Maya om hem op andere gedachten te brengen. Sander en Paul blijven wel aan als lid van de Raad van Bestuur, maar Paul is er vandaag uit protest niet bij. Hij heroverweegt zijn positie.

Maya is daarmee de jongste CEO ter wereld geworden van zo'n groot en machtig mediaconcern als ZMG. Ze is zelfs gebeld door de premier en de koningin van Nederland, die haar persoonlijk wilden feliciteren.

Ze heeft inmiddels haar studie psychologie nagenoeg afgerond en werkt al tien maanden in het bedrijf. In een moordend tempo heeft ze alle bedrijfsonderdelen doorlopen en alle vestigingen korter of langer bezocht. Daarvan heeft ze bijna zes weken doorgebracht in China. Samen met de energieke directeur van ZMG Hong Kong en Sander heeft ze uitgebreid de commerciële internetmogelijkheden op het vasteland van China in kaart gebracht en met diverse partijen gesproken over eventuele samenwerking of overnames.

Daarnaast is Maya in afwachting van de rechterlijke uitspraak met betrekking tot de moord die ze gepleegd heeft op Bram Rietveld. De zaak heeft de wereldpers gehaald en heeft ook landelijk veel aandacht gekregen. Ze heeft ongelooflijk veel adhesiebetuigingen ontvangen en wordt fanatiek gesteund door zo ongeveer elke vrouwenbeweging in Europa en de VS.

Haar veroordelen tot een gevangenisstraf staat voor de rechters in casu zo ongeveer gelijk met politieke zelfmoord. Nimmer in de geschiedenis van Nederland zijn er zoveel vrouwen op de been gekomen tijdens de rechtszittingen en is er zo heftig geprotesteerd tegen een eventuele veroordeling van Maya. Niemand van het journaille haalt het in zijn of haar hoofd om in de media ook maar iets in haar nadeel te zeggen.

Ben Zandstra is niet vervolgd vanwege de dood van zijn buurman. Het Openbaar Ministerie was van mening dat er duidelijk sprake was noodweer en niet van dood door schuld.

De zaak tegen Maya ligt veel gecompliceerder. Ze had de gebeurtenissen zoveel mogelijk waarheidsgetrouw verteld nadat de politie nog geen half uur na haar daad ter plekke was en een behoorlijk gespannen en dodelijk vermoeide Maya aantrof.

Maya is aangeklaagd wegens doodslag, dat wil zeggen het opzettelijk maar niet met voorbedachten rade een ander van het leven beroven. Haar advocaten hebben zwaar ingezet op noodweer. Het Openbaar Ministerie heeft laten doorschemeren waarschijnlijk niet in beroep te zullen gaan mocht Maya voorwaardelijk veroordeeld worden of vrijspraak krijgen. De vrouwenbewegingen die Maya steunen eisen onvoorwaardelijke vrijspraak. Volgens hen was Maya getraumatiseerd en had zij onder zware psychologische druk haar daad uit pure noodweer begaan.

Maya is onder de indruk van alle aandacht, maar is vooral zeer serieus bezig met haar werk. Ze deelt in sommige opzichten de visie van haar oom Michiel dat het bedrijf aan een herstructurering toe is en wil graag gebruikmaken van zijn kennis, ervaring en uitgebreide netwerk in de financiële wereld.

Maya wil net als haar vader naar Hollywood, maar ook naar China en ze is bereid daar onderdelen van ZMG voor te verkopen, uiteraard na toestemming van de Raad van Bestuur. Ze is door de erfenis van haar grootmoeder en haar benoeming tot CEO een van de rijkste en machtigste vrouwen ter wereld geworden. Ze staat vooral deze dagen op de voorpagina van zo ongeveer alle internationale tijdschriften of glossy's. Inmiddels is ze weer vrijgezel en ze mist het contact met haar broer Paul. Ze overlegt veel met Sander, vooral over de uitbreidingsmogelijkheden op internet. Daar heeft ZMG een inhaalslag te maken, vindt ze.

Natuurlijk heeft de ontvoering ook bij Maya haar sporen achtergelaten. Soms wordt ze nog overrompeld door angstaanvallen, maar gelukkig heeft ze steeds minder last van nachtmerries. Na er een paar te hebben versleten heeft ze nu een goede psychotherapeute die ze dag en nacht kan bellen.

Tegelijkertijd heeft Maya het gevoel dat de ontvoering een ontdekkingsreis is geweest die haar veel heeft geleerd. Zo is ze zich, vooral door de gesprekken met Bram, zeer bewust geworden van de maatschappelijke verantwoordelijkheid die de media hebben. Het is juist om die reden dat ze vandaag alle directieleden en hoofdredacteuren van ZMG naar Nederland heeft laten komen. Ze wil ze in het kader van haar benoeming allemaal toespreken.

'Hoe voel je je, Maya?' vraagt haar vader. Ze zijn samen in zijn directiekamer op de hoogste verdieping van het hoofdkantoor in Rotterdam.

'Nerveus,' zegt ze.

'Dat begrijp ik. Het is een belangrijke speech die je zo gaat houden. Ik vind het heel erg moedig van je en ik heb honderdvijftig procent vertrouwen in je. Je kunt het Maya, ik heb nog nooit zoveel talent en visie in één persoon verenigd gezien. Je bent wel jong, maar laat dat je niet weerhouden je mening te geven. Ik weet zo ongeveer wat je gaat zeggen en ik, Sander en Michiel zijn het allemaal met je eens.'

'Ik mis Paul,' zegt ze.

'Die draait wel bij,' zegt Ben. 'Het is ook niet makkelijk voor hem, hij voelde zich toch een beetje de kroonprins. Geef hem nog wat tijd en probeer hem zoveel mogelijk te betrekken in wat je doet.'

'Dat probeer ik al maanden, maar hij geeft niet thuis. Soms vraag ik me af of het niet verstandiger is dat ik het samen met hem doe. Dat heb ik zelfs al gesuggereerd, maar ook daar wil hij niets van weten.'

Ben zucht. 'Jij hebt 25 procent van de aandelen in handen gekregen Maya, dat speelt ook mee. Ik begrijp hem wel, maar ik vind oprecht dat jij getalenteerd genoeg bent om ZMG te gaan leiden, ook al ben je nog maar vijfentwintig. En je hebt iets meegemaakt wat je versneld volwassen heeft doen worden. Dat is een beetje zuur voor hem, maar ik moet het belang van het bedrijf wel voorop blijven stellen.'

'Hoe gaat het met jou, pap?' vraagt Maya. 'Ik zie je weinig de laatste tijd. Je zit meestal in New York bij je nieuwe vriendin. Ik mis je wel.'

'Het gaat wel aardig. Alleen heb ik veel last van mijn darmen. Ik mag nog steeds geen glas wijn drinken. Maar Joyce is geweldig voor me. Ik geloof dat ik voor het eerst in jaren weer echt verliefd ben, en dat maakt een hoop goed. En ik mis jou ook, meisje van me. Maar gelukkig heb ik je wel ongeveer tien keer per week uitgebreid aan de telefoon en ik zie je altijd in New York.'

'Maar dan praten we altijd over zaken, of Joyce is erbij in New York.

Ik mis onze keldergesprekken, zo noem ik ze als ik eraan terugdenk.'

'Als we die niet gehad hadden, en als ik niet had gezien hoe jij je toen in die omstandigheden hebt gemanifesteerd, dan zou ik je nooit op je vijfentwintigste de leiding hebben durven geven,' zegt Ben glimlachend. 'Toen kwam ik erachter wat een wijze en sterke dochter ik heb. Maar je hebt gelijk, het waren geweldige gesprekken. Ik mis ze ook. Zo maak ik me enorme zorgen om de situatie in Oekraïne. Wat hebben de Europese Unie en de NAVO daar in vredesnaam te zoeken? In de achtertuin van Rusland! Ze zijn gek geworden en spelen met vuur! Zou ook een mooi onderwerp geweest zijn voor ons. Ik ben benieuwd wat jij en jouw generatie daarvan vinden.'

'Ben ik helemaal met je eens, pap.'

Ben glimlacht. 'Nou ja, dit is niet het moment. Misschien moeten we samen over een maand, als het precies een jaar geleden is, een soort reunie houden. Gaan we lekker uit eten en nemen we alle problemen van de wereld weer eens door. Of beter nog, we laten ons uitgebreid thuis verwennen, bijvoorbeeld bij mij in New York... of bij jou. Trouwens, weet je al wat je gaat doen met het appartement van mijn moeder?'

'Ik denk dat ik het houd, pap. Het ligt schitterend en volgens jou en Michiel wordt het alleen maar meer waard. Ik wil het wel anders inrichten, maar daar heb ik nog geen minuut de tijd voor gehad.'

'Dat begrijp ik. Doen we het bij mij.'

'Dat lijkt me een uitstekend idee, pap. Ik hou van je en ik ben blij dat het tussen jou en Michiel weer goed is.' Ze omhelst haar vader, die de omhelzing met een innige knuffel beantwoordt.

'Ik ook,' zegt Ben. En ik hou van jou, Maya.'

Er wordt op de deur geklopt. Het is de personal assistant van Maya.

'Je wordt verwacht, Maya. Iedereen is er. Heb je je speech bij je?'

'Ja Donald, ik heb hem hier. Ik wil alleen het begin nog een paar keer hardop voorlezen voor mezelf, zodat ik mijn zenuwen straks de baas ben. Geef me nog vijf minuten.'

'Oké, jij bent de baas. Ik kom over vijf minuten weer.'

'Is goed,' lacht Maya.

'Waar heb je die vandaan?' vraagt haar vader.

'Oud studiegenootje van me. Hele slimme, actieve jongen.'

'Oké, ik laat je alleen, lieve schat van me. Verstandig dat je nog even gaat oefenen. Heel veel succes straks.' Ben geeft Maya een dikke kus en vertrekt.

Als hij bij de deur staat, zegt hij:

'Dit is vanaf nu jouw kamer, hè. Ik laat hem leegmaken.'

'Oké, pap,' lacht ze. Ze pakt haar speech en begint hardop te lezen.

Zodra Ben de grote vergaderzaal binnenkomt, houdt het geroezemoes van alle aanwezigen abrupt op. Ook al weten ze allemaal dat zijn dochter hun nieuwe baas wordt, voor de meesten onder hen is Ben Zandstra toch altijd nog de verpersoonlijking van ZMG. Menigeen is nog door hem zelf aangenomen.

De vijftien kilo gewichtsverlies heeft van Ben wel een andere verschijning gemaakt. Hij ziet er ouder en breekbaarder uit. Maar zijn geest is nog altijd vlijmscherp en hij heeft geen noemenswaardige psychische problemen aan de ontvoering overgehouden.

Hij schudt hier en daar wat handen en zegt dan iets onbeduidends als: 'Goed je weer te zien', of: 'Veel te lang geleden', en natuurlijk het onvermijdelijke: 'Hoe gaat het', zonder het antwoord af te wachten.

Voordat hij gaat zitten komt Michiel naar hem toe. 'Hoe is het met Maya?'

'Goed, ze komt er zo aan. Ze had nog een telefoontje.'

'Ik heb leuk nieuws, Ben. Je bent de eerste die ik het vertel. Ellen is in verwachting. Ze wilde het zo graag, en ik trouwens ook.'

'Maar dat is geweldig nieuws, Michiel. Wat leuk voor jullie! Van harte gefeliciteerd. Mag ik Ellen straks ook bellen om haar te feliciteren? Of moet het nog geheim blijven?'

'Nee hoor, ze is al vier maanden zwanger, dus het is nu officieel. Vindt ze hartstikke leuk als jij haar belt.'

Sander heeft zich inmiddels ook gemeld, net als Tom Akkerman.

'Dus jij houdt er over een jaar mee op, Tom,' zegt Sander om wat conversatie te maken.

'Inderdaad,' antwoordt Tom. 'Nieuwe bazen, nieuwe secretaresses zeggen ze altijd, en dat geld ook voor de financieel directeur. Ik heb vele jaren met ontzettend veel plezier met Ben samengewerkt en ik ga Maya niet zomaar in de steek laten. Ik werk nog de nieuwe man of vrouw in, maar dan houdt het op. Dan ben ik vierenzestig, en het waren tropenjaren.'

'Je hebt groot gelijk,' zegt Sander, en ik wed dat de nieuwe financiële topper van ZMG zomaar een vrouw kan worden. Die zus van mij is van de girlpower.'

'Dames en heren!' roept Donald, de personal assistant van Maya. 'Welkom allemaal. Mag ik iedereen verzoeken te gaan zitten?'

Iedereen gaat zitten en het wordt stil in de vergaderzaal. Alle plaatsen zijn bezet en diverse mensen moeten het met een staanplaats doen.

'Dan geef ik nu het woord aan de nieuwe Chief Executive Officer van ZMG, Maya Zandstra.'

Maya komt met haar speech in haar hand binnenlopen en knikt vriendelijk naar de vele mensen die ze inmiddels kent.

Ze is eenvoudig gekleed. Ze draagt zwarte pumps, een diep donkerblauwe spijkerbroek met een subtiele wassing en daarop een witte open blouse. Ze heeft kleine gouden oorbellen in en haar lange zwarte haren krullen. Zoals altijd heeft ze rode nagellak en rode lippenstift. Ze is niet zwaar opgemaakt en ze draagt geen juwelen. Ze ziet er fantastisch uit.

Zonder aarzeling en uiterlijk kalm loopt ze recht op het spreekgestoelte af voor in de zaal. Zodra ze daar staat kijkt ze een moment de zaal rond, tikt op de microfoon, schikt de pagina's van haar speech en begint:

'Mijn vader heeft van ZMG samen met jullie een gigantisch mediaconcern gemaakt in de afgelopen jaren. Een klein krantenbedrijf is in ruim dertig jaar tijd uitgegroeid tot een wereldspeler van formaat met enorm veel invloed. Een onafhankelijk, aan de beurs genoteerd, zeer winstgevend mediabedrijf met meer dan vijftienduizend mensen in dienst in meer dan elf landen. Grote en belangrijke landen.

Zoals jullie weten heeft mijn vader besloten zich minder bezig te houden met de dagelijkse leiding van ZMG en mij naar voren geschoven als CEO. Gisteren is die benoeming door de buitengewone algemene vergadering van aandeelhouders gesanctioneerd.

Ik ben mij ervan bewust dat er een grote verantwoordelijkheid op mijn schouders is komen te rusten. Bovendien ben ik pas vijfentwintig jaar, en menigeen, ook hier in de zaal, zal zich afvragen: kan die vrouw dat wel? Is ze niet veel te jong?

Ja, ik ben jong en ja, ik heb nog weinig ervaring binnen het bedrijf.

Maar ik volg alles op mediagebied wel al jaren op de voet en ik heb bovendien les gehad van de beste leraar die ik me had kunnen bedenken.

En die me als mijn vader maar ook als voorzitter van het bedrijf altijd met raad en daad terzijde zal blijven staan.'

Ze kijkt haar vader aan en hij glimlacht trots.

'Kan ik dus leidinggeven aan ZMG op mijn vijfentwintigste?

Ik heb nu bijna een jaar intensief overal in het bedrijf rondgekeken, en met de kennis die ik al had durf ik op basis daarvan te zeggen dat ik denk dat ik het aankan. In ieder geval heb ik er erg veel zin in.

En wat voor jullie misschien nog wel belangrijker is: mijn vader denkt dat ik het kan en mijn oom Michiel denkt dat ik het kan. Maar ik zeg er wel direct bij: met jullie ervaren hulp en inzet. Ik kan het niet in mijn eentje.

En daarbij doel ik natuurlijk niet op de details van de dagelijkse gang van zaken. Daarvoor hebben we al uitstekende mensen in dienst. Nee, dan denk ik meer aan de toekomststrategie van het concern. Waar gaan we met z'n allen naartoe in deze turbulente tijden waarin meerdere van onze divisies moordende concurrentie ondervinden van het internet en de sterk opkomende sociale media.

Daar hebben we duidelijk een inhaalslag te maken, en bereidt u zich voor: die komt er sneller dan u wellicht had verwacht. En ik zal ook niet aarzelen in te grijpen in die bedrijfsonderdelen die te lang hebben gewacht met het zich rekenschap geven van internet en de sociale media.

ZMG gaat voor de muziek uit lopen, niet erachteraan.'

Maya pauzeert even.

Dat doet ze met opzet, op haar papier staat ook met grote letters PAUZE. Ze gaat verder.

'Daarnaast wil ik dat we veel bewuster omgaan met de enorme maatschappelijke verantwoordelijkheid die nu eenmaal onlosmakelijk verbonden is met onze bedrijfsactiviteit.

U weet allemaal dat als gevolg van de ontvoering van mijn vader en mij een avond lang op al onze zenders een tv-spot is uitgezonden die een regelrechte aanklacht was tegen ZMG. En feitelijk tegen alle media.

Hierdoor is de afgelopen maanden in heel veel landen een niet-aflatende discussie ontstaan over het gebrek aan maatschappelijk bewustzijn en zelfcensuur van de media.

PAUZE (kort)

Zijn wij nou inderdaad van die geldbeluste commerciële instellingen die alleen maar geïnteresseerd zijn in oplage-, kijk- en luistercijfers? Instellingen die niet meer denken aan wat de consequenties zijn van onze activiteiten voor het gedrag, het oordeel en de gemoedstoestand van onze kijkers, lezers en luisteraars? Die zich niet meer afvragen wat het met hun geluksbeleving doet, of met hun levensinstelling?

Destabiliseren we, zoals sommigen roepen, met onze programma's en berichtgeving de samenleving? Zijn we over de rand gegaan van wat moet kunnen?

PAUZE (kort)

Feit is dat onze invloed kolossaal is. Dat we zonder enige controle kunnen schrijven en programmeren wat we willen. Dat is uniek.

Maar "Geef een mens macht en je leert hem kennen", luidt een bekend spreekwoord, en dat geldt natuurlijk ook voor ons. Niet voor niets worden we de nieuwe machthebbers, de nieuwe rechters van deze tijd genoemd. Sommigen spreken al over een ongecontroleerde mediacratie.

Ik vind dat we heel goed naar die kritiek moeten luisteren en deze niet zelfgenoegzaam van de hand moeten wijzen. We leven in het Westen na eeuwen van oorlogen in vreedzame sociaaldemocratieën, niet in mediacratieën. In rechtsstaten die gebaseerd zijn op fatsoenlijk hoor en wederhoor. Niet in landen waar journalisten wel even voor eigen rechter spelen op basis van willekeurige, eenzijdige of niet gecontroleerde berichtgeving.

PAUZE (kort)

Zetten we het wel of niet op de voorpagina? Besteden we er wel of geen aandacht aan in het journaal? Die beslissingen nemen jullie elke dag en in alle redactionele vrijheid. Dat is een groot goed.

Maar realiseren jullie je nog steeds, zijn jullie je er elke dag weer van bewust, dat als je bijvoorbeeld veel voetbal uitzendt of daarover schrijft, ook veel mensen zelf willen gaan voetballen.

Dat als je vaak geweld uitzendt of daarover schrijft, het ook nagedaan gaat worden.

Dat als je vaak laat zien dat sommige jongeren agressief gedrag vertonen tegen politieagenten, ambulancepersoneel of hun schoolleraar, andere jongeren dat ook gaan doen.

Dat is allemaal veel meer dan alleen maar verslag doen van of een leuk programma maken over.

Dat is ook invloed, dat is ook macht. Gigantische invloed en macht.

Dat is het veranderen van gedrag, van de normen en waarden.

Ik wil dat jullie je daar veel meer rekenschap van gaan geven.

Waarom zetten we gelekte informatie van het Openbaar Ministerie of de Belastingdienst op de voorpagina? Is dat nieuws of betekent dat oplagecijfers?

Of is dat, nog erger, "Trial by press" of "Verdict by press"?

Is het niet juist een van onze belangrijkste taken de verworvenheden van de rechtsstaat en de democratie te bewaken?

Ik haal het voorbeeld aan omdat het heel concreet is en nogal eens voorkomt.

Of wil een van jullie zelf graag meemaken hoe het is om al veroordeeld te worden voordat je de kans hebt gekregen je fatsoenlijk te verdedigen?

En we weten allemaal dat we eerst het artikel schrijven en dan pas het commentaar vragen van de betrokkene.

PAUZE

Ik sta hier niet om jullie te vertellen hoe je kranten, bladen, nieuws of programma's moet maken. Maar ik wil jullie wel, en ik hoop ten overvloede, wijzen op het feit dat jullie invloed en macht kolossaal groot zijn.

En dat ik vanaf vandaag verwacht dat jullie daar nog bewuster mee omgaan.

En ga me niet vertellen dat het op sommige sociale media allemaal nog veel erger is. Juist daarom moeten wij onze rug rechthouden, ons niet tot dat niveau verlagen.

Ja, natuurlijk zie ik graag hoge kijkcijfers, wil ik hoge luistercijfers en zie ik graag hoge oplagecijfers. Maar nooit ten koste van onze fatsoensnormen, nooit ten koste van het niveau van de moraal die onze cultuur eigen is.

Nooit ten koste van de menselijke waardigheid. Een waardigheid waar onze voorouders zo lang over hebben gedaan om die te bereiken.

Waarin ook jullie kinderen een toekomst willen.

Daar gaat bij ZMG vanaf vandaag op gelet worden.

Daar komen vooralsnog geen journalistieke richtlijnen over. Maar als sommige redacties die ooit zwaarbevochten vrijheid niet aankunnen, dan komen er voor die redacties wel spelregels.

Ik zei het al eerder, we gaan bij ZMG voor de muziek uit lopen, niet erachteraan.

Ik dank jullie voor je aandacht.'

AMSTERDAM

Patrick Rietveld staat voor de eenvoudige, met graffiti besmeurde deur van de smalle benedenwoning van zijn grootvader in Amsterdam-West en belt aan.

Hij heeft zijn taakstraf voor het toebrengen van lichamelijk letsel aan twee politieagenten er inmiddels ruim op zitten en is niet langer verdachte in de verkrachtingszaak.

Patrick heeft het zwaar gehad, de afgelopen maanden. Nog steeds zit hij vol zelfverwijt over de dood van zijn zus Sacha. Ook de moord op zijn vader is als een mokerslag aangekomen. Hij slaapt slecht, is vermagerd. Van Connie, de vriendin van zijn vader, heeft hij nooit meer iets gehoord.

Patrick heeft zijn hoofd kaalgeschoren en een baard laten staan. Met grote belangstelling volgt hij de krantenartikelen over leeftijdgenoten die uit Europa vertrekken om mee te vechten in de oorlogen in Syrië en Irak. Hij vindt zijn vader een held en heeft de tv-spots die hij op zolder gevonden heeft al wel twintig keer bekeken. Hij vindt zijn leven uitzichtloos, is eenzaam en heeft het gevoel dat hij net als zijn vader ook een daad moet stellen. Sinds twee maanden traint hij bijna elke dag een paar uur in een sportschool in de buurt om zijn vermagerde lichaam weer sterk te maken.

Patrick, inmiddels eenentwintig jaar, radicaliseert. Zijn vroegere vrienden ziet hij nauwelijks meer, maar via de sportschool is hij in contact gekomen met een Duitse jongen van vierentwintig die net terug is uit Syrië, waar hij heeft meegevochten met de rebellen tegen het regime van Assad.

Het spreekt hem allemaal zeer tot de verbeelding.

Hij woont alleen in het huis aan de Prinsengracht en heeft als enige erfgenaam van Bram de afwikkeling van de nalatenschap aan zijn grootvader overgedragen.

De negenenzeventigjarige Willem Rietveld, de vader van Bram, is ondanks zijn leeftijd nog altijd helder van geest en hij heeft nog niets van zijn radicaal-socialistische strijdlust verloren. Hij is in de loop der jaren iets gekrompen, is inmiddels slecht ter been, maar is met zijn lengte van meer dan een meter negentig nog steeds een indrukwekkende verschijning. Hij is des duivels over de manier waarop zijn enige zoon in de media is geportretteerd en heeft in diverse interviews gezegd dat een eventuele vrijspraak van Maya vanwege de moord op zijn zoon een typisch voorbeeld van klassenjustitie zou zijn. 'Het grootkapitaal zal er wel weer mee wegkomen,' stond er boven een paginagroot artikel in een van de landelijke dagbladen. In het interview veroordeelde hij wel de vrijheidsberoving van Maya en haar vader door zijn zoon, 'maar soms heiligde het doel de middelen', zo had hij eraan toegevoegd. 'De wereld is wel wakker geschud', en: 'Moord mag nooit ongestraft blijven. Dat heeft mijn zoon niet verdiend.'

Dat was de strijdbare buitenkant van Willem. Maar als hij alleen was, in zijn huis, werd het hem vaak allemaal te veel. Eerst het overlijden van zijn vrouw en toen de moord op zijn zoon en zijn kleindochter... Soms kon hij urenlang depressief voor zich uit zitten kijken.

Wat hem betrof hoefde het zo niet langer meer. Zijn leven lang had hij in de vakbond en op zijn werk gestreden voor een rechtvaardiger wereld. Hij had er weinig mee bereikt. De mensen deugen niet, dacht hij vaak genoeg. Ze denken allemaal alleen maar aan zichzelf...

Willem loopt steunend op zijn stok moeizaam naar de voordeur van zijn donkere woning, kijkt door het smalle verticale glazen venster in de deur en doet open.

'Hé, Patrick, kom binnen. Hoe gaat het me je? Je ziet er beter uit dan vorige week. Ik ben blij dat je weer eens bij je opa langskomt. Moet je vaker doen, jongen.'

'Dag opa.' Voordat Patrick verder kan praten, grijpt zijn opa hem met zijn linkerarm bij zijn schouder en trekt hem naar zich toe. Willem drukt de jongen tegen zijn borst en geeft hem een paar klappen op zijn rug. De mannen zijn ongeveer even groot. Hij duwt Patrick, die wat verlegen glimlacht, weer van zich af en zegt:

'Kom mee naar binnen, jongen. Het is goed dat je er bent, want ik moet wat dingen met je doornemen.'

'Oké, opa.' Achter elkaar, Willem voorop, lopen ze door de smalle gang langzaam naar de woonkamer en gaan tegenover elkaar aan de tafel zitten.

Het enige moderne in de kamer is een flatscreen-tv.

Verder is de inrichting typisch oud-Hollands. Een min of meer vierkante zware eiken tafel met een dik bloemetjeskleed erover; vier eikenhouten, donkergeel beklede stoelen; een eiken bankstel met dezelfde bekleding tegen de lange muur aan de ene kant; daartegenover een eiken salontafel en aan de andere kant een eiken dressoir met bloemetjeskleed, fotolijstjes en een schemerlamp. De kleden op het dressoir en de tafel lijken sterk op het tapijt op de vloer.

Er is niets veranderd in Willems huurwoning sinds het overlijden van zijn toen achtenzeventigjarige vrouw, nu ruim een jaar geleden. Hij mist haar nog elke dag.

'Wil je wat drinken?' vraagt Willem.

'Ik kom net van het graf van papa en Sacha.' De tranen schieten Patrick in zijn ogen. 'Ze liggen daar allemaal bij elkaar, opa. Mama, papa en Sacha,' zegt hij met een klein stemmetje.

'Ach jongen toch,' zegt Willem. 'Ik weet het.' Over de tafel grijpt hij de rechterhand van Patrick.

'Ik vind het zo erg, opa. Vooral voor Sacha. Die was nog zo jong. Die heeft helemaal geen leven gehad, en dat is mijn schuld.'

'Ik weet het, jongen, ik weet het. Het is vreselijk, vreselijk allemaal, maar het is niet jouw schuld.'

'Natuurlijk wel. Ik had Wessel na die moorden op de portier en die bezoeker nooit alleen naar binnen mogen laten gaan. Ik wist dat hij achter Sacha aan ging, opa.'

'Ja, maar niet dat hij op haar zou schieten. Dat was toch een ongeluk?'

'Ja, dat was een ongeluk. Maar als ik hem tegengehouden had, dan was dat nooit gebeurd.'

Willem weet niet goed wat hij met de situatie aan moet; dit is niet zijn sterkste kant. Hij staat zwaar leunend op de tafel op, pakt zijn stok en zegt: 'Ik zal een kop thee voor je inschenken, dat zal je goeddoen.'

Patrick knikt, zucht diep en veegt de tranen uit zijn ogen. Gedachteloos pakt hij een tijdschrift dat op de tafel ligt. Hij bladert er wat doorheen en stuit dan op een interview met Maya Zandstra. Het zoveelste dat hij de laatste tijd gezien heeft. Er staat niets nieuws in. Maya herhaalt weer eens dat ze uit noodweer gehandeld heeft, door Bram zwaar fysiek bedreigd werd, dat hij haar wilde verkrachten, dat hij haar vader al bijna had vermoord en psychologische terreur had uitgeoefend.

Willem komt voorzichtig vanuit de kleine keuken met een pot thee en twee kopjes op een dienblad in één hand aangelopen en gaat weer aan tafel zitten. Het lopen valt hem met de dag zwaarder. Zijn rechterheup speelt hem parten.

'We moeten het eens over die boerderij van je vader hebben,' zegt Willem.

'Daar wil ik nooit meer naartoe, opa. Dat weet je toch,' zegt Patrick zonder op te kijken. De kille en duidelijke manier waarop Patrick het zegt verrast Willem. Hij klinkt heel anders dan nog maar een paar minuten geleden.

'Dat weet ik jongen, maar te koop zetten heeft ook geen zin. Er is geen markt meer, die is totaal naar de knoppen geholpen door deze regering. Ik heb een makelaar uit de regio aan de lijn gehad, en die ziet er geen brood in. Misschien dat we hem kunnen verhuren, maar dat zal niet veel opleveren.'

'Dan doe je dat toch,' zegt Patrick ongeïnteresseerd.

Hij schuift het opengeslagen blad met het interview met Maya naar zijn opa en vraagt terwijl hij opkijkt: 'Geloof jij wat die meid allemaal zegt, opa? Dat mijn vader haar wilde verkrachten? Mijn vader? Zo was hij helemaal niet! Zo zat hij niet in elkaar. Hij had wel een grote mond, maar hij had maar een klein hartje, hij deed nog geen vlieg kwaad.' Patrick praat met stemverheffing.

'Ik weet het niet, Patrick. Ik vind het ook moeilijk om te geloven, maar ik had ook nooit verwacht dat jouw vader ertoe in staat was twee mensen te kidnappen en ze op te sluiten in een kelder. Hier is je thee.' Willem schuift een kopje over het tafelkleed naar zijn kleinzoon.

'Dat is waar,' zegt Patrick zonder zijn kopje thee aan te raken. 'Maar dat is iets heel anders dan verkrachten. Moet je eens kijken naar die arrogante foto van die meid. Ze vindt zichzelf heel wat!'

'Nou, nou, die heeft ook wel wat meegemaakt, hoor Patrick.'

'Ze heeft mijn vader vermoord, opa. Jouw zoon. Dat wijf hoort in de gevangenis.'

'Dat ben ik met je eens, jongen. Zelfs als je vader gedreigd zou hebben haar te verkrachten, dan nog blijft het ronduit misdadig om hem dan maar te vermoorden.'

'Van mij mag ze levenslang krijgen,' zegt Patrick. 'Weet je, opa, ik ben er steeds meer klaar mee. Overal waar ik kom word ik erop aangekeken dat mijn vader die mensen heeft ontvoerd en die Maya zogenaamd wilde verkrachten. Als ik mijn naam zeg, vragen ze gelijk of ik "de zoon van" ben en krijg ik meewarige blikken. Dat zij mijn vader heeft vermoord, daar hebben ze het niet over. Ik denk dat het beter voor me is als ik een tijdje het land uit ga of zo.'

Willem kijkt zijn kleinzoon indringend aan. Dit had hij eerder meegemaakt, met Bram. En toen zonder aankondiging.

'Dat meen je toch niet, hè,' zegt hij.

'Dat meen ik wél. Ik heb het gehad hier. Er is hier voor mij geen toekomst.'

'En waar wil je dan naartoe als ik vragen mag, en waar ga je dat van betalen?'

'Dat is niet zo'n probleem hoor, opa. Er zijn landen in de wereld waar jongens als ik met open armen worden ontvangen en waar ik goed betaald word. Waar ik niet onmiddellijk veroordeeld word voor iets wat ik niet gedaan heb.'

'En waar mag dat dan wel zijn?' vraagt Willem.

Patrick staat op en zucht. 'Ik stuur je wel een kaartje, opa. Ik moet er weer vandoor.'

'Nu al?' vraagt Willem, maar Patrick loopt de woonkamer uit en de gang in.

Willem loopt hem moeizaam achterna en legt bij de voordeur die Patrick al open heeft gedaan zijn hand op zijn schouder.

'Zomaar ineens, van de ene op de andere dag? En het huis aan de Prinsengracht dan?'

'Jij hebt toch de reservesleutel, opa? En ik blijf niet eeuwig weg.'

'Doe geen dingen waar je spijt van krijgt, jongen,' zegt Willem bezorgd.

Patrick draait zich half om en kijkt zijn grootvader aan. Zijn blik is veranderd. Het zijn doffe, lege ogen die Willem aankijken.

'Als ik terugkom hoop ik voor die meid dat ze nog in de gevangenis zit,' zegt hij. En voor Willem de kans krijgt nog iets te zeggen is Patrick al verdwenen.